CANADIAN ISSUES/THÈMES CANADIENS

Association for Canadian Studies
Association des études canadiennes
VOLUME VII, 1985

Religion/Culture
Comparative Canadian Studies
Études canadiennes comparées

PROCEEDINGS OF A CONFERENCE SPONSORED BY THE ASSOCIATION FOR CANADIAN STUDIES AND THE GRADUATE CENTRE FOR RELIGIOUS STUDIES, UNIVERSITY OF TORONTO, HELD AT THE ONTARIO INSTITUTE FOR STUDIES IN EDUCATION, TORONTO, ON MAY 23-26, 1984

COMMUNICATIONS PRÉSENTÉES LORS D'UN COLLOQUE TENU À L'INSTITUT ONTARIEN DES ÉTUDES EN ÉDUCATION, TORONTO, DU 23 AU 26 MAI 1984, SOUS LES AUSPICES DE L'ASSOCIATION DES ÉTUDES CANADIENNES ET DU GRADUATE CENTRE FOR RELIGIOUS STUDIES, UNIVERSITY OF TORONTO.

edited by/sous la direction de
WILLIAM WESTFALL, LOUIS ROUSSEAU
FERNAND HARVEY, JOHN SIMPSON

introduction
WILLIAM WESTFALL, LOUIS ROUSSEAU

CANADIAN ISSUES/THÈMES CANADIENS
ISSN 03 18-8442 ISBN 0-919363-13-x

Canadian Issues/Thèmes canadiens is a publication of the Association for Canadian Studies. It is an annual publication and features the papers and proceedings of the national conference of the Association. These conferences address an important theme or topic within the field of Canadian Studies.

Canadian Issues/Thèmes canadiens is available free of charge to members of the Association. Individual copies of this volume may be purchased for $12.00 (Cdn.). In addition to receiving *Canadian Issues* members of the Association also receive the quarterly *Newsletter* which contains articles and information that is of interest to people in the field. Members are also entitled to subscribe to the *Journal of Canadian Studies* at a reduced rate.

To become a member of the Association or to purchase copies of this volume, please write to:

The Association for Canadian Studies
544 King Edward Avenue
Ottawa, Ontario
K1N 6N5
(613) 231-3905

Québec Office
c.p. 8888, succ. «A»
Montréal, Québec
H3C 3P8
(514) 282-7784

Thèmes canadiens/Canadian Issues est publié annuellement par l'Association des études canadiennes. Y sont rassemblées les communications présentées dans le cadre du Congrès annuel de l'Association qui, chaque année, porte sur un thème différent, d'intérêt pour les études canadiennes.

Thèmes canadiens/Canadian Issues est distribué sans frais aux membres de l'Association. On peut aussi s'en procurer au coût de 12 $ l'unité. Les membres de l'Association reçoivent également un bulletin trimestriel de nouvelles et d'articles sur les études canadiennes. De plus, l'adhésion à l'Association donne droit à des tarifs d'abonnement préférentiels à la *Revue d'études canadiennes/Journal of Canadian Studies.*

Pour devenir membre de l'Association, ou pour se procurer ce volume, s'adresser à:

L'Association des études canadiennes
544, King Edward
Ottawa, Ontario
K1N 6N5
(613) 231-3905

Bureau du Québec
c.p. 8888, succ. «A»
Montréal, Québec
H3C 3P8
(514) 282-7784

The Association for Canadian Studies is grateful to the Social Sciences and Humanities Research Council of Canada and to the Department of the Secretary of State, Promotion of Official Languages Directorate, who have contributed financially to the organization of the Conference and the publication of this volume. The Ontario Department of Intergovernmental Affairs has also contributed to the organization of the Conference.

L'Association des études canadiennes tient à exprimer sa gratitude envers le Conseil de recherches en sciences humaines du Canada et le Secrétariat d'État, Division de la Promotion des langues officielles, pour leur aide financière dans la tenue du congrès et la publication de ce volume. Le ministère ontarien des Affaires intergouvernementales a également contribué à l'organisation du congrès.

Le comité d'édition a fait tout son possible pour que les sources citées par les divers auteurs soient correctement identifiées.

The editors have made every reasonable effort to assure that proper identification and acknowledgement of sources have been undertaken by the various authors in this issue.

The reproductions of paintings in Allish Farrell's paper are from the Vancouver Art Gallery and are reproduced with the kind permission of the registrar, Helle K. Viirlaid.

Les reproductions des peintures illustrant l'article d'Allish Farrell proviennent du Vancouver Art Gallery. Elles sont publiées avec l'aimable autorisation du conservateur, Helle K. Viirlaid.

Cover page/Page couverture: «Le père éternel» (Musée du Québec, Québec 18e siècle). Publié avec l'autorisation de l'éditeur officiel du Québec/Printed with the permission of l'éditeur officiel du Québec.

TABLE OF CONTENTS/TABLE DES MATIÈRES

CHAPTER/CHAPITRE 5
Religion and Nationalism: Visions in conflict/Religion et nationalisme

BILL WESTFALL — LOUIS ROUSSEAU

Introduction

Au coeur même de la différence. Aucune dimension de la vie des populations canadiennes n'aura autant servi à l'élaboration, au développement et au maintien de la diversité socioculturelle qui donne à ce pays sa tension constitutive, que le facteur religieux. On pense immédiatement à la dualité francophones-anglophones qui n'en finit plus de garder la vedette dans l'opinion publique et qui s'est construite sur l'opposition entre les catholiques et les protestants. Mais les historiens savent bien maintenant que même sous les dehors les plus unitaires qui soient, le catholicisme romain, par exemple, a servi de creuset à la résistance de la culture celtique face aux cultures française et britannique en Ontario comme au Québec. Faut-il mentionner aussi la longue résistance des sociétés amérindiennes et inuit qui placent aujourd'hui sur la scène publique l'affirmation de leurs mythes et rituels traditionnels associés à ceux du christianisme.

Et pourtant. Ne faudrait-il pas relever, comme en contrepoint, l'immense travail de construction d'une unité "nationale" auquel se sont livrées les Églises chrétiennes par leurs efforts de remembrement institutionnel et leur appui à l'État fédéral lors des grands conflits armés du vingtième siècle? Avec les effets ambigus que l'on sait.

Religion, culture, société. Au moment où les analystes commencent à peine à soupçonner l'importance du premier de ces termes pour l'interprétation du présent et de l'avenir de nos sociétés, l'Association des études canadiennes a décidé de susciter la rencontre entre spécialistes des "études québécoises" et des "études canadiennes" pour faire le point à propos d'un certain nombre de dossiers: religion et dynamique sociale, art et religion, et identité culturelle. Huit ans après la publication d'un recueil d'articles réunis par Peter Slater et publié par la Corporation canadienne des sciences religieuses sous le titre de *Religion and Culture in Canada/ Religion et Culture au Canada,* voici donc un nouvel ensemble de travaux, à l'architecture plus systématique, qui souhaite contribuer à l'instauration d'un véritable champ d'études comparatives portant sur la dimension religieuse d'ici. Mais où en sont les travaux au Canada anglais comme au Canada français?

In order to understand the general pattern of the study of religion in English Canada one must address, at least briefly, the role of religion in English Canadian society and the place of religion within English Canadian academic institutions. One does not need to belabour the point that the social context that surrounds a subject and the structure that informs a methodology shape profoundly the character of one's study. In this case however, these contexts assume a singular importance. In English Canada the role of religion in society and in the Universities has changed so dramatically over the last century that these contexts themselves hold the key to the general pattern. The background, in effect, reveals the character of the subject itself.

English Canadians have been at once fascinated and unsettled by the close relationship between religion, society, and culture in English Canada. At one time this relationship was seen primarily in institutional and moral terms. Visitors to English Canada, for example, were often struck by the power of certain denominations to press down upon provincial society a heavy moral atmosphere that seemed to stifle individual freedom and creativity. This same complex of institutions and moral values has become one of the very staples of English Canadian literature, so that in the novels of Robertson Davies, Hugh MacLennan, and Margaret Laurence the heroes must surmount not only the traditional obstacles to self-awareness they must also overcome the oppressive qualities of their own Protestant environment.

But the role of religion in English Canadian society is not limited to the moral impact of Protestant religious institutions. Professor Northrop Frye suggests that religion has infused Canadian culture through a different set of channels and with a considerably different result. "All nations," he states, "have a buried or uncreated ideal," and below the surface of Canadian literature, history, and art he finds a decidedly Christian vision that has informed the Canadian imagination - "the lost world of the lamb," a vision of harmony and peace that stands in opposition to the dominant materialistic assumptions of the modern century. This deeper pattern of the imagination is in certain ways confirmed by the same authors who at one level treated institutinalized religion as such a negative social force. For Davies, MacLennan, and Laurence religion provides a structure of metaphors that serves as a means of liberating the central characters from the very prison house that religion seems to have done so much to create.

The relationship between religion and society, then, is played out at a number of different levels - the institutional, the cultural, and the psychological - through both the external and internal dimensions of English Canadian life. The balance between these levels, however, raises another important question. The visitor who commented upon the strength of religious institutions in Victorian Ontario would find little evidence of their power were he to return to Ontario at the present time. The Gothic monuments that at one time proclaimed the power of the sacred now seem to testify only to its absence. And yet the process of institutional decline does not necessarily mean that religion has ceased to play an important social role.

The famous Massey Report on the arts, letters, and sciences in Canada speaks in a very interesting way to the changing place of religion in English Canadian society. The Report tended to glorify what it saw as a richer and more simple life. It looked back with nostalgia to an era in which religious institutions served as both the spiritual and cultural centres of Canadian life. It also realized that such an age could not be regained, so it offered nationalism, art, and education (and a host of new cultural institutions) as the modern surrogates that could fulfill the roles in a secular world that religion once served in another age. Religion, wearing new clothes, would still shape our lives but it would do so from a distance — buried within secular theologies and working through a variety of quasi-religious structures and cultural forms.

A similar historical process has informed the academic institutions that have tried to understand and explain the role of religion in English Canadian society and culture. Over a century ago almost every university in English Canada - whether Protestant or Catholic - would have placed religion at the very centre of academic life. It was the common practice in these institutions to construct a programme of study around courses in natural history and moral philosophy. While these courses were neither theological nor dogmatic in a systematic sense, they nonetheless were thoroughly religious for they tried to integrate and synthesize the whole of a student's education by explaining the relationship between the great principles of religious belief and the moral implications of living in contemporary society. These lectures were so important that they were entrusted to the President of the university, or a most distinguished academic, in order to underline their overarching purpose as well as to establish and maintain a proper moral tone for the institution.

The bridges that the nineteenth century university tried to build between the sacred and the secular were undermined by a complex of intellectual and institutional developments. At one level Darwinian science seemed to remove the secular world from sacred control, or worse still to place it under the control of a supreme intelligence who seemed to work according to decidedly unchristian principles. More importantly, the general secularization of the university broke knowledge into professions and disciplines, removed religion from its central place, and challenged, at least institutionally, even the possibility of synthesis and integration. The very thought of a modern university President attempting the task that was given to his Victorian predecessor simply confirms the distance that has come to separate these two worlds.

In the new University, the study of religion did not disappear; rather it retreated into its own proper sphere. It was reserved for students of theology and became another type of specialized knowledge that was useful for those who had chosen a certain type of career. From within this sphere many studies were undertaken that tried to explain, for example, the history of religion in English Canada. Primarily biographical and denominational in character this work continued the Victorian tradition of trying to trace God's work in the world. But the world did not seem to listen. The mainstream of academic life was becoming almost aggressively secularist in its understanding of time and place. Religion was relegated to the second rank, at best another social factor to be considered alongside politics, economics, class structures, and ethnicity.

The outcome of these processes has presented a peculiar and distressing situation in English Canada: while many have begun to acknowledge the singular importance of religion in the development of English Canadian society and culture, the secular limitations placed upon knowledge and academic institutions have put religious scholarship in English Canada at a particular disadvantage. One needs to uncover not only the "buried ideal" but also to retrieve and develop ways of doing justice to this religious dimension once it has been found. This collection of essays tries, in a very preliminary way, to address both features of this situation.

Certains lecteurs moins habitués à la scène universitaire québécoise contemporaine seront peut-être surpris d'apprendre que l'on puisse porter un diagnostic assez voisin quant à l'état de l'étude de la religion dans cette société si longtemps perçue comme régie de l'intérieur par un appareil religieux et sa vision du monde. Et pourtant le fait est là. Depuis deux décennies un interdit semble être tombé sur l'OBJET. Indice particulièrement révélateur de la situation, le colloque convoqué en octobre 1981 pour célébrer le vingt-cinquième anniversaire de l'institutionnalisation des sciences humaines au Québec ne consacrait aucun de ses bilans thématiques à la question religieuse et n'avait d'ailleurs pas jugé pertinent d'inviter aucun des spécialistes oeuvrant dans le domaine. La déclérícalisation de la société, la sécularisation rapide des mentalités, la fin de la régulation théologique du discours normatif ont implanté un véritable point aveugle dans le champ de conscience des sciences humaines contemporaines au moment même, d'ailleurs, où elles jetaient le meilleur de leurs énergies dans la constitution du Québec comme objet épistémologique.

Mais les interdits les plus forts engendrent toujours la transgression dans les marges. Et celle-ci n'a pas manqué de s'exprimer. Il ne saurait être question de désigner ici par leur nom les coupables, à la manière des braves curés d'antan. Espérons qu'on les reconnaîtra malgré tout!

Chez les historiens, plus ou moins influencés par des sociologues, la question religieuse a été touchée par le biais d'une fascination pour l'Ultramontanisme d'abord identifié comme le grand responsable de l'opposition du Québec à la modernité libérale, puis comme le véhicule idéologique du groupe clérical sur la scène d'une lutte de classes doublée d'un conflit national. Epuisée par sa conscription au service du renouveau pastoral des années cinquante et soixante, la sociologie s'est tue, laissant à quelques marginaux le soin de s'intéresser aux nouveaux groupuscules religieux et d'ignorer le sort du plus grand nombre. Silence plus grand encore sur les recherches psychologiques, pendant que quelques anthropologues acceptaient de braver l'évidence matérialiste pour réaliser les premières études francophones portant sur les mythes et les rites des autochtones. Les historiens de l'art allaient ramasser le religieux dans la charrette du patrimoine sans trop savoir quoi faire avec cet objet omniprésent au-delà de son inscription érudite dans les catalogues de la culture matérielle.

Du côté des équipes spécialisées dans l'étude de la religion, il faut distinguer la contribution des départements de théologie de celle des groupes ayant adopté le programme des sciences humaines de la religion. Dû sans doute à son caractère normatif, la théologie s'est appliquée à redéfinir ce que devrait être la foi et la pratique chrétienne dans la société québécoise et il faudra analyser un jour son rôle dans la transformation profonde des Églises, du message religieux comme des pratiques institutionnelles depuis 1960. Mais il ne semble pas qu'elle ait contribué à l'analyse savante de la culture québécoise. Dans la situation très marginale qui leur était faite, les équipes de sciences humaines de la religion (religiologues) ont fourni une solide contribution à la description et à l'interprétation des nouveaux groupes religieux urbains d'inspiration orientale ou chrétienne ainsi qu'à l'examen critique de la situation de l'enseignement religieux. Une percée à souligner: le domaine des structures religieuses présentes dans les productions culturelles non-religieuses. Mais la marginalité se paie. La rareté des chercheurs et des étudiants gradués, elle-même reflet de la situation socioculturelle globale, a jusqu'ici interdit de constituer un véritable champ concerté de recherches.

Éparpillés dans de multiples niches institutionnelles, ne s'intéressant souvent que marginalement à la dimension religieuse de la culture québécoise, beaucoup de chercheurs ne se seront retrouvés, depuis 1970, que lors des colloques organisés presqu'annuellement par le Centre d'étude des religions populaires. Fascinés et frustrés à la fois par une problématique jamais finalement cernable, et qu'ont repercutée un peu plus tard bien des travaux de collègues français, ces universitaires de toutes disciplines ont peut-être fait le pont, par-dessus les dernières années de silence, entre l'omniprésence du religieux dans la société et le renouveau de l'intérêt universitaire dont, à sa manière, le colloque de Toronto, annonce peut-être l'arrivée.

The essays in this collection grew out of a Conference on Religion and Culture in Canada that was organized by the Association for Canadian Studies, especially the Québec bureau, and the Graduate Centre for Religious Studies at the University of Toronto. The topic provided the opportunity to bring together scholars from both French and English Canada in order to compare and exchange the results of their recent research. The structure and organization of the Conference reflected this bicultural and comparative goal. Each session paired a paper from an English Canadian scholar with one from a French Canadian scholar, with commentaries from scholars who were familiar with both academic traditions. In addition, there was a special session in which two distinguished scholars, Fernand Dumont and Richard Allen, addressed the general theme of the Conference in relation to the insights that have grown out of their truly formidable scholarly achievements. Simultaneous translation was provided at all sessions. The integration of French and English was instrumental in achieving a successful and profitable conference. Scholars from both cultures were very pleased with the interchange, and this structure might well serve as a model for future attempts to compare and absorb the insights of our colleagues who work in a different language and culture.

The Conference also provided the occasion for two other groups to hold their own meetings. To mark the occasion of the retirement of Professor John Webster Grant from Emmanuel College at the University of Toronto, a special committee organized a one day symposium on the theme of religion and nationalism in Canada. Professor Grant is without doubt one of the leading scholars in the history of religion in Canada, a man whose teaching and writing have done so much to enliven what for so long has remained a neglected field of study. The four papers that were presented at this symposium are published in a separate section in this collection. The Canadian Church Historical Society also held its annual meeting in conjunction with the general conference. Its sessions addressed the theme of religion, missions, and native cultures, and the papers from its meeting appear in the most recent issue of the Journal of that society.

A conference that included close to fifty papers and brought together over two hundred people depended for its success upon the work of many people. While the organizing and editorial committees and the national office of the Association for Canadian Studies helped to organize the Conference and prepare this publication, we must offer special acknowledgement to Agathe Camiré of the Association for Canadian Studies whose hard work and steady hand have kept this publication proceeding at a constant pace, to Muna Salloum of the Graduate Centre for Religious Studies whose diligence in the face of deadlines and deficits was truly extraordinary, and above all to Béatrice Kowaliczko whose flair and kindness enriched the whole enterprise. Her élan easily transcends all the divisions of language and culture that this Conference tried so hard to address and to overcome.

Bill Westfall
Department of History (Atkinson College)
and Division of Humanities
York University

Louis Rousseau
Département de sciences religieuses
Université du Québec à Montréal

Chapter Chapitre 1

Religion/ Culture

FERNAND DUMONT

Mutations de la culture religieuse dans le Québec francophone

Je me sens mal à l'aise d'aborder un aussi vaste sujet dans un exposé relativement bref. Au cours de ce congrès de chercheurs, les communications portent tout naturellement sur des thèmes circonscrits, qui prêtent à la vérification érudite et méthodique. Voilà que, à l'invitation des organisateurs de ce colloque, j'aurai à suggérer un vaste survol. Sans doute, ce n'est pas tout à fait inutile. Confrontés quodiennement à des problèmes limités, nous éprouvons de temps en temps le besoin de nous donner un horizon. *Horizon*, je dis bien; et non pas *synthèse*. Dans les réflexions qui suivent, je ne me fixe pas d'autre objectif. Je réunirai un foyer d'hypothèses fragiles, en m'inspirant à la fois de mes incertitudes de chercheur et de mes inquiétudes de croyant.

I

Pour y arriver, je me munirai de précautions et de considérations quelque peu théoriques, mais qui me paraissent indispensables.

D'abord, deux précautions.

La première va à l'encontre de la manière encore répandue de traiter la question qui nous occupe. De l'extérieur, on s'est fait longtemps du Québec une image singulière, pour ne pas dire folklorique. À partir de ce regard porté sur nous, et que nous reportions à notre tour sur notre propre collectivité, nous avons eu tendance à expliquer notre histoire, particulièrement notre histoire religieuse, comme un cas à part en Amérique du Nord et dans le vaste monde. Le ressentiment envers le passé qu'a suscité la révolution dire *tranquille* des années 60, au lieu de nous ouvrir à de plus larges perspectives, a contribué à renfermer dans l'enceinte du Québec l'analyse de phénomènes qui ont des sources et des répercussions infiniment plus amples. Dans la recherche scientifique et autrement, nous commençons heureusement à desserrer ces vues étroites[1]. J'aimerais en faire état.

Première précaution, d'ordre comparatif. J'en soumets une seconde, plus complexe celle-là. La religion a occupé une place si déterminante dans l'histoire de la société québécoise qu'il est tentant, une fois liquidée cette prédominance, d'en faire un domaine parmi d'autres de la recherche. Marginalité de la religion, spécialisation du travail scientifique: accepter cette collusion, la transformer en un postulat qui irait de soi, nous empêcherait de comprendre les phénomènes qui font l'objet de cette conférence.

Après tout, la religion ne s'identifie pas d'abord à une confession déterminée, catholique, protestante ou autre. La religion représente la présence de la transcendance dans toutes les sociétés. Certes, les figures de cette transcendance ont été et demeurent très variées. Le dépassement est ouverture, et les noms qu'on lui donne sont précaires, serait-ce celui de Dieu. Sans cette ouverture, aucune société ne pourrait se concevoir dans son existence. Sans cette ouverture, comment se rappeler du passé, comment envisager l'avenir, comment se conférer une identité? Comment prendre distance envers les événements qui s'écoulent ou se heurtent?

Une société n'est pas une maison bâtie à chaux et à sable où s'imbriqueraient, étroitement liés les uns aux autres, des matériaux économiques, politiques ou idéologiques. Bien sûr, la société est une réalité tangible: on peut y décompter des pyramides d'âges, des taux de natalité et de mortalité, des niveaux de revenus, des appareils de pouvoirs. Mais une société est aussi composée de représentations et de rêves qui confèrent un sens, habituellement accepté, parfois violemment contesté, à l'ensemble des personnes et des groupes qui y vivent. La culture n'est pas autre chose que la réunion plus ou moins bigarrée de ces représentations et de ces rêves.

La culture rassemble à un tel point ces représentations et ces rêves qu'elle en fait des idéologies où elle les fige. Les idéologies sont des discours dans lesquels les sociétés objectivent leur existence afin de la voir à son lointain. Un philosophe, Stanislas Breton, développe un peu cette définition trop sommaire quand il écrit: une idéologie est "une disposition d'idées, qui réflètent moins l'ordre du monde que l'objectivation d'une puissance et d'une conscience de soi, par laquelle une société (ou une communauté) affirme, face à un autre groupe dont elle se différencie et se divise, l'autonomie de son existence et de son agir[2]".

En somme, avant d'être une illusion (ce à quoi on la ramène souvent trop vite), l'idéologie est travail de la société sur elle-même, tentative pour nommer son identité, effort pour entrevoir son avenir. De sorte que toute idéologie comporte une pointe *religieuse*, au sens large que je donnais il y a un instant au mot *religion*. En effet, ce que je viens de dire des idéologies s'applique aussi bien à un banal programme politique qu'au totalitarisme soviétique, autant à la "religion civile" américaine qu'à la société religieuse que fut naguère le Québec.

Car, pour avoir paru m'en éloigner par de banales spéculations philosophiques, je n'ai pas oublié que c'est du Québec dont je dois parler. Ce bref détour était nécessaire pour assurer la perspective comparative qui tenait à mes précautions préalables; ce détour m'a paru également nécessaire pour comprendre la mutation de la culture religieuse de ce pays apparemment singulier qui est le mien.

Je me hâte d'en tirer une proposition, une thèse plutôt, qui va commander la suite de mes hypothèses. L'Église catholique a édifié l'idéologie de la société francophone du Canada. Elle en a fait une société. Pour reprendre, avec des variantes, la formule du philosophe que je citais, l'Église a construit ici "l'objectivation d'une puissance et d'une conscience de soi, par laquelle cette société a affirmé face à un autre groupe dont elle se différencie et se divise, l'autonomie de son existence et de son agir". La société québécoise n'a pas seulement subi le pouvoir religieux; elle a subsisté en tant que société religieuse. Telle fut sa conscience de soi et sa différence. J'ajoute à ce premier énoncé son complément obligé. S'il est vrai que cette société fut religieuse, ce n'est pas seulement le rôle de l'Église qui s'est effondré au cours des décennies récentes; du même mouvement, une société a perdu sa traditionnelle conscience de soi, et sans qu'elle en ait trouvé une autre.

Si ma thèse est fondée, trois questions en surgissent. La première concerne le passé: pourquoi le Québec fut-il une société religieuse? La deuxième question concerne les années récentes et plus directement encore le présent: comment cette société s'est-elle défaite et que reste-t-il de l'ancienne culture religieuse? Ces deux questions conduiront fatalement à une troisième: comment envisager l'avenir?

II

Pourquoi cette société religieuse d'autrefois?

Pour répondre adéquatement, il faudrait nous appuyer sur des recherches qui font défaut. Nous connaissons assez bien l'histoire des pouvoirs et des idéologies au Québec, encore que beaucoup de prospections restent à faire. Mais sur l'histoire du sentiment religieux, nous sommes à pied d'oeuvre, malgré les travaux du pionnier Benoît Lacroix et de quelques autres. Sur la diversité de la société québécoise du passé, sur la diversité des régions et des genres de vie, donc sur la variété des implantations concrètes de la religion, nous sommes encore plus dépourvus. Malgré tout, la thèse que j'énonçais se fonde sur des données connues.

Prenons la suite des historiens et des sociologues qui ont placé au premier rang les appareils et les pouvoirs.

À partir des années 1850, et selon une étonnante croissance par la suite (comme l'a montré Louis-Edmond Hamelin notamment[3]), le clergé québécois est de plus en plus nombreux. Présent dans les paroisses et les mouvements sociaux, il contrôle les institutions d'enseignement et les services sociaux; il contrôle aussi l'expression des idées et jusque l'institution littéraire. Cette emprise du clergé se ramifie encore par la cohorte considérable des communautés de frères et de soeurs qui, sous son égide, insinuent partout la présence de l'autorité ecclésiastique.

Ne voyons pas là simple domination. Celle-ci a existé. Mais ce pouvoir religieux s'est étendu grâce au vacuum laissé par les autres pouvoirs. La petite société originale qui a subsisté aux lendemains de la Conquête anglaise n'avait, pour seule ossature un peu ferme, que le pouvoir ecclésiastique qui lui tenait lieu d'État. C'est ainsi que le considérait le conquérant qui transigea avec l'Église en conséquence. La bourgeoisie prit par la suite le relais d'une maigre et défaillante aristrocratie en s'appuyant notamment sur un parlement; elle ne réussit pas à déloger le pouvoir ecclésiastique, qui se consolida après la rébellion de 1837-38. Cette bourgeoisie a fini, malgré des oppositions plus ou moins sourdes, par se ranger selon les paramètres établis par le pouvoir religieux.

Au surplus, les structures politiques locales ont mis du temps à s'établir: ce qui les a empêchées de faire concurrence sérieuse à la paroisse. L'État provincial créé par la Confédération a longtemps été une instance mineure, une espèce de conseil municipal agrandi. L'État fédéral, quant à lui, était lointain; des observateurs lucides et informés, Jules Fournier par exemple, ont noté à quel point la députation du Québec y participait de façon marginale dans le quotidien des enjeux et des débats[4]. L'Empire britannique dominait de loin une population que cette sujétion irritait ou laissait indifférente. On a parlé de l'"apolitisme" traditionnel des Canadiens français. L'expression me paraît inexacte: on a cherché l'État là où il ne se trouvait pas. L'État, c'était d'abord l'Église. Pourquoi en eût-il fallu un autre?

Ce résumé est trop vite tracé. On me reprochera de simplifier le tableau, de minimiser les résistances sourdes ou affirmées au grand jour qui n'ont pas cessé de se manifester au long de l'histoire. Je ne méconnais pas ces résistances. Pour évoquer un *État religieux*, je ne parle pas pour autant d'une société totalitaire; je ne veux pas ressusciter le mythe de la *priests ridden province*. Cette société fut vivante. On n'y a pas vécu seulement sous la férule; on n'y a pas méconnu les conflits. L'État laïc actuel, pourtant présent partout, ne parvient pas lui non plus à éliminer les tensions et les contradictions.

Une fois liquidé le fanatisme qui a trop inspiré certaines reconstitutions historiques hâtives au cours des années 60, une fois poursuivie plus librement l'investigation scientifique, je suis persuadé que l'on arrivera à mieux faire voir le jeu complexe de ces tensions de naguère et les mécanismes de leurs réconciliations. Pour ne citer qu'un exemple qui a valeur de préfiguration, qu'on se reporte au beau livre de Nive Voisine sur Laflèche où, en reconstituant l'enfance de celui-ci, l'auteur nous incite à penser que les conflits des idéologies doivent être ramenés, pour une part importante, aux microcosmes sociaux, aux querelles de familles et de villages[5]. Ce qui ne leur enlève pas leur portée officielle, mais fait mieux saisir, par contre, leur signification dans une société d'une texture singulière.

Insistons sur cette texture après avoir évoqué la scène des pouvoirs.

Cette société était avant tout enracinée dans des communautés locales, même dans les villes. Population parsemée sur un vaste territoire, ses moyens de communication étaient précaires; en bien des régions, la paroisse, le clocher, le curé, étaient au centre de l'existence. Voulant expliquer, par le truchement d'un conte, ce qu'est la patrie, Adjutor Rivard faisait dire à un grand-père s'adressant à son petit-fils qui l'interroge: "la patrie, c'est la paroisse, avec son Église au centre du village, les rangs des alentours; et c'est, par un élargissement progressif, d'autres paroisses pareilles..."[6]. Un mythe évidemment mais qui, comme tous les mythes, révèle au niveau des représentations abstraites, des traits de mentalité, des conceptions de l'existence et du monde.

Nous savons peu de choses sur cette vie communautaire, malgré la monographie exemplaire de Miner ou des travaux comme ceux de René Hardy, Serge Gagnon et leurs élèves[7]. Du prêtre à sa communauté, on commence quand même à soupçonner autre chose qu'un simple effet de domination; nous entrevoyons plutôt une circularité de conceptions de la vie où le curé renvoie aux fidèles ce qu'il en a reçu par ailleurs, selon une redondance des opinions où celles-ci se renforcent par cette circulation même. Faut-il souligner que la formation théologique du clergé, hâtive et peu poussée jusque dans les années 1930 et parfois au-delà, ne favorisait guère une prise de distance entre le savoir du clerc et celui de ses fidèles?

Dans l'état actuel de la recherche, on ne s'explique donc pas la *société religieuse* d'antan par les seuls mécanismes des pouvoirs. Cette société n'était pas religieuse uniquement par la prédominance de l'Église; elle l'était, si j'ose dire, par *nature*. Il reste à en explorer, et selon la longue durée, les raisons d'être. Là-dessus, Benoit Lacroix a énoncé une hypothèse de travail qui me paraît extrêmement féconde. J'en retiens une formulation récente: "1. La Nouvelle-France fut et est restée jusque vers les années 1940 l'héritière directe du moyen âge français. 2. Pour des raisons faciles à comprendre - on défriche la terre avant d'en faire un jardin -, il n'y a pas eu au Québec, ni au Canada d'autrefois, cette mutation profonde qu'on a appelée ailleurs la *Renaissance*. 3. Le peuple canadien-français ne pouvait pas être, historiquement cela s'entend, favorable à la Réforme protestante, d'autant plus que celle-ci combattait le catholicisme papal et s'exprimait en Amérique dans la langue des conquérants..." J'abrège, mais en citant aussitôt un autre passage du diagnostic: "Une religion à tendance conservatrice, bien structurée, héritière d'institutions médiévales, religion traditionnelle et coutumière au sens ethnologique du mot, essentiellement populaire, généreuse dans ses agirs, mais répétitrice et forcément tournée vers un avenir à vivre au jour le jour[8]".

Je le répète, si ce paraît utile: je n'ai fait que cerner quelque peu de la figure d'ensemble d'une société que j'ai qualifiée de *religieuse* en tant que société globale. Beaucoup reste à faire pour que nous en ayons une connaissance moins approximative. D'ailleurs, ce ne sont point seulement les recherches des historiens, des ethnologues ou des sociologues qui nous la feront mieux saisir; c'est peut-être, avant tout, l'éloignement progressif que nous prenons par rapport à la culture d'autrefois, depuis qu'elle s'est défaite, à mesure que s'en dissipe l'amer ou le tendre souvenir...

III

Il est temps, en effet, d'en arriver au présent de la culture religieuse du Québec, à la mutation d'une société religieuse.

La preuve, s'il en est, qu'il s'agissait non pas d'une société dont la religion n'était qu'un élément parmi d'autres ou encore une théocratie superficiellement plaquée sur un corps étranger, c'est la manière même dont elle a éclaté.

Au cours des années 1950-1960, nous n'avons pas assisté à de violentes contestations. L'Église s'est désistée, sans grande polémique, sans de fermes résistances, de son emprise sur l'éducation, les services sociaux, les organisations syndicales et autres. D'autant plus que des clercs ont pris, en divers domaines, la tête du mouvement. On rappelle souvent *Cité libre*, le Mouvement laïc de langue française, d'autres courants de l'époque où le procès du rôle de l'Église fut mis à jour. Mais je crois que nous ne savons pas encore l'essentiel sur cette période. Car ce fut souvent au fond des consciences, et dans la clandestinité, que se joua le drame de la remise en question de la croyance publiquement attestée. Sur ce drame, nous n'avons que de rares témoignages, dont celui de Laurendeau dans une lettre publiée tout récemment par sa fille. Laurendeau y raconte qu'ayant perdu la foi vers 1945, il a dû le cacher à tout le monde pendant plusieurs années à cause de ses fonctions de journaliste et d'homme politique[9].

Il n'y a donc pas eu de *révolution* qui expliquerait l'effritement de la société québécoise comme société religieuse. Un lent glissement l'avait compromise. À un monde en prédominance rurale avait fait place un monde plus urbanisé. Cela ne s'est toutefois pas produit selon les canons de la statistique. La première génération urbaine n'a pas délaissé d'un coup les mentalités et les traditions des campagnes. Ces mentalités et ces traditions se sont continuées en ville; elle s'y sont modifiées et réaménagées, afin de mieux durer. Incidemment, on relit là-dessus avec profit la monographie classique de Hughes sur la ville de Drummondville d'avant la guerre de 1939[10].

Le pouvoir d'en haut n'a pas relâché son emprise afin que la société réelle se manifeste. C'est plutôt la circularité de l'en-haut et de l'en-bas qui s'est trouvée ébranlée. Une ouverture a été créée, puis est devenue béante, et l'État québécois y a conquis son emprise.

Car, la montée de l'État au Québec depuis 1960 n'a été, au fond, qu'un simple phénomène de transmission de pouvoir. À mesure que nous avançons dans les années 80, ce me paraît un truisme que de le constater. D'autres pouvoirs, semblables à celui de l'État, ont d'ailleurs émergé de la même manière: ceux des syndicats et des corporations professionnelles notamment. Leurs leaders tiennent un langage d'autorité, font parfois régner une inquisition et des magistères pour le moins aussi minutieux que ceux des cardinaux d'autrefois. La transmission des pouvoirs, lorsqu'elle se fait rapidement et sans trop de heurts, est aussi transmission de symboles. Les idéologies n'ont pas contredit cette règle élémentaire: une certaine scolastique marxiste des années 60, pour proposer un tout autre contenu, s'est répandue selon des arguments d'autorité et d'orthodoxie parfaitement comparables à la scolastique thomiste que l'on m'enseignait au collège.

Donc, à considérer de près les idéologies des vingt dernières années, on n'observe pas de révolution, *tranquille* ou non. On constate plutôt des effets de transposition, que les historiens de l'avenir enregistreront comme ces vagues de surface qui cachent davantage qu'elles ne révèlent les mouvements de fond des sociétés.

La société québécoise d'antan s'était édifiée par en bas; c'est à cette profondeur qu'elle a été détruite. L'ancienne société était trop solide, trop enracinée comme je l'ai dit, dans des solidarités locales pour résister très longtemps au changement qui, de partout, travaillait l'Occident.

Prenons le cas de la famille. Décrivant les transformations de cette institution dans l'Occident moderne, Edward Shorter distingue deux mutations décisives. L'une remonterait au XVIIIe siècle, dans les principaux pays d'Occident: elle a détaché la famille des communautés plus étendues. La seconde mutation aurait commencé il y a une vingtaine d'années et elle se poursuivrait sous nos yeux. Shorter y voit deux composantes principales: "l'instabilité inhérente au couple lui-même et la perte du contrôle dont les parents disposaient sur les adolescents[11]". Le sort de la famille est un indice capital et qui éclaire bien d'autres aspects de la plus large mutation de la culture contemporaine. À l'exemple de la famille, c'est de partout que se désintègrent les formes les plus anciennes des solidarités sociales. Cette mutation a atteint la société québécoise plus brusquement que dans beaucoup d'autres sociétés; elle s'est produite sur un terrain mal préparé à la subir. Mais les conséquences sont, en définitive, partout les mêmes.

Que devient dès lors la culture religieuse?

Elle ne peut, dans ce contexte, que traverser elle-même une mutation radicale. Au ras du sol, elle n'a pas disparu; mais elle a éclaté dans toutes les directions. De ces voies d'éclatement, j'en retiens trois que je ne pourrai décrire que d'une façon très sommaire.

La première, la plus évidente, se traduit dans la multiplication des sectes, aussi bien à l'intérieur qu'à l'extérieur de l'Église catholique. Pourquoi s'en étonner? Là où la société globale fait défaut, là où les larges communautés sont devenues des organisations trop structurées au regard de la mouvance des consciences et des opinions, des regroupements plus variés prennent la suite, tantôt parce qu'ils semblent donner une satisfaction à une quête plus intime, tantôt parce qu'ils offrent des alternatives de croyances à l'encontre des orthodoxies monolithiques. Incidemment, gardons-nous de limiter ce phénomène à l'inventaire, déjà considérable, des sectes et mouvements qui ont vitrine officielle; le phénomène atteint même les croyants qui fréquentent les Églises tout en gardant leur quant à soi.

Selon une deuxième direction, qui n'est pas étrangère à la précédente, les anciens supports de la culture religieuse n'ont pas disparu; ils changent de portée et de sens. Ainsi, surtout dans les milieux populaires, la paroisse demeure un lieu important de rassemblement. Je connais des gens qui ne pratiquent plus ou qui ne pratiquent guère et qui pourtant, participent activement aux oeuvres et aux associations paroissiales. Sur cette persistance, qui est aussi une mutation de la paroisse, M. Courcy a réuni dans une thèse copieuse de suggestives observations. Je soupçonne d'ailleurs que ce qui vaut pour la paroise concerne aussi la famille. Les recherches empiriques manquent sur ce point. Mais, si je me fie à des observations personnelles et à celles de gens que je connais, la rupture de l'héritage religieux n'est pas aussi abrupte que l'on pourrait croire. Dans la famille, l'héritage religieux ne se transmet pas de façon aussi assurée qu'autrefois; cependant, la distance entre générations ne s'identifie pas nécessairement avec le conflit. Il arrive fréquemment que parents et enfants, à cause justement de la distance, engagent des dialogues plus nets et plus profonds que naguère. Cela ne fait pas des pratiquants plus nombreux; cela porte souvent plus loin l'interrogation religieuse.

J'en arrive ainsi à la troisième direction que je veux retenir: le désistement des lieux communautaires a déporté l'individu vers lui-même. À ce propos, les sociologues et d'autres spécialistes parlent volontiers de *narcissisme*. Phénomène ambigu là encore. D'une part, et c'est ce qu'on en retient d'habitude, ce narcissisme engage dans le désir exaspéré de la réalisation de soi-même: la beauté, la santé, la domination d'autrui, bien d'autres formes de l'exaltation du moi. Par ailleurs, sous ces revêtements du désir ou en marge, par dégoût ou par compensation, le narcissisme fait voir la recherche plus angoissante encore d'un salut. Narcisse rôde autour de lui-même, ne perd jamais de vue son miroir, compte ses rides et ses années; mais il rêve, du même coup, d'être immortel...

Mon inventaire des directions que prend la culture religieuse d'aujourd'hui, après l'éclatement de l'ancienne, est certes incomplet et superficiel. Une fois de plus, il faut faire appel à la recherche, à des investigations pressantes et minutieuses. De mes quelques remarques, il ressort pourtant une dernière grande interrogation, et qui me ramène à mon point de départ, par un circuit obligé. Je bouclerai ce circuit en posant un dernier jalon.

IV

Au Québec, la culture religieuse se cherche au ras du sol. Comment, à un autre niveau, celui de la conscience de la société globale, le relais est-il pris par rapport à la société religieuse de jadis qui s'est effritée? En d'autres termes, par quoi sont remplacées les idéologies défuntes, quel discours est désormais possible pour que la société québécoise d'aujourd'hui se dise et se reconnaisse?

La question concerne d'abord l'Église. Celle-ci rassemble toujours des fidèles. Elle ne le fait pas seulement par ses rites mais aussi par de multiples réseaux d'animation pastorale plus ou moins connus qu'il importerait de recenser et d'étudier de près. Mais qu'en est-il du discours officiel, puisqu'il en faut un à une Église? Dans un article assez récent, la sociologue Colette

Moreux a porté un jugement troublant: on peut estimer que le poids social de l'Église "est faible parce que son langage, au sens large, est inexistant; elle n'a plus de langue spécifique, elle tente seulement de donner et de se donner l'illusion de sa survie en s'appropriant le langage d'autres définisseurs qu'elle réajuste tant bien que mal à ses finalités propres, elle est informée par les instances actuellement dominantes de la société civile. Celles-ci acceptent relativement bien que l'Église *parle* par une tolérance délibérée, et dans la mesure justement où elle se cantonne dans un langage qui n'est pas le sien[12]". Le jugement est sévère et sans doute un peu sommaire. Il comporte néanmoins un fond de vérité dans le mesure où, désistée de son ancien rôle d'ossature de la société, l'Église ne peut plus s'appuyer sur une société qui lui corresponde dans la quotidienneté; dans la mesure aussi où elle n'a pu retrouver, en si peu de temps, un autre discours qui convienne à sa nouvelle situation, à sa nouvelle recherche.

Mais il n'en va guère autrement pour la société civile. Un temps, on a cru qu'un néo-nationalisme aurait pu être le discours de la nouvelle société québécoise, la ferveur politique remplaçant la ferveur religieuse. On sait ce qu'il en est advenu au cours des dernières années. Certes, le nationalisme n'est pas disparu. Mais il n'a plus, dans les débats publics tout au moins, la résonnance qu'on a connue. Il est rentré dans la vie privée; un désintérêt se marque d'ailleurs partout envers les questions politiques. Toute une génération s'en trouve meurtrie. Il faut entendre, à ce sujet, les aveux de beaucoup d'hommes et de femmes dans la quarantaine pour qui la politique avait servi en quelque sorte de *religion* et qui se retrouvent, comme me le disait l'un d'entre eux, "orphelins et sans espérance". C'est un drame religieux celui-là aussi, si on entend toujours le qualificatif "religieux" selon la large acception que j'ai adoptée au début de mon propos[13].

Voici donc que, comme toutes les sociétés d'aujourd'hui, le Québec doit affronter les défis ultimes de la sécularisation. Celle-ci, on le sait, est un processus engagé depuis longtemps ailleurs et depuis peu au Québec. Il comporte un idéal bien connu: le remplacement de l'emprise religieuse par celle de l'État, celui-ci étant censément seul capable d'assurer la cohésion d'une société pluraliste. À un pareil mouvement, il fallait un fondement en légitimité: on l'a trouvé dans l'idée de "souveraineté" et dans diverses conceptions du progrès. En somme, pour dénier la transcendance religieuse, il a fallu recourir à d'autres figures de transcendance.

Ce qui me ramène à mes propositions initiales. Je les prolonge par des réflexions de Paul Valadier dans un remarquable article sur la sécularisation. "Nous comprenons un peu mieux aujourd'hui à quelles dures conditions l'homme émerge à lui-même: non pas en suivant simplement un processus immanent de développement mais en rencontrant un système de relations symboliques qu'il ne se donne pas (comme individu) mais qu'il reçoit. Dans ce réseau, il prend corps et langage, et c'est par la confrontation avec cette altérité, qui nécessairement le blesse, qu'il peut alors chercher la satisfaction de ses besoins, la réalisation d'un bonheur social, le progrès de ses connaissances. Mais il le fait alors dans l'aperception d'un manque insurmontable, donc d'une division d'avec lui-même qu'il sagit bien plutôt de reconnaître que de chercher à combler[14]". Voilà, parfaitement désignée, il me semble, la présence irrécusable de la transcendance dans une société qui ne se veut pas totalitaire tout en tentant de reconnaître ce qui fonde son existence. Une société, comme une personne, ne subsiste que par le dédoublement de son être empirique et de son être symbolique; une société n'émerge pleinement à l'existence qu'en trouvant dans son manque profond, dans son inachèvement, ce qui à la fois la ramène à elle-même et la confronte à une image de soi qui la dépasse. Une telle société échappe à la tentation de manipuler les personnes comme des objets et les groupes comme des mécanismes.

Cette conscience de soi, qui est conscience déchirée si elle se veut authentique, ce n'est pas fatalement une religion qui la confère. Mais cette conscience, si *profane* soit-elle, n'en est pas moins à hauteur de la conscience religieuse. Comme le dit encore Valadier, "la religion n'a-t-elle pas été, en effet, traditionnellement, cette instance marquant la distance de la société par rapport à elle-même, prescrivant un ordre de choses sur quoi l'homme n'a pas prise, dépossédant par conséquent le pouvoir de la tentation de se constituer en seule instance ultime?[15]"

Il est probable, sinon certain, que le catholicisme n'occupera plus au Québec le rôle qui fut le sien dans cette conscience de la transcendance qui est indispensable aux sociétés. De bien des horizons, au Québec comme ailleurs, viendront les réponses et les systèmes. Ils se font déjà nombreux en cette fin de siècle. On peut prévoir qu'il se multiplieront: nous n'avons pas parcouru encore tout le chemin de la mutation de la culture religieuse. Mais il est permis de souhaiter, en tant que croyant, que les Églises chrétiennes retrouvent en cette conjoncture la tradition de critique et d'espérance qui constitue le meilleur de leur héritage millénaire.

Fernand Dumont
Département de sociologie
Université Laval et
Président, Institut québécois
de recherche sur la culture

Notes

1. Exemple remarquable, entre quelques autres, de cet élargissement, l'étude récente de Laperrière, Guy. "Religion populaire, religion de clercs? Du Québec à la France, 1977-1982", dans LACROIX, Benoît et SIMARD, Jean (éd.). *Religion populaire, religion de clercs?*, Institut québécois de recherche sur la culture, 1984, p. 19-51.
2. BRETON, Stanislas. *Théorie des idéologies*, Desclée, 1976. p. 15.
3. HAMELIN, Louis-Edmond. "Évolution numérique séculaire du clergé catholique dans le Québec", *Recherches sociographiques*, 1961, 2. 189-241.
4. FOURNIER, Jules. "Notre députation", article rédigé en 1910 et reproduit dans *Mon encrier*, Fides, 1965. 147-161.
5. VOISINE, Nive. *Louis-François Laflèche, deuxième évêque de TroisRivières*, I, Edisem, 1980. Je me permets de renvoyer au long compte rendu de cet ouvrage, où j'ai peut-être un peu extrapolé à partir du récit de Voisine, dans *Recherches sociographiques*, XXII, 3, 1981. 430-433.
6. RIVARD, Adjutor. "La patrie", dans *Chez nous*, Bibliothèque de l'Action française, 1923.
7. MINER, Horace. *St. Denis. A French-Canadian Parish*, University of Chicago Press, rééd., 1967. GAGNON, Serge et HARDY, René. *L'Église et le village au Québec, 1850-1930*, Leméac, 1979.
8. LACROIX, Benoit. "Histoire et religion traditionnelle des Québécois", *Stanford French Review*, Spring-Fall, 1980. p. 21.
9. LAURENDEAU, Francine. "Mon père ce héros au sourire si doux", dans *L'incunable*, 18, 1, mars 1984, 11-15.
10. HUGHES, Everett C. *Rencontre de deux mondes*, nouvelle édition, Boréal Express, 1972.
11. SHORTER, Edward. *Naissance de la famille moderne*, trad. de S. Quadruppani, Éd. du Seuil, 1977. p. 14.
12. MOREUX, Colette. "Idéologies religieuses et pouvoir: l'exemple du catholicisme québécois", *Cahiers internationaux de sociologie*, LXIV, 1978. p. 36.
13. Dans la même ligne de réflexion, je me permets de renvoyer à mon étude: "Crise d'une Église, crise d'une société", dans DUMONT, F., GRAND'MAISON, J., RACINE, J., TREMBLAY, P. *Entre le Temple et l'exil*, Leméac, 1982. p. 11-49.
14. VALADIER, Paul. "La sécularisation en question", *Études*, nov. 1983. p. 522.
15. *Ibid.*

FERNAND DUMONT

Transformations within the Religious Culture of Francophone Québec

I feel slightly uneasy in tackling such an enormous subject within a relatively brief discussion. Throughout this conference, presentations have quite naturally dealt with specific themes which lend themselves to methodical, scholarly analysis. Here, however, I have been invited by the organizers of the conference to present a vast overview of our subject. This is probably not without its usefulness, for when we are constantly faced with specific problems, we occasionally need a view of the horizon. Note, I say *horizon*, and not *synthesis*; in the remarks that follow, I have no further ambition. I shall try to regroup a series of fragile hypotheses, working from both my incertitude as a researcher and my questions as a believer.

I

For this I have armed myself with precautions and considerations which, albeit somewhat theoretical, seem to me to be indispensable for my purposes.

First of all, two precautions.

The first runs counter to the still widely-used method of dealing with our topic. The external view of Québec has for years been that of a singular

- picturesque, even - people. This image of ourselves, that we in turn have applied to our own collectivity, has led us to explain our history in general and our religious history in particular as isolated cases within North America and the world. The resentment of the past that led to the "quiet" revolution of the 1960s did not help give us a larger perspective, but rather contributed to restricting to Québec the analysis of phenomena which have infinitely wider sources and repercussions. Happily, in both scientific and non-scientific research, we are beginning to break away from narrow views,[1] and that is worthy of mention.

My first precaution, then, was of a comparative nature. My second is more complex. Religion has been such a determining factor in the history of Québec society that it is tempting, once its predominance has abated, to make it simply another field of research. To make religion a separate, specialized field of scientific study, to reduce it to a given postulate, would prevent an understanding of those phenomena under study at this conference.

After all, religion is not primarily the embracing of a specific faith, be it Catholic, Protestant or other. Rather, it is the presence of transcendence within all societies. The representations of this transcendence have been and still are highly varied; the act of transcending oneself is an opening outward, and the names given to it are precarious, even that of God. Without this opening, no society could understand its existence; without it, how could we remember the past, conceive of the future, identify our very selves or distance ourselves from the passage and conflict of events?

A society is not a house built of cement in which economical, political and ideological materials have been agglomerated. Or course, society is a tangible reality: it can be broken down into pyramids of ages, birth and mortality rates, levels of income, apparatuses of power. But a society is also composed of representations and dreams that give a sense - usually accepted, sometimes violently disputed - to the body of people and groups that live within it. Culture is nothing more than the more or less heterogeneous reunion of these representations and dreams.

So much so, in fact, does culture amass these representations and these dreams, that it transforms them into ideologies where they become fixed and rigid. Ideologies are methods of reasoning through which societies objectify their existence in order to perceive it in the future. The philosopher Stanislas Breton enlarges upon this rather summary definition when he writes: an ideology is "an arrangement of ideas, which reflect less the order of the world than the objectification of a force and a self-awareness, by which a society (or a community) affirms, in the face of another group from which it differentiates and divides itself, the autonomy of its existence and its acts."[2]

In short, more than an illusion (which it is all too often reduced to), ideology is the work of a society upon itself, a society's attempt to identify itself and foresee its future. All ideology includes, therefore, a *religious* aspect, in the broad sense that I have given the word *religion.* If fact, my remarks on ideologies can just as easily be applied to a banal political programme as to Soviet totalitarianism as to American "civil religion" or the religious society that once constituted Québec.

For although I seem to have wandered into trivial philosophical speculation, I have not forgotten that I am to speak about Québec. My brief detour was necessary to ensure the comparative perspective mentioned in my preliminary precautions; it also seemed necessary in order to understand the transformation of the religious culture within this apparently singular land that is my home.

I present therefore a proposal, or rather an argument, which will determine the results of my hypotheses. The Catholic Church built the ideology of Francophone society in Canada, and made a society of it. To reiterate, with some variation, the formula of the philosopher I quoted earlier, the Church in Québec built "the objectification of a force and a self-awareness by which this society affirmed, in the face of another group from which it distinguished and separated itself, the autonomy of its existence and its acts." Québec society was not merely subjected to religious power; its very existence was as a religious society. Such was its self-awareness and its difference. To this first statement, I add its necessary complement: although it is true that this society was a religious one, it is not only the role of the Church that has collapsed over the last decades; in the same movement, a society has lost its traditional self-image and has not found another with which to replace it.

If my thesis is justified, three questions arise from it. The first concerns the past: why was Québec a religious society? The second deals with recent years and more directly with the present: how did this society fall apart and what remains of the former religious culture? These two questions inevitably lead to a third: how are we to envisage the future?

II

Why the religious society of former times?

For an adequate response to this question, we have to base ourselves on inadequate research. We have a fairly good knowledge of the history of power and ideologies in Québec, although much remains to be learned. On the history of religious sentiment, however, we are just now starting to make progress, despite the pioneering work of Benoît Lacroix and a few others. Even less is known of the diversity of former Québec society and the diversity of regions and lifestyles; thus of the variety of concrete implantations of religion. Nevertheless, my thesis is based upon known data.

I shall follow the example of the historians and sociologists who have given precedence to apparatuses and powers.

Starting in the 1850s and increasing with astonishing rapidity from then on (as demonstrated by Louis-Edmond Hamelin particularly),[3] the clergy in Québec were more and more prevalent. In parishes and social movements, they controlled educational institutions and social services; they also controlled the expression of ideas and even literature. The clergy's hold was strengthened still more by the numerous communities of brothers and sisters which, under its auspices, spread ecclesiastical authority everywhere.

This was no simple domination - although that did exist. But this religious hold was able to exist because of the vacuum left by the other powers. The original small society that existed after the English conquest has only the Church in guise of some kind of structure, of some kind of state. It was, in fact, considered as the state by the conquerors, who dealt with it as such. When the bourgeoisie took over from a weak aristocracy, establishing a parliament, they still could not diminish the power of the clergy, which consolidated after the 1837-1838 rebellion. Despite a more or less vocal opposition, the bourgeoisie ended by remaining within the parameters established by the religious authorities.

Moreover, local political structures were slow to establish themselves, and thus were not a serious threat to the parish. The provincial State created by Confederation for long remained a minor authority, a kind of glorified municipal council. And the federal State was far away; lucid and informed observers such as Jules Fournier noted just how little the Québec delegation took part in the daily practices of debate and bargaining.[4] The distant British Empire dominated a population that when not irritated by, was indifferent to its subjection. One spoke of the traditionally "apolitical" French Canadians. The term seems to me to be inaccurate: its users were looking for a State where there was none. The State was above all the Church - so what need was there for any other?

This resumé is too sketchy; you will accuse me of simplifying the picture, of minimizing both the spoken and unspoken resistance that have appeared throughout Québec's history. I do not underestimate these movements of resistance. When I speak of a *Religious State*, I do not imply a totalitarian society, nor do I intend to revive the myth of a priest-ridden province. For this society was a living, breathing one. They did not live exclusively under an iron rule; nor was conflict lacking. Today's secular state, albeit omnipresent, nonetheless cannot succeed in eliminating tensions and contradictions.

Once we have done away with the fanaticism which inspired certain hasty historical reconstructions during the 1960s, and once scientific investigation is more freely conducted, I am convinced that we will succeed in better detailing the complicated pattern of former tensions and the mechanisms of their reconciliations. To cite but one example of a prophetic value, I would like to turn to Nive Voisine's excellent book on Laflèche in which, when describing his childhood, the author leads us to believe that ideological conflicts must be reduced, for the most part, to social microcosms, to family and village quarrels.[5] This takes nothing away from their official impact, but rather helps us to understand their significance within a separate and singular society.

We shall go back to this singularity after looking at the arena of power.

This society was above all rooted in local communities, even within the cities. The population was scattered over a vast territory and its means of communication were fragile; in many regions, the parish, the church steeple and the curé were at the very centre of existence. In trying to explain, by the bias of a story, what exactly is meant by "home", Adjutor Rivard had a grandfather reply to his grandson: "Home is the parish, with its church in the middle of the village, the country roads all around; and moving progressively outwards, it is other parishes just like ours..."[6] A myth, of course, but which, like all myths, reveals through abstract images the reality of mentalities, and of ways of perceiving existence and the world.

We know little of this community life, despite Miner's admirable monograph or the work of René Hardy, Serge Gagnon and their students.[7] Between priest and community, we are finally beginning to suspect a more complicated relationship than that of simple domination; rather, we perceive a circular idea of life in which the curé would pass on to the faithful that which he had received from them through a redundancy of opinions which were reinforced by this same circulation. It is hardly necessary to point out that the hasty, rudimentary training received by the clergy up until and even after the 1930s scarcely made for a great difference between the knowledge of the curé and that of his flock.

In the present state of research, the *religious society* of former times is not fully explained by the mechanisms of power. This society was not religious through the predominance of the Church alone; it was religious, if I may say so, by *nature*. The long-lasting reasons for being remain to be explored. On this, Benoît Lacroix suggests a working hypothesis that I find extremely fertile. The following is a recent interpretation of it: "1. New France remained up until the 1940s the direct descendent of the French Middle Ages. 2. For reasons easily understood - the ground has to be cleared before the garden is planted - neither Québec nor Canada experienced the major transformation that elsewhere was called the *Renaissance.* 3. Historically, the French-Canadian people could not be favorable to the Protestant Reform, all the more so since it fought Papal Catholicism and spoke in the language of the conqueror..." I have abridged, but continue with another passage from his argument: "A religion of conservative tendencies, well-structured and the descendent of medieval institutions, a religion traditional and customary in the ethnological sense of the term, essentially working-class, generous in its actions, but repetitive and inevitably turned toward a future to be lived from day to day."[8]

I repeat, since it seems useful, that I am merely defining within the overall picture a society that I call *religious* as a global society. Much remains to be done before we have a less approximate knowledge. Moreover, it is not only the research of historians, ethnologists and sociologists that will lead to a better understanding; it is perhaps most of all the increasing distance we take with respect to the former culture, and the resulting dissipation of the bitter or tender memories we have of it...

III

It is time to turn to modern religious culture in Québec and the transformation of a religious society.

The proof, if proof exists, that this was not a society in which religion was merely one element among many others or a theocracy superficially attached to a foreign body, is the very way in which it fell apart.

There were no violent confrontations between 1950-1960. Without a great deal of controversy or resistance, the Church withdrew its hold on education, social services, labour and other organizations. In several instances, the clerics were at the head of the movement. In *Cité libre*, the *Mouvement laïc de langue française* and other manifestations of the day, the role of the Church was tried and updated. However, I believe that we have yet to learn the essentials of this period, for it was often in the bottom of one's heart and in secrecy that the drama of questioning the publicly attested faith was played out. And on this drama we have only a few testimonies, among them that of Laurendeau in a letter recently published by his daughter. Laurendeau describes how, having lost his faith around 1945, he was forced to hide the truth for several years because of his work as a journalist and a politician.[9]

There was not, therefore, a *revolution* that would explain the falling apart of Québec society as a religious society. It had been compromised by a gradual falling off. A predominantly rural world gave way to a more urbanized world - not, however, in accordance with the canons of statistics. The first urban generation did not immediately abandon the mentality and traditions of the country; these continued in the city, becoming gradually modified and rearranged so they could better survive. Incidentally, this was also discussed in Hughes' classic monograph on the town of Drummondville before the war of 1939.[10]

The power from above had not released its hold so that the true society might reveal itself; rather, the circularity of above and below were shaken up, and an opening was created. The opening widened, and the Québec State shook free.

For the rise of the State in Québec since 1960 has really been no more than a transfer of power. As we advance into the 1980s, it seems truistic to even have to mention this. Other powers, similar to those of the State, emerged in the same way: those of labour unions and professional corporations in particular. Their leaders speak the language of authority, and can be every bit as inquisitional and doctrinarian as were the cardinals in their day. A transfer of power, when conducted rapidly and relatively smoothly, is also a transfer of symbols. Ideologies have not contradicted this elementary rule: in the 1960s a certain Marxist scholasticism, in arguing for a change of scholastic content, based itself on arguments of orthodoxy and authority that would have been perfectly compatible with the Thomist education I received in college.

Thus if we look closely at the ideologies of the last twenty years, we find no revolution, *quiet* or otherwise. Instead we observe the effects of transposition, which future historians will record as surface ripples that hide, more than they reveal, the fundamental movements of societies.

The old Québec society was built from the ground up, and it was destroyed at its base. The old society was too solid, too rooted in local solidarities, to resist for very long the changes being worked throughout the Western world.

Take the case of the family. Describing transformations within this institution in the modern Western world, Edward Shorter distinguishes two decisive changes. One traces back to the eighteenth century in major countries of the West: it separated the family from the larger community group. The second began some twenty years ago and continues today. In it, Shorter sees two principal components: "the inherent instability of the couple itself and parents' loss of control over adolescents."[11] The fate of the family works as a capital index and reveals several other aspects of the wider transformation in contemporary culture. As with the family unit, the most ancient forms of social solidarity are disintegrating. This phenomenon has affected Québec society more abruptly than it has several other societies; it took place on ground that was ill-prepared to withstand it. But in the end, the results are the same everywhere.

What will become of religious culture?

Within this context, it can only go through a radical transformation itself. At ground level it has not disappeared, but it has broken out in all directions. I would like to briefly discuss three of these.

The first and most obvious is seen in the proliferation of sects, both within and without the Catholic Church. And why be surprised? There, where the global society falls short, where large communities have become too structured with regard to spheres of conscience and opinions, more varied groups take up the reins, sometimes because they seem to satisfy a more intimate quest, sometimes because they offer alternative beliefs in the face of monolithic orthodoxy. In passing, I would not like to restrict this phenomenon to the already considerable inventory of sects and movements that are officially recognized; the phenomenon even affects believers who frequent churches while maintaining their reserve.

Following a second direction which is not unrelated to the first, we see that the former structures of religious culture have not disappeared, but changed their range and meaning. Thus, especially in working-class environments, the parish remains an important meeting place. I know people who no longer practise or scarcely so, yet who still take an active part in parish works and associations. On this, which is also a transformation within the parish, Mr. Courcy has compiled several suggestive observations within his thesis. I suspect that what applies to the parish can also be applied to the family, although empirical research falls short on this subject. But if I follow my own and others' personal observations, the rupture of religious heritage is not as abrupt as one might be led to believe. Within the family, religious heritage is not passed on as strongly as in other times; however, the distance between generations should not necessarily be identified with conflict. Frequently, parents and children engage in more profound and more honest dialogue than in the past, precisely because of this distance. This does not make for more church-goers; it does make for more thoughtful religious interrogation.

I now come to the third direction: the decrease in community meeting places has caused individuals to withdraw into themselves. Sociologists and other specialists speak readily of *narcissism*. But this is ambiguous. When one thinks of narcissism, one thinks of the exaggerated desire for self-realization: beauty, health, mastery of one's environment, and other forms of self-worship. Beyond these manifestations, either through disgust or compensation, narcissism is the painful search for salvation. Narcissus was obsessed with himself, constantly counting his wrinkles and his years in an ever-present mirror; but at the same time, he dreamt of immortality...

My inventory of the directions religious culture is taking today, now that the old order has fallen, is, of course, incomplete and superficial. Once again, more detailed investigation is desperately needed. One last question arises from my remarks and brings me back to my starting point by a necessary circuit. With one last step, I will complete the circuit.

IV

In Québec, religious culture is sought at the base. But at another level that of the consciousness of the global society - what has been done to replace the former religious society? In other words, what has come to replace the defunct ideologies, what discourse identify itself?

The question concerns the Church first of all, which still regroups the faithful, bringing them together not only through ritual but also by several networks of pastoral activity that it would be useful to take stock of and study more closely. But what of the official discourse, since official discourse is necessary to a Church? In a fairly recent article, sociologist Colette Moreux passed a disturbing judgement: one can estimate that the social weight of the Church "is weak because its language, in the larger sense, does not exist; it no longer has a specific language, but attempts only to give and receive the illusion of its survival by appropriating the language of others which it re-adapts with more or less success to its own ends; it is informed with the dominant influences of the secular society of today. Thus it is accepted, with deliberate tolerance, that the Church *speaks*, insofar as it confines itself to a language that is not its own."[12] The judgement is harsh and doubtless a bit summary. It does include a basis of truth, however, in that, deprived of its former role as the backbone of society, the Church can no longer base itself on a society that corresponds to it in its daily life; in that, too, it has not yet been able to find a language suited to its new situation and new search.

But the situation is scarcely different for the secular society. For a while it was thought that the new nationalism could be the discourse of the new Québec society, political fervor replacing religious fervor. But we have seen what has happened over the last few years. True, nationalism has not disappeared. But, in public debate at any rate, it no longer is voiced with its former resonance. It has withdrawn into private life, and everywhere, political issues meet with indifference. An entire generation has become disenchanted. For several men and women in their forties, politics had served as a kind of *religion*; they now find themselves, as one describes it, "orphans of hope." This, too, is a religious crisis, if we continue to use the term "religious" in the broader sense that I have adopted from the beginning.[13]

Thus, as in all societies today, Québec must face up to the ultimate challenges of secularization. The process has been under way for a long time elsewhere, for not so long in Québec. It includes a well-known idea:

the replacement of the religious hold by that of the State, the latter being considered the one force capable of ensuring cohesiveness within a pluralist society. Within such a movement, it was necessary to find a legitimate foundation: this was provided by the idea of "sovereignty" and other concepts of progress. In short, in order to deny religious transcendence, other figures of transcendence had to be found.

This brings me back to my initial proposals. I will elaborate upon them with Paul Valadier's remarks in his excellent article on secularization. "We have a better understanding today of the difficult conditions facing man as he evolves: not in simply following an imminent process of development but in encountering a system of symbolic relations that as an individual he does not choose, but receives. In this network, he assumes shape and language, and it is through the confrontation with this otherness, which is necessarily painful, that he can seek the satisfaction of his needs, the achievement of his social happiness, the development of his knowledge. But he does this in the awareness of an insurmountable emptiness, thus a separation from himself that has to be recognized rather than overcome."[14] This to me seems a perfect indication of the indisputable presence of transcendence in a society that does not want totalitarianism and seeks to find the meaning of its existence. A society, like a person, only exists by separating its empirical being from its symbolic being; a society only merges fully with existence by finding within its profound emptiness, its incompletion, that which both brings it face to face with itself and with an image of itself that goes beyond it. Such a society escapes the temptation to manipulate people as if they were objects and groups as if they were machines.

This self-awareness, which is a troubled awareness when authentic, is not inevitably conferred by a religion. But this consciousness, no matter how *profane* it may be, is nevertheless comparable to religious consciousness. As Valadier says, "religion was, traditionally, the authority marking society's distance from itself, prescribing an order that man had no hold upon, and consequently depriving the powers of the temptation to constitute one single, ultimate authority."[15]

It is likely, if not certain, that Catholicism will no longer play its former role in Québec within the awareness of transcendence that is vital to societies. In Québec, as elsewhere, answers and systems will come from several horizons; now, towards the end of our century, they are already manifold. And we can predict that they will become even more so: we have yet to travel the entire path of the tranformation of religious culture. But as a believer, it is permissible to hope that Christian churches will rediscover the tradition of criticism and hope that constituted, the best of their age-old heritage.

Fernand Dumont
Department of Sociology
Université Laval and
President, Institut québécois
de recherche sur la culture

(translation: Susan Rodocanachi)

Notes

1. A remarkable example among others of this widening is Guy Laperrière's recent study, "Religion populaire, religion de clercs? Du Québec à la France, 1977-1982," in Benoît Lacroix and Jean Simard (pub.), *Religion populaire, religion de clercs?* (Institut québécois de recherche sur la culture), 1984, pp.19-51.
2. Stanislas Breton, *Théorie des idéologies* (Desclée, 1976), p.15.
3. Louis-Edmond Hamelin, "Évolution numérique séculaire du clergé catholique dans le Québec," *Recherches sociographiques* (1961), 2, pp.189-241.
4. Jules Fournier, "Notre députation," written in 1910 and reproduced in *Mon encrier* (Fides, 1965), pp.147-161.
5. Nive Voisine, *Louis-François Laflèche, deuxième évêque de Trois-Rivières*, I (Edisem, 1980). Please refer to my rather long account of this work, where I have perhaps extrapolated from Voisine's tale, in *Recherches sociographiques*, XXII, 3, 1981, pp.430-433.
6. Adjutor Rivard, "La patrie," in *Chez nous*, Bibliothèque de l'Action française, 1923.
7. Horace Miner, *St. Denis. A French-Canadian Parish* (University of Chicago Press, republished 1967). Serge Gagnon and René Hardy, *L'Église et le village au Québec, 1850-1930* (Leméac, 1979).
8. Benoît Lacroix, "Histoire et religion traditionnelle des Québecois," *Stanford French Review*, Spring-Fall (1980), p.21.
9. Francine Laurendeau, "Mon père ce héros au sourire si doux," dans *L'incunable*, 18, 1 (March 1984), pp. 11-15.
10. Everett-C. Hughes, *Rencontre de deux mondes*, new edition (Boréal Express, 1972).
11. Edward Shorter, *Naissance de la famille moderne*, transl. S. Quadruppani (Édition du Seuil, 1977), p.14.
12. Colette Moreux, "Idéologies religieuses et pouvoir: l'exemple du catholicisme québécois," *Cahiers internationaux de sociologie*, LXIV (1978), p. 36.
13. Along the same lines, please refer to my study, "Crise d'une Église, crise d'une société," in F. Dumont, J. Grand'Maison, J. Racine, P. Tremblay, *Entre le Temple et l'exil* (Leméac, 1982), pp. 11-49.
14. Paul Valadier, "La sécularisation en question" *Études* (Nov. 1983), p. 522.
15. Ibid.

RICHARD ALLEN

Providence to Progress: The Migration of an Idea in English Canadian Thought

From Providence to Progress. In European terms the transition in modern thought that runs from Bossuet to Condorcet, from Bishop Ussher to Charles Darwin has long been a commonplace. Canadians, if they have any acquaintance with the subject, have taken it after a fashion as their story, too, without being very concerned to clothe it in Canadian garb. Providentialism, we have long known, was central to the dramatization of what being French and Catholic in the valley of the St. Lawrence was all about. But until this past generation, it has been possible to read Canadian history as though English Canadians had avoided that apparent irrationality. We were above all that. Now we know better. Sidney Wise, Goldwin French, George Rawlyk, Jack Bumsted, William Westfall, John Grant and John Moir, to mention a few who have explored the ideas of the reigning clerical intelligentsia of our formative decades, have focused a shaft of light on God's other peculiar peoples in British North America.[1]

Providentialism was the Hebraic-Christian theory of God's care for his creation, of his superintendance of nature, of his guiding hand in human history, and of his provision for the needs of his people, whatever the adversity they might experience. The model was always the chosen people of Israel - chosen not because of any merit or special power, but to be a vehicle for the restoration of an erring mankind.[2]

There were at least three major versions of the providential idea in British North America - one French, one Maritime, and one Upper Canadian. All were intimately linked to the new world of the Americas. The French model with its elaborate parallels to the Biblical story told of a people with their patriarchs led to a new land where they would be a beacon of hope to the old civilization. Believing the hand of Providence, in the form of the British Conquest, had spared them the ravages of the French Revolution, they came to think of themselves as the bearers of a purified Catholicism to an apostate Christendom.[3]

The most accessible Upper Canadian version was articulated by John Beverly Robinson in that little attended classic, *Canada and the Canadian Bill* published in 1840. A superior intelligence had ordained that the Americans should rebel before their continued growth in numbers and trade would have enabled them to sweep all the British North American colonies into revolt and independence. Geography providentially precluded the further union and independence of the British North American colonies. Hinged around the St. Lawrence system with its beauty, utility and salubriousness, the BNA colonies were "happily situated...for the purpose of perpetuating British dominion in North America "enjoying" a constitution and laws better calculated than those of any other country to secure the best interests and provide the happiness of the human race."[4]

Robinson, of course, was the student of John Strachan, Bishop of Toronto, whose complete providentialism was spread through the region by his clerical cadre. Strachan, like most of his contemporaries believed in a great chain of being which, with its hierarchy of creatures, each of which found fulfilment in its own station, was a metaphor for society. Restless striving beyond ones level brought anxiety and distress. Whatever befell individuals and nations was a product of human action and God's moral governance, and should be accepted for the lessons taught. A person's best duty was to attend to the practical matters and reciprocal obligations of an organic and hierarchic society. To concern oneself with the future outcome of events was evidence of doubt, not faith. Although Strachan could anticipate material and social improvement, there was no redemption or perfection toward which history moved.

Strachan's thought, however, was caught between the Greek assumptions of the chain of being that perfection lay beyond time, and the Hebraic assumptions of providentialism that God's will would somehow prevail. He could not refrain from concluding, therefore, that the British were God's chosen nation, in "whose written institutions are contained elemental principles for the gradual regeneration of mankind and the purification and extension of true religion." In the wake of British influence, a "Universal Empire of Religious Opinion," Strachan thought, would replace the present "Universal Empire of Arms."[5]

The Strachan/Robinson providential view of British North American history may be taken as the classic English-Canadian version of that great idea. It was shared by Bishop Mountain in Lower Canada and Bishop Inglis in Nova Scotia - and by the followers of both. It was essentially a static conception of both nature and society, an expression of those who, if they were not wholly satisfied with the world as it was, were engaged in a momentous struggle to preserve an established - and to them - proven sense of order in a world of revolution, and rumours of war.

Its elements were reasonably clear: a transcendent God as the source of order; the cosmos as a great chain, which, after Alexander Pope, one link broken, the whole collapses; history as God's design; the constitution as an ideal balance of King, Lords and Commons; society a hierarchy; the individual subordinate to class; state oversight of economic life; and the whole superintended and suffused by an established church legitimating all and charged to instruct governors and governed alike in the propriety of this old whig cum Tory arrangement.[6] Tory providentialism, as we know, would not - and could not - last as the reigning model of British North American development. Glance forward to the progressive world view a century later and all seems to have changed; yet on closer examination the imprint of providentialism is clear in the latter day progressives - a testimony to the resilience and adaptability of central religious concepts in Canadian history.

Transformation there was, however, and it began in *some* respects on the ground inhabited by Strachan and Robinson themselves. *All* was not *stasis* in their great scheme. God insisted on meddling in details; the chain of being assumed a creativity that filled the earth with beings of every possible description; God was working his will in history; the balanced constitution was not yet worked out, for both Strachan and Robinson struggled with the problem of a natural aristocracy in a new land, and laid that mantle on the middle class, whose aggressiveness they vastly underestimated. The North American environment, they knew, threatened their sense of settled social order on every side, and Robinson was already, in the 1830's in the face of religious diversity, projecting the establishment of religion in general rather than a single church.[7]

It could be said that these sidelights of the classic version were to become the beacons in the great transition from Providence to Progress in Canada in the nineteenth century. Central to that transition, however, was the evangelical revolution, which in Canada did for the industrial middle class (but not them only) what Calvinism had done for the commercial class of the 17th century.

English and American Methodists in the Maritimes and the Canadas, Free Kirk Presbyterians from Scotland, and Baptists from New England provided the base of the evangelical challenge to Tory providentialism. What is at first confusing is that they too espoused a providential world view. This is most explicit in the case of Henry Alline and the New Light movement of the 1770's in Nova Scotia. Their exodus from New England twenty years earlier was viewed as a providential act separating them from an erring people whose many signs of infidelity were now capped by resort to arms. The British were equally judged, and outbreak of revival in Nova Scotia was viewed as God's transferrence of the mission of New England to a new visible community of the faithful who would be a sign to the nations of the way ordained by God, a centre of order in a disordered world. In the reflected light of revival, all Nova Scotia was seen as a "people highly favoured of God."[8]

Egerton Ryerson's Upper Canadian Methodist loyalism was also cast in terms of a dynamic and uninhibited Providence. Despite a flirtation with William Lyon Mackenzie, in outward form there would be little he would change in Robinson. As the son of Colonel Joseph Ryerson, former High Sheriff of Norfolk, he - like Alline - did not contest the social hierarchy of the time, distinguished between masses and classes, and issued no challenge to the social structure. He delighted in the Old Whig traditions, and spoke of educating youth "to fulfil aright the relations and duties in society assigned to them in order of Providence."[9]

The ethos of Alline's and Ryerson's religious movements, however, abridged those explicit teachings by intensifying the immediacy of God's governance and grace for the individual believer, and elevating scripture and personal religious experience (as confirmed by fellow believers) over the authority of church and tradition. Religion was essential to the social health of the State, but only as it was a clear response to the moving of the Spirit of God. Church establishment was quite unnecessary to that.

The evangelicals' sense of the nearness and availability of God - "joy of Heaven to earth come down" - together with their intensity of awareness of the moral perils of existence and "their intention to press on to perfection," brought a quite new dimension to Canadian providentialism that was especially congenial to the enterprising of town and country. That all this was available to every man and beyond the control, even the mediation, of church or state, was the essence of the evangelical revolution - and the beginning of the disruption of Tory providentialism in Canada. It is no wonder that Bishops Strachan, Inglis, and Mountain all agreed that the evangelicals were "a set of ignorant enthusiasts whose preaching is only calculated to perplex the understanding and corrupt the morals, to relax the nerves of industry and dissolve the bands of society."[10] The chain was being broken, hierarchy implicitly levelled, and, it seems, Providence contested.

William Lyon Mackenzie, the reformer's firebrand, his republic of the common man, and his rebellion, represented for the Bishops the logical conclusion to evangelical religion. Whatever the truth of that view - and Mackenzie had at once his evangelical followers *and* his falling out with evangelical leaders like Ryerson - preserving the purity and immediacy of God's spirit in the conscience of the common man was so important to Mackenzie that he devoted the first four clauses of his new constitution for Canada (1837) to that end. Mackenzie, himself, had no formal church ties, but only so could the common man be a true agent of God's will in history. Mackenzie's estimate of the social implications of the "order of providence" were very different than those of both Strachan and Ryerson, but his views make him an important forerunner of those providential cum progressive attitudes found in the labour and farmer movements later in the century.[11]

After 1837, however, the battle lay between Strachan and Ryerson and the history of nineteenth Century denominational growth makes it plain whose version of providential theory was the more relevant to the time. Between 1842 and 1881, when the population of Ontario multiplied four times, Methodism multiplied over seven times, Presbyterians five and one half times, and Baptists over five times, while Anglicans multiplied only 3.4 time - less than the rate of population growth.[12]

The evangelicals drove through the breaches of established providentialism, swept away Strachan's favourite class - prosperous yeomen, skilled tradesmen and the commercial groups of the mid-century Canadian city, and offered them an immanent deity to warm their hearts, direct their earnest strivings, and hold out the hope of heaven. Their prosperity they attributed to Providence, and through their prosperity, the country would be blessed. In them, Providence, did not provide so much an ordered structure as an orderly process - maintained by a proliferation of free churches and state run schools.

It is not surprising, therefore, to see the political works of the business nationalists of 1867 formulated in terms of a providential post-millennial prophecy: "He shall have dominion from sea to sea, and from the river unto the ends of the earth." The spread of gothic monumental style, in the 1860's, financed largely by businessmen of the mid-Victorian city, spoke not so much of the alternative beats of sacred and secular at the time, but of a broad unity of religious aspiration and economic action.[13]

The force of an immediate, uninhibited Providence was evident to

Victorians in the triumph of technology and science, which were so closely allied to the advance of commerce. But technology and science, themselves, in turn hastened the transformation of the English Canadian idea of providence in an immanent and progressive direction.

T.C. Keefer's popular essay of 1849, *The Philosophy of Railroads*, celebrated the march of improvement and upward mobility the railway portended. In a lecture to Montréal skilled tradesmen, or "mechanics", in 1854 he explained how Roman roads permitted the expansion of Christianity and how the railway was "a necessary and indispensible forerunner - to that second great moral revolution, the Millennium ... Wherever a railway breaks in upon the gloom of a depressed and secluded district...the pulpit will then have its grateful listeners, the school its well filled benches..." "Those huge drivers," he added, paraphrasing Whittier, "will yet tread out the last smouldering fires of discord..."[14] Keefer rightly sensed an element of heresy lurking in his rhetoric, but his railroad represented the application of the Newtonian - highly Protestant universe to the Canadian countryside: motion supercedes rest, and an ubiquitous God at once animates and maintains order.

There was, in this preoccupation with the moral force of technology, not just a little of Francis Bacon, who with Samuel Smiles was a patron saint of the Mechanics Institute in Canada. Indeed, Keefer's career bore an uncanny resemblance to Bacon's in his disillusionment with the political order and his search for an alternative vehicle for the social good. Keefer helped found the Canadian and American Societies of Civil Engineers and the Royal Society of Canada, and was the only person to become president of all three. By professionalizing the engineer, Keefer appeared to hope that the high priests of a beneficent technology would require the discipline and collective force to play their regenerating role.

For Keefer, like so many others of his day, it was the quickening pace of knowledge that lay at the core of his hope. Everywhere one encountered, as in Keefer, the quotation from the book of Daniel in The Old Testament referring to the last times, "when many shall run to and fro and knowledge shall increase."[15] Ironically, the original reference was to the corruption of original Judaism by the invasion of Greek culture, but it was taken, in the nineteenth Century, in post-millennial fashion, as a condition which heralded the millennium and was clearly of God's providing.

Knowledge, for Keefer and for mid-century mechanics, was not just neutral information. It was power. It was, said J. Dallas, lecturing at the Mechanics' Intitute in Barrie in 1865, that which pre-eminently distinguished man. Knowledge was won from nature, and "rightly viewed and properly investigated" leads us to "that great Being, who with matchless wisdom, unbounded benevolence, and transcendent greatness, guides, governs, and preserves his creatures."[16] One could only conclude that knowledge as power also partook of the moral qualities of its ultimate subject. In a world where Providence was passing into Progress one could almost say that science thought God's thoughts not after him but with him.

Whether consciously derived from Bacon or not, this regenerating sense of knowledge was in type. Bacon distinguished between the loss of innocence as a consequence of the Fall of Man and the loss of dominion over nature. Religion's role was to restore the former, but it was the role of science to restore the latter. Bacon's subtle suggestion that science was uncorrupted by the fall and may even be a means of restoring something of our pre-lapsarian innocence by re-establishing dominion over nature, was a heady notion that Canadian mechanics appear to have subscribed to in their own way.[17]

Is it too much to see in Keefer's engineers and in aspiring mechanics the arrival of another chosen people at a critical juncture when politicians appeared to be failing the nation with their porkbarrelling and their sinecures. The rituals of lodges like the Ancient Order of United Workmen made much of the analogy of the divine artificer and the mechanic, and one could be pardoned for thinking that a new meritocracy, at least, was in the works. One speaker, addressing the mechanics, hastened to assure the upper classes that the intellectual advancement of the lower classes put them in no danger - adding, however, that a well informed, working population would necessarily create a well informed aristocracy - and concluding that, when the millennium arrived, the movement toward it will be seen to have been "from the least to the greatest": surely as neat a transvaluation of social role as one is likely to encounter.[18]

The skilled trademan's consciousness of his providential role, however, went into crisis in the 1880's with the advance of a new technology that devoured his skills and the rise of a large scale industrialization that threatened his status - not to say his livelihood.[19] Some, advancing as entrepreneurs, carried the old ideology into the businessman's rationale for his control of capital and labour.[20] Others, their skills in jeopardy and their self-understanding in crisis, transferred their providential ideology to the nascent labour movement and looked ahead to a new age of just reward for productive labour.

The Canadian labour press from 1880 to 1910 abounds with evidence that labour spokesmen viewed their movement in religious terms. They criticized a "churchianity" whose spirituality was corrupted by its alliance with wealth. They professed to follow a Jesus as concerned for workers' bodies as for their souls. Moses was the great prototype of a labour leader, and the exodus the legitimation of the strike. Whether in Rowe's *Palladium of Labour* in Hamilton (1883-86), in Puttee's *Voice* in Winnipeg

(1896-1918,) or in *Cotton's Weekly* in Cowansville, Québec (1908-14), a pervasive sense of the Biblical nature of creation and the conditions under which one applied one's labour to it informed their commentary. Like the Israelites in the wilderness they sought a promised land. The quest was not less Christian because it rejected bourgeois spirituality in favour of an earthy Biblical materialism. The labour movement, rejected by the builders of the current economic order, said Phillips Thompson (borrowing Biblical language), would become the headstone of the corner of a new civilization.

The providential world-view was apparently alive and well, and living in late Victorian Canada. But was it Providence, or was it Progress? Indeed, what was the difference? The Evangelicals, radical reformers, technology and its pamphleteers, businessmen, mechanics and the labour movement all had forced the doctrine into a more immanent mould and disrupted in varying degrees the concept of a settled and divinely ordained social hierarchy. The central and substantial change, however, was in the perceived mode of divine activity in nature and history. More than anything, that change rested finally on the triumph of uniformitarian modes of though, evolution, and idealism in Canada in the latter half of the century.[21]

Traditional providentialism presumed intervention by God in the natural and historical order. Catastrophism had reigned in pedogogial theory as in Biblical story. By the 1830's, however, William Paley, famous for his watch analogy, had convinced many that the uniform workings of nature were not only a manifestation of the power and wisdom of God, but of his goodness. Natural design was evidence that God's attention was bestowed on the minutest of objects. He therefore concluded that the structure of natural law and Providence were compatible. "We have no reason to fear, therefore, our being forgotten, or overlooked, or neglected."[22]

Hugh Miller's widely read reconciliations of Genesis and Geology, popularized an extended time scale which made change the result of gradual accumulation rather than catastrophe or intervention.[23] If not as comforting as Paley, he established for a succession of science teachers in the church colleges of Canada a lasting conviction that science and religion only conflicted when one or both were misunderstood.[24] Both Paley and Miller were well known in Canada. They were congruent with Keefer; they were influential names among the Mechanics' Institutes; and they were read by such prominent Canadian intellectuals as Victoria's Nathaniel Burwash and McGill's William Dawson.

When Egerton Ryerson as first Principal of Victoria College said, "If one branch of education must be omitted, surely the knowledge of the laws of the universe and the works of God, is of more practical advantage, socially and morally, than a knowledge of Greek and Latin,"[25] he was thinking not only of the world of work but of social order. To say so was to celebrate with the young Burwash, in 1858, the year before the monumental *Origin of Species,* a Providence which had so designed the mind of man and nature that mental enlargement and social good might result from the study of nature.[26]

William Dawson had high praise for Miller, and went to great lengths to affirm that the notion of uniform cause in nature was thoroughly Biblical.[27] Hebraic monotheism reached across Greek polytheism and medieval barbarism, he thought, to affirm with modern science the unity of God, the unity of nature, and the unity of man. In his struggle with Darwin, Dawson's limitation of species to a minimum allowed the acceptance of natural selection to explain variation; but the necessity of design prevented, for Dawson, entire abandonment of special creation at a few specific points. Creation, however, he declared, was a matter of law not fiat.

Dawson refused to let uniformatarian hypotheses run roughshod over induction. Evolution had not resolved the problem of the gaps; and he was probably the first to warn against an unscientific application of uniformitarian geology to anthropology. Ironically, his qualifications of uniformitarianism were intended to maintain some final ground of unity and design for science and religion - and not least for society. Without the conviction of a designing Providence, Dawson saw only social chaos. Dawson's God was, after all, a God of law and orderly progress. Providence was not abandoned in Dawson, even if interventionism was massively abridged.

Others more distant from the scientific scene, poets, pastors, and professors more readily accepted an evolutionary outlook as the century closed - often by bypassing the central issue.[28] Principal Grant of Queen's University said it was just a question of replacing a creation which was direct and all at once with one which was indirect and took place over time. Young clergy in the 1880's and 1890's, like Charles Gordon and Salem Bland, struggling with the blind fatalism of natural selection and early Social Darwinism, were rescued by Henry Drummond, Prince Kropotkin, and Benjamin Kidd, and in the process the transformation of Providence into Progress took another step.[29]

With the decline of "interventionism" came the retreat from the drama of conversion. Nurture - not nature - became the watchword. Religious education's rapid rise in the 1880's asserted that God's chosen mode throughout history had been an educative one. The transactions between man and God - as between man and nature as well as between God and nature - were increasingly viewed as matters of mind and consciousness.[30]

Mind was the ground on which Canada's pre-eminent idealist philosopher, John Watson, finally tackled Darwin in the 1870's. One had to posit something more than matter in motion in the form of natural selection, he thought, for the process always to resolve itself in ever higher, more complex forms. He could not imagine, he said, an ordering mind emerging in an absurd universe. Watson's influence was immense, but he was far from alone in spreading the attractive unities of idealism through Canadian colleges and universities and beyond.[31]

"The course of human history," Watson declared, "is the process in which the individuals forming the Spiritual organisms of humanity rise to self-consciousness of the Principle which gives reality to them all." "Every advance in science" therefore, he saw as "preparation for a fuller and clearer conception of God; every improvement in the organization of society as a further development of that community of free beings by which the ideal of an organic unity of humanity is in process of realization."[32]

It was a conception which suited turn of the century Canada. In various applications it would be carried by some like George Parkin into the geopolitics of Empire,[33] and by others into the expanding prospects of the prairie west. It was used to interpret the significance of the business combinations of the age - even by critics like Salem Bland who predicted that sooner or later businessmen would adopt the altruistic ethics implied in the organic nature of their enterprises. It could be seen in Phillips Thompson's explanations of the significance of the labour movement. Everywhere it spoke of reform.

The Christian spirit seemed not just to overflow the church but to be independent of it. Preachers turned to novelists and poets for the new ethical standards of the age, and single taxers - even socialists - were lauded for their practical Christian enthusiasm. Immanent and uniformitarian categories set some to studying Spinoza once more. Thoughts of pantheism came fugitively to the thinking man of today, said William Osborne of Wesley College, Winnipeg.[34]

Clearly a world of relative calm had been replaced by a world of bursting activity, and even more, a world that yearned for settled tranquility had been replaced by one that embraced change with brimming enthusiasm - though not, one would have to say, without an anxiety the new doctrine of progress served to assuage.

North American geography, middle class ambition and business expansion, the triumphs of technology and the aspirations of skilled tradesmen, a nascent labour movement, uniformitarian science with Darwinian revisions, and idealism - all conspiciously accompanied by an increasingly urbane evangelical spirit - all had their way with the idea of Providence in Canada in the course of a century.

If the transcendence of God was not forgotten, immanence was emphasized. The chain of being had become the river of life, and interventionism in nature and history was transformed into the gradualism of mental relations. With these large changes, conceptions of social hierarchy had largely disappeared, and socially active churches and public schools mediated the values that ordered change. If the architectonics of grand design in history yielded to more fluid conceptions, there were still large purposes in time associated variously with the labour movement, Canada, the British Empire, and the Kingdom of God (or all of these), for which it was necessary to struggle and even sacrifice. Evil was still in the field, and every paean to progress was accompanied by a litany of the ills still to be overcome. Progress, at least in this English-Canadian variant, did not mean subordinating self to impersonal social forces. Labour persisted as a dominant value as in Robinson, Ryerson, and Mackenzie and, whatever the awkward realities, the individual was viewed as free of class and enjoined to seek self-realization under the direction of conscience and reason. Nor was he less alone than under Ryerson's superintending Providence, for, in George John Blewett's elegant idealist metaphor, God was the home of persons.[35]

Indeed, Progress in Canada did not become the entirely secularized vision it was in large parts of Europe, Britain, and in some measure in the United States. In Canada, one did not talk of "increase taking place in the nature of things" as though God were not somehow both in and beyond the process. Progress in Canada was Providence updated. And so it remained for much of this century even surviving the experiences of war and economic collapse.

Despite the tragedies and dilemmas of our own time, traces live on in the hopes of those like Fernand Dumont, late in the annals of another providential tradition, that some fine day a people like us will be able to invent an original form of democracy that springs from our peculiar experience, and "bring to the surface questions and answers that richer and more knowledgeable countries [as well as poorer and less knowledgeable] need in order to bring some shadings to their lefts and their rights."[36] That would indeed give meaning to a long survival - and to an old idea.

Richard Allen
Department of History
McMaster University

Notes

1. S.F. Wise, "Sermon Literature and Canadian Intellectual History," *The Bulletin*, United Church Archives, No. 18, 1965,: pp. 3-18; "God's Peculiar Peoples," W.L. Morton, ed., *The Shield of Achilles* (Toronto, 1968) Goldwin French, "The Evangelical Creed in Canada, "Ibid.; Gordon Stewart and George Rawlyk, *A People Highly Favoured of God* (Toronto, 1972), esp. Ch. 9; William Westfall, "The Dominion of the Lord: An Introduction to the Cultural History of Protestant Ontario in the Victorian Period, "*Queen's Quarterly*, LXXXIII (Spring, 1976); John W. Grant, ed. *Salvation! O The Joyful Sound: Selected Writings of John Carroll* (Toronto, 1967), especially "Getting Religion," pp. 130-59; John S. Moir, "The Upper Canadian Roots of Church Disestablishment, "*Ontario History*, LX (December 1968) are readily accessible samples of this literature.
2. A useful outline of the evolution of the idea of Providence can be found in *Hastings Dictionary of Religion*.
3. The best known example is Mgr L.-F.-R. Laflèche, "The Providential Mission of the French Canadians," available to English readers in Ramsay Cook, *French-Canadian Nationalism* (Toronto, 1969), translated from *Quelques considérations sur les rapports de la société civile avec la religion et la famille* (Trois Rivières, 1866) pp. 37-62.
4. John Beverly Robinson, *Canada and the Canada Bill* (London, 1840), pp. 13-80.
5. For glimpses of Strachan's views, see S.F. Wise, *op. cit.*, but for a systematic treatment of his views, see Norma MacRae, "The Religious Foundations of John Strachan's Social and Political Thought as contained in his sermons, 1803-1866," (unpublished M.A. thesis, McMaster University, 1978). See especially, for Strachan's views on: chain of being, pp. 22-23, God's providence, pp. 27-34; man's earthly lot, pp. 35-37, 52, 71, 97-98; practicality of Christianity, pp. 43-47, 78; class and subordination, pp. 69-71; the British as a chosen nation, ch. 5, and in particular, pp. 80, 100.
6. One of the clearest expositions of this Tory - Old Whig mind-set can be found in Samuel H. Beer, *British Politics in the Collectivist Age* (New York, 1965), Ch. 1; MacRae, *op. cit.;* Terry Cook, "John Beverly Robinson and the Conservative Blueprint for the Upper Canadian Community," *Ontario History*, LXIV (1972) Cook too quickly plays down the continuing force of the "great chain of being."
7. MacRae, pp. 73-74; Cook, pp. 82-4, 90-1.
8. Stewart and Rawlyk, ch. 9.
9. French, *op. cit.*, and "Egerton Ryerson and the Methodist Model for Upper Canada," in Neil McDonald and Alf Charlton, eds., *Egerton Ryerson and his Times: Essays on the History of Education* (Toronto, 1978), pp. 45-58; also, Neil McDonald, "Egerton Ryerson and the School as an Agent of Political Socialization," *loc. cit.*, especially pp. 95-104.
10. Bishop Mountain, quoted in H.H. Walsh, *The Christian Church in Canada* (Toronto, 1956), p. 137; see also Strachan, "A sermon on the death of the late Bishop of Quebec, 1826," quoted in William H. Elgee, *The Social Teachings of the Canadian Churches, Protestant, The Early Period Before 1850* (Toronto, 1964), p. 15 on the similarity of outlook among the three, Wise, "Sermon Literature..."
11. Anthony Rasporich, ed., *William Lyon Mackenzie: Selected Writings* (Toronto), p. 66.
12. William Westfall, "The Dominion of the Lord," p. 52.
13. See Westfall, whose excellent study too sharply distinguishes the secular and the sacred in mid-Victorian business and religion. See Neil Semple, "The Impact of Urbanization on the Methodist Church in Central Canada, 1854-1884," (unpublished Ph.D.

dissertation, University of Toronto, 1979), also Peter Hanlon's forthcoming M.A. thesis on the late Victorian Protestant lay elite in Hamilton (McMaster University).

14. Both pieces are included in the University of Toronto Social History Reprint series, T.C. Keefer, *The Philosophy of Railroads* (Toronto, 1972), see especially pp. 7-11, 83-89 and H.V. Nelles' excellent introduction.
15. See for examples, Elgee, *Social Teachings*, pp. 182-3.
16. Excerpt in B. Sinclair, N.R. Ball, and J.O. Peterson, *Let us be Honest and Modest, Technology and Society in Canadian History*, pp. 108-9.
17. William Leiss, *The Dominion of Nature* (Boston, 1972). pp. 48-54.
18. J.C. Galway, "The Claims of the Mechanics' Institutes" (1844). Excerpt in B. Sinclair *et al, Let us Be Honest and Modest.*
19. See for example the frequent testimony of skilled tradesmen before the Royal Commission Relations of Labor and Capital. Greg Kealey, ed., *Canada Investigates Industrialism The Royal Commission on the Relations Labor and Capital, 1889.* Abridged, (Toronto, 1973), pp. 115, 118, 120, 155-7,244-5.
20. Some elements of this transition are sketched in Bryan Palmer *Culture in Conflict* (Montreal: McGill-Queen's, 1979), Ch. 4, "Reform Thought and The Producer Ideology," especially pp. 98-100. The providential dimension of the work ethic and its bifurcation are evident in Stanley Kutcher, "John Wilson Bengough: Artist of Righteousness," (unpublished M.A. thesis, McMaster University, 1975), ch. 4.
21. The most accessible, brief review of the religious dimension of late century labour and socialist movements in Toronto is Gene Homel, "Fading Beams of the Nineteenth Century: Radicalism and Early Socialism in Canada's 1890's." *Labour/LeTravailleur*, v(Spring 1980), especially pp. 13-32. Homel portrays an alliance of labour leaders and socialists who wanted to apply "christianity's social message" and radical clergy concerned to "redeem Christian ethics." The religious enthusiasm fades with the dying century, says Homel, while the ethics live on. M.A. research papers surveying labour and socialist papers from 1872 to 1914 make it plain that the core conviction of both groups was that God, however understood, was working to assure a future of justice and brotherhood in history, and that this view persists at least until 1914 unabated (Jim Stein - 1974; Joan Sangster - 1976; Katherine O'Conner - 1980; Edgar Rogalski-1981). Even the most radical editor, W.A. Cotton, writes in 1909, "The new spirit of Christ, the Socialist movement sweeps on and is fought by the churches.." (*Cotton's Weekly*, March 25, 1909). See Phillips Thompson, *The Politics of Labor* (New York, 1887), University of Toronto Social History Reprint series, p. 210, but see the entire final chapter. Thompson's views on the destiny of labour cannot be separated from his theosopical convictions as to the evolutionary force of an indwelling universal spirit. His views of the common man also link him with W.L. Mackenzie (see above, p. 6).
22. As cited in R.J. Taylor "Darwin's Theory of Evolution: Four Canadian Responses," (unpublished Doctoral dissertation, McMaster University, 1976) p. 12.
23. *Footprints of the Creator* (1847) and *Testimony of the Rocks* (1857).
24. Taylor, pp. 268-73.
25. Ibid., p. 268.
26. Ibid., pp. 271-2.
27. The following account of Dawson's views is based principally upon Charles F. O'Brien, *Sir William Dawson: A Life in Science and Religion* (Philadelphia, 1971), especially chapters II, III, IV, V. On Dawson, Miller, Providence, see pp. 39-59, 65-66. For the most popular and readable of Dawson's many books, see *The Story of Earth and Man* (1874),

especially the last four chapters.

28. See H.J. Reimer, "Darwinism in Canadian Literature," (unpublished Doctoral dissertation, McMaster University, 1975), which deals, among others, with Charles G.D. Roberts, Archibald Lampman and Wilfred Campbell.

29. See for example the notes for Salem Bland's evolutionary socialist lecture, "Four Steps and a Vision," Bland Papers, No. 19 (1898), United Church Archives. Also C.W. Gordon, *Postscript to Adventure* (New York, 1938).

30. As this applied to children in particular, see Neil Semple, "The Nurture and Admonition of the Lord: Nineteenth Century Canadian Methodism's Response to Childhood," *Histoire Sociale/Social History*, XIV (Mai-May, 1981), 157-76.

31. See Taylor's excellent treatment of Watson, op. cit. For a wider ranging treatment of Watson and also the backlash to the influence of his disciples, see A.B. McKillop, *A Disciplined Intelligence* (Montreal, 1979), pp. 181-203. For other idealist intellectuals of the time, see S.E.D. Shortt, *The Search for an Ideal* (Toronto, 1976); Brian Fraser, "Theology and the Social Gospel among Canadian Presbyterians: A Case Study," *Studies in Religion/Sciences Religieuses*, viii, i (1979). pp. 34-46; Morton Paterson, "George Blewett: A Forgotton Personalist," *Idealist Studies*, viii, 2 (1978), pp. 179-189.

32. Watson, "The Outlook in Philosophy, "*Queen's Quarterly*, viii (April, 1901), p. 251.

33. Terry Cook, "George Parkin and the concept of Britannic Idealism," *Journal of Canadian Studies*, Vol. X (August, 1975), pp. 15-31.

34. William Osborne, *The Genius of Shakespeare and other Essays* (Toronto, 1908), pp. 6870.

35. For a treatment of this idea found in various of Blewett's writings see Morton Paterson, "Divine Encounter in Blewett," *Studies in Religion/Sciences Religieuses*, vI, 4 (1976-77), pp. 397-404. Blewett taught at Wesley College, Winnipeg, and at Victora College, Toronto.

36. Fernand Dumont, *The Vigil of Quebec* (Toronto, 1971), pp. 130-31.

RICHARD ALLEN

De la providence au progrès: le cheminement d'une idée dans la pensée anglo-canadienne

De la Providence au Progrès. La perspective européenne de l'évolution de la pensée moderne de Bossuet à Condorcet, de l'évêque Ussher à Charles Darwin, participe du lieu commun depuis longtemps. Les Canadiens, pour peu qu'ils connaissent le sujet, se sont appropriés cette perspective sans vraiment se soucier de la canadianiser. Le providentialisme, on le sait, a occupé, depuis longtemps, une place de choix dans le discours sur le vécu français et catholique dans la vallée du Saint-Laurent. Mais, jusqu'à cette dernière génération, l'histoire canadienne se lisait comme si les Canadiens anglais étaient passés à côté de cette bizarrerie. Nous étions au-dessus de tout cela. Maintenant, nous y sommes plus sensibles.

Sidney Wise, Goldwin French, George Rawlyk, Jack Bumsted, William Westfall, John Grant et John Moir, pour n'en citer que quelques-uns parmi ceux qui ont approfondi les idées de l'intelligentzia qui était au pouvoir pendant les années de formation, ont jeté une lumière nouvelle sur les autres peuples élus de Dieu en Amérique du Nord britannique[1].

Le providentialisme était la théorie judéo-chrétienne selon laquelle Dieu prenait soin de sa création, était le maître de la nature, guidait de sa main l'histoire humaine, et répondait aux besoins de Son peuple quelles que soient les infortunes auxquelles il puisse être confronté. Le modèle a toujours été le peuple élu d'Israël - élu non pas en vertu d'un mérite ou d'un pouvoir spécial, mais afin de devenir l'outil servant à remettre dans le droit chemin une humanité fourvoyée[2].

On trouve au moins trois versions principales du concept de Providence en Amérique du Nord britannique: la version canadienne-française, la version des Maritimes et celle du Haut-Canada. Elles étaient toutes intimement liées au nouveau monde des Amériques. Le modèle français recherchait des parallèles avec la Bible, parlait d'un peuple sous la houlette de ses patriarches, dirigé vers une terre nouvelle où il deviendrait un flambeau d'espoir pour la vieille civilisation. Comme les Canadiens français pensaient que la main de la Providence, par l'intermédiaire de la conquête britannique, leur avait évité les ravages de la Révolution française, ils en vinrent à se considérer comme les messagers d'un catholicisme épuré face à une chrétienté apostate[3].

La version du Haut-Canada la plus répandue fut énoncée par John Beverly Robinson dans le classique presqu'inconnu *Canada and the Canada Bill*, publié en 1840. Une intelligence supérieure avait ordonné aux Américains de se rebeller avant que la croissance continuelle de leur population et de leur commerce leur permettent de précipiter toutes les colonies de l'Amérique du Nord britannique dans la révolte et l'indépendance. Par une intervention providentielle, la géographie faisait présager l'union et l'indépendance futures des colonies de l'Amérique du Nord britannique. Concentrées autour du bassin du Saint-Laurent, avec sa beauté, son importance et son climat sain, les colonies britanniques étaient "admirablement bien situées. En effet, elles assuraient la survivance du Dominion britannique en Amérique du Nord grâce aux avantages d'une constitution et de lois bien adaptées. Aucun autre pays n'en possédait de semblables pour servir au mieux les intérêts de l'humanité et lui procurer le bonheur[4]".

Robinson, bien entendu, était le disciple de John Strachan, évêque de Toronto, dont le clergé avait propagé dans toute la région le providentialisme global. Strachan, comme la plupart de ses contemporains, croyait en une grande chaîne d'êtres hiérarchisée où chaque individu s'épanouissait en restant à son niveau, et qui représentait métaphoriquement la société. S'efforcer sans cesse de s'élever au-dessus de son rang n'apportait qu'anxiété et angoisse. Tout ce qui pouvait survenir aux individus et aux nations était le produit d'une action humaine sous la direction morale de Dieu et devait être accepté comme une leçon. Le premier devoir d'une personne était de s'occuper des questions pratiques et des obligations réciproques d'une société organisée et hiérarchisée. S'inquiéter du futur était signe de doute et non pas de foi. Quoique Strachan ait pu entrevoir un progrès matériel et social, il n'y avait aucune rédemption ou perfection dans l'évolution de l'histoire.

La pensée de Strachan, toutefois, était prise entre, d'une part les hypothèses grecques de la chaîne d'êtres selon laquelle la perfection ne s'inscrit pas dans le temps et d'autre part, les idées judaïques du providentialisme d'après lesquelles la volonté de Dieu se réalisera d'une façon ou d'une autre. Il ne pouvait pas s'empêcher de conclure par conséquent, que les Britanniques étaient le peuple élu de Dieu, "dont les institutions écrites contiennent les principes premiers sous-jacents à la renaissance graduelle de l'humanité ainsi qu'à la purification et au développement de la vraie religion". Strachan pensait que dans le sillon de l'influence britannique "un empire universel d'opinions religieuses" remplacerait l'actuel "empire universel des armes[5]".

La perspective providentialiste selon laquelle Strachan et Robinson envisageaient l'histoire de l'Amérique du Nord britannique peut être considérée comme la version classique anglo-canadienne de cette grande idée. Elle était partagée dans le Bas-Canada par l'évêque Mountain et par l'évêque Inglis en Nouvelle-Ecosse ainsi que par leurs disciples. C'était essentiellement une conception statique, à la fois de la nature et de la société, une expression de ceux qui, sans être entièrement satisfaits du monde tel qu'il était, poursuivaient une lutte capitale pour préserver le sens de l'ordre établi qui, à leurs yeux, avait fait ses preuves dans un monde de révolution et de bruits de guerre.

Ces éléments étaient relativement clairs: un Dieu transcendant comme source de l'ordre; le cosmos comme une grande chaîne qui, selon Alexander Pope, s'effondrerait si un seul maillon brisait; l'histoire devenant le dessein de Dieu; une constitution représentant l'équilibre idéal entre le roi, la noblesse et le peuple; la société une hiérarchie; les individus liés à leur classe; l'État supervisant la vie économique; le tout surveillé et diffusé par une Église établie approuvant tout et chargée d'enseigner aussi bien aux gouvernants qu'aux gouvernés le bien-fondé de ce vieil accord entre les Wigs et les Torys[6]. Le providentialisme tory, on le sait, n'aurait pas voulu, ni n'aurait pu, se perpétuer comme modèle directeur du développement de l'Amérique du Nord britannique. Jetons un regard sur le monde progressiste du siècle suivant: tout semble avoir changé. Cependant si on y regarde de plus près, l'influence du providentialisme se fait sentir chez les progressistes de la dernière heure, témoignant de la dynamique et de la facilité d'adaptation des concepts religieux dominants dans l'histoire canadienne.

Transformation il y eut cependant. Elle commença *en quelque sorte* sur le terrain occupé par Strachan et Robinson eux-mêmes. *Tout* n'était pas *immobile* dans leur grande chaîne. Dieu insistait pour s'occuper des détails; la chaîne d'êtres impliquait une création remplissant la terre d'individus répondant à toutes les descriptions imaginables; Dieu imposait un cours à l'histoire; la constitution équilibrée n'avait pas encore été définie parce que Stachan et Robinson se débattaient tous les deux avec le problème d'une aristocratie naturelle dans une terre nouvelle et fermaient les yeux sur une classe moyenne dont ils avaient grandement sous-estimé l'agressivité. L'environnement nord-américain, ils le savaient, menaçait de toutes parts leur sens d'un ordre social établi et Robinson déjà, dans les années 1830, face à la diversité religieuse, projetait l'établissement d'une religion plutôt que d'une simple Église[7].

On pourrait dire que ces à-côtés de la version classique devaient devenir les balises du passage de la Providence au Progrès au Canada au XIXe siècle. Au centre de cette transition, toutefois, s'est trouvée la révolution évangélique qui a fait pour la classe moyenne industrielle du Canada (mais pas seulement pour elle) ce que le calvinisme avait fait pour la classe commerçante au XVIIe siècle.

Les méthodistes anglais et américains des Maritimes et des deux Canadas, les presbytériens "Free Kirk" de l'Écosse et les baptistes de la Nouvelle-Angleterre ont préparé pour le providentialisme des torys la base du défi évangélique. Ce qui au premier abord porte à confusion c'est qu'ils ont aussi embrassé le point de vue providentiel à l'échelle universelle. Cela est très clair dans les cas de Henry Alline et du mouvement de la "lumière nouvelle" dans les années 1770 en Nouvelle-Écosse. Leur exode de Nouvelle-Angleterre vingt ans plus tôt avait été considéré comme un acte providentiel qui les séparait d'un peuple dévoyé dont le recours aux armes constituait l'ultime signe d'infidélité. Les Britanniques étaient jugés de la même manière et la manifestation de renouveau en Nouvelle-Écosse était considérée comme le transfert divin de la mission de la Nouvelle-Angleterre à une nouvelle communauté visible de croyants, flambeau pour toutes les nations de la voie exigée par Dieu, foyer d'ordre dans un monde en désordre. À la lumière de ce renouveau, toute la Nouvelle-Écosse était considérée comme "un peuple bien aimé de Dieu[8]".

Le loyalisme méthodiste du Haut-Canada d'Egerton Ryerson était également défini en termes d'une providence dynamique et sans interdit. Bien qu'il se soit quelque peu rapproché de William Lyon Mackenzie, on noterait peu de changements dans la forme extérieure de cette providence si on la comparait au loyalisme de Robinson. Fils du colonel Joseph Ryerson, ancien shérif principal de Norfolk, ce dernier, comme Alline, n'a pas contesté la hiérarchie sociale de l'époque, faisant la différence entre les masses et les classes sans défier la structure sociale. Il se plaisait dans les traditions des anciens Wigs et parlait d'éduquer la jeunesse "à remplir parfaitement les relations et les devoirs qui lui avaient été assignés dans la société par la Providence[9]".

Cependant, l'ethos des mouvements religieux d'Alline et de Ryerson, limita ces enseignements très clairs: il intensifia la relation directe de la gouverne et de la grâce de Dieu chez chaque croyant; il éleva également l'Écriture et l'expérience religieuse personnelle (comme l'ont confirmé les fidèles) au-dessus de l'autorité de l'Église et de la tradition. La religion était essentielle à la santé sociale de l'État, mais seulement en tant que réponse claire au déplacement de l'esprit de Dieu. Pour cela, l'établissement de l'Église était assez superflu.

Le concept protestant d'un Dieu proche et à l'écoute - Dieu "joie du Ciel descendue sur la terre" - associé à l'intensité de la conscience des périls moraux de l'existence et à "l'intention d'atteindre la perfection" a apporté une dimension toute nouvelle au providentialisme canadien. Celui-ci était particulièrement adapté à l'esprit novateur dans les villes ou dans les campagnes. Que tout cela soit à la disposition de chaque homme et hors du contrôle même de la médiation de l'Église ou de l'État, était l'essence de la révolution protestante et le commencement de l'éclatement du providentialisme tory au Canada. Il n'est donc pas étonnant que les évêques Strachan, Inglis et Mountain ont tous été d'accord pour déclarer que les protestants étaient "une bande d'enthousiastes ignorants dont les sermons étaient étudiés pour mélanger les esprits et corrompre les moeurs, pour relâcher les nerfs de l'activité humaine et dissoudre les liens de la société[10]". La chaîne se brisait, la hiérarchie se nivelait tacitement et il semble que la Providence était contestée.

Brandon de discorde, William Lyon Mackenzie, sa république de l'homme du peuple et sa rébellion représentaient pour les évêques l'aboutissement logique de la religion protestante. Quelle que soit la véracité de ce point de vue Mackenzie a été immédiatement adopté par certains protestants *en même temps* qu'il se brouillait avec des chefs protestants comme Ryerson. Mackenzie a accordé tant d'importance à préserver la pureté et la relation directe avec l'esprit de Dieu dans la conscience de l'homme du peuple qu'il y a consacré les quatre premières clauses de la nouvelle constitution du Canada (1837). Mackenzie lui-même n'avait aucun lien formel avec l'Église, c'était là la seule condition pour qu'un homme du peuple soit un vrai agent de la volonté divine dans l'histoire. Mackenzie estimait que les implications sociales de "l'ordre de la Providence" étaient très différentes de celles de Strachan et de Ryerson mais ses vues laissaient présager les attitudes des providentialistes et des progressistes, attitudes que l'on a retrouvées dans les mouvements travaillistes et agricoles plus tard dans le même siècle[11]".

Après 1837, cependant, la dispute entre Strachan et Ryerson, et l'historique de la prolifération des sectes du XIXe siècle explique clairement que la version de la théorie providentialiste était la plus appropriée à l'époque. Entre 1842 et 1887, alors que la population de l'Ontario quadrupla, le nombre des méthodistes avait septuplé, celui des presbytériens s'était multiplié par cinq et demi, celui des baptistes par plus de cinq, alors que le nombre des anglicans ne s'était multiplié que par 3,4 - moins que le taux de croissance de la population[12].

Les protestants ont ignoré les failles du providentialisme établi, ont gagné à leurs vues la classe favorisée par Strachan - marins prospères, artisans qualifiés et commerçants des villes canadiennes du milieu du siècle - et leur ont offert une divinité immanente pour réchauffer leurs coeurs, diriger leurs efforts les plus soutenus et leur laisser entrevoir l'espoir du Ciel. Ils attribuaient leur prospérité à la Providence, et grâce à cette prospérité, leur pays serait béni. La Providence ne leur donnait pas tant une structure ordonnée qu'un cheminement soutenu par la prolifération des Églises libres et des écoles dirigées par l'État.

Il n'est pas surprenant par conséquent de voir les travaux politiques des nationalistes du milieu des affaires de 1867 affirmer sous la forme d'une prophétie providentialiste du second millénaire: "Il possédera un dominion allant d'une mer à l'autre, et du fleuve jusqu'aux extrémités de la terre". Le développement du style gothique dans les monuments, dans les années 1860, financé largement par les hommes d'affaires des milieux urbains en pleine ère victorienne, ne témoignait pas tant de l'alternance entre le sacré et le séculier de l'époque, que d'une vaste unité d'aspirations religieuses et d'actions économiques[13].

Les victoriens voyaient la puissance d'une Providence immédiate et sans contrainte dans le triomphe de la science et de la technologie qui étaient étroitement liées aux progrès du commerce. Mais la science et la technologie elles-mêmes ont à leur tour accéléré la transformation de l'idée anglo-canadienne de la Providence dans une direction immanente et progressive.

En 1849, l'oeuvre populaire de T.C. Keefer, *The philosophy of Railroads*, célébrait l'avance du progrès moral et de la mobilité sociale qu'annonçait le chemin de fer. Keefer expliquait dans une conférence prononcée à Montréal en 1854 devant des ouvriers qualifiés, ou "mécaniciens", comment les routes romaines avaient permis le développement du christianisme et comment le chemin de fer était "une réalisation d'avant-garde nécessaire et indispensable à cette seconde grande révolution morale, le Millénium... Une fois que le chemin de fer a pénétré dans la tristesse d'un quartier abattu et retiré... le prédicateur se retrouve devant des fidèles reconnaissants et les bancs d'école sont remplis..." "Ces conducteurs colossaux", a-t-il ajouté en paraphrasant Whittier, "étoufferont en plus les derniers feux de discorde latents...[14]". Keefer apercevait à juste raison la pointe d'hérésie qui perçait sous sa rhétorique, mais le chemin de fer représentait l'application d'un univers newtonien - hautement protestant - à la campagne canadienne: le déplacement remplace le repos et sur le champ un Dieu omniprésent anime et maintient l'ordre.

La touche "baconienne" n'était pas négligeable dans cette préoccupation de la force morale de la technologie, (Francis Bacon était avec Samuel Smiles le saint-patron des instituts). En effet les carrières de Keefer et de Bacon se ressemblent par leur déception de l'ordre politique et leur quête d'un autre moyen de parvenir au bien-être social. Keefer a contribué à la fondation des Sociétés canadiennes et américaines des ingénieurs civils et de la Société royale du Canada. Il fut la seule personne à présider chacune de ces trois sociétés. En travaillant à institutionnaliser la profession d'ingénieur, Keefer semblait espérer que les grands prêtres de cette technologie bienfaisante exigeraient la discipline et les efforts de tous pour jouer leur rôle de régénération.

Pour Keefer, comme pour nombreux autres de ses concitoyens, c'était le rythme accéléré de la connaissance qui demeurait au centre de ses espérances. Partout, y compris chez Keefer, on trouvait la citation du livre de Daniel de l'Ancien Testament se rapportant à la fin du monde, "lorsqu'ils seront nombreux à s'agiter de tous côtés et que la connaissance augmentera". Ironiquement, au début la référence renvoyait à la corruption du judaïsme originel par l'invasion de la culture grecque, mais au XIXe siècle, à la mode de l'après-millénaire, on la comprenait comme la condition qui annonçait le Millénium et représentait clairement la Providence de Dieu.

Le savoir, pour Keefer, et pour les mécaniciens du milieu du siècle, n'était pas simplement que de l'information. Il représentait le pouvoir. Le savoir, dit J. Dallas lors d'une conférence à l'Institut de mécanique de Barrie en 1865, était ce qui avant tout distinguait l'homme. La connaissance était conquise sur la nature, "envisagée correctement et fouillée comme il se doit", elle nous mène vers "ce grand Être qui, avec Sa sagesse incomparable, Sa bonté sans fin, et Sa grandeur transcendante, guide, gouverne et protège Ses créatures[16]". On pourrait simplement conclure que le savoir en tant que pouvoir participait également des qualités spirituelles de son sujet ultime. Dans un monde où la Providence se transformait en Progrès, on pouvait presque dire que la science a pensé les pensées de Dieu, non pas après Lui, mais avec Lui.

Qu'il ait été consciemment ou non dérivé de Bacon, ce sens

regénérateur du savoir était en vogue. Bacon établissait la différence entre la perte de l'innocence par le Péché originel et la perte de l'emprise de l'homme sur la nature. Le rôle de la religion était de rétablir l'innocence, mais c'était celui de la science de redonner à l'homme la maîtrise de la nature. D'après Bacon la science n'avait pas été corrompue par le Péché originel et elle était peut-être même un des moyens de restaurer une partie de l'innocence perdue en rétablissant l'emprise de l'homme sur la nature. Il semble que les ingénieurs canadiens aient adopté à leur manière cette subtile suggestion[17].

Il est exagéré de voir dans les ingénieurs et les apprentis mécaniciens de Keefer un autre peuple élu surgissant au moment critique où les politiciens semblaient manquer à leurs engagements envers la nation avec leurs pratiques de favoritisme et leur complaisance.

Les cérémonies des loges comme l'"Ancient Order of United Workmen" contribuèrent à amplifier les analogies entre l'Artisan divin et le mécanicien. On pouvait ainsi pardonner à quiconque de penser qu'une nouvelle "méritocratie", au moins, était en gestation. Un conférencier, s'adressant aux mécaniciens, se pressa d'assurer les classes dirigeantes que le progrès intellectuel accompli par la classe ouvrière ne les menaçait pas. Il ajouta toutefois qu'une population ouvrière bien informée créerait nécessairement une aristocratie bien informée. Il conclut que lorsque le Millénium arriverait, cette évolution serait perçue comme étant passée "du plus petit au plus grand". Ceci constitue clairement la plus simple réévaluation possible[18].

Toutefois, au cours des années 1880, l'artisan qualifié qui avait conscience de son rôle providentiel, traversa une crise avec l'avènement d'une nouvelle technologie qui s'attaquait à sa compétence et avec la croissance de l'industrialisation à grande échelle, qui menaçait son statut, pour ne pas dire son gagne-pain[19]. Certains artisans sont devenus "entrepreneurs" et ont ainsi transmis cette vieille idéologie au monde des affaires exerçant un contrôle sur le capital et le travail[20]. D'autres, alors que leur savoir-faire était menacé et qu'ils passaient par une crise de remise en question, ont communiqué leur idéologie providentielle au mouvement ouvrier naissant; ils envisageaient le futur comme un nouvel âge où le travail de l'homme serait récompensé avec justice.

Entre 1880 et 1910, il apparaît clairement dans la presse ouvrière canadienne que les porte-parole du mouvement ouvrier concevaient ce dernier en termes religieux. Ils critiquaient une conception de l'Église dont la spiritualité était corrompue par son alliance avec la richesse. Ils se déclaraient les disciples d'un Jésus préoccupé tout autant des corps que des âmes des ouvriers. Moïse était l'archétype parfait du dirigeant ouvrier, et l'exode celui de la légitimation des grèves. Que ce soit dans le *Palladium of*

Labour de Rowe, à Hamilton (1883-1886), dans le *Voice* de Puttee, à Winnipeg (1896-1918), ou dans le *Cotton's Weekly* de Cowansville, au Québec (1908-1914), tout était pénétré de la dimension biblique de la création et les façons de mettre le travail de chacun en parallèle avec elle, alimentaient les commentaires. Tout comme les Israélites dans le désert, ils cherchaient une terre promise. Cette quête bien qu'elle rejetât la spiritualité bourgeoise en faveur du matérialisme biblique terrestre n'en était pas moins chrétienne. Le mouvement ouvrier, écarté par les architectes de l'ordre économique actuel, dit Phillips Thompson (en utilisant le langage biblique), était appelé à devenir la pierre angulaire d'une nouvelle civilisation.

La vision providentialiste du monde semblait bien portante et bien vivante dans le Canada des dernières années de l'époque victorienne. Mais était-ce la Providence ou bien le Progrès? En fait, en quoi consistait la différence? Les protestants évangéliques, les réformateurs radicaux, la technologie et ses pamphlétaires, les hommes d'affaires, les mécaniciens et le mouvement ouvrier avaient tous fait entrer la doctrine dans un moule immanent et fait éclater, à des degrés divers, le concept d'une hiérarchie sociale déterminée et décrétée par Dieu. Le changement central et substantiel résidait toutefois dans la perception des formes de l'industrie divine, dans la nature et dans l'histoire. En dernier ressort ce changement reposait avant tout sur le triomphe des modes de pensées uniformitaristes, leurs idées de l'évolution et de l'idéalisme au Canada dans la seconde moitié du siècle[21].

Le providentialisme traditionnel supposait l'intervention de Dieu dans l'ordre de la nature et de l'histoire. Le catastrophisme avait donné jusqu'à lors dans la théorie pédagogique et dans l'Histoire sainte. Vers les années 1830, toutefois, William Paley, connu pour avoir comparé l'univers à une horloge, avait convaincu bien des gens que le fonctionnement homogène de la nature était non seulement une manifestation de la puissance et de la sagesse de Dieu, mais également de sa bonté. L'organisation de la nature était la preuve de l'attention que Dieu accordait aux objets même les plus infimes. Il conclut alors que la structure de la loi naturelle et la Providence étaient compatibles. "Nous n'avons donc aucune raison d'avoir peur d'être oubliés, abandonnés ou négligés[22]".

Lue par un vaste public, l'oeuvre de Hugh Miller, traitant de la réconciliation de la Génèse et de la géologie, vulgarisa et étendit l'échelle du temps, faisant du changement le résultat d'une accumulation graduelle plutôt que d'une catastrophe ou d'une intervention divine[23]. Sans être aussi rassurant que Paley, Miller communiqua à des générations de professeurs de sciences des écoles religieuses du Canada, la solide conviction que science et religion n'étaient antagonistes que si l'une ou l'autre ou toutes les deux étaient mal comprises[24]. Paley et Miller étaient tous deux bien connus au Canada. Ils partageaient les points de vue de Keefer, ils étaient des personnages influents dans les instituts de mécanique, et étaient lus par des intellectuels canadiens aussi éminents que Nathaniel Burwash de l'université de Victoria, et William Dawson de l'université McGill.

Lorsque Egerton Ryerson, en sa qualité de premier principal du collège Victoria, déclara "Si on avait à écarter une section des programmes d'éducation il est certain que la connaissance des lois de l'univers et de l'oeuvre de Dieu possède un avantage pratique, social et moral plus grand que la connaissance du grec et du latin[25]", il pensait non seulement au monde du travail, mais également à l'ordre social. Cette déclaration consistait à célébrer avec le jeune Burwash, en 1858, l'année précédant la monumentale oeuvre *L'origine des espèces*, une Providence qui avait conçu l'intelligence de l'homme et la nature de façon à ce que le développement mental et le bien social puissent être accomplis par l'étude de la nature[26].

William Dawson faisait grand éloge de Miller et travailla ardemment à démontrer que la notion de cause universelle était entièrement biblique[27]. Le monothéisme hébraïque transcendait le polythéisme grec et la "barbarie" médiévale, pensait-il, pour reconnaître de concert avec la science moderne l'unité de Dieu, l'unité de la nature et l'unité de l'homme. Dans sa lutte avec Darwin, le nombre restreint d'espèces que Dawson reconnaissait permit d'accepter la sélection naturelle comme l'explication des variations; mais la nécessité de planifier prévint dans le cas de Dawson, le complet abandon de la notion de création spéciale dans certains cas précis. La création affirmait-il néanmoins était le fait d'une loi et non pas d'un fiat.

Dawson refusa de laisser les hypothèses uniformitaristes fouler au pied l'induction. La théorie de l'évolution n'avait pas résolu le problème des discontinuités entre espèces; Dawson fut alors probablement le premier à nous mettre en garde contre une application non scientifique de la géologie uniformitariste à l'anthropologie. Ironiquement, ses restrictions à l'égard de l'uniformitarisme avaient pour but de conserver un fond commun d'unité et de forme à la science et à la religion - mais pas le moins du monde à la société. Sans la conviction d'une Providence créatrice Dawson ne voyait que le chaos social. Dieu, tel que Le concevait Dawson après tout, était un Dieu de lois et de progrès ordonné. Dawson n'abandonna toutefois pas la Providence, même si l'interventionnisme fut grandement réduit.

Alors qu'on approchait de la fin du siècle, d'aucuns, poètes, pasteurs et professeurs, plus distants du monde scientifique, acceptèrent plus facilement une conception évolutionniste - souvent, en ne tenant pas compte de la question cruciale[28]. Le principal Grant de l'université Queen's déclara qu'il s'agissait seulement de remplacer la conception d'une création directe et soudaine par une autre qui était indirecte et étendue. Au cours des années 1880 et 1890, de jeunes membres du clergé, comme Charles Gordon et Salem Bland, aux prises avec le fatalisme aveugle de la sélection naturelle et le début du darwinisme social, furent secourus par Henry Drummond, le prince Kropotkin et Benjamin Kidd; c'est à ce moment que le processus de transformation de la Providence en Progrès franchit une autre étape[29].

Alors que déclinait l'"interventionnisme", le drame de la conversion s'apaisa. Education, et non plus nature, devint le mot d'ordre. Au cours des années 1880, la montée rapide de l'éducation religieuse certifiait que l'éducation était la tendance "élue" de Dieu au cours de l'histoire. Le commerce entre l'homme et Dieu, entre l'homme et la nature ainsi qu'entre Dieu et la nature, était de plus en plus perçu comme une question de raison et de conscience[30].

La raison fut le terrain sur lequel le remarquable philosophe idéaliste canadien, John Watson, s'opposa finalement à Darwin, dans les années 1870. On devait poser quelque chose de plus que de la matière en mouvement comme processus de sélection naturelle, pensait-il, de façon à ce qu'il en résultât des formes toujours plus élaborées et complexes. Il ne pouvait concevoir une raison structurante émergeant dans un univers absurbe. Watson eut une influence immense, mais il était loin d'être le seul à propager les éléments attrayants de l'idéalisme dans les collèges, les universités et autres lieux au Canada[31].

"Le cours de l'histoire humaine, déclara Watson, est le processus par lequel les êtres qui forment les organismes spirituels de l'humanité parviennent à la conscience du principe qui leur confère leur réalité individuelle". Par conséquent, selon lui, chaque progrès de la science était "la préparation d'une conception plus totale et plus claire de Dieu; chaque amélioration dans l'organisation de la société représentait un degré de plus dans le développement de cette communauté d'êtres libres par laquelle l'idéal d'une unité organique de l'humanité était en train de se réaliser[32]".

Cette conception convenait aux Canadiens au tournant du siècle. Bien des gens, comme George Parkin, appliquaient cette conception à la géopolitique de l'Empire britannique[33], alors que d'autres l'appliquaient à la découverte en cours des prairies de l'Ouest. Cette conception était utilisée pour déterminer la signification des fusions des commerces de l'époque; elle était utilisée aussi par des analystes qui, comme Salem Bland, prédisaient que tôt ou tard les hommes d'affaires adopteraient un code d'éthique altruiste faisant partie de la nature intrinsèque de leurs entreprises. C'était perceptible dans les explications de Phillips Thompson sur la signification du mouvement ouvrier. Partout on parlait de réforme.

L'esprit chrétien semblait ne pas seulement avoir dépassé les cadres de l'Église, mais également être devenu indépendant de celles-ci. Les prédicateurs se tournèrent vers les romanciers et les poètes pour découvrir les nouvelles normes éthiques de l'époque, et les apôtres d'un impôt uniforme (*single-taxers*) - même les socialistes - étaient loués pour leur enthousiasme chrétien pratique. L'immanentisme et l'uniformitarisme en amenèrent certains à l'étude de Spinoza une fois de plus. Des idées panthéistes se glissèrent alors furtivement dans l'esprit du penseur contemporain, déclara William Osborne du collège Wesley, à Winnipeg[34].

Il était clair qu'un monde relativement calme avait été remplacé par un monde explosant d'activités et, qui plus est, un monde nostalgique d'une tranquillité bien établie avait été remplacé par un monde accueillant le changement avec un enthousiasme débordant - empreint toutefois, il faut le dire d'une anxiété que la nouvelle doctrine du Progrès avait servi à calmer.

La géographie nord-américaine, l'ambition de la classe moyenne et l'expansion du commerce, les triomphes de la technologie et les aspirations des artisans qualifiés, le mouvement ouvrier naissant, la science uniformitariste avec ses révisions darwinistes, et l'idéalisme - visiblement accompagnés d'un esprit évangélique urbain en croissance - tous avaient leur façon de comprendre la Providence au Canada au cours du siècle.

Bien que la transcendance de Dieu n'ait pas été mise à l'écart, l'accent était dès lors mis sur l'immanence. La chaîne d'êtres était devenue le fleuve de la vie, et l'interventionnisme dans la nature et l'histoire s'était transformé en une conception progressive des relations intellectuelles. Ces profonds changements furent accompagnés par la disparition presque complète des conceptions de la hiérarchie sociale; les églises actives au niveau social et les écoles publiques devinrent les médiateurs des valeurs qui ordonnaient le changement. Si le plan d'une architecture grandiose de l'histoire s'inclina devant des conceptions plus fluides, il existait certains objectifs importants, qui à l'époque étaient associés soit au mouvement ouvrier, soit au Canada, à l'Empire britannique, au royaume de Dieu, ou à tous ces éléments, et pour lesquels il était nécessaire de se battre et même de faire des sacrifices. Le mal était toujours présent et chaque hymne au progrès était accompagné d'une litanie des maux qu'il restait à éliminer. Le Progrès, du moins selon cette variante canadienne anglaise, ne signifiait pas la subordination de soi à des forces sociales impersonnelles. En fait, le travail demeurait une valeur dominante, comme chez Robinson, Ryerson et Mackenzie, et quelles que furent les réalités étranges, l'individu était considéré comme n'appartenant à aucune classe et était enjoint à chercher l'épanouissement personnel sous la direction de la conscience et de la raison. Il n'était pas moins seul que lorsqu'il était subordonné à la Providence de Ryerson, car, selon l'élégante méthophore idéaliste de George John Bleweett, Dieu était le havre de tous[35].

En fait, au Canada, le Progrès ne devint jamais la vision totalement sécularisée qui existait en grande partie en Europe, en Grande-Bretagne et, dans une certaine mesure, aux États-Unis. Au Canada, on ne parlait pas d'une "croissance dans la nature des choses" comme si Dieu, en quelque sorte, n'était ni dans le processus ni au delà. Au Canada, le Progrès était la Providence mise à jour. Il resta sous cette forme pendant une bonne partie de ce siècle, survivant même à la guerre et à l'effondrement de l'économie.

Malgré les drames et les dilemmes de notre époque, on retrouve dans les espoirs d'un Fernand Dumont, par exemple, traces tradives dans l'histoire d'une autre tradition providentialiste, qu'un beau jour, un peuple comme le nôtre sera capable d'inventer une forme originale de démocratie sortie de sa propre expérience. Ainsi, il pourra "faire monter en surface des questions et des réponses dont les pays riches et plus savants ont besoin pour nuancer leurs gauches et leurs droites. Cela donnerait un sens à une longue survivance,[36]" - et à une idée séculaire.

Richard Allen
Département d'histoire
McMaster University

Notes

1. WISE, S.F."Sermon Literature and Canadian Intellectual History", in *The Bulletin* (archives de l'Église unie), no 18, 1965, p. 3-18; "God's Peculiar Peoples," MORTON, W.L. réd., *The Shield of Achilles* (Toronto, 1968); FRENCH, Goldwin. "The Evangelical Creed in Canada, *Ibid.*; STEWART, Gordon et RAWLYK, George. *A People Highly Favoured of God* (Toronto, 1972), ch. 9 en particulier; WESTFALL, William. "The Dominion of the Lord: An Introduction to the Cultural History of Protestant Ontario in the Victorian Period," in *Queen's Quarterly*, (printemps 1976); GRANT, John W. réd., *Salvation! O The Joyful Sound: Selected Writings of John Carroll* (Toronto, 1967), en particulier "Getting Religion", p. 130-159; MOIR, John, S. "The Upper Canadian Roots of Church Disestablishment", in *Ontario History*, LX (décembre 1968) sont des exemples d'accès facile de ce genre d'études.
2. Les grandes lignes de l'évolution de l'idée de Providence sont exposées dans le *Hastings Dictionary of Religion.*
3. L'exemple le plus connu est: LAFLÈCHE, L.-F.-R., Mgr. "La Mission providentielle des Canadiens français" publié dans *French-Canadian Nationalism* (Toronto, 1969), traduit de *Quelques considérations sur les rapports de la société civile avec la famille* (Trois-Rivières, 1866), p. 37-62.

4. ROBINSON, John Beverly. *Canada and the Canada Bill* (London, 1840) p. 13-80.
5. Pour un survol des idées de Strachan, voir WISE, S.F. *op. cit.*, mais pour une approche systématique de ses idées, voir MACRAE, Norma. "The Religious Foundations of John Strachan's Social and Political Thought as contained in his sermons, 1803-1866", (Mémoire de maîtrise non publié, Université McMaster, 1978). Voir en particulier, les idées de Strachan sur: la chaîne d'êtres, p. 22-23; la providence divine, p. 27-34; les biens temporels de l'homme, p. 35-37, 52, 71, 97-98; les aspects pratiques du christianisme, p. 43-47, 78; classe et subordination, p. 69-71; les Britanniques en tant que peuple élu, ch. 5, et les p. 80-100 en particulier.
6. On peut trouver un très clair exposé de cette mentalité tory - Old Whig dans BEER, Samuel H. *British Politics in the Collectivist Age* (New York, 1965), ch. 1; MACRAE, *op. cit.*; COOK, Terry. "John Beverly Robinson and the Conservative Blueprint for the Upper Canadian Community", in *Ontario History*, LXIV (1972). Cook minimise trop rapidement la force continue de la "grande chaîne d'êtres".
7. MACRAE. p. 73-74; COOK. p. 82-84, 90-91.
8. STEWART et RAWLYK. ch. 9.
9. FRENCH. *op. cit.*, et "Egerton Ryerson and the Methodist Model for Upper Canada", in MCDONALD, Neil et CHARLTON, Alf. réd., *Egerton Ryerson and his Times: Essays on the History of Education* (Toronto, 1978), p. 45-58; voir aussi MCDONALD, Neil. "Egerton Ryerson and the School as an Agent of Political Socialization", *loc. cit.*, en particulier les p. 95-104.
10. L'évêque Mountain cité dans WALSH, H.H. *The Christian Church in Canada* (Toronto, 1956), p. 137; voir également STRACHAN, "A Sermon on the death of the late Bishop of Quebec, 1826", cité dans ELGEE, William H. *The Social Teachings of the Canadian Churches, Protestant, the Early Period Before 1850.* (Toronto, 1964), p. 15 sur la similarité du point de vue des trois, WISE. "Sermon Literature..."
11. RASPORICH, Anthony. (réd.), *William Lyon Mackenzie: Selected Writings* (Toronto), p. 66.
12. WESTFALL, William. "The Dominion of the Lord", p. 52.
13. Voir WESTFALL, dont l'excellente étude établit clairement la distinction entre le séculier et le sacré dans le milieu des affaires et de la religion vers le milieu de l'époque victorienne. Voir SEMPLE, Neil. "The Impact of Urbanization on the Methodist Church in Central Canada, 1854-1884", (Thèse de doctorat non publiée, Université de Toronto, 1979); voir également le mémoire de maîtrise (en préparation) de HANLON, Peter, sur l'élite laïque protestante de la période victorienne, à Hamilton (Université McMaster).
14. Compris dans la série de réimpressions sur l'histoire sociale de l'Université de Toronto, KEEFER, T.C. *The Philosophy of Railroads* (Toronto, 1972), voir en particulier les p. 7-11, 83-89 et l'excellente introduction de H.V. Nelles.
15. Voir par exeample, ELGEE. *Social Teachings*, p. 182-183.
16. Extrait dans SINCLAIR, B., BALL, N.R. et PETERSON, J.O. *Let us Be Honest and Modest, Technology and Society in Canadian History*, p. 108-109.
17. LEISS, William. *The Dominion of Nature* (Boston, 1972), p. 48-54.
18. GALWAY, J.C. *The Claims of the Mechanics' Institutes*, 1844. Extrait dans SINCLAIR, B. et al. *Let us Be Honest and Modest.*
19. Voir, par exemple, les nombreux témoignages d'artisans qualifiés à la Commission royale sur les relations de travail et le capital. KEALY, Greg. réd., *Canada Investigates*

Industrialism. The Royal Commission on the Relations Labor and Capital, 1889. Version abrégée, (Toronto, 1973), p. 115, 118, 120, 155-157, 244-245.

20. Cetains éléments de cette transition sont résumés dans PALMER, Bryan. *Culture in Conflict*, (Montréal, McGill-Queen's, 1979), ch. 4, "Reform Thought and the Producer Ideology", en particulier les p. 98-100. L'aspect providentiel de l'éthique du travail et ses variations sont clairement exposés dans KUTCHER, Stanley. "John Wilson Bengough: Artist of Righteousness", (Mémoire de maîtrise non publié, Université McMaster, 1975), ch. 4.
21. Voir HOMEL, Gene. "Fading Beams of the Nineteenth Century: Radicalism and Early Socialism in Canada's 1890's", in *Labour/Le Travailleur*, v (printemps 1980), particulièrement les p. 13-32 pour un bref et très abordable aperçu de la dimension religieuse des mouvements travailliste et socialiste à la fin du siècle. Homel décrit l'alliance entre les dirigeants syndicaux et les socialistes qui voulaient mettre en pratique le "message social du christianisme" d'une part, et le clergé radical soucieux de "renouveler l'éthique chrétienne,", d'autre part. L'enthousiasme religieux s'estompe avec la fin du siècle, dit Homel, alors que l'éthique demeure. Des travaux de maîtrise portant sur les journaux socialistes et ouvriers entre 1872 et 1914 démontrent clairement que les convictions de ces deux groupes étaient centrées sur le fait que Dieu, peu importe la conception que l'on en ait travaillait à établir un avenir de justice et de fraternité dans l'histoire. Cette vision des choses s'est maintenue dans toutes sa rigueur jusqu'en 1914 (Jim Stein - 1974; Joan Sangster - 1976; Katherine O'Connor 1980; Edgar Rogalski - 1981). Même le rédacteur le plus radical, W.A. Cotton, écrivit en 1909, "the new spirit of Christ, the Socialist movement sweeps on and is fought by the churches..." (*Cotton's Weekly*, le 25 mars 1909). Voir THOMPSON, Phillips. *The Politics of Labor* (New York, 1887). Série de réimpressions sur l'histoire de l'Université de Toronto, p. 210 et le dernier chapitre en entier. La pensée de Thompson sur l'avenir du travail ne peut être dissociée de ses convictions théosophiques pour ce qui est de la force évolutionniste d'un esprit universel intérieur. Sa conception de l'homme du peuple l'a rapproché de W.L. Mackenzie (Voir l'oeuvre ci-dessus, p. 6).
22. Tel que cité dans TAYLOR, R.J. "Darwin's theory of Evolution: Four Canadian Responses", (Thèse de doctorat non publiée, Université McMaster, 1976), p. 12.
23. *Footprints of the Creator* (1847) et *Testimony of the Rocks* (1857).
24. TAYLOR, p. 268-273.
25. *Ibid.*, p. 268.
26. *Ibid.*, p. 271-272.
27. Le compte rendu du point de vue de Dawson qui suit repose principalement sur l'oeuvre de O'BRIEN, Charles F. *Sir William Dawson: A Life in Science and Religion* (Philadelphie, 1971), en particulier les ch. II, III, IV, V; voir les p. 39-59, 65-66 sur Dawson, Miller et la Providence. L'oeuvre la plus populaire et la plus accessible parmi les nombreux livres écrits par Dawson est *The Story of Earth and Man* (1874), en particulier les quatre derniers chapitres.
28. Voir REIMER, H.J. "Darwinism in Canadian Literature", (Thèse de doctorat non publiée, Université McMaster, 1975), qui traite, entre autre, de Charles G.D. Roberts, Archibald Lampman et Wilfrid Campbell.
29. Voir, par exemple, les notes de cours de Salem Bland sur le socialisme évolutionniste "Four Steps and a Vision", Travaux de Bland, no 19 (1898), Archives de l'Église unie. Également, GORDON, C.W. *Postcript to Adventure* (New York, 1938).
30. Comme ceci s'appliquait en particulier aux enfants, voir SEMPLE, Neil. "The Nurture

and Admonition of the Lord: Nineteenth Century Canadian Methodism's Response to Childhood", in *Histoire Sociale/Social History* (Mai-May 1981), p. 157-176.

31. Voir l'excellente analyse de Taylor au sujet de Watson, *op. cit.* Pour une analyse plus vaste de Watson et la réaction à l'influence qu'il a exercée sur ses disciplines, voir MCKILLOP, A.B. *A Disciplined Intelligence* (Montréal, 1979, p. 181-203. À propos d'autres intellectuels idéalistes de l'époque, voir SHORTT, S.E.D., *The Search for an Ideal* (Toronto, 1976); FRASER, Brian. "Theology and the Social Gospel among Canadian Presbyterians: A Case Study", in *Studies in Religion/Sciences Religieuses*, viii, i (1979), p. 34-46; PATERSON, Morton. "George Blewett: A Forgotten Personalist", in *Idealist Studies*, viii, 2 (1978), p. 179-189.

32. WATSON. "The Outlook in Philosophy", in *Queen's Quarterly*, viii (avril 1901), p. 251.

33. COOK, Terry. "George Parkin and the concept of Britannic Idealism", in *Journal of Canadian Studies*, x (août 1975), p. 15-31.

34. OSBORNE, William. *The Genius of Shakespear and other Essays*, (Toronto, 1908), p. 68-70.

35. Pour l'analyse de cette idée dans les divers écrits de Blewett, voir PATERSON, Morton. "Divine Encounter in Blewett", in *Studies in Religion/Sciences Religieuses*, vi, 4 (1976-1977), p. 397-404. M. Blewett a été professeur au collège Wesley, à Winnipeg et au collège Victoria, à Toronto.

36. DUMONT, Fernand. "La Vigile du Québec", Éditions Hurtibise HNH, Collection *Constantes*, vol. VII, (Montréal, 1971), p. 233-234.

Chapter
Chapitre 2

Religion and Society/ Religion et dynamique sociale

GABRIEL DUSSAULT

Dimensions messianiques du catholicisme québécois au dix-neuvième siècle

It should come as no surprise that, a little more than twenty-five years ago when a "Quiet Revolution" was about to begin that was characterized by a cultural break with the past, "messianism" was identified as one of the "dominant traits" of traditional French-Canadian thought, and was immediately condemned as illusory and aberrant. Since then, however, on the global scale, a sociology of messianism has arisen whose teachings warrant a new look at this phenomenon. Obviously, Québec Catholicism - or more broadly, French-Canadian Catholicism - of the last century, being firmly entrenched as it was within a long-institutionalized Church, does not globally constitute a "messianism" in the technical sense of the term used here. However, inasmuch as it tended to be transformed into a national religion, and the national religion, moreover, of an ethnic group in a situation of colonial subordination, economically and politically dominated, it also tented to acquire the traits of an ethnic messianism and to serve as a vehicle for typically messianic hopes and expectations. It governs a reading of the history of this people who, banking on the future, nourished dreams of recovery and independence. But far from being a mere compensatory escape into the imaginary, this diffuse, latent messianism underlay collective projects and social practices of nationalist and political significance; aimed at emancipation, they were manifested by development projects and practices of a remarkable modernity for the time, such as those of the curé Antoine Labelle (1833-1891), enthusiastically adhered to by a devotee of the religion of science and progress such as the anticlerical journalist Arthur Buies. Naturally, since it did not lead up to an explicit challenge of the economic and political structures of dependence, this messianism could not hold true to its promises in the end. But this "fiction," as from a positive point of view it must be called, had nonetheless very concrete empirical effects: one of the most tangible was to have made of Canada - then, and still today - a divided country; to have made a veritable fiction of that hypothetical reality, a truly Canadian culture.

> *Aussi bien tenons-nous pour rêveries, assurément intéressantes, la totalité des productions du passé et ne tenons-nous pour vrai, très provisoirement, que le 'dernier état de la science'. C'est cela, la culture.*
>
> Paul VEYNE, *Les Grecs ont-il cru à leurs mythes?*, Paris, Éditions du Seuil, 1983, p. 12.

Les maîtres du relativisme culturel nous ont depuis longtemps enseigné à ne pas déconsidérer, fût-ce par le sourire, les manières de penser, de sentir et d'agir des cultures les plus exotiques. Et pourtant, en raison d'une forme particulièrement insidieuse et rarement répertoriée d'ethnocentrisme, non plus spatial celui-là mais temporel, que l'on pourrait qualifier d'ethnocentrisme du présent, et en vertu duquel "chaque époque se prend pour le centre de la culture[1]", il nous est encore difficile de prendre véritablement au sérieux ce que notre propre passé culturel a tenu pour vrai, et qui nous est devenu irrémédiablement étranger: comme si l'évidence de l'historicité et de la caducité de raisons de vivre et d'espérer de nos pères risquait de faire naître le soupçon sur le fondement de nos certitudes aujourd'hui les plus chères et d'éveiller le pénible pressentiment du destin qui, un jour, les attend à leur tour. Aussi ne faut-il guère s'étonner si, il y a un plus d'un quart de siècle, alors qu'allait bientôt s'amorcer au Québec une *Révolution tranquille* précisément marquée par une rupture culturelle avec le passé, le "messianisme" a été identifié comme l'une des "dominantes" de la pensée canadienne-française traditionnelle pour être immédiatement condamné comme rêve, illusion, égarement[2]. Et, en effet, du fond de la seconde moitié du dix-neuvième siècle québécois, dans de vieux livres poussiéreux comme dans le secret de correspondances privées, des voix se font entendre qui tiennent des propos aujourd'hui fort étranges, plus étranges peut-être encore d'ailleurs que ceux naguère évoqués comme "messianiques". L'idéaltype de leur discours[3], dépouillé de certaines marques d'auto-censure et de tout ménagement diplomatique, pourrait à peu près se résumer ainsi:

> *Nous, Canadiens français catholiques, nation catholique française sommes le peuple élu de Dieu, choisi par lui pour travailler à l'extension de son Royaume et implanter la vérité au milieu des populations égarées, infidèles qui nous entourent. Par nos mains se perpétuent les 'Gesta Dei per Francos', et nous sommes donc les héritiers des promesses jadis faites à l'Église et auparavant à Israël. Toute notre histoire témoigne de cette mission et de cette élection: de maints événements qui offrent un parallèle saisissant avec l'histoire biblique ou celle des croisades, jusqu'à cet accroissement naturel prodigieux de notre population qui n'a d'égal que celui que connurent les enfants d'Israël en Égypte et qui nous assure, à terme, la maîtrise d'une partie considérable, tout au moins, de ce continent. La Conquête elle-même, dans cette perspective, a un sens: elle a été voulue par Dieu pour nous arracher à une mère patrie devenue impie. Mais Dieu est avec nous, et s'il est avec nous, qui sera contre nous? Si nous restons fidèles à la mission qu'il nous a confiée, il combattra pour nous, s'il le faut, comme au temps de Sennachérib et de Judas Maccabée. Et il fera de nous un grand peuple: on nous comptera par millions et nous aurons une force prépondérante dans les destinées de l'Amérique du Nord. Oui, un jour, quand l'heure sera venue, Dieu qui donne à qui il lui plaît des territoires, qui élève ou abaisse les nations, qui protège ou ruine les peuples, nous rendra la puissance, la richesse et la gloire qui nous reviennent en héritage. Car c'est ici-bas que se trouve pour les peuples la punition comme la récompense.*

Pour rester dans le registre biblique de nos sources, il faut bien avouer que de telles paroles sont aujourd'hui difficiles à entendre. Quel contemporain oserait les reprendre intégralement à son compte sans broncher? Elles renvoient à un monde de vérité qui n'est plus le nôtre, du moins sans herméneutique. Mais comme j'ai tenté, entre autres, de le montrer dans mon ouvrage intitulé *Le Curé Labelle. Messianisme, utopie et colonisation au Québec (1850-1900)*, l'espèce de délire collectif qui s'y exprime n'est pas inconnu de la sociologie des messianismes. Nous savons, en effet, maintenant qu'un peu partout à travers le monde, dans des situations de domination et de subordination comme en comporte en particulier la situation coloniale, menaçant à la limite des collectivités dans leur existence même, ont surgi des représentations collectives analogues: attentes d'une transformation du monde grâce à une intervention spéciale de son dieu qui, par la médiation d'un émissaire d'origine ou d'inspiration divine, pouvant d'ailleurs être le peuple lui-même, instaurerait sur terre son royaume, assurant ainsi la rédemption des maux et le salut terrestre de ces collectivités.

Or, bien sûr, fortement encadré par une Église institutionnalisée de longue date, le catholicisme québécois et, plus largement, canadien-français du siècle dernier ne constitue évidemment pas, *globalement*, un "messianisme" au sens technique du terme, mais bien plutôt une réalité sociale profondément ambiguë, polysémique et même, à certains égards, anti-messianique. Et pourtant, *dans la mesure* où il est à toutes fins pratiques coextensif à la communauté d'ascendance française; *dans la mesure*, en outre, où il constitue, comme et avec la langue française, un trait culturel distinctif, un attribut différentiel de ce groupe face aux populations voisines; et *dans la mesure* peut-être surtout où, en cette ère d'anté - voire d'anti-oecuménisme, il est en relation d'antagonisme manifeste avec le "protestantisme" de ces populations: il tend, contradictoirement avec son caractère supranational et universaliste, à se métamorphoser en religion nationale, en une sorte d'Église-Nation, expression emblématique de l'identité de la nation et de son altérité, symbole et instrument de son intégration et de son intégrité. Car les religions, comme les langues, comme les cultures dont les unes et les autres font partie, marquent d'invisibles mais très réelles frontières entre les humains, les unissent et les divisent, les divisent en les unissant, et, plus souvent peut-être qu'on ne le pense, les unissent précisément en les divisant. Si déjà, en 1831, Alexis de Tocqueville pouvait écrire que "les Canadiens sont [...] religieux par principe et par passion politique", tout se passe en tout cas comme si, aux lendemains de la répression de l'Insurrection de 1837-1838 et du *Rapport Durham*, la communauté francophone ne pouvant plus définir son identité en termes politiques sous le régime de l'Union, en réaction aussi sans doute contre les visées assimilatrices du *Rapport*, allait de plus en plus se définir comme une communauté de culture ayant pour foyer précisément ce en quoi et par quoi elle pouvait continuer à s'opposer et à se poser en contre-société face à une société dominante anglophone et protestante: une communauté de culte, la religion nationale, le nationalisme religieux étant dès lors destiné à se substituer progressivement, comme instrument de lutte et de résistance, au nationalisme politique virulent et désormais impraticable des décennies précédentes, et à permettre ainsi, sous des dehors pacifiques, non-violents, a-politiques, une perpétuation du conflit entre les "two nations warring in the bosom of a single state" dont avait parlé le lord britannique. À mon avis, l'on ne saurait pleinement comprendre l'extraordinaire emprise que le catholicisme a si longtemps exercée sur la société canadienne-française (ni d'ailleurs la ressurgence, dans la "priest ridden province", d'un néo-nationalisme politique souverainiste au moment où cette emprise amorça son déclin) sans tenir compte de son important caractère de religion nationale.

Mais, ce n'est pas tout. *Dans la mesure*, en effet, où cette religion nationale est celle d'une ethnie en situation de subordination coloniale, économiquement et politiquement dominée, elle tend également à revêtir des traits d'un messianisme ethnique et à véhiculer des espérances et des attentes typiquement messianiques, tant il est vrai, selon le mot de Max Weber, que "le sentiment de leur dignité qu'ont les membres des couches négativement privilégiées repose sur une 'promesse' qui leur a été garantie, liée à une 'fonction', une 'mission', une 'vocation' à eux assignées", et qu'ils comblent la lacune entre ce qu'ils sont et ce qu'ils ne peuvent pas prétendre 'être' [...] en se référant à la dignité de ce qu'ils seront un jour [...][4]. Ce messianisme latent et diffus dans la religion nationale gouverne notamment la lecture de l'histoire de ce peuple, que nous avons remémorée il y a quelques instants, et qui cautionne pour lui un avenir autre que le présent qui lui est fait, un avenir meilleur, y compris aux plans économique et politique, garanti par son Dieu par-delà tous les obstacles. Pour toute une génération au moins, il nourrit subrepticement, par affinité, des utopies expansionnistes, des rêves de reconquête et d'indépendance, quelque chose comme l'anticipation revendicatrice d'une Terre promise, d'un pays à soi, d'un pays pour soi.

L'on aurait cependant tort de n'y voir qu'escapisme, fuite compensatoire dans l'imaginaire devant les frustrations du présent. Car, produit de conditions historiques et sociales spécifiques, ce messianisme qui, en un sens, est alibi de l'histoire (le fait de ceux qui la subissent plus qu'ils ne la font), devient à son tour provocateur de nouveautés sociales: il inspire, suscite, anime, sous-tend, en effet, des projets collectifs et des pratiques sociales, à visée nationaliste et à signification politique, qui se veulent émancipatoires. Telle, au risque d'en faire sursauter encore plusieurs à la seule évocation du mot, la colonisation, c'est-à-dire le défrichement de nouveaux territoires recouverts de forêts, leur aménagement et la mise en valeur de leurs diverses ressources, leur peuplement et leur organisation en paroisses religieuses et en municipalités civiles, *dans la mesure* où, comme j'ai tenté de le montrer dans mon ouvrage, le *projet colonisateur*, dans la seconde moitié du dix-neuvième siècle québécois, constituait une utopie de reconquête par une stratégie formellement légale et pacifique d'expansion et d'occupation territoriales, qui donne d'ailleurs son sens plénier au fameux slogan de l'époque: *Emparons-nous du sol!*

En témoignent en tout cas, et de manière exemplaire, la vie et l'action de l'une des figures sans contredit les plus populaires et les plus légendaires de cette période, au Québec, Antoine Labelle, fils de cordonnier, curé de la paroisse de Saint-Jérôme de Terrebonne (une cinquantaine de kilomètres au nord-ouest de Montréal) de 1868 à 1891, émissaire envoyé à deux reprises en Europe par les gouvernements canadien puis québécois pour en attirer immigrants et capitaux, sous-ministre de l'Agriculture et de la colonisation sous le gouvernement Mercier au cours des deux dernières années de sa vie. Labelle, faut-il le rappeler, s'est principalement illustré comme promoteur de la colonisation du nord-ouest de Montréal et de la vallée de l'Outaouais où, en moins de vingt ans, il contribue directement à l'établissement d'une vingtaine de paroisses ou missions dans une trentaine de cantons. Il se voue entièrement à cette cause: non content d'en discourir sans cesse, il explore lui-même la forêt au cours de quelque quarante-cinq expéditions durant parfois de trois à quatre semaines et l'entraînant à plus de deux cents kilomètres de sa paroisse; il choisit et détermine alors, de proche en proche, l'emplacement de futurs centres de peuplement; il presse le gouvernement de procéder à l'arpentage des cantons et à la confection des routes; il conduit des colons vers ces lieux, les visite régulièrement, distribuant provisions, conseils, semences, sollicite, le cas échéant, l'aide de l'État pour certains d'entre eux dont les récoltes ont souffert de gelées, réclame pour eux des chalands; il suit pas à pas le développement des nouvelles colonies, hante les corridors des Parlements pour faire pression sur députés et ministres, combat la législation forestière en vigueur, fonde une Société de colonisation du diocèse de Montréal et va jusqu'à créer une Loterie nationale de colonisation.

Rien de particulièrement passéiste, ruraliste ou agriculturiste dans l'espèce de programme de développement qu'il met de l'avant pour les nouveaux territoires. Car il n'attend pas seulement leur prospérité de l'agriculture, une agriculture qu'il travaille du reste à moderniser en encourageant par exemple l'utilisation des engrais et la construction de silos, une agriculture qu'il veut vraiment commerciale et ouverte même sur les marchés extérieurs. Mais cette prospérité, il l'attend encore des gisements miniers que l'on y exploitera, des hauts fourneaux - qui sait? - que l'on y érigera, du commerce et du tourisme qui s'y développeront, des industries qui s'implanteront dans les villes de l'avenir de cette région aux ressources hydrauliques abondantes (il encourage d'ailleurs de toutes ses forces sa propre paroisse à entrer dans cette voie de l'industrialisation). Et cette prospérité il l'attend enfin, et peut-être surtout, des voies ferrées - ce véritable symbole du progrès au dix-neuvième siècle - qui sillonneront ce pays de toutes parts, et pour la construction desquelles il ne cesse, sa vie durant, de militer. Ce sont d'ailleurs de telles vues, d'une remarquable modernité pour l'époque, qui valurent très significativement à Labelle l'appui enthousiaste, l'admiration sans bornes et l'amitié indéfectible d'un fervent de la religion de la science et du progrès comme le journaliste anticlérical Arthur Buies, grand admirateur des États-Unis et des Américains comme peuple marchant "à pas de géants".

Nous voilà nous-mêmes ici en pays de connaissance. Autant le messianisme peut nous paraître aujourd'hui imaginaire, fictif, irréel, autant ces notions familières de progrès socio-économique et de développement nous paraissent renvoyer à la *vraie* réalité, à la réalité qui compte, au "réellement réel" l'"ontôs on", pour parler comme Platon) et non à des simulacres. Et pourtant, cette sorte de programme de développement à la réalisation duquel Labelle consacre le meilleur de lui-même n'est, en fait, qu'un sous-produit, qu'une retombée du messianisme national qui l'habite. Ce qui mobilise en effet ses énergies, ce qui le meut, ce qui fait de la colonisation à ses yeux une sorte d'impératif catégorique, d'absolu, de devoir sacré, c'est sa profonde conviction que la terre des Laurentides est la Terre promise de son peuple. Les archives nous révèlent que le dessein qu'il poursuivait en était un de reconquête indissociablement catholique et française, termes pour lui synonymes. Dans un premier temps, il s'agissait pour lui, comme il le reconnaîtra un jour en toutes lettres, d'"enlever aux protestants les comtés d'Argenteuil et d'Ottawa et [de] les assurer pour toujours en la possession des catholiques et tout cela sans le dire ouvertement", la vallée de l'Outaouais devant constituer, selon sa propre expression, "la forteresse de la race française dans l'avenir". Mais ce n'était là, en fait, qu'une modeste étape d'une beaucoup plus longue marche, une portion minuscule d'un rêve beaucoup plus gigantesque. Car, ce qu'il fomentait en imagination, ce n'était rien de moins que la reconquête par les siens, à plus long terme, de tout le quart nord-est de l'Amérique du Nord, de tout le territoire nordique compris entre Montréal et Winnipeg, et jusqu'à la baie d'Hudson, grâce à une colonisation progressive et progressant vers l'ouest, formant une chaîne ininterrompue de colonies. Ce dont il s'agissait au fond à ses yeux, comme il l'écrira un jour dans une lettre où il dit révéler tout le secret de sa politique, c'était pour "nous les enfants du Nord, nous les fondateurs de ce futur empire de l'Amérique du Nord" de "conquérir sur les Philistins anglais cette terre de l'Amérique par notre vigueur, notre fécondité, notre habileté et par ces secours d'en haut qui nous viennent si à propos pour réaliser ces grandes conceptions", de sorte que puisse s'accomplir un jour, avec les renforts de l'immigration française à venir, "la revanche de Montcalm", "la plus grande victoire que jamais nation ait accomplie: conquérir nos conquérants![5]"

Le recul de l'histoire aidant, l'on dira bien sûr que, faute de déboucher sur une mise en cause explicite des structures économiques et politiques de dépendance, en supposant qu'elle était alors possible, le messianisme ne pouvait, à terme, tenir ses ultimes promesses. Mais, en sacralisant en quelque sorte le destin des francophones, en contribuant à maintenir le vouloir-vivre d'une société historiquement improbable et constamment problématique, ce messianisme qu'il faut bien, d'un point de vue positif, appeler une fiction n'en aura pas moins eu des effets empiriques très réels: l'un des plus tangibles, auxquels il aura contribué en son temps, aura sans doute été de faire, durablement et jusqu'à nos jours, du Canada un pays divisé, et de l'hypothétique réalité d'une culture canadienne, une, une véritable fiction.

Gabriel Dussault
Département de sociologie
Université Laval

Notes

1. VEYNE,Paul. *Les Grecs ont-ils cru à leurs mythes?*, Paris, Éditions du Seuil, 1983, p. 132.
2. Voir BRUNET, Michel. "Trois dominantes de la pensée canadienne-française: l'agriculturisme, l'anti-étatisme et le messianisme. Essai d'histoire intellectuelle". *Les Écrits du Canada français* (Montréal), 3, 1957, pp. 31-117.
3. Pour des références précises, voir DUSSAULT, Gabriel. *Le Curé Labelle. Messianisme, utopie et colonisation au Québec (1850-1900)*, Montréal, Éditions Hurtubise HMH, 1983, pp. 60-65 et 90-92.
4. WEBER, Max. *Économie et société*, Tome premier, Paris, Plon, 1971, p. 511.
5. Voir citations et références dans: DUSSAULT, *op.cit.*, pp. 90 et 87.

WILLIAM WESTFALL

The End of the World: An Aspect of Time and Culture in Nineteenth-Century Protestant Culture

Au cours du dix-neuvième siècle, les structures sociales et religieuses de l'Ontario ont subi nombre de changements importants. Les développements économiques et sociaux ont fait passer la province de l'état de société rurale et agricole à celui de société urbaine et industrialisée. À la même époque, la structure religieuse de la province évoluait également: l'État rompait son alliance avec l'Église d'Angleterre, sécularisait les bénéfices de la caisse du clergé et retirait l'Église de l'université de la Province.

Tous ces changements soulevaient la question de la conception de la nature du temps. Comment expliquer la nature et le sens des événements contemporains? Comment s'intégraient-ils aux visées de Dieu pour le monde? Vers la moitié du dix-neuvième siècle, cette question était au coeur d'un important débat culturel. Selon nombre de sectes millénaristes les événéments contemporains devaient être interprétés en termes apocalyptiques. La fin du monde était imminente: le Christ reviendrait bientôt. Ce message eût un effet profond et néfaste. Les principaux groupes protestants (qui, aux yeux des sectes millénaires, ne faisaient qu'un avec l'antéchrist) ont alors réagi en se donnant une image du temps progressive et graduelle. Aujourd'hui, les événements nous indiquent que nous nous dirigeons vers un millénaire qui sera de nature spirituelle et morale. L'action de l'Homme, et à vrai dire la technologie, peut contribuer à la réalisation de cet état glorieux sur la terre.

Alors que le débat n'a signifié la fin du sectarisme millénaire (bien des personnes trouvent encore une consolation dans les aspects négatifs du progrès), il représente toutefois un des plus importants concepts de la culture victorienne de l'Ontario, à savoir l'idéologie du progrès.

During the nineteenth century both the social structure and the religious structure of Ontario underwent a number of important changes. Under the weight of economic and political change, the social structure of the Province began the process that would transform Ontario from a rural and agricultural society into an urban and industrial one. This process would in time affect the entire social system, reorganizing, for example, the character of politics, work, and family relations.[1] At the same time the religious structure of the Province was also changing very rapidly. In the early nineteenth century the religious structure could be divided into three general groups: Roman Catholics, Churchmen (Anglicans and Presbyterians), and Protestant dissenters. The divisions on key religious issues of the day - marriage, education, and land policy - reflected this structure. But as these issues were resolved, a new religious structure began to emerge in which Anglicans, Presbyterians and the former dissenting bodies would come together in an informal Protestant alliance to attack Popery on one extreme and secularization on the other.[2]

The relationship between social change and religious reorganization is very complex; but at the centre of both of these processes was the creation of a new and secular state system in Ontario. In the 1840's and 1850's the colonial state changed very dramatically in both its leadership and purpose. Under the guise of "political reform" and the hopelessly misleading phrase "responsible government" a broad coalition of middle class interests reduced the power of the "family compact" and then used the instruments of the state to promote their own economic interests.[3] To use the language of political science, this group defined both accumulation and legitimation in terms of economic development,[4] and the main instrument for development - the new technology of railroads - became the dominant item on the agenda of provincial politics.

It was this new state that also rejected the old church-state alliance and the cultural corollary of this alliance - that the state should exercise a public moral role by supporting a national system of religion. The great spoilation of the clergy reserves and the removal of the Church from the Provincial University are two important parts of this process.[5] But this process of secularization, in a very interesting dialectical manner, was to help strengthen a new type of religious organization. Once the church was removed from the state, then the way was clear for churchmen and dissenters to enter into an informal Protestant alliance. The new state also provided the issues that this alliance would have to confront. While the state removed the issues that had divided these groups - the University and the clergy reserves, - it now created the poverty, the class tensions, and the public disorder that would preoccupy religious institutions for the remainder of the century.

These changes seem to follow a certain pattern and in retrospect take on an aura of inevitability. Contemporaries, however, were not able to appreciate the symmetry of history, and for many the nature and results of social and religious change remained very dark and impenetrable mysteries. Change led to disorientation and had very profound cultural repercussions. It not only had an effect upon social structures and the relationship between religious groups, it also had an impact upon the way people saw the world, and upon the cultural forms that integrated and gave meaning to all the elements of the social and religious system. To put the matter in a very direct manner, *social and religious change broke down the harmony between reality and the culture systems that should explain that reality*. The new world of Victorian Ontario did not seem to be unfolding according to the cultural forms that had been set down for its guidance. Change, in sum, created a cultural crisis.

At the centre of this crisis was the question of time - how does one structure events and experience in a temporal manner? The answer to this question forms an important part of the way in which any individual or society organizes and explains reality; everyone must have a sense of time, a way of integrating every instant of their lives with what has gone before and what is yet to come. Religions, in turn, play a vital role in creating and sustaining a sense of time for they provide answers to the types of questions that are posed by time - what, for example, is the relationship between what one does now and what will happen in the future?

Christianity, and especially Protestant Christianity in the nineteenth century, answered the question of time in a direct and powerful manner. Protestants interpreted Christianity in an historical manner; they read their Bibles as if they were a history book - with a beginning, a middle, and an end. The Bible provided a framework for explaining all time and all places, and to the extent that Protestants accepted the Bible as the word of God this framework partook of the sacred, giving this text an authority that transcended the time and place that it was asked to explain.

Social and religious change raised the question of time and culture. As society shaped itself in new ways and the systems of explanation that the culture set out could no longer explain either change or the new reality, people asked an important cultural question: what is the relationship between the past, the present, and the future? What is the place of the present course of human affairs in God's scheme for the world? What is the meaning of change itself?

In the mid-nineteenth century these crucial questions were framed in religious terms. People had not yet fallen victim to the heresy that religion speaks only to those questions which cannot be answered by other (and more rational) systems of explanation. Consequently, the disruption of time and place would lead them as a matter of course to the eschatological constructs that the Bible seemed to provide. As thousands and thousands had done before them, Upper Canadian Protestants responded to change by reading their Bible in apocalyptic terms and by seeking council and advice in the frustratingly precise descriptions of the return of Christ that were set down in the Revelation of St. John the Divine.

The Second Advent and the millennium, or thousand year reign of Christ on earth, are important elements of Christianity. The belief that Christ will come again and alter fundamentally the relationship between heaven and earth is based upon Scripture, and forms part of the eschatological doctrines of the faith. This joyful hope was held by the early church, expressed in the Creeds, rehearsed in Divine service, and celebrated in the Christian calendar.[6] In the nineteenth century, however, a number of groups responded to their own sense of crisis by interpreting the millennial prophecies in a distinctive manner - the world was about to end, the return of Christ and the Kingdom of God were at hand.

Millennial expectations of this type were undoubtedly very strong on a number of occasions during this period. Wave after wave of millennial bands - Irvingites, Mormons, Perfectionists, Millerites, Plymouth Brethren and many others - flowed across the Province. These groups play an important, and for the most part neglected, role in the history of Canadian religion. In addition to their importance as specific religious bodies, they are also very important in a cultural sense for their ideas and actions provide a context for examining the question of time in Protestant

Ontario. To raise the midnight cry, to prophesy that the world was about to end, presents the question of time in the most dramatic manner that one could imagine. It also presents the necessity of articulating an alternate way of understanding time and place, a way that could explain and control the disruptive potential of contemporary events. In the debate over the end of the world, then, one can see two responses to social and religious change. The apocalyptic millennium led to its own alternative - a gradualist and progressive view of change and time that would become a central feature of the cultural form that would come to dominate Protestant Ontario in the nineteenth century.

II

"Progress," Professor Carl Berger has stated, "was the major certitude of Victorian culture and the extent of progress was invariably measured in material terms."[7] In retrospect, this generalization seems to capture the essence of the nineteenth century English Canadian attitude towards time. Certainly the brash confidence with which so many Victorians tried to extend an expanding present into an abundant future attests to the power of the idea of progress, and the way in which they tried to sustain this sequence by counting the increase in the population, the mileage of railway track, and the acreage of agricultural production also confirms the materialistic framework within which progress was so often described.

The idea of progress, however, and its place in nineteenth century culture is more complex than Professor Berger's generalization might at first suggest. In the first place the "material terms" in which progress was "invariably" described do not take into account the extent to which progress was also a religious construction. Time included an important sacred orientation. "In view of what has been achieved in the century of Methodism in Canada, now closing," wrote the official statistician of Methodism, the Rev. George H. Cornish,

> *and the foremost position occupied by Methodism in the growing Dominion, may we not expect that by the blessing of God this great Church, with her multiplied and ever-increasing agencies will go forward in the work of winning souls to Christ, and so haste on the millennial glory of His Kingdom?*[8]

While this quotation concludes a "Statistical Record of the Progress of Methodism" the examples of progress that Rev. Cornish sets down differ sharply from the materialistic notions one associates with the idea of progress. "Multiplied and ever-increasing agencies" contain a statistical reference but churches and Sunday schools were sacred; they were not of the same order as the expansion of branch banking. The measure of their progress was not financial but their success in "the work of winning souls to Christ". And the goal of this type of progress - "the millennial glory of His Kingdom" - was not synonymous with a growing population and ever ascending levels of wealth and prosperity.

The vision of a future "millennial glory" introduces a second question, for if progress were a "major certitude" of Victorian culture, such certitude might well have been a relatively recent acquisition. In the opening decade of Victoria's reign, for example, the Rev. John Roaf, the leading Congregational minister in the colony, spoke with great force upon the prevalence of a very *unprogressive* understanding of the nature of time. *Both the Old Testament and the New,* he explained,

> *point to a state of blessedness on earth. In this respect revelation differs from human systems, which put the golden age at the commencement of our race, whereas it is to be the result of the remedial system of Christ, and to come at the end.*[9]

Roaf made a clear distinction between two systems of time: a religious one and a "human one." He argued that in his own day these two systems were at odds. While the religious system was progressive - "the last best state is still future" - the human system was not - the golden age was in the past, the future held little hope.

Roaf made these observations while he was responding to a major outbreak of millennial expectancy in the mid-1840's. From contemporary accounts it seems clear that many people in English-speaking Canada, far from believing that their age was one of unrelenting improvement, interpreted current affairs in apocalyptic terms.[10] The world was getting worse as time marched quickly to its final and awful resolution. In these circumstances they accepted the interpretation of time that was set out by certain millennial movements. Present events were a sign that the prophecies of the Book of Revelation were about to be fulfilled. We are living in the latter days: evil is so widespread that only the return of Christ in a physical form to lead the forces of good can save the world and usher in the millennium - the reign of Christ on earth for a thousand years.

Millennial movements were at times very strong and they had an important impact upon the religious structure of Ontario; and yet, for a variety of reasons the millennium and millennial movements remain in the dark recesses of Canadian religious and social history. In part this can be explained by the fact that these groups kept few records, after all the apocalypse and archives do not go hand in hand. More importantly perhaps English Canadian religious historians have been preoccupied with political themes such as the clergy reserves and church union, themes that do not lead one directly to study these groups. Similarly the church-sect typology that has so deeply coloured scholarship in this area has also obscured the place of the millennium. While the typology recognizes the social significance of sectarian movements, it has also strengthened the assumption that millennial expectancy was the preserve of the radical fringe of the religious spectrum. Churches, the alternative to sects, were perforce quarantined from this outlandish contagion. For these reasons, both the place of millennial thought within the intellectual history of Ontario Protestantism and the cultural significance of the midnight cry have been almost completely overlooked.[11]

It is important to clarify the place of millennialism in the religious structure of the period, for far from being an outlandish and almost ridiculous phenomenon, millennial thought and practice touched the mainstream of Ontario Protestantism at a number of important points. Millennialism turned upon the interpretation of prophecy, and in this period prophecy played a major role in Christian apologetics. That most conservative of Christian writers, the Rev. William Paley whose works provided the foundations for natural theology placed great stress upon the importance of Biblical prophecies. The fact, he argued, that all prophecies are always and completely fulfilled, provided one of the major evidences of the validity of the Christian religion.[12] Unravelling prophecies and explaining contemporary events in relation to Biblical predictions was a common clerical pastime. In this sense millennialism worked within a popular intellectual framework; it simply increased the intensity and immediacy of what many others had been doing for a long time.

Some of the practices of certain Protestant groups also aided the millennial cause. In the early decades of the nineteenth century a number of religious groups, and especially the Methodists, relied very heavily upon the techniques of revivalism. Here the goal was to induce a sudden and highly personal conversion experience. The sinner should be immediately transformed by the power of the spirit into a state of salvation, and salvation meant coming out of a sinful world and striving for a life of Christian perfection. To bring about such a transformation, revivals would subject the prospective penitent to a veritable onslaught of emotional exhortation. Preachers were told to "preach for a verdict" and to do this they would use frequently the prophecies of both the Old and New Testament, especially a catalogue of the pains and punishments that awaited the unrepentant at the latter day.[13]

Millennial preachers could build upon the same techniques and concepts. It was easy for them to intensify the standard revivalistic appeal to repent before the end by predicting with great confidence the very day at which the end would come. They could also use to great effect the rhetoric of coming out of the world as a condition for repentance. Indeed they would be able to turn this rhetoric upon the Methodists in much the same way that the Methodist revivalists had used it against the Church of England in an earlier period. The close association of certain millennial groups with revivalism was all the more important when the Methodists in the 1840's began to move away from certain aspects of revivalistic religion. As they became more moderate and less emotional in their appeal,[14] millennial groups could move easily into the religious vacuum that the Methodist exodus had created.

There was also the matter of the Antichrist. The rhetoric of the end of the world was highly martial in character. As time wound down there would be great battles between the forces of good and the soldiers of the Antichrist. There were also the great beasts and the rather ubiquitous whore of Babylon. In the millennial lexicon all of these figures of evil were identified with the Roman Catholic Church in general and the Pope in particular. But this again sounded a very traditional chord in mainline Ontario Protestantism for Anti-Catholicism, or No-Popery, was one of the great staples of popular Protestant thought throughout the period.[15]

In short, almost all Protestants believed in the millennium and the second advent, and the close relationship between millennialism and Protestant thought and practice helps to explain the success of millennial groups. Methodist missionaries would offer their pulpits to Millerite preachers because they believed that the Millerites were reasonably orthodox and they hoped that the revivals that the Millerites encouraged might swell the ranks of their church.[16] A number of Methodist and Anglican clergymen and a large number of laity were drawn directly into millennial groups.

The fact that millennialism was a part of the very fabric of Protestant culture does not, however, reduce the very real threat that these millennial groups represented to the religious structure of the Province. As the hour of Christ's predicted return drew near, millennial groups increased the virulence of their preaching. The world would soon be divided, Christ would come, and only those who were truly converted would be numbered among saved. Salvation, in turn, meant coming out of the world, and the world included not only the unrepentant, and the Catholics, but also Methodists, Anglicans, Presbyterians, and Baptists. All religious groups were numbered among the forces of darkness, flourishing within the ample recesses of the whore of Babylon.[17]

At the same time the expectation of Christ's immediate return raised a more general question. The millennial cry clearly threatened the established religious order, but it also had more far-reaching social and cultural implications. The prospect of Christ's coming again led people to give up the routine of their daily existence and adopt a watchful inactivity in both secular and religious affairs. Crops were left untended in the fields; people gave up their employment to wander through the Province. Millennialism, in short, raised the question of the meaning of human activity over time, or the relationship between one's actions in this world and in the world to come: to put the matter rather epigrammatically, the prospect of the end of the world raised up the question of time. The response of Ontario Protestantism to both this institutional and cultural crisis begins to reveal one important way in which Victorian culture would try to answer the question of time.

III

The impact of millennialism can be measured in part by the strength and power of the counterattack. Almost all denominations were affected by millennialism, and they responded by defending their interests in a number of ways. All damaging evidence, however trivial or unsubstantiated, was put out for public display, especially the question of the moral content of the relationship between converter and converted on the night preceeding the latter day.[18] Time itself presented another line of attack. The failure of the affairs of the world to be wound up at the appointed hour did not help the millennial cause among the unconverted. The millennial groups themselves would often redo their calculations, arrive at a new date, and then renew their attacks on the churches in Babylon. It was difficult, however, to cover over the failure of the earlier prediction, and the religious press would use this awkward difficulty to their own advantage.[19]

The close relationship between millennial expectancy and Protestant thought and practice demanded a response of a different nature. One gets the distinct impression that as the hour approached even the leaders of the Methodist Church held their breath. As long as Protestantism itself provided a fertile ground for millennial growth then the threat of disruption would continue. It was not enough to ridicule millennial predictions as long as people accepted the practice of predicting the return of Christ. To forestall millennialism the wavering Christian needed a clear and positive alternative to the adventist interpretations of the millennial prophecies.

The millennial groups preached what is generally called premillennialism. They believed that Christ would return suddenly in a physical human form, bind up the devil, and then reign on earth for a thousand years. At the end of this period the final judgment would take place. The advent, in their eyes, was to be momentary, material, and at the start of the millennium. In response, the Protestant denominations presented a different exegesis of the same Biblical passages. Christ had come into the world to save mankind. His death was a sufficient sacrifice for the sins of the world. To preach that another physical coming was necessary in order to save the world implied that the grace of God was somehow insufficient. The Lord would have to come again to finish what he had been unable to do on his first attempt.

What, then, was the meaning of the Biblical prophecy that Christ would reign on earth for a thousand years? Since Christ would not be present in a *physical* sense, then these passages must refer to a *spiritual* reign of Christ on earth. The millennium described a future time when the principles of Christianity would be supreme; the risen Lord, in a physical sense, would not be present. "If his *principles* be general on earth," wrote John Roaf, "if his laws be paramount in governments, and churches, and families, and individuals, will he not reign here?".[20] The millennium, in short, would be spiritual in character, moral in content, and represent the logical conclusion to the present dispensation of grace - the fulfillment of God's promise to save the world.

To define the millennium in spiritual and moral, as opposed to physical, terms had an important bearing upon the way this glorious state would be brought about. Pre-millennial movements tended to regard the course of human affairs with suspicion and resignation. The world was essentially evil (and getting worse): human action could not alter this course. Only the sudden intervention of a divine agency could stop this decline and usher in the millennium.

To represent the millennium as a time when Christian principles would fill the earth, gave mankind a much more positive role to play in the course of history. The world could be improved. Absolute, divine intervention (while possible) was neither likely nor necessary. The moral millennium could be brought about gradually by "moral means,"[21] by preaching the gospel, by the efforts of private individuals, by "the pious attention of parents and the heads of families to the salvation of their households," by "the zeal of the teachers of youth" and "the improved demeanor of civil rulers towards the cause of Christ."[22] The list would include many of the items - missions, the family, philanthropy, education, and moral legislation - that would become the central concerns of Ontario Protestantism in the late Victorian period. The millennium would be brought about gradually through the active agency of man working through religious institutions.

The vision of a moral millennium that would be brought about gradually by moral means also reveals an important feature in the emerging patterns of Victorian culture. The millennial outbreaks were in large part the outcome of the disruptive power of social and religious change. These changes not only tore apart the social, political, and religious structure, they also created a sense of disorientation - how should one explain and understand the events that were taking place? Both pre-millennialism and the sense of time set out by the Protestant churches were, in effect, systems of explanation, ways of giving meaning to contemporary events.

Indeed the two systems of explanation became two sides of the same cultural token. Both drew a distinction between the secular and sacred, both were concerned with the relationship between these two orders, and both worked within the same Biblical framework. The triumphant system of explanation - that a glorious future state on earth could be brought about gradually by sustained moral action - drew the secular and sacred together within an evolutionary framework. At the start of the Victorian period the Rev. John Roaf believed that in the popular mind at least, secular time and sacred time were in opposition: while religious time was progressive, secular time was not. The response to the millennial challenge harmonized secular and sacred time by asserting that the secular was a stage through which society progressed on its way to the sacred. "The affairs of the world," explained Roaf, "are only a scaffolding by which the building of God's church is reared."[23] Secular activity, if monitored by moral norms, could lead to sacred conclusions.

In this cultural paradigm, change and even disruption took on positive and progressive qualities. If the world was moving gradually towards a moral millennium then change must be a positive feature of this divine pattern. The Rev. James Douglas, a Presbyterian minister, captured this optimistic interpretation of change when he too tried to refute the ideas of millennial sects in the 1860's. Douglas saw the growth of churches, the expansion of missions, and the development of education as both the means of bringing about the moral millennium and signs that society was moving towards that goal. To these standard items, however, Douglas added another type of change - modern technological development. Who could have imagined, he wrote, that "so much could have been accomplished in so short a space of time? Churches, schools, governments, sciences, arts, commerce, conveyance and communication have advanced so rapidly in Britain, America and other countries, that we might almost fancy ourselves to have been transported to a new world."[24] For Douglas, and many others, change meant progress; the secular could be transformed gradually into the sacred. Railroads not only ran to Vancouver, they also led us to a higher level of existence.

It was the idea of progress that bound together the secular and the sacred and pointed both of them towards a prosperous and moral future. But the millennial cry was not silenced. Individuals and groups would continue to preach the end of the world and rehearse many of the same ideas that one heard in the mid-Victorian period. During the nineteenth century these groups might not have been able to overcome the progressive eschatology of Ontario Protestantism, and yet pre-millennialism remained an important cultural force.[25]

To say that the dominant sense of time in the nineteenth century was progressive, that this cultural form held out the prospect that secular time would lead to sacred goals does not mean that history choose to follow this path. Time after all has no structure and history has no meaning once they are removed from the humanity that imposes a form upon them. Many people in the nineteenth century came to discover that optimism and progress could not explain either time or the meaning of their own existence. Some of these would respond to a sense of crisis by turning once again to the pre-millennial representation of time, by turning over the dominant cultural form in order to find solace and refuge in the dark side of progress.

Notes

1. See especially Bryan D. Palmer, *A Culture in Conflict: Skilled Workers and Industrial Capitalism in Hamilton, Ontario 1860-1914* (Montreal: McGill - Queens, 1979), esp. pp. 3-31, and, Bettina Bradbury, "The Family Economy and Work in an Industrializing City: Montreal in the 1870's," *Historical Papers* (Canadian Historical Association, 1979), pp. 71-96.
2. John S. Moir, "The Relation of Church and State in Canada West, 1840-1867," Ph.D. Thesis, University of Toronto, 1954, p. 195.
3. William de Villiers-Westfall, "The Dominion of the Lord: An Introduction to the Cultural History of Protestant Ontario in the Victorian Period," *Queen's Quarterly*, 83 (Spring, 1976), pp. 47-70; and William Westfall, "Creating a Protestant Ontario: The Anglican Church and the Secular State," *Canada House Lecture Series*, 12 (University of Leeds, 1983).
4. See for example, Leo Panitch, ed., *The Canadian State*, "The Role and Nature of the Canadian State," pp. 3-27, and Ralph Miliband, *The State and Capitalist Society* (London, 1969).
5. John S. Moir, *The Church in the British Era* (Toronto: McGraw-Hill, Ryerson, 1972), p. 173.
6. See: William Edward Biederwolf, *The Millennium Bible: Being a Help to the Study of the Holy Scriptures in their Testimony to the Second Coming of Our Lord and Saviour Jesus Christ* (Chicago: W.D. Blessing Co., 1924); and, for example, at the Eucharist, in the lessons for Advent, and on specific days such as All Saints Day, the day after the night of evil; see also: Stephen S. Smalley, "The Delay of the Parousia," *Journal of Biblical Literature*, 83 (March, 1964), pp. 41-54.
7. C.C. Berger, *The Sense of Power* (Toronto: University of Toronto Press, 1970), p. 109. See also: L.S. Fallis, Jr., "The Idea of Progress in the Province of Canada: A Study in the History of Ideas," in W.L. Morton, *The Shield of Achilles: Aspects of Canada in the Victorian Age* (Toronto: McClelland & Stewart, 1968), pp. 169-184.

8. Rev. George H. Cornish, "Statistical Record of the Progress of Methodism in Canada," *Centennial of Canadian Methodism* (Toronto: William Briggs, 1891), p. 339.
9. Rev. John Roaf, *Lectures on the Millennium* (Toronto, 1844), p. 1.
10. See several editorials, articles, and letters in the *Christian Guardian* throughout 1843 and 1844. *A Journal of Visitation to a Part of the Diocese of Quebec by the Lord Bishop of Montreal in the Spring of 1843* (London: SPG, 1844), p. 76. Wesleyan Methodist Church (G.B.), Foreign Missions: America, the British Dominions in North America, Correspondence 1840-1850. John Tompkins to Wesleyan Missionary Society, April 18, 1843. Whitney Cross, *The Burned-Over District*, (New York: Harper and Row, 1950), p. 287.
11. S.D. Clark, "Religious Organization and the Rise of the Canadian Nation, 1850-85," *CHA Report* (1944), pp. 86-96.
12. William Paley, *A View of the Evidences of Christianity* (London: Fauler, 1805).
13. See: Arthur E. Kewley, *Mass Evangelism in Upper Canada Before 1830*, (D.Th. Thesis, Victoria College, 1960), pp. 21-184. Rev. Mark Young Stark, *Sermons by the late Rev. Mark Y. Stard, A.M., Formerly Minister of Knox's Church, Dundas. With a Memoir by the Rev. William Rein, A.M.* (Toronto: James Campbell & Son, 1871), p. 145. His text, "Remember, therefore, how thou hast received," was taken from Revelation 3: v. 3.
14. See: Neil Semple, *The Impact of Urbanization on the Methodist Church in Central Canada, 1854-1884* (Ph.D. Thesis, Toronto, 1979).
15. John Strachan, the first Bishop of Toronto, could be just as anti-Catholic as his dissenting rivals. In 1856 he felt that Anti-Catholicism was a suitable meeting ground for a new Protestant alliance.
    See: John Strachan, *A Charge: Delivered to the Clergy of the Diocese of Toronto...by John, Lord Bishop of Toronto* (Toronto: Henry Rowsell, 1856), p. 33.
16 Wesleyan Methodist Church (G.B.), Foreign Missions, B.N.A., William Harvard to Wesleyan Missionary Society, April 19, 1843.
17. "Many of the old people who have been professors of religion for many years have left their former churches and denounce them as hypocritical and unbelieving, and have been baptized in the new faith, asserting that all who have been baptized previously are but baptized heathens." *Christian Guardian*, June 11, 1845, p. 134.
18. "Christian churches were broken up in the excitement, Christian ministers left their flocks and ecclesiastical associations to trumpet the doctrine in the ears of slumbering virgins." *Christian Guardian*, February 7, 1844, p. 62.
19. "Christian time would not yield, Jewish time will not. What then? Doubtless Chinese time will be tried for true chronology!" *Christian Guardian*, "The Miller Delusion," March 6, 1844, p. 78.
20. Roaf, *Lectures on the Millennium*, p. 23.
21. The final lecture in Roaf's collection was entitled, "The Moral Means by which the Millennium is to be promoted."
22. Roaf, *Lectures on the Millennium*, pp. 148-51.
23. *Ibid.*, p. 165.
24. Rev. James S. Douglas, *The Reign of Peace, Commonly Called the Millennium* [sic]: *An Exposition of the Nineteenth and Twentieth Chapters of the Boof of Revelation...* (Toronto: W.C. Chewett & Co., 1867), p. 248.
25. See: *Second Coming of Christ: Pre-millennial Essays of the Prophetic Conference Held in the Church of the Holy Trinity, New York City with an Appendix of Critical*

Testimonies by Nathaniel West (Chicago: F.H. Revell, 1879).
Prophetic Studies of the International Prophetic Conference, Chicago, November 1886, Containing Critical and Scholarly Essays, Letters etc., Upon the Near Coming of the Lord, Its Literal and Personal Character, The Development of the Antichrist, the First Resurrection, The Jews and their Future, Predicted Judgements, the Millennium (Toronto: S.R. Briggs, 1886).
The Second Coming of Our Lord: Being Papers read at a Conference held at Niagara, Ontario July 14th to 17th, 1885 (Toronto: S.R. Briggs, 1885-61), preface by J.H. Brookes.

RAYMOND COURCY

L'Église catholique au Québec: de la fin d'un monopole au redéploiement dans une société plurielle

How can the evidence of the vitality of the Catholic Chuch be reconciled with the analyses pointing to the disappearance of this Church? Over and above phenomena of after-imagery, might we not put forward the hypothesis that we are taking part in a re-establishment of the ecclesiastical organization with Québec society as within all other societies? Authors, like Berger and Poulat, have demonstrated, each in his own way, the possibilities of reaction of the religious institution. Naturally, within a changing society, one cannot expect the success of practises and values proposed some thirty years past. But one must observe attentively the new behaviours that adhere to the same logic of the conquest of society by the Church.

In Québec we generally stress the end of the monopoly of the Catholic Church, as evidenced by the "secularisation" of institutions and values, the internal crisis of the ecclesiastical organization and a new situation of cultural competition.

Various studies reveal that the Catholic Church is engaged in a strategy of social re-establishment: the styles and types of Christian assemblies have been largely renewed and methods of intervention in social fields have been considerably updated. For example, the Church maintains privileged ties with the entire movement of "popular groups" or organizes and sponsors committees to take in refugees from South-East Asia. As for official intervention, the triumphal style has been abandoned in favour of the vocation of Christian "service," thereby avoiding the risk of accusations of "recuperation."

Even if the situation of 1960 remains in the past, the results are encouraging within the perspective of rebuilding of the ecclesiastical apparatus. But can the Catholic Church resolve its internal contradictions if it wants to carry through on a cultural emigration made necessary by the evolution of Québec society?

Dans nos sociétés modernes et pluralistes l'Église catholique a perdu le monopole de l'influence. Cependant on peut penser que, dans un environnement nouveau, l'organisation ecclésiastique, comme toute organisation, cherche à assurer sa survie et entame un processus de redéploiement structurel dans tous les secteurs de la société. Ce processus se déroule selon deux axes aisément différenciables, même s'ils sont étroitement liés.

D'une part, les modes d'intervention et les stratégies de conquête de la société sont renouvelés. Comme le dit Peter Berger:

> *La tradition religieuse qui pouvait jadis être imposée d'autorité, doit maintenant être lancée sur le marché. Il faut vendre à une clientèle qui n'est plus contrainte d'acheter. La situation pluraliste est après tout une situation de marché* [...]. *Cette situation a des conséquences d'une grande portée pour la structure sociale des différents groupes religieux. Ce qui se passe, c'est que le groupe religieux passe d'une situation de monopole à une situation de marché concurrentiel*[1].

D'autre part, dans cette situation concurrentielle l'Église catholique refuse de se laisser enfermer dans le domaine privé. Nous rejoignons ici les thèses d'Emile Poulat:

> *Le litige décisif porte justement sur le domaine d'intervention reconnu à l'Église ou revendiqué par elle: doit-il se limiter aux libertés individuelles dont jouit tout citoyen ou peut-il s'exercer sans limite dans la vie publique? C'est inexplicablement un conflit de pouvoir, d'autorité, d'influence, de penser, de projet. Et c'est un point sur lequel l'Église n'acceptera jamais de transiger; elle n'a plus les moyens de gouverner la marche de l'histoire (dans la mesure où elle les a eus) et elle ne cherche plus à théoriser sa conception, mais elle refuse de se laisser refouler, marginaliser, privatiser. Le christianisme affaire privée n'est plus pour elle le vrai christianisme*[2].

Québec: La fin du monopole.

Personne ici ne pourra contredire l'extraordinaire mutation accomplie par l'Église catholique dans cette province. En quelques années, elle est passée d'une situation de quasi-monopole à une autre situation où elle se retrouve une force parmi d'autres dans une société en pleine transformation. La période triomphale, sinon triomphaliste, est sans conteste terminée.

La sécularisation.

Il ne s'agit pas de reprendre ce que d'autres, avec plus de compétences, ont déjà dit, mais de souligner les traits essentiels d'une période pendant laquelle l'institution ecclésiastique a dû faire face. En effet, durant cette période dite de "sécularisation", l'Église catholique a apparemment perdu son emprise dominante sur la société et de nombreuses sphères de la vie des hommes peuvent désormais revendiquer une réelle autonomie par rapport à la religion.

La structuration de la société québécoise est changée. On note la prégnance de nouvelles références culturelles autres que religieuses. La recherche scientifique, l'action syndicale ou politique, l'expression artistique, pour ne prendre que quelques exemples, s'inspirent de valeurs autres que celles autrefois proposées par l'Église catholique. Ceci ne va pas sans conséquences notables.

D'une part, nous avons assisté à une modification des rapports entre l'Église et l'État (Peut-on vraiment parler de séparation?). Ces dernières années, les lois gérant les secteurs de la Santé, de l'École ou de l'Action Sociale ont été aménagées et des organismes nouveaux sont apparus[3].

D'autre part, la référence morale a perdu son caractère religieux. A ce sujet, on a pu parler d'une véritable crise des moeurs. Les valeurs et les normes pour l'action dans les domaines sexuel, familial, économique ou politique sont puisées dans cette culture libérale nord-américaine qui a envahi tout le continent.

Crise structurelle de l'institution.

Cette modification des rapports de la société et de l'Église, où celle-ci se trouve désormais dans une situation de concurrence, a entraîné une crise interne grave de l'institution. La secousse a d'ailleurs été d'autant plus forte que l'on pouvait pratiquement dire que la société québécoise c'était l'Église catholique et inversement. Or, dans la mesure où la société québécoise s'effondrait, on pouvait s'attendre à un effondrement de l'organisation religieuse.

Est-il besoin de rappeler ici la baisse vertigineuse de la pratique dominicale, la raréfaction sensible des vocations sacerdotales et religieuses, la crise des mouvements d'action catholique, le surgissement de graves problèmes financiers, pour ne citer que les faits les plus saillants? Fernand Dumont, dans son rapport de 1971, a pu ainsi dire que l'Église symbolisait "un monde en train de se liquider[4]".

Les concurrences culturelles.

En effet, c'est bien de cela dont il s'agit. Dans la société québécoise, il y a eu, en quelque sorte, une redistribution des cartes. L'Église catholique a perdu son monopole; d'autres courants idéologiques et culturels, portés par des catégories sociales nouvelles, sont venus concurrencer sinon supplanter son influence dans tous les secteurs individuels et collectifs de la vie des individus. Certes l'emprise libérale est évidente. Mais les activités des groupes d'extrême gauche, au cours des années soixante-dix, prouvent le succès éventuel des "idéologies d'emprunt" et la possibilité pour un courant de type socialiste de prendre place dans la société canadienne[5].

Précisément, parce que les jeux sont modifiés, faut-il pour autant conclure définitivement que l'Église catholique a perdu tout pouvoir dans cette société québécoise?

Le redéploiement catholique.

Des faits, aujourd'hui, semblent démentir de telles conclusions: une légère reprise de la pratique religieuse, un nombre non négligeable de jeunes frappent de nouveau aux portes des séminaires et des monastères, une emprise certaine de l'institution ecclésiastique se manifeste dans les commissions scolaires, etc... Pour expliquer cela, on parle de phénomène de récurrence. On évoque les sursauts (peut-être les derniers sursauts) d'une organisation qui ne peut disparaître en quelques années alors qu'elle a eu tant de poids pendant plus de trois siècles.

Certes, tout ceci prouve que l'Église du Québec peut encore compter sur des activités anciennes pour maintenir un certain impact dans la société. Mais peut-elle simplement se contenter de gérer le présent avec des éléments du passé? Ne faudrait-il pas faire l'hypothèse suivante: dans cette société aux accents pluralistes qu'est devenu le Québec, pour éviter de se laisser enfermer dans le domaine privé, cette Église promeut sur le marché symbolique des activités nouvelles, moyen pour elle de retrouver une cohésion interne et une légitimité externe. Les stratégies peuvent changer, mais la logique d'emprise publique sur la société demeure. Certaines observations permettent, sans aucun doute, de vérifier cette hypothèse.

Des groupes de chrétiens nouveaux.

Il faut noter en premier lieu l'apparition de nouveaux types de rassemblement chrétien. Le *Renouveau charismatique*, apparu au cours des années soixante-dix, est l'un des exemples les plus significatifs. Il a eu rapidement ses heures de gloire au point de rassembler plus de 40,000 personnes dans le stade olympique en 1976 et 1979. Son succès est certain. De nombreuses paroisses de la province peuvent proposer parmi leurs activités régulières la réunion du "groupe de prières". Certes, l'expression liturgique ou les paroles prononcées ne sont pas toujours parfaitement conformes avec la norme officielle ou la stricte théologie, mais l'essentiel n'est-il pas la possibilité pour ce mouvement de rassembler de nombreux fidèles?

D'autres groupes se sont renouvelés d'une manière radicale. Des remarques similaires, en effet, peuvent être faites à propos des mouvements d'action catholique. À la fin des années soixante, certains concluaient, comme le note le rapport Dumont, "qu'ils avaient fait désormais leur temps[6]." Il ont en fait opéré une véritable restruction. *Jeunesse Ouvrière,* le journal de la JOC (Jeunesse Ouvrière Chrétienne) a recommencé à paraître en 1978. La JEC fait preuve d'une vitalité retrouvée dans les collèges. Le RAM (Regroupement Action Milieu) qui se veut en continuation de la JIC (Jeunesse Indépendante Chrétienne) et de l'ACI (Action Catholique Indépendante) ne cesse de prendre de l'importance. Le MTC (Mouvement des Travailleurs Chrétiens), après une période difficile, a repris son extension dans les quartiers populaires de nombreuses villes. Soutenus par une revue *Vie Ouvrière* et un centre de formation le CPMO (Centre de Pastorale du Monde Ouvrier) ces mouvements se situent désormais d'une manière originale[7].

En particulier, ils ont rompu les liens privilégiés qu'ils pouvaient avoir avec les paroisses. Ils n'ont certes pas toujours le succès de masse attendu, mais ils rejoignent des individus proches des milieux syndicaux et politiques d'inspiration socialiste. Ils peuvent ne pas entrer dans le quadrillage officiel de l'organisation ecclésiastique, mais ils rassemblent du monde, et c'est cela l'essentiel.

Bien évidemment, pour des raisons diverses, le Renouveau Charismatique comme les mouvements d'action catholique ont des difficultés non négligeables avec la hiérarchie catholique[8], mais ils n'ont jamais été interdits. Sur le marché symbolique ils présentent des produits religieux capables d'attirer des catégories sociales diverses qui avaient par ailleurs plus ou moins déserté les milieux catholiques.

Une vocation sociale continue.

Un autre exemple de ce redéploiement de l'Église catholique peut être trouvé dans le domaine de l'Action Sociale. C'était pratiquement un domaine réservé pour l'institution ecclésiale. La renommée et l'efficacité des Conférences de Saint-Vincent-de-Paul n'ont plus besoin d'être prouvées. Le mouvement coopératif du début du siècle, qui avait donné naissance aux Caisses Populaires, n'avait jamais réellement pris son autonomie par rapport à ses origines chrétiennes. Cette emprise sur l'action sociale était d'autant plus importante qu'elle constituait en quelque sorte pour l'organisation une légitimité auprès du peuple. Elle justifiait son droit d'intervenir publiquement dans les choix de société.

Or ce domaine a été pris en charge par l'État. La création du ministère des Affaires Sociales en 1971 fait ici figure de symbole. Les CSS et les CLSC en sont des organismes efficaces au niveau local. Par ailleurs, l'émergence des comités de citoyens et de nombreuses coopératives[9] aux activités les plus diverses ont apparemment dépossédé d'une autre manière l'organisation ecclésiastique de son pouvoir local. Mais peut-on réellement parler de dépossession?

Une étude réalisée dans la Basse Ville de Québec et vérifiée dans différents quartiers populaires de la Province[10] nous oblige à apporter quelques nuances. En effet le Conseil des Oeuvres de Montréal avec un prêtre, Michel Blondel, a été à l'origine, dans les années soixante, de tout le mouvement populaire. Cette expérience a servi d'exemple dans de nombreux autres diocèses. Certes, le mouvement s'est, par la suite, sécularisé comme nous le disions précédemment, mais il ne peut pas aussi facilement renier ses origines.

Deux faits sont significatifs. D'abord c'est la permanence d'un réseau fortement implanté de militants chrétiens dans tout ce milieu. Dans les quartiers que nous avons observés, près de 90% des intervenants sociaux rémunérés ou bénévoles appartenaient par ailleurs à diverses organisations spécifiquement catholiques[11].

Ensuite l'esprit dans lequel est faite cette action sociale reste encore fortement marqué par l'inspiration chrétienne. Si le langage peut être parfois sécularisé, on entend souvent parler d'esprit communautaire, du souci des pauvres et de l'appel à la responsabilité, valeurs largement diffusées par l'institution religieuse. D'ailleurs Église et État se sont retrouvés unis, au milieu des années soixante-dix, pour éliminer les éléments d'extrême gauche qui faisaient appel à d'autres références culturelles[12]. Tout tend à prouver que si la structure et le financement ne sont plus de type ecclésiastique, la déontologie de l'Action Sociale, elle, reste catholique.

Ceci a pu être confirmé par une autre étude faite dans une sphère tout à fait différente. Il s'agit de l'accueil réservé par le Québec aux réfugiés d'Asie du Sud-Est. On sait l'engouement que celui-ci a suscité[13]. En fait, plus de 90% des groupes de parrainage étaient des groupes ayant des liens avec l'organisation catholique. Par ailleurs la plupart des responsables gouvernementaux au ministère de l'Immigration avaient des liens privilégiés avec l'Église catholique. Nous avons retrouvé ici un autre réseau[14]. Tous ces faits expliquent certainement les bonnes relations avec les responsables du diocèse de Montréal comme ils expliquent probablement aussi, le caractère du programme québécois, plus social et humanitaire que le programme fédéral[15]. Là encore la déontologie de l'action sociale restait chrétienne.

L'adaptation à l'environnement social est ici remarquable. Face à une situation nouvelle, une manière nouvelle d'intervenir a été mise en place. Mais la logique essentielle est restée la même. Dans le domaine public l'Église catholique continue de proposer sinon d'imposer ses choix de société. Un *modus vivendi* semble ainsi s'être crée. Il est bien certain que, sans l'intervention déterminante de l'État, l'Église catholique ne pourrait assumer seule les exigences techniques et financières d'une intervention sociale. Mais par ailleurs, l'État provincial pourrait-il entreprendre des programmes sociaux sans compter sur l'aval plus ou moins tacite de l'institution religieuse? Si chacun y apporte sa contribution, chacun aussi y trouve son intérêt. Et si la manière de fonctionner de l'Église a pu changer, cela ne modifie pas fondamentalement l'équilibre antérieur des forces, où la déontologie de l'action sociale a toujours été définie par l'institution ecclésiastique.

Du triomphalisme au Service.

Des changements radicaux ont pu être observés dans le style des interventions sur la place publique de la part de la hiérarchie catholique et, au-delà, de l'ensemble des fidèles. Dans un temps encore proche, elle intervenait à temps, et aussi à contre-temps. Elle intervenait surtout, d'une manière doctorale et définitive.

Et soudain, on a pu parler du "silence de l'Église[16]"; silence des pasteurs, silence des fidèles qui ne savent plus quoi dire tellement ils se sentent perplexes et isolés dans une société qui fait désormais appel à d'autres références culturelles, à d'autres normes et à d'autres valeurs issues de sphères tout à fait étrangères aux préoccupations religieuses.

Mais il semble que ce vide se soit peu à peu comblé pour prendre une connotation positive. Non pas que l'on se soit remis à parler autoritairement. Mais on souligne maintenant la richesse des expériences humaines, nouveaux chemins vers Dieu. Autrement dit, l'Église catholique "Mère et Maîtresse" se veut dans son discours "Servante et Pauvre", cherchant à soutenir les projets humains. En fait cette nouvelle stratégie faite de discrétion relève de la même logique de conquête du monde.

Un exemple va permettre de préciser ce propos. Il s'agit de l'accueil des réfugiés d'Asie du Sud-Est. L'observation a permis de mesurer la distance qui existait entre les investissements déployés à cette occasion par l'organisation religieuse et l'écho qui en a été fait dans les mass media. Ainsi un article d'une page entière dans *La Presse* titrait: "Plus de 10,000 parrains ont investi de 12 à 15 millions de dollars. Que des éloges à leur égard". L'auteur de l'article ne fait aucune allusion à l'activité spécifique de l'Église. C'est le silence complet[17].

Certes, une première explication peut être donnée. Les nouvelles catégories sociales au pouvoir depuis la Révolution Tranquille (auxquelles appartiennent les journalistes) se devaient et se doivent encore d'occulter complètement le rôle de l'Église catholique autrefois dominant dans la société québécoise. Cette explication est-elle suffisante? Ne peut-on pas émettre l'hypothèse que ce silence a été plus ou moins voulu par l'institution elle-même. Il s'agirait en quelque sorte d'une auto-occultation. Les responsables ecclésiastiques rencontrés ont tous insisté sur le côté humanitaire de l'opération. Il ne s'agissait pas pour eux d'une activité triomphante mais d'un "service".

Ce refus affirmé d'un nouveau prosélytisme correspond en fait à une logique de comportement de l'organisation ecclésiastique. N'a-t-elle pas intérêt à cacher le déploiement de ses activités surtout lorsqu'elles ont une efficacité sociale? Il s'agit pour elle de faire oublier sa position autrefois dominante, sinon totalitaire[18]. Elle a mis en place une stratégie de redéploiement qui lui permet d'occuper le terrain sans pour autant porter le flanc aux accusations de récupération ou de domination.

Certains parmi vous objecteront la récente lettre des évêques canadiens: *La crise économique actuelle. Lettre aux chefs politiques et aux citoyens canadiens.* Certes, dans le cas précis, les évêques ont parlé d'autorité. Et quand on lit les réactions dans la presse, il semble que cela ait effectivement posé quelques problèmes. Mais précisément, ce n'est pas sur n'importe quel sujet que les responsables catholiques sont intervenus. Ils ont voulu prendre la défense des victimes de la crise, restant ainsi fidèles à l'image de marque qu'ils veulent donner, celle du service des hommes et en particulier des plus pauvres.

Chances et risques du Redéploiement catholique.

Ces trois exemples donnés ne recouvrent pas, bien sûr de façon exhaustive la totalité des secteurs de la société québécoise. Bien des nuances et des commentaires dépassant le cadre de cet exposé, seraient encore nécessaires. Nous tenons cependant à souligner que les propositions qui ont été faites, l'ont été à partir d'observations dans des domaines que nous avons personnellement étudiés et vérifiés. Plus que des affirmations à caractère définitif, elles veulent être des hypothèses pour continuer la recherche. Un travail sur toute la question scolaire, par exemple, pourrait certainement permettre de vérifier ces intuitions.

Quelle efficacité?

Pourtant une question importante demeure. Ce redéploiement de l'organisation religieuse est-il réellement efficace? Cet exposé visait surtout à montrer la logique de ce redéploiement, mais la question mérite d'être abordée pour elle-même.

Pour y répondre, il s'agit d'aller au-delà d'une approche rapide et superficielle, mais il s'agit aussi d'éviter de reprendre les seuls indicateurs utilisés il y a une vingtaine d'années. En effet l'espace sociétal a changé et l'Église catholique a intégré de nouvelles normes et de nouvelles valeurs culturelles avec lesquelles elle s'était trouvée en concurrence dans un premier temps. Dès lors il faut savoir trouver de nouveaux moyens de vérifier l'impact de l'Église catholique dans la vie publique québécoise. Pourquoi s'attacher à tel ou tel élément alors que l'institution elle-même y attache moins d'importance.

Reprenons les exemples que nous avons donnés. Nous avons pu mesurer de diverses manières dans les quartiers populaires l'attachement profond des populations à leur clergé et à leur église. Par ailleurs le courant apostolique proposé par les mouvements d'action catholique permet à des hommes et des femmes attirés par l'univers culturel de type socialiste de rester non seulement fidèles mais aussi militants de l'Église catholique.

En ce qui concerne l'accueil des réfugiés d'Asie du Sud-Est, l'impact de l'organisation religieuse est assez impressionnant; un grand nombre de réfugiés ont demandé le baptême. Dans le diocèse de Montréal, par exemple, on compte une centaine de demandes par an[19]. Ainsi la communauté catholique cambodgienne a augmenté d'une façon vertigineuse en trois ans. Elle est passée de 5 à 35 familles chrétiennes. Parler de succès dans de telles conditions n'est pas exagéré.

En dépassant l'aspect spectaculaire, on peut dire que l'Église catholique bénéficie d'une image de marque différente selon qu'elle est regardée par les "Québécois de toujours" ou par les "Québécois d'adoption". Pour les uns son impact dans la société est désormais minime. Les autres jugent au contraire que la meilleure manière de s'intégrer dans la société québécoise est de rejoindre l'organisation religieuse qui lui apparaît la plus influente. Le jugement et la démarche de ces réfugiés sont la vérification empirique des hypothèses que nous avançons. Dans un contexte nouveau l'institution catholique renouvelle ses interventions au mieux de ses intérêts.

La solidarité conflictuelle.

Mais au-delà de cette efficacité externe éventuellement renouvelée, reste posée la question de la restructuration interne. Ce redéploiement aux accents diversifiés ne va pas sans un réaménagement risqué de l'institution. Cela au moins à deux niveaux: celui de l'organisation du pouvoir et celui de la pensée.

Le système du fonctionnement autoritaire hiérarchique est en effet dépassé. Le temps de l'unanimité des fidèles se pliant aux injonctions de leurs pasteurs semble bien être révolu. Alors, comment des groupes chrétiens aux pratiques, aux discours, aux conceptions de la société, etc... si différents peuvent-ils se retrouver dans la même organisation et se réclamer d'une autorité que par ailleurs ils peuvent critiquer sévèrement?

En fait, il y a là une autre logique de cohésion que j'appellerai "solidarité conflictuelle". Les fidèles qui sont imprégnés de cultures nouvelles, se retrouvent dans des positions différentes. Dès lors, il entrent régulièrement en conflit les uns avec les autres dans les espaces profanes comme à l'intérieur de l'institution elle-même. Ils ont certes des stratégies différentes pour vivre et pour parler de ce à quoi ils croient, mais c'est une même logique qui les anime: celle du succès public de cette Église à laquelle ils se réfèrent et sans laquelle leurs actes et leurs paroles n'auraient plus de raison d'être. Cette logique de solidarité à l'organisation ne supprime pas les conflits, elle permet une pratique qui les dépasse.

Emprunt culturel ou émigration culturelle?

Dans cette période de redéploiement, l'Église catholique encoure un autre risque très important qui peut, à l'expérience, se révéler central. Affrontée à de nouvelles cultures, nous l'avons montré, l'institution est très capable d'intégrer ces nouvelles données culturelles et de proposer normes, valeurs et pratiques nouvelles en réadaptant son discours. L'histoire de l'Église est faite de ces emprunts réguliers. Mais cela ne remet pas radicalement en cause la pratique essentielle de l'Église qui précisément "baptise" ces nouvelles données afin de mieux affirmer son emprise sur le domaine public.

Le risque devient évident lorsqu'il y a non plus emprunt culturel mais émigration culturelle. Les exigences de l'adaptation sont telles que les pratiques, les valeurs et les normes nouvelles font oublier les propositions traditionnelles de l'Église. Ce sont elles qui guident désormais d'une façon autonome toutes les actions du chrétien dans les différents secteurs de sa vie. Le fidèle qui adhère au courant culturel libéral ou socialiste n'a plus comme référence unique et intégrale les propositions d'action et de pensée de l'institution religieuse. Il a accompli en quelque sorte une émigration culturelle. Ce type de catholique n'est plus l'exception. S'il se multiplie une crise grave risque d'atteindre l'organisation elle-même.

Pourtant, au-delà des risques encourus, comment ne pas souligner pour l'Église du Québec comme pour l'Église dans son ensemble une formidable capacité d'adaptation aux situations nouvelles qui lui permet aujourd'hui de se redéployer astucieusement dans la société. Emile Poulat le dit fort justement:

Le dépérissement de la pratique traditionnelle, qui est une chose et le rétrécissement de l'audience catholique, qui en est une autre, ne doivent pas masquer une puissance de créativité imprévisible et souvent inattendue[20].

Raymond Courcy
Centre d'études canadiennes
Université de Bordeaux

Notes

1. BERGER, Peter. *La Religion dans la conscience moderne*, Centurion, 1973, p. 219.
2. POULAT, Emile. *Masses Ouvrières*, no. 385, "Métamorphoses du Catholicisme intransigeant", p. 40.
3. Le Ministère de l'Éducation a été mis en place en 1964 et celui des Affaires Sociales en 1971.
4. *L'Église du Québec. Un héritage, un projet,* Fides, 1971, p.25.
5. Un courant de type marxiste existe depuis longtemps au Canada. Le Parti Communiste Canadien(PCC) a été créé en 1921. Il a obtenu des succès électoraux dans les années quarante. Son influence s'est effondrée avec le Maccarthisme. Dans les années 74-75, une multitude de groupes d'extrême gauche se sont créés au Québec. Leur impact électoral a été quasi nul. Mais l'activité inlassable des militants a permis de faire apparaître l'influence certaine de ces groupes dans de nombreux conflits sociaux. Ils rejoignaient en effet une tradition révolutionnaire datant de l'époque des Chevaliers du Travail et portée aujourd'hui par certains syndicats comme la CSN. Les groupes d'extrême gauche ont pratiquement disparu, mais un courant anti-capitaliste reste bien réel au sein des syndicats.
6. *L'Église du Québec. Un héritage, un projet,* Fides, 1971, p. 225.
7. Ces mouvements organisent en effet tous les deux ans un *Rassemblement pour une Église Populaire* qui compte chaque fois près de 500 participants. Ils se disent *comment nos aspirations à vivre et à grandir dans la liberté, la justice, la dignité, nous poussent à lutter pour bâtir cette société nouvelle.* Il s'agit *d'approfondir comment la lutte pour la vie est au coeur de l'expérience chrétienne parce que notre Dieu, c'est le Dieu de la Vie.*
8. Cf. Communication ZYLBERBERG,J., MONTMIGNY, J-P. *Soumission Charismatique: thanatologie d'un mouvement sacral.* Colloque sur le vécu religieux des Québécois, Université Laval, Sept. 1982.
9. C.S.S.: Centre des Services Sociaux.
   C.L.S.C.: Centre Local des Services Communautaires.
   En fait la création des organisations populaires de quartier précède celle du Ministère des Affaires Sociales. Celui-ci s'est même inspiré de leurs premières expériences. Toute une étude faite de nuances, serait à entreprendre. Elle montrerait à la fois les interférences et l'autonomie respective de l'État et de ces groupes populaires.
10. Cf. COURCY,R. *Le rôle social et politique de l'Église catholique au Québec.* Thèse de 3ième cycle, Université de Bordeaux, 1981.
11. Les organisations sont très diverses: Conférence Saint-Vincent-de-Paul, Scoutisme, Comité de liturgie, MTC, Politisés chrétiens, etc...

12. L'histoire de la clinique populaire de Pointe Saint-Charles à Montréal est très significative à ce sujet.
13. Dans les années 1979, 1980, 1981, la province de Québec a accueilli 15,203 réfugiés (dont 7,475 pour la seule année 1980). Les réfugiés se répartissent ainsi: 4,091 Cambodgiens, 3,258 Laotiens et 7,854 Vietnamiens. Habituellement 85% des immigrés s'installent dans la région montréalaise. Dans le cas présent seulement 46% s'y sont installés, les autres se répartissent dans l'ensemble de la province.
14. Le responsable de la Pastorale Sociale du diocèse de Montréal a pu dire à propos du M.C.C.I: *Les chefs de service au Ministère de l'Immigration sont soit d'anciens prêtres soit des gens engagés dans nos paroisses. Cela explique que nous ayons de bonnes relations.*
15. Lire à ce sujet TEPPER, Adelman Eliott. *D'un continent à l'autre: les réfugiés d'Asie du Sud-Est Asiatique. La politique canadienne*, publication de l'Association Canadienne des Études Asiatiques, 1983, p. 166. Il note qu'un officiel néerlandais a reproché au Canada *d'écrémer les réfugiés.* Dans le même temps le Québec à accueilli plus de réfugiés malades que le taux proposé habituellement par le gouvernement fédéral. En 1981, par exemple, 41 des 112 tuberculeux se sont installés au Québec. C'est le Québec également qui a accueilli le plus de réfugiés cambodgiens (5,9% des réfugiés canadiens, 18,3% des réfugiés québécois) alors que ceux-ci étaient moins scolarisés et souvent atteints de maladie.
16. *L'Église du Québec, Un héritage, un projet,* Fides, 1971, p. 30.
17. GAGNÉ, Paul. *La Presse*, 9 juillet 1981.
18. Cette logique pourrait permettre en particulier d'expliquer la relative facilité avec laquelle s'est déroulée la sécularisation au Québec dans les domaines hospitalier, scolaire et social.
19. Les statistiques du catéchuménat montréalais pour l'année liturgique 82-83 révèle 23 néophytes, 29 catéchumènes regroupés, 48 catéchumènes non regroupés et 11 demandes suspendues.
20. POULAT, Emile. *Le Catholicisme sous observation*? Le Centurion, 1983, p. 174.

ROGER O'TOOLE

Society, the Sacred and the Secular: Sociological Observations on the Changing Role of Religion in Canadian Culture

Lorsqu'on étudie l'incidence passée et actuelle de la religion sur la culture nationale, on s'interroge invévitablement sur l'avenir du sacré dans une société qui se sécularise.

Bien souvent, nous oublions qu'en raison de la sécularisation de la société, nous avons tendance à sous-estimer l'importance de la religion dans la vie de nos ancêtre. Par conséquent, il est nécessaire de répéter et de souligner l'importance causale "générale" de la religion et de sa signification fondamentale "spécifique" dans le développement national de notre pays. À ce sujet, on suggère que des formes de "sociologie historique" et d'"histoire sociologique" constituent un moyen précieux d'étudier l'évolution du rôle de la religion dans la culture canadienne.

Les historiens canadiens ont tendance à sous-estimer l'importance de la religion mais n'ont pas pour autant délaissé le sujet. L'auteur a donc concentré son attention sur plusieurs études, particulièrement utiles aux sociologues. Les travaux de John Webster Grant, N. Keith Clifford et

William Westfall ont été retenus aux fins de la discussion. L'auteur constate également un intérêt croissant, parmi les historiens, pour l'étude de l'incidence de la religion sur d'autres aspects de la culture canadienne. L'oeuvre de S.D. Clark est reconnue comme une des premières tentatives de combiner les contributions de la sociologie et de l'histoire dans l'entreprise complexe qu'est l'étude de la société canadienne.

De façon plus générale, l'auteur affirme qu'une sociologie bien ouverte à l'histoire doit reconnaître l'importance causale indépendante des phénomènes culturels ainsi que le rôle de la religion en tant que "variable indépendante" dans la composition de changements sociaux. Une position théorique de ce genre, est-il affirmé, se trouve vigoureusement renforcée par le rejet des marxistes contemporains du reductionnisme économique. Alors que même certains érudits marxistes reconnaissent "l'autonomie relative de la religion", il est difficile de s'imaginer comment certains sociologues peuvent encore concevoir la religion comme une variable épiphénoménale, naturellement "dépendante".

Il est démontré que toute conjecture sur la place future du sacré dans la culture canadienne fait entrer en ligne de compte diverses conceptions de la religion. On peut ainsi tirer différentes conclusions selon qu'on définit la religion dans une perspective sociale traditionnelle ou d'après une analyse sociologique moins courante. Par conséquent, l'auteur considère les effets des changements au sein des confessions existantes et les possibilités suggérées par, entre autres, les "nouveaux mouvements religieux" et le "réveil" des fondamentalistes. De façon plus générale, l'introduction de conceptions complexes et paradoxales telle que la "religion civile", la "religion invisible" et la "religion séculaire" soulève des questions théoriques et empiriques majeures, non seulement en ce qui concerne l'évolution de la société canadienne, mais également la nature de la société moderne en générale. À cet égard, l'auteur réaffirme l'importance centrale de l'étude de la religion dans l'activité sociologique.

Il indique également que l'analyse du passé est un prélude nécessaire à la compréhension du présent et du futur, et que celle-ci peut être indispensable à l'appréciation correcte du passé.

The founding fathers of sociology were not mistaken when they perceived the centrality of the study of religion in the analysis of society and culture. Thus, for the sociologist influenced by the "classic tradition" within his discipline, concern with the past and present, impact of the "religious factor" on a specific contemporary national culture leads inevitably to speculation regarding the prospects of the sacred in an increasingly secularized society.[1] Through such speculation, furthermore, the sociologist is inexorably propelled toward renewed reflection upon the general nature of both society and the sacred.

Perhaps the most subtle and insidious effect of the process of secularization is that the denizens of a secular society find it increasingly difficult to believe that religion ever *really* held a central position in the lives of their forebears. Reduced to a position of marginality in contemporary life, religious belief and ritual in their major traditional forms fail, not only to inspire, but even to evoke nostalgia concerning their lost pre-eminence.[2]

While the ordinary citizen of a modern welfare state may perhaps be excused an ignorance of "a time, not long ago in some places when religion was a major and even decisive factor in the lives of Canadian individuals and communities,"[3] it is intellectually indefensible that sociologists should succumb to this general cultural amnesia. In forging his renowned thesis on *The Protestant Ethic and the Spirit of Capitalism*, Max Weber was profoundly aware of the difficulties experienced by modern men attempting "to visualize the power and the torment" occasioned by Puritan metaphysical conceptions.[4] Yet, one of the great contributions of this work is its brilliant reconstruction of the individual experience of such power and torment. For, Weber was convinced that, difficult as it might be, in a disenchanted world, to imagine the dominance of religious ideas, their independent historical significance just could not be subverted whether by a naive economic determinism or by any other simplistic, monocausal social-scientific formula.[5]

Whether as a result of a vaguely held economic interpretation of historical process, as a consequence of a relative lack of broadly focussed scholarly historical materials, or merely as an outcome of the secular spirit of the age, Canadian sociologists have, with a few notable exceptions, underestimated or quite simply failed to appreciate the importance of the "religious factor" in the development of their nation.[6] But, as Weber observes, "historical reality just cannot be pushed around": the imprint of religion on Canadian culture is manifest. Sociologists who recognize it, therefore, have the duty of subjecting it to their own special style of scrutiny in as many contexts as possible.

Like it or not, sociologists excavating the religious foundations of Canadian culture must heed the advice of S.D. Clark and place themselves "under a heavy obligation to the historian." Moreover, it seems unlikely that "the sociologist who has turned to history will remain for long so little curious about the facts of history that he will be content to leave to others the task of historical research."[7] He seems, as Clark perceives, "bound in the end to find himself doing history."[8] Thus, while it may be true that Canadian historical writing has been characteristically reluctant to grapple *on a broad scale* with the religious factor, it is nonetheless to historians that sociologists must turn in beginning their exploration of the influence of religion on the national culture.[9]

In this regard, the greatest contribution of historians has probably been made through specific studies, and occasionally more general analyses of the role of religion in the shaping of Canadian *political culture*. It is appropriate, therefore, to give brief consideration to some literature relevant to this theme.

The theme of religious "establishment" common to both the founding "races" has been identified by John Webster Grant as infusing some pungent ingredients into the political atmosphere of both English and French Canada.[10] The legacy of establishment in Québec is readily apparent; its imprint on English Canada is perhaps less obvious. The Gallican fusion of church and state institutionalized in New France persisted under British rule and was intensified after the abortive revolt of 1837. Established ultramontanism belligerently confronting all the political anathemas of the *Syllabus of Errors* permeated political life in Québec from the middle of the last century until less than a quarter-century ago. In general, its political legacy is discerned as conservativism, authoritarianism and reaction.[11] In English Canada, the monopolistic attempt of Anglicanism to impose itself as a "national" church left a no less pronounced, though far less acknowledged, mark on political life. Anglicanism bestowed its blessing upon the Anglo-Saxon burden of Empire, on monarchy, aristocracy and the British Constitution as sacred political institutions. By the same token, it condemned mass democracy, egalitarianism, republicanism, and revolution as satanic in inspiration and effect. It seems reasonable to speculate, therefore, that the conservative, counter-revolutionary, "law-and-order" identity which some commentators perceive as characteristically English-Canadian, is at least in part the legacy of Bishop Strachan and religious establishmentarianism.[12]

A sense of "mission" common to both Catholics and Protestants in the nineteenth century is perceived by Grant as being "more influential in the long run than the establishment principle" in its impact on the national life.[13] A sense of obligation "to extend the sway of Christ over every segment of life both personal and social" contributed a crucial religious ingredient to the political life of British North America.[14] Missionaries envisaged the creation of a *new* society; a unique Christian nation entrusted with a sacred political mission. Whether it is correct to discern the roots of "the concept of a special role for Canada: either abroad in promoting peace and mutual aid or at home in developing an alternative to the materialistic society of the United States" in the conceptions held independently by both founding races that they constituted religiously Elect Nations with unique civilizing and missionary destinies, is a matter deserving intense research and discussion.[15] Likewise, the provocative insight that the notion of Canadian national identity as a quest rather than as an endowment had its genesis in the "missionary impulse" of a self-regarded Chosen People deserves careful scholarly consideration.[16]

It seems undeniable, however, that the militant, quasi-millenarian missionary crusades of the last century were also deeply socially and politically divisive, and that a contemporary assessment which "ascribed the basic rift in Canadian identity more to religious than ethnic differences" was reasonably accurate.[17] While André Siegfried's contention that "religious questions are at the root of all Canadian differences and divisions" may have been unduly sweeping, it emphasized forcefully that the legacy of religious enthusiasm could be political division rather than social harmony.[18]

Besides the obvious case of Anglo-French relations, an appropriate illustration of the validity of this assertion may be found in N. Keith Clifford's analysis of the Protestant vision of Canada as "His Dominion" in the period between Confederation and the Second World War.[19] Though conceived as a means of integrating Canadians into a Protestant Christian community providing a "Canadian version of the Kingdom of God", this religious movement developed into a bigoted, paranoid, reactionary and shrill crusade against non-British immigration.[20] Grounded in a homogeneous ethnic and political heritage, Canadian Protestantism was thus, as Clifford notes, "unable to articulate an ideology of Canadianism" those outside its ranks.[21] Nevertheless, it would seem unlikely that those who sought so persistently to build "His Dominion" should have bequeathed no political legacy. It might be suggested, therefore, that an English-Canadian nationalism which embraces protectionism, justifies ethnic prejudice, and condemns immigrants, Americans and Francophones is, to a degree unrealized by its proponents, an inheritor of a political perspective embedded in a religious foundation of Protestant, evangelical fervour. At the very least, such a suggestion appears to merit scholarly consideration and careful investigation.

More recently, in similarly speculative vein, William Westfall has indicated two aspects of nineteenth-century Canadian religious life which appear to have exercised a significant influence upon the culture and social structure of the emerging nation.[22] The first, so obvious as to be almost invisible, is the *sheer growth* of Protestant Christianity, while the second represents the "dark side" of such progress: the ubiquity and vitality of *millenarianism* in the popular religiosity of the period.

Examining the "incredibly rapid expansion of a well-organized, clearly defined group of Protestant churches" in the half-century following the accession of Queen Victoria, he indicates the profound impact of these mainstream denominations on English-Canadian culture.[23] Rejecting, as fundamentally misconceived, an interpretation of this expansion as simply a function of economic growth, Westfall explores its relationship to "the concurrent secular dynamics" of Victorian society. Regarding religion in this period as commanding a unique position in the structure, he perceives mainline Protestantism as characterized by a singular self-confidence and vigour in its application of "Christian principles" to the social realm.[24] If the execution of Louis Riel in 1885 marks the summit of Protestant social and political influence in the new dominion, it does so symbolically in two main ways: by portraying the dominion in broadly Protestant terms, and by proclaiming the dismal results of unrest and sedition. From the late 1950s, as Westfall suggests, the challenge posed by secularization, public infidelity and "popery" had engendered a degree of ecumenism among the adherents of the major Protestant bodies, which made a common crusade against these evils a practical reality and rendered visions of a unified Protestant omnibus denomination something less than utopian. Moreover, the immense moral force of this Protestant holy alliance was directed predominantly against threats to the existing social and political order. In the face of actual and potential instability rooted in unrestrained application of economic *laissez-faire* doctrine, a Protestant religious consensus was able "to contribute to social stability by providing a broadly accepted normative system of moral values." Its ability to do so, in Westfall's judgement, was a consequence of the "reality and independence" which characterized religion in Victorian society.[25]

If Westfall is correct, however, the most pervasive effect of Protestantism on nineteenth century Canadian culture was to provide it with a strongly characteristic *time dimension*, distinct from, though paralleling, a secular ideology of development and progress. Protestantism discerned in its own undeniably spectacular quantitative growth a stage-by-stage qualitative improvement which revealed nothing less than rapid *sacred progess* along the road to salvation.[26] Understood in broad Protestant theological terms, dominion from sea to sea invoked and fused conceptions of political power, moral growth and sacred time while it laid firm foundations for God's Kingdom on earth. Thus, the view that the nineteenth century had belonged to America and the twentieth century would belong to Canada appeared as much an expression of a Theology of Hope as a political slogan or economic rallying cry.

Contemplation of the extent to which Protestant efforts to realize a divine promise of heaven-on-earth were "the driving force for social reform in late-Victorian Canada" leads Westfall to investigate the significance of millenarianism in the Protestantism of a period when this country appeared, in many religious eyes, to be "on the threshold of national greatness."[27] Attempting to shed light on those "dark recesses of Canadian religious and social history" inhabited by millenarianism, he explores the cultural significance of a midnight cry to which too many scholars have been deaf.[28]

Itself a product of the disruptive force of rapid social, economic and religious change, millenarianism is perceived by Westfall as having constituted a significant threat to religious and social stability in nineteenth century Canada. Through both confrontation and infiltration it shook the foundations of the mainstream denominations, the degree of its impact being measured by the vigour and virulence of their counter-attack. It is, indeed, mainly in terms of the *response* to it that Westfall is able to assess the significance of millenarianism in Canadian culture. Thus, in forcing the concept of *time* onto the theological agenda, millenarians are perceived as unintentionally provoking the formulation of a doctrine of progress which defined the millennium in the spiritual and moral terms appropriate to a programme of social reform, political planning and nation-building. Like the Puritans portrayed by Weber, the millenarians depicted by Westfall appear to owe their main historical significance to the *unintended* consequences of their beliefs and actions; a fact which in no way diminishes their importance.[29]

The above discussion has deliberately focussed upon that historical literature which explores the role of religion in the realm of political culture; a strategy entailing brief incursions into the themes of social reform and ethnic stratification. The historical study of religion in Canada is richest where it intersects with political history, though it is by no means confined to this area of confluence. Contemporary historians are engaged in important investigations of such aspects of culture as the development of social and philosophical thought, the process of ethnic acculturation, and the formation of class consciousness.[30] In these contexts, assessment of the importance of religion is occurring, to the benefit of sociologists no less than historians. Moreover, further explorations into relatively uncharted areas, where religion has influenced other aspects of life, may be anticipated. If a historical sociology of religion may now most profitably investigate the national *political* life as described by historians, it may hope eventually to draw on a historical literature for new insights into such topics as art and literature, crime, law, education, work, the city, and the family.[31]

Some pertinent historical research into the role of religion in Canadian political culture having been noted, it is instructive to sketch briefly the classic, pioneering attempt to forge a historical sociology of Canadian religion. The work of S.D. Clark is noteworthy, in the context of the present discussion, not because of its specific findings or conclusions, but simply because it provides a clear indication of the *possibilities* of a historically-attuned Canadian sociology of religion.

Consideration of the ways in which religion has affected other aspects of culture in this country must acknowledge the various and complex metamorphoses involved, as well as their frequently unintentional nature. This insight is implicit in Clark's work which, drawing on both Frederick Jackson Turner's celebrated "frontier thesis" and H. Richard Niebuhr's conception of the transition from sect to denomination, has attempted, on the basis of rich historical data, to appraise the influence of religion on Canadian political life, and more specifically the role of the religious *sect* in Canadian politics.[32] Immersion in the study of movements of political protest leads Clark to challenge, as "based upon a superficial examination of the facts," the widely held view that evangelical churches "have made substantial contributions to liberal thought" through their support of radical movements of political reform.[33] In his view, the "real contribution to the development of religious principles of government" is rather to be found in "the peculiar role of the religious sect" from which such churches have evolved.[34] The political legacy of the sect is, however, an ambiguous one. Thus, Clark's conviction that it is the "persistence of the sectarian spirit in religious organizations which has given religion its dynamic force in society (and) has exerted a decisive influence upon determining the contribution of religion to political thought" appears relevant to a number of cases where the impact of religion on politics has been widely acknowledged.[35] Its application, for example, to the "Social Gospel" movement of the early years of the present century, and to the rise of agrarian socialism under the banner of the Co-operative Commonwealth Federation is evident.[36] Yet, Clark appears to perceive the long-term political influence of sects as less than radical, a view exemplified in the classic case of the Alberta Social Credit movement. Founded by William Aberhart and emerging from his Prophetic Bible Institute, this movement began by preaching radical monetary reform only to evolve into an established political party favoured by big business interests. Thus, in Clark's estimation, in the process of compromise with the world, Canadian sects have largely been transformed into evangelical churches whose influence on politics has been, at its worst, "to produce a citizen body politically illiterate or unprincipled."[37] As he observes: "An indifference to politics which religious sectarianism engendered has checked the growth of political thought, and the weakness of political thought, in turn, in contributing to a political opportunism on the part of evangelical church leaders, has checked the growth of political statesmanship."[38] Clark's bluntly expressed views have engendered much criticism but still provide suggestive insights into the religious background of Canadian political culture.[39] Perhaps more than anything, however, Clark's study of sectarianism graphically illustrates the debt which distinctively Canadian sociology owes the historian.[40]

The contention that religion has played a crucial causal role in shaping our national life, and the more general theoretical proposition that religion may act as an "independent variable" in the process of social change might most appropriately be supported by reference to the work of Max Weber.[41] Yet, in contemporary sociological literature, rejection of a "one-sided materialism" which accords religion merely the status of a dependent variable, is expressed nowhere more strongly than in the writings of *Marxist* scholars. The irony of this state of affairs has naturally not gone unnoticed by non-Marxist or anti-Marxist scholars. With the enthusiasm of the converted, Marxian sociologists now proclaim the independent role of religion by rejecting and condemning economic reductionism, and by stressing the "relative autonomy" of the religious factor.[42] Thus, in a statement introducing "one of the most thorough discussions of religion carried out recently," the view that religion is no mere epiphenomenal reflection of economic focus is pithily expressed by a number of leading Marxist scholars:

> *Like cheap mustard that serves mainly to conceal or annihilate the true flavour of the food, the economistic account streamlines history by destroying its specificity and real meaning... Life goes on... Religion stubbornly refuses to sink away quietly into that dustbin of history that has recently been regarded as its proper resting place.*[43]

The concern and indeed preoccupation, of contemporary Marxists with problems of superstructure and culture has greatly encouraged the forging of a Marxist sociology of religion, an enterprise which appears to reject, or at least circumscribe, Engels' blunt assertion of the ultimate determination of religion by relations of production. Adopting, therefore, a broad view of the social role of religion and a "dialectical conception of culture," Marxist sociologists maintain that both are implicit in Marxism although they have hitherto been inadequately maintained and developed. Whether Weber misunderstood Marxism or whether Marxists have belatedly rediscovered a truth revealed by Weber three-quarters of a century ago, is not at issue here.[44] What is perfectly clear, however, is that even avowed Marxists are no longer prepared to see the historical reality of the crucial causal role of religion "pushed around" in the interests of social-scientific dogma. Life goes on, as they say, in spite of such dogma.

If contemporary Marxists cannot proceed without taking into account at least the *relative* autonomy of religion, there seems no reason for any sociologist uncommitted to some brand of material determinism to doubt the potential impact of religion in shaping human society. *A Fortiori* this is true of the Canadian scholar intrigued by the workings and origins of his own society. There is an urgent need for sophisticated sociological study both of the past impact of religion on Canadian culture and the legacy of this encounter. Such research is an essential ingredient in any formula for detecting and analysing the *contemporary* influence of religion in our national life. It is equally indispensable in any efforts to foretell the future of religion in Canada.

Sociologists endeavouring to clarify the role of religion in our national life will, understandably, utilize the findings of historical research for their own intellectual ends. Thus, historical materials will necessarily be reinterpreted in the context of sociological concerns, whether theoretical, methodological or empirical. Such concerns will, of course, vary according to disciplinary fads and foibles, to say nothing of possible intellectual crises or revolutions.[45] However, a number of current concerns in the sociology of religion, relevant to the study of Canadian culture, may be indicated fairly readily.

From the sociological point of view, it must be stressed that the kinds of conclusions drawn regarding the past, present and future of religion in Canada are dependent upon the *definition* of religion utilized.[46] In particular, discussions of the nature of *secularization,* perhaps the major concern of contemporary sociologists of religion, hinge entirely on specific meanings of the term "religion."[47] Thus, unless he holds fast to a constant and unambiguous terminology, the scholar may witness the history, present condition and prospects of religion undergoing metamorphosis by definitional sleight of hand. Expressed at its bluntest, it might be said that the strength or weakness, relevance or irrelevance, and growth or decline of "religion" are functions of its definition. In the last analysis, whether religion is alive or dead depends upon how the term is defined. From both methodological and theoretical points of view, it is essential that analysis of the changing role of religion in Canadian culture be undertaken with a sensitivity to the different conceptions of religion formulated in the sociological literature.

An *exclusive* and *substantive* definition which views religion in traditional Western societal terms, by clinging to ordinary language or folk usage, leads the sociologist along trails familiar to the historian. From this definitional perspective, attention is likely to be focussed on such matters as the decline of the major denominations, their shifting relative strengths, and their strategies of ecumenical retrenchment in the face of secularization. Canadian sociologists might, therefore, be expected to ponder the present and future role of traditional denominations, not merely in the political sphere, but in the resolution of the cultural contradictions of modern capitalist society.[48] The contemporary response of traditional religion to a disenchanted social ethos of rationality, calculation and efficiency must surely be as interesting to the sociologist as the nineteenth century religious response to *laisser-faire* economics has been to the historian. Thus, the ways in which Canadian denominations confront the crucial issues of equality and participation in the political realm, while simultaneously responding to an ideology of individual self-fulfillment, spontaneity and experiential richness at a more general cultural level, are matters worthy of intensive and sustained empirical research. General theoretical speculation regarding the protracted response of organized religion to the cultural "expressive revolution" launched in the 1960s is of considerable sociological significance; and not without parallel in the historical treatment of the religious "Awakenings" of the last century.[49]

If, in this regard, any specific issue possesses *special* historical and sociological significance, it is perhaps the recent emergence of Roman Catholicism as the leading denomination in Canada. Though this church is clearly morally and intellectually attuned to major contemporary issues, it is still a matter for conjecture whether it is destined to play an integrative or disintegrative role, either within the shrinking confines of institutionalized Christianity or in the broader context of the national culture.[50]

More generally, sociological characterization of contemporary organized religion as weak, circumscribed, timorous and ineffectual raises the question of its ultimate fate: is either its demise or revitalization imminent or inevitable? Sociological consideration of either the death or rebirth of organized religion inevitably poses the question of *alternatives to religion* and induces speculation regarding *alternative forms of religion.* Moreover, when the persistence of religion in its familiar societal guise is deemed problematic, an encounter with "religion" as defined from a variety of *functionalist* standpoints is inevitable. The more *inclusive* such definitions, the more does the traditional conception of "normal" institutionalized religion appear to depict a historical special case which, viewed through a cold and comparing eye, exhibits no necessary claim to social or cultural immortality.

Like their American and European counterparts, contemporary Canadian sociologists are greatly preoccupied with the "return of the sacred" in a number of senses. While the possibility of a revival or "Awakening" of a familiar fundamentalist and conservative Christianity is contemplated by some scholars, others brood over whether Western societies are already undergoing an awakening of consciousness in a more exotic way.[51] Whether the "New Christian Right" and the "New Religious Movements" are the heralds of a new religious dawn, or merely the bizarre caricature of institutionalized religion in its last agony is a matter of intense sociological dispute.[52] Yet, whether sociologists perceive them as proclaiming the rebirth of the gods or as merely confirming the relentless march of secularization, their analyses can surely benefit from, and contribute to, the historical investigation of the integrative and disintegrative aspects of religion in Canada.

Inspired by different versions of functionalism, many Canadian sociologists of religion have widened their understanding of their subject matter to include such conceptions as "civil religion," "political religion," "invisible religion" and, paradoxically, even "secular religion."[53] Within the broadest of such *sociological* frameworks, the sacred is not subject to common sense *societal* meanings. Religion attains universality therein and, in the extreme case, is identified with *the human* in the most basic sense.[54] The sociologist or historian grappling with the study of church and state, political ideology, national myths or collective identity can readily appreciate the potential utility of such specific notions as "civil" or "political" religion. The "invisible religion" thesis is, however, of more fundamental importance. In attempting to wrest religion from the monopolistic clutches of institutionalized, "official" bodies, it is radically provocative. Thus regarding religion as too sociologically important to be confined to the churches, this thesis reveals religion in the unlikeliest places.[55] By emphasizing the variety of ways in which individual and collective systems of meaning and ultimate significance are constructed in contemporary society, the concept of "invisible religion" draws attention to the sociologically complex and highly problematic nature of religion, society, culture and the relationships among them.[56]

If the sociologist's task is not merely to *define* religion but to *find* it[57], his labours can hardly fail to interest the historian by virtue of the comparative and relativistic light they shed. Viewed from the standpoint of a broad sociological-theoretical framework, the specific events and issues of Canadian religious history may be expected to take on a new appearance. More generally, however, a sociologist who postulates the fundamental transformation of the phenomenon of religion in modern society must necessarily speculate upon the fundamental transformation of modern society itself.[58] For contemporary scholars, as for the founding fathers of sociology, to meditate profitably on the nature of religion is to understand better how society is possible. For either the sociologist or the historian, it can certainly do no harm to assess the effects of "religion" on Canadian culture within the context of a larger effort to resolve the riddles of personal identity and social order in a rapidly changing world.[59]

However religion is defined, the vital task of depicting its precise impact on Canadian culture is best undertaken by sociologists and historians combining a sense of the past with a sensitivity to the present.[60] In this regard, the sociologist might well ponder the words of the great French historian, Fernand Braudel:

> *I should be happy if ... social scientists could... see history as an exceptional means of discovery and research. Is not the present after all in large measure the prisoner of a past that obstinately survives, and the past with its rules, its differences and its similarities, the indispensable key to any serious understanding of the present?*[61]

But, if sociologists rightly acknowledge the past as an indispensable key to the present, should not historians consider the relevance of the present to the interpretation of the past? If the present role of religion is fully explicable only after historical examination of the past, is it not possible that sociological analysis of the present may contribute to causal and meaningful explanations of the religious past? Thus, if investigation of the past is a necessary prelude to the understanding of the present and the future, it may also be suggested that analysis of the present and the future are indispensable to the proper appreciation of the past.

Roger O'Toole
Department of Sociology and
Centre for Religious Studies
University of Toronto

Notes

1. See C. Wright Mills (ed.). *Images of Man* (New York: George Braziller, Inc., 1960), pp. 1-17; and Roger O'Toole, *Religion: Classic Sociological Approaches* (Toronto: McGraw-Hill Ryerson, 1984).

2. See Bryan R. Wilson, *Religion in Secular Society* (Harmondsworth: Penguin Books, 1969). For a rather different view see David Martin, *The Religious and the Secular* (London: Routledge and Kegan Paul, 1969).
3. See John Webster Grant, "Religion and Canada: A Historical Perspective," paper presented to the Canadian Society for the Study of Religion, 1973.
4. See Max Weber, *The Protestant Ethic and the Spirit of Capitalism*, (trans. Parsons), (London: George Allen and Unwin, 1930). (First published in German 1904-05); and Max Weber "Kritische Bemerkungen zu den Vorstehenden "Kristischen Beiträgen'," *Archiv für Sozialwissenschaft*, Vol. 25 (1907), p. 248. The latter is cited in Reinhard Bendix, *Max Weber: An Intellectual Portrait* (London: Heinemann, 1960), p. 79.
5. Weber, quoted in Bendix, *op. cit.*, p. 79.
6. See Gerhard Lenski, *The Religious Factor* (Garden City, N.Y.: Doubleday Anchor Books, 1963); and S.D. Clark, "The Religious Factor in Canadian Economic Development" in *The Tasks of Economic History*, (Supplement to *Journal of Economic History*, 1947).
7. S.D. Clark, *The Developing Canadian Community* (Toronto: University of Toronto Press, 1968), p.xiv.
8. S.D. Clark, "History and the Sociological Method" in *The Developing Canadian Community*, p. 294. See also S.M. Lipset and R. Hofstadter (eds.) *Sociology and History: Methods* (New York: Basic Books, 1968: W.J. Cahnman A. Boskoff (eds.)) *Sociology and History: Theory and Research* (New York: Free Press, 1964).
9. For example, John Webster Grant observes that "from few books on Canadian History... would one gather to what extent our political parties have crystallized upon lines of cleavage originally ecclesiastical." See J.W. Grant, "Asking Questions of the Canadian Past," *Canadian Journal of Theology*, Vol. 1 (1955), p. 102. See also N. Keith Clifford, "Religion and the Development of Canadian Society: an Historiographic Analysis," *Church History*, Vol. 38 (1969), pp. 506-523; N.K. Clifford, "History of Religion in Canada," *The Ecumenist*, Vol. 18, No. 5 (1980), pp. 63-69; and John S. Moir, "Coming of Age, but Slowly: Aspects of Canadian History since Confederation," *C.C.H.A. Study Sessions*, Vol. 50 (1983), pp. 89-98. The reluctance of *sociologists* to pay attention to the "changing relations between religion and society" in Canada has been noted in Jean-Paul Montminy and Stewart Crysdale, *Religion in Canada: An Annotated Inventory* (Downsview: York University, 1974).
10. J.W. Grant, "Religion and the Quest for a National Identity" in P. Slater (ed.), *Religion and Culture in Canada* (Waterloo: Canadian Corporation for Studies in Religion, 1977), p. 10.
11. See, for example, J.-C. Falardeau, "The Role and Importance of the Church in French Canada" in M. Rioux and Y. Martin (eds.), *French-Canadian Society*, Vol. 1, (Toronto: McClelland and Stewart, 1964); H. Miner, *St. Denis: A French-Canadian Parish* (Chicago: University of Chicago Press, 1939); E.C. Hughes, *French Canada in Transition* (Chicago: University of Chicago Press, 1943): and S.H. Barnes "Quebec Catholicism and Social Change," *Review of Politics*, Vol. 23 (1961), pp. 52-76.
12. See the elaboration of this theme by, for example, S.M. Lipset, "Canada and the United States - A Comparative View," *Canadian Review of Sociology and Anthropology*, Vol. 1 (1964); and E.Z. Friedenberg, *Deference to Authority: The Case of Canada*, White Plains (N.Y.: M.E. Sharpe, 1980). See also the comment in J.S. Moir, "The Sectarian Tradition in Canada" in J.W. Grant (ed.), *The Churches and the Canadian Experience*, Toronto: Ryerson Press (1963), p. 132.

13. J.W. Grant in Slater, *op. cit.* p. 13.
14. Ibid., p. 13.
15. Ibid., p. 16. In this context see also R.N. Bellah, *The Broken Covenant* (New York: Seabury Press, 1975); Conrad Cherry, *God's New Israel*, Englewood Cliffs (N.J.: Prentice-Hall, 1971); and Louis Rousseau, "Récit mythique des origines québécoises" in Slater, *op. cit.* pp. 43-60.
16. J.W. Grant in Slater, *op. cit.*, p. 16.
17. Ibid., p. 14.
18. André Siegfried, *The Race* Question in *Canada* (Toronto: McClelland and Stewart, 1966), (first published 1907) p. 15.
19. See N. Keith Clifford, "His Dominion: A Vision in Crisis" in Slater, *op. cit.*, pp. 24-41.
20. Ibid., p. 35.
21. Ibid., p. 35.
22. William Westfall, "The Dominion of the Lord: An Introduction to the Cultural History of Protestant Ontario in the Victorian Period," *Queen's Quarterly*, Vol. 83 (1976), pp. 47-70. See also his "The End of the World: An aspect of Time and Culture in Nineteenth-Century Protestant Culture," *Canadian Issues/Thèmes canadiens*, Vol. VII (1985).
23. Westfall, "The Dominion of the Lord," p. 51.
24. Ibid., pp. 51-52, 64-65.
25. Ibid., pp. 59-65.
26. Ibid., pp. 66-67.
27. Ibid., p. 66.
28. See Westfall, "The End of the World: An Aspect of Time and Culture in Nineteenth-Century Protestant Culture."
29. See Weber, *The Protestant Ethic* (cited above).
30. For overviews of the writing of Canadian religious history see the articles by Moir and Clifford cited in note 9 above. Moir, in particular, reflects on the "distortions" of such historical writing and laments the lack of good *general* history in this area (pp. 90-91). See also Michael Cross, "Recent Writings in Social History," *History and Social Science Teacher*, Vol. 14, No. 3 (1979), pp. 155-164. Richard Allen, *The Social Passion: Religion and Social Reform in Canada, 1914-28* (Toronto: University of Toronto Press, 1971) is the most obvious source on religion and social reform but see also Ramsay Cook, "Spiritualism, Science of the Earthly Paradise," *Canadian Historical Review*, Vol. 65 (1984), pp. 4-27. On the theme of religion and social thought see A.B. McKillop, *A Disciplined Intelligence: Critical Inquiry and Canadian Thought in the Victorian Era* (Montreal: McGill-Queen's University Press, 1979); and Carl Berger, *Science, God, and Nature in Victorian Canada* (Toronto: University of Toronto Press, 1983). On ethnicity, see Roberto Perin, "Clio as an Ethnic: The Third Force in Canada Historiography," *Canadian Historical Review*, Vol. 64, No. 4 (1983), pp. 441-467 (especially p. 449). On class consciousness see Bryan D. Palmer, *A Culture in Conflict: Skilled Workers and Industrial Capitalism in Hamilton, Ontario 1860-1914* (Montreal: McGill-Queen's University Press, 1979).
31. As a beginning, see for example Neil Semple " 'The Nurture and Admonition of the Lord': Nineteeth-Century Canadian Methodism's Response to 'Childhood'," *Histoire Sociale/Social History*, Vol. 14, No. 27 (1981), pp. 157-175. This parallels such U.S. work as Philip Greven, *The Protestant Temperament: Patterns of Child-Rearing,*

Religious Experience, and the Self in Early America, (New York: New American Library, 1977).

32. See especially S.D. Clark, *Church and Sect in Canada* (Toronto: University of Toronto Press, 1948); S.D. Clark, *Movements of Political Protest in Canada* (Toronto: University of Toronto Press, 1959); and "The Religious Sect in Canadian Politics" in *The Developing Canadian Community* cited above. See also R. Hofstadter and S.M. Lipset (eds.), *Turner and the Sociology of the Frontier* (New York: Basic Books, 1968); and H.R. Niebuhr, *The Social Sources of Denominationalism* (New York: Meridian Books, 1957), (first published 1929).
33. S.D. Clark, *The Developing Canadian Community*, p. 130.
34. Ibid., p. 130.
35. Ibid., p. 146.
36. See, for example, S.M. Lipset, *Agrarian Socialism* (Garden City, N.Y.: Doubleday Anchor Books, 1968); and Richard Allen, *op. cit.*
37. S.D. Clark, *The Developing Canadian Community*, p. 144. See also J.A. Irving, *The Social Credit Movement in Alberta* (Toronto: University of Toronto Press, 1959).
38. S.D. Clark, *The Developing Canadian Community*, p. 144.
39. See H.H. Hiller, "The Contribution of S.D. Clark to the Sociology of Canadian Religion," *Studies in Religion*, Vol. 6 (1976-77), pp. 415-427; and W.E. Mann, *Sect, Cult and Church in Alberta* (Toronto: University of Toronto Press, 1955).
40. It is arguable that a concern with history is *the* distinguishing mark of Canadian sociology as an indigenous enterprise. Americanization of the discipline in recent decades has rendered Clark's style of historical sociology a distinctly marginal activity, however. On the other hand, historical sociology has slowly emerged *internationally* as a legitimate style of work. See Lipset and Hofstadter; Cahnman and Boskoff as cited in note 8; and for more recent work consult Peter Burke, *Sociology and History* (London: George Allen and Unwin, 1980); Charles Tilly, *As Sociology Meets History* (New York: Academic Press, 1981); and Laurence Stone, *The Past and the Present* (London: Routledge and Kegan Paul, 1981).
41. See especially Max Weber, *The Sociology of Religion*, (trans. Fischoff) (Boston: Beacon Press, 1963, first published in 1922) and *The Protestant Ethic* (cited above).
42. Weber rejected "one-sided" explanations of social change, whether materialistic or idealistic. Though he viewed Marxism as one-sidedly materialistic, contemporary Marxists dispute such a depiction. See, for example, works by Otto Maduro, "New Marxist Approaches to the Relative Autonomy of Religion," *Sociological Analysis*, Vol. 38 (1977): "Marxist Analysis and Sociology of Religion: An Introduction," *Social Compass*, Vol. 22 (1975), pp. 305-322; "Marxist Analysis and Sociology of Religion," *Acts of C.I.S.R.* Lille (1975); *Religion and Social Conflicts* (Maryknoll, N.Y.: Orbis Books, 1982); and "Is Religion Revolutionary?" *New England Sociologist*, Vol. 5, No. 1 (1984), pp. 127-131. See also James Hannon, "Religion as Ideology and Praxis: Current Considerations in Marxist Theory," *New England Sociologist*, Vol. 5, No. 1 (1984), pp. 37-57. Worthy of consultation are special issues on the theme of Marxism and Religion published by *Social Compass* Vol. 22, (1975); and *Telos* No. 58, (Winter 1983-84). The special issue of *New England Sociologist*, Vol. 5, No. 1, (1984) on the theme "Religion: The Cutting Edge" is also noteworthy in this context.
43. David Gross, Patrick Murray and Paul Piccone, "Introduction" to Special Issue on Religion and Politics. *Telos*, No. 58 (Winter 1983-84), p. 2.

44. Some Marxist writers view Weber's perspective as completely anticipated by Marx, while Weberian scholars reject a view of Weber as a mere epigone of Marx. For relevant discussions see Karl Löwith, *Max Weber and Karl Marx* (trans. Fantel) (London: George Allen and Unwin, 1982); Benjamin Nelson, "Max Weber's 'Author's Introduction' (1920): A Master Clue to his Main Aims," *Sociological Inquiry*, Vol. 44 (1974), p. 275; Norman Birnbaum, "Conflicting Interpretations of the Rise of Capitalism: Marx and Weber," *British Journal of Sociology*, Vol. 4 (1953), pp. 125-141; and E.J. Hobsbawm, "Introduction" to *Karl Marx: Precapitalist Economic Formations*, (Translated by J. Cohen) (New York: International Publishers, 1965).
45. See, for example, Howard S. Becker, "What's Happening to Sociology?" *Society*, Vol. 16, No. 5 (1979), pp. 19-24: Pitirim A. Sorokin, *Fads and Foibles in Modern Sociology* (Chicago: Henry Regnery Co., 1956); C. Wright Mills, *The Sociological Imagination* (New York, Oxford University Press, 1959); Thomas S. Kuhn, *The Nature of Scientific Revolutions* (Chicago: University of Chicago Press, 1962); Alvin W. Gouldner, *The Coming Crisis of Western Sociology* (New York: Basic Books, 1970); and Robert W. Friedrichs, *The Sociology of Sociology* (New York: The Free Press, 1970).
46. The most recent detailed treatment of this issue is to be found in O'Toole, *op. cit.*, pp. 10-51. See also the discussions in Roland Robertson, *The Sociological Interpretation of Religion* (New York: Schocken Books, 1970); and Michael Hill, *A Sociology of Religion* (London: Heinemann Books, 1973).
47. See the citations in note 2. Consult also Peter E. Glasner, *The Sociology of Secularization: A Critique of a Concept* (London: Routledge and Kegan Paul, 1977); and Benton Johnson, "A Fresh Look at Theories of Secularization" in H.M. Blalock (ed.), *Sociological Theory and Research: A Critical Approach* (New York: The Free Press, 1980), pp. 314-331.
48. See Daniel Bell, *The Cultural Contradictions of Capitalism* (New York: Basic Books, 1976); and Bernice Martin, *A Sociology of Contemporary Cultural Change* (Oxford: Basil Blackwell, 1981).
49. See J. Milton Yinger, "Countercultures and Social Change," *American Sociological Review*, Vol. 42 (1977), pp. 833-853; Steven M. Tipton, *Getting Saved from the Sixties*, Berkeley: University of California Press (1982); Charles Y. Glock and Robert N. Bellah (eds.), *The New Religious Consciousness* (Berkeley: University of California Press, 1976); and articles by R.C. Gordon-McCutchan, Timothy L. Smith, William G. McLoughlin, John F. Wilson and John L. Hammond in "Symposium on Religious Awakenings," *Sociological Analysis*, Vol. 44, No. 2 (1983), pp. 81-122. See also Frank Lechner, "Fundamentalism and Sociocultural Revitalization in America," *Sociological Analysis*, Vol. 46, No, 3 (1985) (forthcoming).
50. According to the 1981 Census, the Canadian population of 24,083,494 contains 11,402,605 Catholics and 9,914,580 Protestants. Of central significance is obviously the role which Catholicism is destined to play in shaping social policies.
51. See sources in note 49. Consult also Daniel Bell, "The Return of the Sacred? The Argument on the Future of Religion," *British Journal of Sociology*, Vol. 28 (1977), pp. 419-449; Robert Wuthnow, *The Consciousness Reformation* (Berkeley: University of California Press, 1976); and R. Wuthnow, *Experimentation in American Religion: the New Mysticisms and their Implications for the Churches* (Berkeley: University of California Press, 1978).
52. See Bryan R. Wilson, "The Return of the Sacred," *Journal for the Scientific Study of*

Religion, Vol. 18 (1979), pp. 268-280; and B.R. Wilson, "The Debate Over 'Secularization'," *Encounter,* Vol. 45, No. 10 (1975), pp. 77-83. On the significance of the "New Christian Right" see the following collections of articles: Robert C. Liebman and Robert Wuthnow (eds.), *The New Christian Right: Mobilization and Legitimation* (New York: Aldine Press, 1983); and Anson D. Shupe and David G. Bromley (eds.), *New Christian Politics* (Macon, Georgia: Mercer University Press, 1984). On the significance of the "New Religious Movements" see Bryan R. Wilson (ed.), *The Social Impact of New Religious Movements* (New York: Rose of Sharon Press, 1981); Eileen Barker (ed.), *New Religious Movements: A Perspective for Understanding Society* (New York and Toronto: The Edwin Mellen Press, 1982); Jacob Needleman and George Baker (eds.), *Understanding the New Religious* (New York: Seabury Press, 1978); and Thomas Robbins and Dick Anthony (eds.), *In Gods We Trust: New Patterns of Religious Pluralism in America* (New Brunswick, N.J.: Transaction Books, 1981).

53. The concepts of "civil religion" and "invisible religion" have both generated vast literatures. See O'Toole, *op. cit.* for lengthy citation. The sociological founding documents are Robert N. Bellah, "Civil Religion in America," *Daedalus*, Vol. 96 (1967), pp. 1-21; and Thomas Luckmann, *The Invisible Religion: The Problem of Religion in Modern Society* (New York: The Macmillan Company, 1967).

54. Luckman, *op. cit.*, p. 49.

55. Ibid., pp. 107-109. For a skeptical comment see Bryan R. Wilson, *Contemporary Transformation of Religion* (London: Oxford University Press, 1976), p. 4.

56. Luckmann's book is, in fact, a highly provocative work of *general* social theory. See sources cited in note 58 below, and consult Andrew J. Weigert, "Whose Invisible Religion? Luckmann Revisited," *Sociological Analysis*, Vol. 35 (1974), pp. 181-188; and Charles C. Lemert, "Defining Non-Church Religion," *Review of Religious Research*, Vol. 16 (1975), pp. 186-197.

57. See Clifford Geertz, *The Interpretation of Cultures* (New York: Basic Books, 1973), p. 1.

58. More generally, Marcene Marcoux has suggested that "in trying to find religion, we may also begin to find sociology." See "Introduction" to "Religion: The Cutting Edge," Special Issue of *New England Sociologist*, Vol. 5, No. 1. (1984), p. iv.

59. For recent work which links central issues in the sociology of religion to broader themes in sociological theory see Bryan S. Turner, *Religion and Social Theory* (London: Heinemann Books, 1983); John Skorupski, *Symbol and Theory* (Cambridge: Cambridge University Press, 1976); Richard K. Fenn, "Toward a New Sociology of Religion," *Journal for the Scientific Study of Religion*, Vol. 11 (1972), pp. 16-32; Charles C. Lemert, "Social Structure and the Absent Centre: An Alternative to New Sociologies of Religion," *Sociological Analysis*, Vol. 36 (1975), pp. 95-107; Roland Robertson, "Individualism, Societalism, Worldliness, Universalism: Thematizing Theoretical Sociology of Religion," *Sociological Analysis*, Vol. 38 (1977), pp. 281-308; R. Robertson, "Religious Movements and Modern Societies: Toward a Progressive Problemshift," *Sociological Analysis*, Vol. 40 (1979), pp. 297-314; and R. Robertson and B. Holzner (eds.), *Identity and Authority: Explorations in the Theory of Society* (New York: St. Martin's Press, 1979).

60. For examples of this *genre* see Nicole Laurin-Frenette and Louis Rousseau, "Les centres

de la régulation: Essai sur les rapports entre l'Église et l'État dans l'histoire québécoise," *Studies in Religion*, Vol. 12 (1983), pp. 247-272; and Peter Beyer, "The Mission of Quebec Ultramontanism: A Luhmannian Perspective," *Sociological Analysis*, Vol. 46, No. 1 (1985) (forthcoming).

61. Fernand Braudel, *The Perspective of the World*, (Vol. III of Civilization and Capitalism, 15th - 18th Century), Translated by S. Reynolds (New York: Harper and Row, 1984). (First published in French 1979), p. 20.

ROLAND CHAGNON

Les nouvelles religions dans la dynamique socio-culturelle récente au Québec

In the last fifteen years or so, many "new religions" *have invaded western societies. Québec is no exception to the rule. Around three hundred (300) new religions exist in Québec today. In this article, the author first offers a general view of the main components of these new religions' symbolic universes of meaning and then gives a sociological explanation of their development in the context of contemporary Québec culture and society.*

New religions, especially those of oriental origin, insist on the need for a concrete and living experience of spiritual truths. Truth is something to be tested, not something to be adhered to unconditionally. A second important element of the new religions is their search for effective rituals and for immediate ways of liberation, and a third is their mystical orientation to life and their almost exclusive concern with the "self" *or the soul. Finally, on the ethical level, most new religions are individualistic and permissive.*

The author interprets the development of the new religions in Québec society as a consequence of the decline of world views which had traditionnaly, in the case of Catholicism and, more recently, in the case of nationalism, provided the "Québécois" *with a strong sense of collective identity. Following Hans Mol's suggestion, the author believes that the loss of collective identities has created a cultural context in which people now search for group or personal identities. Focusing his analysis on a comparative study of the Eckankar and Hare Krishna movements, the author shows how these two groups respond, each in their own way, to the identity needs of their members: the former by providing its adherents with the possibility of arriving at a new integration of the various dimensions of the personality, the latter by facilitating, in its disciples, a radical transformation of their personal identity. On the basis of their members' religious biographies, the author suggests a typology of the new religions.* "Mystical groups" *would be more individualist and more oriented toward the harmonious integration of the various dimensions of the existing identity of the members.* "Sectarian groups," *would be more communalist and more oriented toward a radical shift of their members' personal identities.*

Le Québec n'a pas échappé à la vague des nouvelles religions qui a déferlé sur l'Occident depuis la fin des années 60. Ici comme ailleurs, une multitude de groupes religieux ont fait leur apparition en passant généralement par les États-Unis. Certains d'entre eux sont d'inspiration chrétienne, d'autres d'inspiration hindoue ou boudhiste, d'autres, enfin, s'apparentent davantage aux groupes de potentiel humain. Dans un ouvrage récemment publié[1], Richard Bergeron recensait tout près de 250 groupes de ce genre au Québec qu'il classifiait, selon le contenu de leur idéologie religieuse, en deux grands types: les sectes et les gnoses. Les nouvelles religions représentent un phénomène socio-culturel important dans la société contemporaine. Cette communication présentera d'abord une description de l'univers symbolique des nouvelles religions d'inspiration orientale et, dans un deuxième temps, elle fournira un ensemble de réflexions visant à rendre compte de la signification de ces nouvelles religions dans le contexte de la société québécoise contemporaine. Les réflexions que nous présentons ici s'appuient sur une recherche que nous avons menée depuis 1980 auprès d'une dizaine de ces groupes présents dans la région montréalaise[2].

L'univers symbolique des nouvelles religions

— Des religions de l'expérience

Contrairement aux grandes religions de l'Occident qui reposent sur une révélation de Dieu aux hommes, les nouvelles religions prétendent se fonder sur l'expérience, celle du maître d'abord et, en second lieu, celle de ses disciples. Ce n'est donc pas à la foi de leurs adeptes que les nouvelles religions font appel, mais plutôt à leurs capacités de voir la vérité par eux-mêmes. Ainsi, c'est une longue tradition occidentale de "religions de l'oreille" (fides ex auditu) qui est remise en question par l'insistance des nouvelles religions, qu'on pourrait qualifier de "religions de l'oeil", sur le caractère accessible et visible des vérités les plus hautes. En ce sens, ce qu'écrivait W. Rahula à propos de la tradition bouddhiste pourrait bien s'appliquer aux nouvelles religions: "Le Bouddha engagea ses disciples à ne rien admettre sous prétexte de tradition, de religion, d'enseignement par une autorité ou un maître, mais de ne l'accepter que lorsqu'ils l'auraient compris et en seraient intimement convaincus[3]". Nos recherches auprès des membres de ces groupes démontrent de manière incontestable qu'ils ont intériorisé cette vision d'elles-mêmes propagée par les nouvelles religions. Interrogés sur leurs croyances, ils répondront qu'ils n'en ont pas, que leur groupe ne leur en propose pas et que les convictions qui les animent maintenant résultent de leurs propres expériences, explorations ou expérimentations. Ainsi on dira, non pas qu'on croit à l'âme et à son éternité, mais bien qu'on a expérimenté la réalité de l'âme et de son éternité, qu'on a pris contact avec ses vies antérieures... Il est important de signaler cette perception d'elles-mêmes des nouvelles religions qui devient pour elles une manière de se distinguer des religions traditionnelles. Cependant, un oeil averti ne manquera pas de remarquer la naïveté sous-jacente à une telle prétention: on oublie que les expériences qu'on prétend faire reposent sur la trame d'un univers socio-spirituel construit par d'autres et, qu'à ce titre, ils impliquent une certaine foi en la validité de cette construction sociale en tant que description adéquate de la réalité.

— Des religions aux méthodes de libération efficaces

L'insistance des nouvelles religions sur l'expérience les amène à proposer à leurs disciples un ensemble de méthodes en vue de poursuivre avec succès leurs expérimentations. Cette nécessité pousse les nouvelles religions à se définir comme des sciences porteuses de promesses d'un bonheur immédiat, "ici et maintenant".

Le flirt avec l'idéologie scientiste de notre époque transparaît chez toutes les nouvelles religions. La Méditation transcendantale établit ses fondements sur une science, la science de l'intelligence créatrice. Eckankar se présente comme la science du voyage de l'âme. Le groupe de Sawan Kirpal prétend posséder la quintessence d'une science de la spiritualité capable d'acheminer l'âme vers le divin d'une manière aussi assurée que les sciences physico-mathématiques sont parvenues à lancer des véhicules dans l'espace. L'église de scientologie repose sur la science moderne de la santé mentale ou, plus familièrement, sur la dianétique. On pourrait allonger la liste, mais l'énumération qui précède suffit à elle seule à montrer l'importance de l'idéologie technico-scientifique dans l'univers des nouvelles religions. Ici encore, nos recherches ont démontré que cette conviction de la part de ces groupes d'être porteurs de techniques efficaces de salut est profondément ancrée chez leurs membres. Plusieurs m'ont avoué qu'ils avaient rompu avec le christianisme non pas parce qu'ils s'opposaient à ses idéaux, mais parce que celui-ci ne leur fournissait pas les moyens concrets de les vivre, de les réaliser et de les appliquer dans leur vie concrète de tous les jours. Voilà justement, disent-ils, ce qu'ils ont trouvé dans leur nouvelle religion.

Il est important d'ajouter que la grande majorité des nouvelles religions proposent des voies de libération pour l'"ici-maintenant". L'idée de C. Lasch suivant laquelle les nouvelles religions auraient substitué la préoccupation de la santé immédiate à l'ancien souci pour le salut dans un autre monde, caractéristique des religions traditionnelles, est intéressante. Il s'exprime en ces termes: "L'atmosphère actuelle n'est pas religieuse mais thérapeutique. Ce que cherchent les gens avec ardeur aujourd'hui, ce n'est pas le salut personnel, encore moins le retour d'un âge d'or antérieur, mais la santé, la sécurité psychique, l'impression, l'illusion momentanée d'un bien-être personnel[4]". Cette affirmation décrit bien une partie importante de la sensibilité actuelle des nouvelles religions, mais elle ne doit pas occulter la réalité de groupes religieux qui continuent de propager l'idée d'un salut extra-mondain. Ceci est vrai non seulement de beaucoup de sectes d'inspiration chrétienne décrites dans l'ouvrage de R. Bergeron, mais aussi de certaines sectes d'inspiration orientale comme l'Association Internationale pour la Conscience de Krishna. La survivance de cette conception d'un salut extra-mondain justifie le bien-fondé de la typologie des nouvelles religions présentée par Roy Wallis distinguant les mouvements de rejet du monde de ceux où il est affirmé[5]. En ce qui concerne les nouvelles religions d'inspiration orientale, la conception d'un salut intra-mondain me semble l'emporter sur l'autre bien que toute une gamme de positions soit décelable à ce sujet, allant de la scientologie, incapable d'imaginer une âme flottant à tout jamais dans une infinitude vaporeuse échappant aux conditions de l'espace-temps jusqu'à l'Association Internationale pour la Conscience de Krishna rêvant d'une libération transcendante en des univers purement spirituels. Entre les deux s'engouffrent plusieurs groupes vantant les mérites de leurs méthodes de salut pour l'ici et le maintenant sans nier pour autant la possibilité d'une réalisation ultime de l'être hors des limites de ce monde. Entreraient dans cette catégorie des groupes comme la Méditation transcendantale, la Mission de la Lumière Divine, Rajneesh, Dharmadhatu... L'accent des nouvelles religions sur les méthodes et techniques de salut est pour elles une autre manière de se distinguer des religions traditionnelles qu'elles accusent de s'empêtrer en des ritualismes formels et inefficaces.

— Des religions de l'intériorité

Les nouvelles religions d'inspiration orientale épousent une perspective moniste. Pour elles, le sacré n'est pas une réalité perçue comme "toute autre". Au contraire, il est l'unique réalité, le fondement ultime de tout ce qui est. Loin d'être situé dans un monde à part, le sacré est au contraire ancré au coeur de toute la réalité. Toute réalité est ainsi porteuse d'infini. Il en est ainsi de l'homme. Le sacré vibre au plus profond de son coeur et c'est par une démarche d'intériorisation qu'il parviendra à s'identifier avec cette source de vie qui gît au plus profond de lui-même. La conception du sacré des nouvelles religions les situe d'emblée dans ce que Weber appelait les religions de type mystique, les opposant aux religions ascétiques. La religion mystique est axée sur la conception d'une divinité immanente et panthéiste à laquelle l'homme est invité à s'unir ou en laquelle il est appelé à se fondre fuyant ainsi les conflits de l'existence historique. La religion ascétique proclame au contraire l'infinie transcendance de Dieu par rapport à l'homme et lui ordonne, non pas de chercher l'union avec Lui, mais bien de s'employer à ce que Sa volonté soit faite sur la terre comme aux cieux.

Fidèles à la conception immanente du divin, les nouvelles religions n'imaginent pas de rupture de continuité entre Dieu et l'homme. Le divin devient une possibilité humaine en sorte que le discours sur Dieu passe au second plan pour faire place au discours sur l'âme, le soi, l'être essentiel de l'homme. L'expression de P. Heelas qualifiant les nouvelles religions de "religions du soi" est assez juste[6]. Toutes les nouvelles religions insistent beaucoup sur la double identité de l'homme, d'une part, son ego empirique et, d'autre part, son être essentiel, son soi, son âme. Elles invitent leurs membres à réaliser que leur nature essentielle est d'ordre spirituel et à vivre, grâce à cette conviction, une vie entièrement transformée. On l'a déjà dit et on aura l'occasion d'y revenir, cette idée de la nature purement spirituelle de l'homme ne doit pas être associée indistinctement à une quelconque nostalgie humaine du paradis. Autant la scientologie insiste pour souligner la nature purement spirituelle de l'homme, autant accentue-t-elle la nécessité pour l'âme (le thétan) de s'associer à un corps et aux conditions de l'espace-temps-matière-énergie en vue de créer des jeux dont elle aura le contrôle. Avoir le contrôle, être cause et non plus effet, voilà l'idéologie fondamentale de la scientologie, une idéologie qui, comme on le voit, n'a rien d'extra-mondain. Chez la majorité des autres groupes, la quête d'intériorité sera associée à la possibilité de mener une vie heureuse, paisible et harmonieuse. Les pratiques et les rituels des nouveaux mouvements religieux seront ordonnés à développer et à entretenir la vie intérieure.

Enfin, tous ces groupes accordent une importance fondamentale au maître vivant qui, par l'initiation, a ouvert ses disciples au sacré et qui continue par ses conseils et ses enseignements à accompagner leur cheminement spirituel. Le maître vivant répond à la description du prophète exemplaire de Weber qui prêche plus par ce qu'il est en lui-même que par les paroles sortant de sa bouche.

— Des éthiques individualistes et permissives

Les nouvelles religions d'inspiration orientale proposent des éthiques reposant sur la croyance hindoue-bouddhiste au karma et à la réincarnation. Il s'agit d'éthiques individuelles où chacun est considéré comme payant présentement le prix de ses actes passés et en train de déterminer par ses actes présents les contours de ses existences futures. Chacun récolte le fruit de ses actes selon une loi de causalité toute mécanique à laquelle personne ne peut échapper. Chacun se réincarne selon la nature de son karma antérieur. Nul ne peut expier pour les mauvais actes d'une autre personne et nul ne peut lui ravir le fruit de ses bons actes. La loi karmique est implacable et rend chacun responsable de ses actes, bons ou mauvais. C'est en ce sens qu'on peut parler de l'éthique individuelle des nouvelles religions.

Quant au second caractère de ces éthiques, leur caractère permissif, il plonge aussi ses racines à la croyance au karma. Sauf exceptions, les nouvelles religions n'imposent pas de règles morales précises ou des modes de vie déterminés à leurs membres. Il n'y a pas d'obligations. On enseigne ce qui est bien, mais on ne contraint personne à le mettre en pratique, sachant que chacun est responsable de ses décisions et qu'il paiera les conséquences de ses actes. Font exception à cette règle l'Association Internationale pour la Conscience de Krishna dont tous les membres doivent se soumettre à des règles de comportement très strictes ainsi que les membres de la Mission de la Lumière Divine vivant en ashram qui, contrairement aux autres "premie" (disciples), doivent garder le célibat. L'éthique de la grande majorité des nouvelles religions d'inspiration orientale ne manifeste aucune réserve puritaine devant la sexualité et aucune crainte de l'argent. Eckankar va même jusqu'à manifester une attitude d'ouverture sur la question de l'avortement. Darwin Gross, ex-maître Eck vivant, écrit à ce sujet: "Il ne s'agit pas d'un meurtre si la femme décide de ne pas avoir l'enfant et de rejeter la responsabilité de le nourrir, de le faire aller à l'école, etc; ce n'est pas plus un meurtre que si je me coupais un petit morceau de peau au doigt[7]". Rajneesh est celui qui pousse le plus loin l'aspect permissif et même hédoniste de son système moral. R.C. Prasad a bien montré comment Rajneesh n'entretient aucun idéal de pauvreté désirée pour elle-même, mais qu'au contraire, il croit que l'aisance matérielle peut faciliter le progrès de la démarche spirituelle. Il a aussi mis en évidence la méfiance de Rajneesh à l'égard des virtuoses de la sainteté qui n'ont pas au préalable assumé leurs pulsions sexuelles[8]. Concluons ici ce rapide tour d'horizon sur l'univers symbolique des nouvelles religions et entreprenons la seconde étape de nos réflexions dont le but est de déchiffrer la signification de ces dernières dans le contexte socio-culturel québécois actuel.

Signification des nouvelles religions dans le contexte socio-culturel du Québec contemporain

Cette section aura trois parties. Premièrement, nous tenterons de dégager les grandes interprétations que les Américains, qui ont mené le plus grand nombre d'études académiques dans le domaine des nouvelles religions, ont proposées de ce phénomène. Deuxièmement, on présentera un modèle d'interprétation qui pourra rendre compte du même phénomène au Québec. Enfin, le modèle d'interprétation retenu sera appliqué à quelques-unes des données que nous avons recueillies, non pas en vue de proposer en un si court espace, une vérification de la validité de notre modèle, mais plutôt en vue d'en démontrer la fécondité et la pertinence pour l'avenir de la recherche dans le domaine.

— Les recherches américaines sur la signification des nouvelles religions[9]

Nées à la fin des années 60 dans les milieux de la contre-culture, les nouvelles religions furent d'abord envisagées comme des prolongements de celle-ci, encourageant le développement, dans les marges de la société américaine, d'une culture plus expressive et plus ouverte aux valeurs affectives. Selon cette interprétation proposée par Rosak[10], les jeunes de classe moyenne qui s'intéressaient à ces nouveaux mouvements religieux rejetaient les valeurs économiques de l'Occident polarisées par la course au profit, voulaient renverser un modèle bureaucratique et froid des relations interpersonnelles fondé sur le rôle et la position des personnes dans la structure sociale, dénonçaient le style de vie compétitif qui isole les personnes les unes des autres et s'opposaient à la domination du mode de pensée strictement rationnel qui était valorisé par la culture. Sans être fausse dans sa tentative d'expliquer les origines des nouvelles religions aux États-Unis, cette explication ne peut rendre compte de leurs développements ultérieurs.

D'autres chercheurs, notamment Anthony et Robbins[11], ont cherché à relier le phénomène des nouvelles religions à la crise de l'éthique protestante qui avait accompagné le développement du capitalisme américain. La crise culturelle s'enracinait selon eux dans les bouleversements qu'avait connus l'économie américaine depuis la deuxième guerre mondiale. Les États-Unis seraient alors progressivement passés d'un système capitaliste de petits entrepreneurs à un système où de grands administrateurs gèrent les affaires de corporations multinationales dont ils ne sont pas les propriétaires. Le glissement du statut de propriétaire-gérant de petites entreprises à celui de gérant non propriétaire de grosses corporations aurait entraîné un changement important dans l'éthique du travail. Dans le premier cas, l'individu se sacrifie pour le bénéfice de l'entreprise familiale mais, dans le second cas, il perd la motivation ascétique au travail qui caractérisait l'éthique protestante. Le travail demeure une occupation importante, mais l'individu ne ressent plus le besoin de s'identifier à ce qu'il fait. Ses loisirs, le goût de consommer, le désir de jouir de la vie de manière immédiate l'emporteront bientôt sur les anciennes vertus ascétiques. Une éthique hédoniste et permissive apparaissait ainsi et les auteurs se demandent dans quelle mesure les nouvelles religions n'arrivaient pas à point aux États-Unis pour légitimer une centration sur soi au moment même où les lois de l'économie contribuaient à la favoriser. Les nouvelles religions étaient donc mises en relation avec la naissance d'une société de consommation encourageant une transformation des moeurs dans le sens de la permissivité et de l'hédonisme de la même manière que l'éthique protestante ascétique du travail avait été l'accompagnement normal d'une société de "frontières" préoccupée par les dures exigences d'une production orientée vers la survie. Les recherches d'Anthony et de Robbins ont permis d'insérer le phénomène des nouvelles religions dans un contexte plus vaste et de poser la question de leur signification dans le cadre d'une crise de la culture. Ces deux auteurs ont proposé une typologie des nouveaux mouvements religieux qui les situe en rapport avec les enjeux de cette crise. Les groupes dualistes, d'inspiration généralement chrétienne, adoptent le plus souvent une structure sectaire et visent, sous une forme ou sous une autre, à la revitalisation de l'éthique protestante ascétique. Les groupes monistes, d'inspiration généralement orientale, épousent une structure cultuelle et cherchent à promouvoir une alternative à la crise en établissant une synthèse des valeurs anciennes et des valeurs nouvelles. Ces groupes favorisent donc l'intégration harmonieuse des citoyens à la société américaine plus vaste tout en modifiant la culture d'une manière prudente et réaliste.

Les recherches les plus récentes poursuivent la voie tracée par les travaux d'Anthony et de Robbins. Elles montrent que les nouvelles religions servent de laboratoires où les ex-membres de la contre-culture réussissent à trouver les voies de leur adaptation aux exigences de la société américaine sans avoir le sentiment de renier leur passé. S.M. Tipton[12] est le pionnier de cette nouvelle théorie présentant les nouvelles religions comme des agents de socialisation de leurs membres aux valeurs dominantes de la société américaine. Les théories explicatives des nouvelles religions aux Etats-Unis sont donc passées d'une phase où on les envisageait comme des mouvements marginaux et contre-culturels à une phase où on fait valoir le potentiel intégrateur et adaptatif de certaines d'entre elles.

— Un modèle d'interprétation des nouvelles religions dans le contexte socio-culturel du Québec contemporain

Le contexte québécois

Une série de questions se pose au départ. En quoi les interprétations américaines du phénomène des nouveaux mouvements religieux ne pourraient-elles pas être valables dans le cas du Québec? Notre société ne témoigne-t-elle pas elle aussi d'une évolution importante de ses structures depuis la seconde grande guerre? N'a-t-elle pas connu elle aussi une transition rapide d'une société traditionnelle à une société moderne? Certains traits communs aux deux sociétés favoriseraient une réponse positive à toutes ces questions. Mais, en même temps s'impose l'impérieuse nécessité de considérer le phénomène des nouvelles religions au Québec d'une manière spécifique. Cette nécessité tient aux différences culturelles profondes entre les deux sociétés, différences tenant à la langue et surtout à la religion. On ne saurait négliger l'importance de l'héritage catholique et les remises en question profondes de cet héritage depuis une quarantaine d'années dans l'explication de la popularité relative des nouvelles religions dans le Québec actuel. On pourrait distinguer trois grandes périodes culturelles dans l'histoire du Québec: la société traditionnelle (des débuts à 1939-45), le passage d'abord lent et bientôt accéléré, au cours de la Révolution tranquille, vers la modernité (1945-1966), la société moderne (depuis 1966...). Les historiens et les sociologues s'entendent pour attribuer à l'Église catholique un rôle fondamental dans la définition et la protection de l'identité nationale des Canadiens français tout au long de la période qu'on a qualifiée de société traditionnelle, ce rôle s'étant intensifié dans ce qu'on a appelé le grand siècle de l'Église (1840-1940) au Québec. M.A. Tremblay écrivait à propos de cette période que "le principe fondamental de l'identité québécoise était alors l'appartenance à l'Église catholique, la fidélité à ses traditions et à ses enseignements[13]". L'Église avait offert aux Canadiens français une vision du monde dans laquelle ils se savaient porteurs de la civilisation française et de la foi catholique en Amérique du Nord. Elle avait rivé leur identité au mode de vie paysan et avait cherché par tous les moyens à la préserver contre les forces extérieures et dissolvantes: le protestantisme, la culture anglo-américaine, l'économie industrielle.

La période de transition qui commença avec la deuxième guerre mondiale allait être témoin des premiers craquements de l'édifice. À cause des nécessités de la production de guerre, le Québec s'industrialise et s'urbanise. On mettra du temps avant de se rendre compte que la vision canadienne-française du monde n'est plus accordée aux nouvelles conditions et exigences de la vie sociale. Mais la Révolution tranquille (1960-66) viendra bientôt accomplir l'oeuvre amorcée depuis vingt ans en achevant la mise en place des institutions sociales requises par le fonctionnement d'une société moderne et en procédant à un *aggiornamento* idéologique. Les phénomènes centraux de cette période sont la création d'un État moderne et le développement massif de la fonction publique. L'identité nationale est maintenant définie et protégée par l'appareil d'État. Le Canadien français catholique est invité à se concevoir désormais comme un Québécois d'expression française fier d'appartenir à une nation moderne, ouverte sur le monde, et soucieuse de progresser à tous les plans. Un néo-nationalisme progressiste succède à l'ancien nationalisme de survivance de la population en même temps que l'Etat du Québec se fait l'agent sacralisateur de la nouvelle identité québécoise. On assiste à la sécularisation de plusieurs institutions sociales (oeuvres de charité et de bien-être social, institutions de santé, institutions scolaires). Plus difficile à estimer, la sécularisation des mentalités se laisse pressentir dans la baisse de la pratique religieuse, établie à 61% de la population messable en 1961 et à environ 30% dans le dernier rapport des évêques à Rome, en 1983[14]. Profitant du Concile Vatican II (1962-65), l'Église du Québec fera des efforts considérables en vue de s'ajuster aux changements. Un ensemble de renouveaux sont entrepris dans les domaines catéchétique, biblique et liturgique. L'Église se donne une définition plus démocratique. Peuple de Dieu en marche, elle veut favoriser la participation des laïcs à la vie de l'Église. Ces changements ne mettront pas un frein aux maux de l'Église au sein de la société nouvelle et, en 1968, les Évêques du Québec créeront une commission en vue d'étudier les changements survenus dans l'Église et la société et de proposer des jalons de solution pour l'avenir.

La période de modernité dont les débuts peuvent être fixés en 1966 est d'abord marquée par une intensification du mouvement nationaliste (création du Mouvement Souveraineté-Association en 1967, du Parti Québécois, en 1968) et par une certaine vitalité des groupes d'extrême-gauche, certains associant la question nationale à leurs projets de société et certains la rejetant comme une fausse question risquant de brouiller les chances d'une union de tous les travailleurs. Les années 70 sont inaugurées par la crise d'octobre qui sera suivie en 1973 par une crise de l'énergie. Le mouvement nationaliste qui connaîtra des heures de gloire en 1976 lors de la victoire du Parti Québécois clôturera la décennie dans la morosité. La défaite des forces nationalistes lors du rapatriement de la constitution en 1982, la crise économique récente ont contribué à diminuer l'enthousiasme de beaucoup de Québécois envers la question nationale. C'est dans ce contexte d'une société québécoise moderne incapable de trouver un ensemble de symboles intégrateurs durables que les nouvelles religions se développent maintenant. Tout se passe comme si la perte de plausibilité des institutions de sacralisation traditionnelles, qu'elles soient religieuses ou séculières, les avait rendues incapables d'offrir aux Québécois une vision cohérente d'eux-mêmes qui puisse satisfaire leur besoin de se définir individuellement et collectivement et comme si, en conséquence, les nouvelles religions venaient tenter de remédier à cette déficience. Il importe donc, étant donné l'importance historique qu'a revêtue pour les Québécois la question de leur identité, de s'interroger sur les rapports de celle-ci avec le phénomène des nouvelles religions. Pour ce faire, nous aurons recours à la théorie des rapports religion-identité élaborée par Hans Mol.

La théorie des rapports religion-identité d'Hans Mol[15]

Mol a présenté une théorie des rapports de la religion avec la société et la culture qui est de nature à fournir une explication adéquate de l'émergence et du développement des nouvelles religions. Toute société, selon lui, repose fondamentalement sur un besoin d'ordre. C'est grâce à l'ordre qu'elle instaure qu'une société en arrive à se définir, à se stabiliser et à survivre. Mais, justement parce qu'il est construit socialement, cet ordre est fragile et constamment menacé. Il a donc besoin d'appuis en vue d'accroître sa consistance interne et d'améliorer ses chances dans le combat contre les forces corrosives de l'extérieur. C'est la religion qui, selon Mol, fournit à la société le fondement d'un ordre stable en lui permettant à la fois de résister aux forces du chaos et de sacraliser son identité. La religion est donc essentiellement pour lui une agente de sacralisation d'identité, tâche qu'elle accomplit en s'appuyant sur quatre mécanismes: l'objectivation, l'engagement, le mythe et le rituel. Par objectivation, Mol entend la capacité qu'a la religion d'ancrer dans une source transcendante quelconque les divers éléments composant l'existence profane et de leur donner ainsi une apparence plus ordonnée, plus consistante et plus éternelle. L'engagement est défini par lui comme une attache émotive à un certain *focus d'identité* qui deviendra le noyau autour duquel se constitueront des groupes sociaux unifiés et plus ou moins vastes. Mol soutient que les sociétés qui ont vu leur vision du monde relativisée par son exposition à d'autres structures de plausibilité ont souvent amené leurs membres à éprouver à la suite de ce contact des sentiments d'anomie, d'aliénation et de perte de sens de l'identité se traduisant par une réduction de leur engagement envers les symboles fondateurs du groupe. Quant au rituel, Mol le définit comme "une action répétitive, suscitant l'émotion, et ordonnée à l'intrégration personnelle des individus et à la cohésion sociale des groupements humains". Enfin, il présente le mythe comme "une affirmation enthousiasmante du rôle de l'homme dans l'univers de signification qui est le sien et de sa solidarité avec lui".

Mol soutient que sa théorie est capable de rendre compte non seulement de la stabilité des sociétés, mais aussi de ses changements. Si la religion est une force d'intégration, elle est aussi apte à faire face au changement et à s'adapter aux nouvelles situations qui confrontent constamment les sociétés. Les rites de passage, le phénomène de la conversion et celui des personnalités charismatiques témoignent tous du potentiel adaptatif des traditions religieuses. Les crises des sociétés qui se soldent par la désaffection religieuse résultent de l'incapacité momentanée de certaines traditions religieuses de s'adapter aux changements requis par l'évolution. D'autres institutions, religieuses ou séculières, se chargent alors de sacraliser ces éléments d'une nouvelle définition de l'ordre social. Et c'est ici qu'apparaît chez Mol une triple conception de l'identité qui sera particulièrement significative pour la suite de notre argumentation: l'identité sociale, l'identité de groupe, et l'identité personnelle. Il est à remarquer que Mol rapproche ces trois concepts de l'identité des trois grands types de groupes religieux de Troeltsch: l'Église, la secte et la mystique. L'Église serait l'agent de la sacralisation de l'identité sociale alors que la secte sacraliserait une identité de groupe et la mystique, une identité personnelle.

Avant d'élargir les perspectives de Mol à d'autres considérations, il importe de préciser le sens qu'il attribue au concept d'identité. Après avoir distingué deux grandes écoles en ce qui concerne les théories de l'identité, une école interactionniste, d'inspiration plus sociologique, qui imagine l'identité comme la résultante d'un ensemble de processus et d'interactions sociales et une école essentialiste, d'inspiration plus psychologique, Mol opte pour ce second courant. Il définira donc l'identité comme "une niche stable à l'intérieur de cet ensemble complexe d'interactions d'ordre physiologique, psychologique et sociologique" ou encore, s'inspirant de De Levita[16], comme "ce noyau le plus essentiel de l'homme qui ne devient visible qu'après que ce dernier a été dépouillé de tous ces rôles". Il se rallie aussi aux définitions de l'identité données par Bellah[17]: "l'identité est l'affirmation de ce qu'une personne ou un groupe sont essentiellement", et par Wheelis[18], "l'identité se fonde sur les valeurs qui sont au sommet de la hiérarchie, sur les croyances et les idéaux qui intègrent et se superposent aux autres valeurs (qui prennent alors figure de valeurs subordonnées)". Tout en étant intéressante, la définition de l'identité donnée par Mol gagnerait à être complétée, pour l'étude des nouvelles religions, par la définition de l'identité de l'école qu'il rejette et qui propose une conception où cette dernière est liée aux rôles occupés par un individu au sein d'une structure sociale. McCall et Simmons désignent ce concept sous le nom d'identité de rôle et en donnent la définition suivante: "L'identité de rôle correspond au rôle spécifique qu'un individu s'assigne à lui-même en tant que détenteur d'une position sociale particulière. Plus intuitivement, une telle identité de rôle correspond à l'image que chacun se fait de lui-même au moment où il se représente lui-même comme acteur à l'intérieur de cette position sociale[19]". Il serait alors possible, utilisant la polarité sacré-profane, de proposer que l'insatisfaction des membres des nouvelles religions à l'égard de leur identité de rôle les amènerait à se pencher sur la nécessité de se construire une identité plus gratifiante autour d'un noeud de convictions sacrées. Nous y reviendrons.

Affinité entre modernité et quête de l'identité personnelle

Les sociologues de la religion ont montré que le processus de modernisation entraîne à sa suite la sécularisation des institutions sociales et a tendance à réduire l'influence de la religion à la seule sphère privée de l'existence. Berger parle à cet effet de la privatisation de la religion dans la société moderne. Selon cette théorie, les sociétés modernes n'auraient plus besoin de recourir à la médiation d'une symbolique religieuse pour créer et entretenir leur cohésion sociale qui dépendrait désormais de mécanismes de régulation purement rationnels. Brian Wilson exprime bien ce point de vue lorsqu'il écrit:

> *Les sociétés modernes ont cessé de fonder leur cohésion sur un consensus au niveau des valeurs. Contrairement au réseau de communautés qui composaient autrefois cette entité plus vaste qu'on appelait la société, la société moderne est un système vaste, cohérent et tenu ensemble, non pas par des valeurs, mais par un ensemble de techniques et de procédures. Dans les sociétés avancées, la culture cesse d'être intégratrice: elle devient un élément négligeable à mesure que la société évolue d'un état où elle est une réalité morale à un état où elle n'est plus qu'un système technique. La permissivité et le pluralisme donnent une mesure exacte de l'insignifiance sociale et de l'isolement systématique auxquels ont été réduites la culture et la religion, cette religion qui fut un jour l'outil de transmission par excellence de l'héritage culturel. À l'exception de la nécessité où ils se trouvent encore d'accomplir leurs rôles quotidiens, les hommes sont en un sens libérés. Leurs croyances personnelles, leurs styles de vie, leurs façons d'occuper leurs loisirs cessent d'avoir de l'importance dans les sociétés avancées, du moins à court terme*[20].

Le point de vue de Wilson tranche avec celui de Durkheim qui n'imaginait pas qu'une société puisse survivre sans représentations collectives d'essence et d'origine sacrées. Il écrivait à ce propos en 1914: "Il n'est pas à craindre que jamais les cieux se dépeuplent d'une manière définitive, car c'est nous-mêmes qui les peuplons... Tant qu'il y aura des sociétés humaines, elles tireront de leur sein de grands idéaux dont les hommes se feront les serviteurs[21]". Ce n'est pas le lieu ici de pousser plus loin le débat entre les tenants de la théorie de la régression de la religion dans le monde moderne (théorie de la sécularisation) et ceux qui optent pour la théorie des déplacements du religieux ou du sacré (théorie de la permanence de la religion)[22]. Remarquons seulement que les théoriciens de la sécularisation, comme Wilson, interpréteront les nouvelles religions comme des survivances anachroniques, dans un âge post-religieux, de systèmes de réponse à des besoins de sécurité. Au lieu de les interpréter comme les manifestations d'un retour du sacré dans la société contemporaine, ils ne verront en leur multiplication même qu'un témoignage de plus en faveur de la thèse de l'insignifiance de la religion dans la vie moderne. C'est ainsi que Wilson écrit:

> *Selon l'expression américaine courante, les cultes représentent "la religion de votre choix", c'est-à-dire cette préférence hautement privatisée qui rabaisse la religion au rang d'un simple jeu, de la poésie et du "popcorn". Les cultes n'ont aucun effet sur les autres institutions sociales, sur les structures politiques, sur les mécanismes technologiques de contrainte et de contrôle. Ils ne facilitent en rien l'intégration de leurs membres dans la société et n'apportent aucune contribution à la vie culturelle de la société*[23].

Les théoriciens de la permanence du religieux auront plutôt tendance, quant à eux, à distinguer le sacré de la religion (institutionnelle) et à ne pas identifier la récession d'une formation religieuse concrète avec une évanescence du sacré comme tel. Ils seront portés à pousser leurs enquêtes jusque dans les citadelles de la rationalité et verront, dans le phénomène des nouvelles religions, une autre manifestation spécifique du sacré dont ils s'emploieront à déchiffrer le sens et la fonction au coeur de la modernité.

Dans un article récent sur les cultures parallèles, F. Dumont introduisait une intéressante distinction entre les cultures du prochain, "celles ou les personnes impliquées ont, à tort ou à raison, le sentiment de compter pour quelque chose", et les cultures du lointain, "celles où personne en particulier ne semble vraiment compter". Il concluait en affirmant que "les cultures parallèles sont un soubresaut des cultures du prochain résistant à l'institutionnalisation de la culture[24]". Ces remarques révèlent un ensemble de données importantes: la crainte de plus en plus grande des gens devant le gigantisme des appareils d'état, leur sentiment d'impuissance à changer quoi que ce soit dans "le système", leur méfiance à l'égard des idéologues et des idéologies qui prétendent pouvoir le réformer et, en conséquence, leur désir d'accrocher la signification de leur vie à des réalités qui leur sont immédiatement chères et les touchent de près. Beaucoup de contemporains éprouvent de plus en plus de réserve à l'idée de s'identifier à de grands idéaux qui les transcendent: la religion, la nation, la politique... Ils refusent que leur identité résulte de leur engagement affectif et effectif envers ces réalités lointaines. Comme le faisait remarquer G. Lipovetsky dans un ouvrage où il lie la post-modernité au processus de personnalisation et d'individualisation caractérisant les sociétés actuelles: "c'est partout la recherche de l'identité propre et non plus de l'universalité qui motive les actions individuelles... les lendemains radieux de la révolution et du progrès ne sont plus crus par personne... L'individualisme hédoniste et personnalisé est devenu légitime et ne rencontre plus d'opposition[25]. À l'aide de ces réflexions, il devient possible d'interpréter les nouvelles religions comme des pourvoyeuses d'un nouveau sens de l'identité personnelle à mesure que s'amenuise chez les contemporains leur goût de se voir identifier aux rôles qu'ils jouent et aux positions qu'ils occupent dans les structures sociales. Pour la très grande majorité, les nouvelles religions sont des mystiques, au sens défini par Troeltsch[26], Mol et Campbell. Ce dernier définit la collectivité mystique, mot qu'il préfère à celui de culte, comme "l'ensemble des personnes qui partagent les grandes intuitions de la religion mystique et qui, en conséquence, éprouvent entre elles une commune solidarité et un sens réciproque d'obligation, bien qu'elles n'interagissent pas entre elles[27]". Ces groupes mystiques se partagent avec les églises la tâche de maintenir l'identité personnelle de leurs membres, les premiers en sacralisant le soi de leurs adeptes, les secondes, la société à laquelle ils appartiennent. Quant aux sectes au rang desquelles pourraient se ranger beaucoup de groupes d'inspiration chrétienne et quelques groupes d'inspiration orientale, elles auraient pour but de transformer de manière radicale l'identité de leurs membres et l'état général des rapports sociaux. La secte, en effet, vise à la transformation de la société, soit par l'action directe comme dans le cas de la secte révolutionnaire, soit par l'attente d'une action directe de Dieu comme dans le cas de la secte introvertie. La mystique, elle, sait s'accommoder de la société telle qu'elle est. En ce sens, les nouvelles religions, dans la mesure où elles participent à la structure mystique, sont des agents de conversation du *statu quo* social.

Convertis et alternants

Pour tenir compte de la variété des cheminements religieux et spirituels dans le monde d'aujourd'hui, plusieurs sociologues de la religion ont cru qu'il était impérieux de concevoir une catégorie autre que celle de la conversion. Par exemple, Klapp distinguera la simple adhésion à un groupe n'impliquant pas une modification du style de vie de la part de la personne de la conversion proprement dite qui, elle, requiert une réorientation complète de l'individu[28]. Travisano, quant à lui, contrastera l'"alternation" qu'on traduira en français par le concept d'alternance avec le processus de conversion[29]. La conversion représente un passage radical d'une ancienne à une nouvelle identité. Le converti adopte une perspective entièrement nouvelle sur l'existence contribuant à partager sa vie en deux grands moments: l'avant et l'après de la conversion. Le converti se présente aux autres d'une manière entièrement nouvelle et ses groupes d'appartenance ont substantiellement été modifiés. L'alternant ne connaît pas un changement aussi radical. La nouvelle identité ne lui semble pas en rupture avec l'ancienne. Elle lui apparaît au contraire comme un prolongement normal de son identité antérieure, comme une manière d'intégrer plusieurs dimensions de son identité plutôt que de la modifier. Enfin, l'alternant aura une vision territorialisée de sa nouvelle identité: elle n'imprégnera pas l'ensemble de son existence comme c'est le cas chez le converti. Les convertis auront tendance à se regrouper dans des mouvements sectaires en rupture avec les valeurs dominantes dans l'église et la société et soucieux de contrôles autoritaires stricts aux plans de la doctrine, de l'interaction des membres entre eux et avec le monde extérieur. Les alternants développeront, par ailleurs, une affinité plus grande avec des groupes de type mystique éprouvant une plus grande ouverture doctrinale et une volonté moins grande de contrôler l'interaction de leurs membres entre eux et avec le monde extérieur. Ces deux types de groupes entretiennent, consciemment ou non, des velléités d'impact sur la culture ambiante allant en des sens diamétralement opposés: les sectes représentant des groupes de pression en faveur d'une société plus rigoriste au plan moral et plus traditionnelle dans son ensemble, les mystiques tendant, quant à elles, vers une société plus permissive et plus en accord avec le monde moderne. On manque de données précises pour évaluer avec une certaine probalité les chances de ces groupes d'avoir un impact réel sur la culture québécoise. On gagne donc à renverser les perspectives et à envisager ces groupes en tant que produits de la société actuelle plutôt que comme des agents de changement socio-culturel. Sous cet angle, les groupes peuvent apparaître d'une part comme porteurs de la protestation de ceux qui ne jouissent pas des privilèges de la modernité et qui cherchent à compenser leur statut socio-économique inférieur par l'acquisition de privilèges religieux (sectes) et, d'autre part, comme les véhicules de ceux qui, relativement bien nantis au plan matériel, éprouvent le besoin de lier leur vie à une réalité sacrée transcendant les limites de leur existence psycho-sociale.

— Quelques coups de sonde sur le terrain

Sans pouvoir prétendre, en un si court espace, vérifier le modèle qui vient d'être présenté, jetons tout de même quelques coups de sonde dans le matériel recueilli à la suite de notre recherche sur les nouvelles religions au Québec. Pour ce faire, on ne retiendra que deux des quatre mécanismes de sacralisation d'identité mentionnés par Mol: les rituels et l'engagement. Quant aux données empiriques, on puisera surtout à celles qui ont été recueillies auprès des membres de l'Association Internationale pour la Conscience de Krishna et de ceux d'Eckankar[30]. Dans quelle mesure les rituels des groupes et les engagements qu'ils suscitent chez leurs membres favorisent-ils chez eux la naissance d'une identité nouvelle? Peut-on déceler dans nos données des indices d'une double construction d'identité opérant au sein des groupes? Quelle influence ces groupes peuvent-ils avoir sur l'évolution de la culture et de la société québécoise? Voilà les trois questions auxquelles seront consacrées les réflexions qui suivent.

Des rituels créateurs d'identité

Les rites sont créateurs d'ordre. Ils réaffirment périodiquement les valeurs et les normes sociales auxquelles est attachée la survie de la société. Et, comme le soulignait V. Turner[31], une société en crise est susceptible d'accroître le nombre et l'intensité de ses rituels jusqu'à ce que soit colmatée la brèche par où menace de s'introduire dans le corps social les forces chaotiques de l'extérieur. Le rituel a pour but, d'une part, de marquer du sceau de l'impureté tout ce qui est étranger et marginal par rapport à l'ordre par lequel se constitue et se définit la société qui le pratique et, d'autre part, de consolider de manière constante les valeurs fondamentales de la société. La vie rituelle est une composante majeure des nouvelles religions. Nous tenterons de démontrer que, si dans le cas de la secte de Krishna, l'activité rituelle vise à créer une société alternative où les membres trouveront une identité personnelle radicalement nouvelle en se fusionnant dans l'identité de groupe, dans le cas d'Eckankar, au contraire, la vie rituelle est orientée à produire chez les membres un sens nouveau de leur identité qui d'une part n'introduit pas de rupture avec leur identité antérieure et d'autre part, ne les contraint pas à mettre un terme à leurs activités et responsabilités usuelles au sein de la société.

Les nouvelles religions d'inspiration orientale se rejoignent dans une affirmation commune, tant dans leurs textes officiels que dans l'opinion de leurs membres: l'homme a deux identités, une identité empirique, visible pour les yeux et le plus souvent appelée l'ego et une identité essentielle désignée la plupart du temps sous le nom d'âme ou de "soi". On déplore que les hommes, étourdis par la course effrénée qu'impose la vie moderne, en arrivent à oublier leur nature spirituelle; on attribue à cet oubli les malheurs de la condition humaine, tant au plan individuel que collectif et, enfin, on envisage le rappel aux hommes de cette vérité fondamentale comme le but premier des nouveaux mouvements spirituels. Ce dernier thème se retrouve sur les lèvres de tous les membres:

> *Le but de l'homme, c'est de retrouver son entité spirituelle. À celui qui se demande ce qu'il fait ici sur terre, la réponse n'est pas qu'il doive faire carrière, ou élever une famille, ou faire de la politique...* (Un krisniste)
>
> *Je cherche à me réaliser comme âme. Le sens de la vie, c'est de réaliser notre identité propre, de nous éveiller à notre identité originelle (l'atman). Le but de l'activité humaine, c'est de se réaliser pleinement, de sortir du cycle sans fin des naissances et des morts (samsara) et de ne pas gaspiller son temps à des activités futiles. Les gens s'identifient trop à leurs corps.* (Une krishniste)
>
> *Le but de l'homme est de découvrir sa véritable identité qui est l'âme pour pouvoir ensuite découvrir le Sugmad (le divin).* (Un eckiste)
>
> *L'âme est le véritable moi de l'homme, sa véritable identité.* (Une eckiste)

Ces témoignages insistent sur deux choses: l'importance de découvrir sa véritable nature spirituelle et la nécessité de ne pas s'identifier à de faux *moi.* A ce sujet, F. Westley a fait d'intéressantes considérations dans son livre *The Complex Forms of the Religious Life...* . Elle y montre que tout un volet des rituels des nouvelles religions a justement pour but d'amener la personne à se dissocier de ses "moi" éphémères, illusoires et polluants. Parmi ces rituels de dissociation, elle mentionne le rite d'entrée d'EST, communément appelé *la Tirade* où l'animateur provoque son auditoire en leur disant qu'ils ne sont que des machines, que leur vie ne fonctionne pas bien... Elle évoque aussi les rituels scientologiques de la confrontation et du *bull-baiting* dans lesquels deux partenaires sont d'une part invités à se regarder droit dans les yeux, sans broncher, le plus longtemps possible et d'autre part, à s'invectiver tour à tour sans aucun sens du ménagement. Ces rituels ont pour but de provoquer des prises de conscience brutales des masques que chacun porte et qui dissimulent sa véritable identité. Les rituels qui viennent d'être mentionnés sont purement négatifs: ils visent la dissociation, la dépollution. À l'opposé, il y a des rites positifs que F. Westley qualifie de rites de manipulation ou de rites de transformation, rites ayant pour but la construction d'un nouveau soi. On pourrait, entre les deux, imaginer des rites mixtes dont la fonction est à la fois de purifier l'être de ses fausses identités et de s'ouvrir à sa nature essentielle et sacrée. La méditation en serait sans doute un bon exemple, elle qui implique une sortie des états de conscience ordinaires et une accession à des niveaux de conscience plus profonds. L'identité nouvelle qui est produite et entretenue par l'activité rituelle des nouvelles religions peut prendre deux formes distinctes: une transformation radicale de l'identité (cas des convertis) ou une intégration d'une nouvelle dimension dans la définition de l'identité (cas des alternants). Ces deux types de construction d'identité s'édifieront autour des trois couples d'oppositions suivantes: rupture-continuité, communauté-individualité, intensité-non-intensité.

Identités radicalement nouvelles et identités substantiellement maintenues

1 — Rupture-continuité

L'Association Internationale pour la Conscience de Krishna (A.I.C.K.) propose à ses membres une vie rituelle très développée: méditation, instruction, chant du mantra accompagné de danse, trois initiations (la première accordée après six mois de vie au temple, la seconde, qui octroie le statut de brahmana, un an après la première et la troisième qui élève au rang de sannyasin n'est donnée qu'à ceux qui renoncent à la vie de famille, vers l'âge de cinquante ans) et un ensemble de rituels ponctuels à l'occasion des mariages, des naissances et des funérailles. On traitera ici des initiations et des effets qu'elles entraînent sur la vie des dévôts de Krishna.

Les membres de l'A.I.C.K. que nous avons interviewés ont décrit leur initiation comme une nouvelle naissance. De fait, l'initiation d'un dévôt implique une rupture avec son ancienne identité, rupture qui se symbolise en un certain nombre de gestes spectaculaires: d'une part, rasage complet des cheveux (pour les hommes seulement) signifiant leur renoncement au monde, réception d'un nouveau nom spirituel signe de leur naissance spirituelle, port d'un vêtement distinctif (sari pour les femmes, dhoti pour les hommes), et, d'autre part, engagement solennel par voeu de chanter quotidiennement son mantra et de respecter les quatre préceptes fondamentaux de l'A.I.C.K.: s'abstenir de viande, d'intoxicants, ne pas participer aux jeux de hasard et ne pas s'adonner à des pratiques sexuelles illicites. L'initié reçoit un chapelet de 108 grains qu'il devra réciter seize fois chaque jour. Une dévôte parle de l'initiation comme "d'un grand pas, de quelque chose de très sérieux, d'un engagement sur lequel on ne revient pas". Après son initiation, le dévôt limitera presque exclusivement ses interactions avec les autres aux membres de l'A.I.C.K.

En contraste, le mouvement Eckankar dispose d'une vie rituelle moins variée articulée principalement autour de la contemplation à laquelle on est introduit grâce à l'initiation. Le mouvement connaît aussi les *satsang*, cercles d'étude où sont discutés les ouvrages fondamentaux du groupe. Il y a douze initiations. Les maîtres Eck, quant à eux, en recoivent quatorze. La première initiation a lieu en rêve, peu après que le novice s'est engagé dans Eckankar. La deuxième initiation se déroule au plan physique: elle est accordée après deux ans d'étude par un mahdi, initiateur local agissant au nom du maître Eck vivant. Les autres initiations se passent toutes en rêve et sont accordées par le maître Eck vivant lorsqu'il juge qu'une âme est assez avancée au plan spirituel pour les mériter. La cinquième initiation revêt une importance particulière en ceci qu'elle habilite quelqu'un à devenir initiateur ou mahdi. L'initié en Eckankar ne se voit imposer aucune modification à son style de vie, à ses valeurs, à son apparence physique ou à sa tenue vestimentaire. Son initiation lui ouvre une nouvelle perspective sur le monde mais, en même temps, elle ne requiert de lui aucune rupture avec ce dernier.

L'opposition rupture-continuité se laisse très bien observer dans l'analyse des manières dont les membres des deux groupes parlent des modifications qu'a produites chez eux leur initiation et leur engagement dans le groupe au niveau des valeurs et des styles de vie. Alors que les Eckistes diront que leur engagement dans Eckankar n'a pas modifié leurs valeurs et leurs styles de vie, les dévôts de Krishna soutiendront le contraire. Les premiers affirmeront que leurs valeurs antérieures se sont épanouies, affermies, approfondies depuis qu'ils sont dans Eckankar. Les seconds parleront un autre langage, celui de la transformation radicale de leurs valeurs et de leurs styles de vie. Ils exprimeront cette transformation en termes de passage du matérialisme au spiritualisme. Voici deux brefs témoignages de krishnistes en ce sens:

> *La vie spirituelle est maintenant tout pour moi, je ne veux plus revenir en ce monde, m'impliquer dans ce monde.*
> *Avant mon entrée dans l'AICK, je n'avais pas de valeurs, pas de*

but dans la vie, maintenant la vie spirituelle châpeaute tout ce que je fais.

La transformation radicale ressentie par les Krishnistes dans leurs valeurs et leurs styles de vie tranche beaucoup avec l'expérience des eckistes. Ces derniers diront, par exemple, que "la transformation qu'ils ont vécue est plus intérieure qu'extérieure, ou encore, que ce qui a changé chez eux se situe à l'intérieur, dans une nouvelle compréhension de la vie". La polarité EXTÉRIEUR-INTÉRIEUR est substituée par les eckistes au couple MATÉRIEL-SPIRITUEL des krishnistes.

2 — Communauté-Individualité

La polarité "communauté-individualité" est un autre lieu où se démarquent l'un de l'autre les deux groupes. L'activité rituelle de l'A.I.C.K. est essentiellement communautaire alors que celle d'Eckankar est essentiellement individuelle. Eckankar se proclame d'ailleurs lui-même comme une voie de libération strictement individuelle. Cette opposition s'appuie à la fois sur l'analyse de la morphologie des rituels des deux groupes et sur les préférences de leurs membres.

Tout le rituel de l'A.I.C.K. baigne dans l'atmosphère communautaire. Le rite privé est un pis-aller acceptable pour celles ou ceux qui ne peuvent se rendre au temple, par exemple, une mère qui doit s'occuper de ses enfants. La méditation, l'instruction, le chant du mantra et même les diverses initiations sont pratiquées en groupe ou devant la communauté rassemblée, dans le cas des initiations. Au contraire, le rituel d'Eckankar est destiné à la pratique privée. La contemplation est une activité fondamentalement individuelle, les *satsang*, petits cercles d'étude, peuvent être remplacés par des lectures personnelles et, l'initiation elle-même se déroule dans un contexte tout à fait intime.

Si on considère les préférences rituelles des membres des deux groupes, l'opposition se maintient en toute sa clarté. Les dévôts de l'A.I.C.K. préfèrent les rituels communautaires alors que les *chelas* d'Eckankar sont friands de rites privés. Les rituels de l'A.I.C.K. actualisent un ensemble de représentations collectives qui deviennent, dans l'enthousiasme provoqué par le chant et la danse, le coeur de la réalité à laquelle chacun vient s'abreuver et se ressourcer. L'identité du groupe l'emporte sur l'identité personnelle de chacun qui se trouve absorbée et fusionnée dans le "nous" sacré que construit et entretient le rituel. Le rituel génère une énergie spirituelle qui rend plausible la vision krisniste du monde et qui donne à chacun le goût de s'engager à la répandre, non seulement comme une vision plausible parmi d'autres, mais encore comme la seule vision valable du monde. C'est pourquoi, il faut reconnaître dans l'opinion du dévôt qui va suivre le reflet fidèle de ce que pense l'ensemble du groupe: "À l'A.I.C.K., les rituels sont communautaires. La pratique rituelle accomplie en commun est plus féconde qu'une pratique solitaire. Elle dégage des vibrations plus fortes".

Si on considère l'opinion des Eckistes, on entend un son de cloche tout à fait différent. Le rituel individuel y est nettement privilégié. Grâce à la contemplation, chacun peut voyager dans les mondes spirituels en s'aidant des courants sonores et lumineux qui émanent du divin (Sugmad) et qui y ramènent l'âme. Chacun ressemble à une monade directement en contact avec le maître Eck vivant qui l'assiste dans ses voyages spirituels en quête de sa propre réalisation et de celle de Dieu. Les eckistes diront donc de la contemplation qu'"elle est la nourriture de l'âme, qu'elle met en contact avec l'âme, le moi profond, qu'elle procure de la sérénité du fait qu'elle dissocie l'ego de notre être le plus réel", mais ils ne ressentiront pas pour autant le besoin de contempler en groupe, du moins sur une base régulière.

3 — Intensité-Non-intensité

La pratique rituelle de l'A.I.C.K. se distingue enfin de celle d'Eckankar sur la base d'une dernière opposition: l'intensité-non-intensité. Il faut entendre par là, à la fois la durée quotidienne requise par la pratique rituelle dans chaque groupe, et l'ardeur avec laquelle cette pratique se déploie.

Les rites occupent une très grande place dans l'horaire quotidien des dévôts de Krishna. Chaque jour, les dévôts débutent leurs rites à 4h15 du matin pour les terminer à 8h00. Le soir, après leur journée de travail, les dévôts, qui ne sont pas trop épuisés, s'adonnent de nouveau à deux autres heures de pratiques rituelles. Cela fait autour de six heures de pratiques rituelles quotidiennes.

Les *chelas* ont, par contraste, un horaire beaucoup plus allégé. Ils ne sont tenus qu'à trente minutes de contemplation par jour et, encore là, plusieurs eckistes nous ont avoué qu'ils ne réussissent pas à maintenir ce régime. Deux fois par mois, ils sont invités à participer à un *satsang* dont la durée ne dépasse jamais une heure et demie.

Quant à l'intensité entendue au sens de l'enthousiasme qu'on met à la pratique des rituels, le portrait est encore bien différent d'un groupe à l'autre, un membre de l'A.I.C.K. exprimait bien l'enthousiasme qui l'emportait en chantant le mantra avec les autres en disant:

> *Quand je chante le Maha Mantra, je me sens fier d'être un être humain. C'est de tous les rituels le plus excitant. Il aide à me mieux faire voir les choses, à transcender les intempéries du monde matériel. En le pratiquant, je ressens un bien-être, de la tranquillité, de la paix, de la relaxation.*

Le chant du mantra et la danse qui l'accompagne procurent un sentiment d'extase. Le dévôt se sent ravi, emporté vers d'autres mondes. Il s'agit donc d'un rituel particulièrement intense qui a tendance à emplir toute la vie du dévôt, comme nous le confiait l'un d'entre eux:

> *Autant ma pratique rituelle d'autrefois était à temps partiel, autant, depuis mon entrée dans l'A.I.C.K., elle me requiert à plein temps. Maintenant, ma pratique rituelle est totale, c'est ma vie elle-même.*

Dans les rituels qu'ils pratiquent, les eckistes cherchent la paix, la joie, la sérénité. Pour y arriver, ils ne cèdent pas aux extases, aux enthousiasmes et aux emportements qui sont monnaie courante chez les krishnistes.

L'analyse comparée des rituels des dévôts de Krishna et des chelas d'Eckankar a révélé que ces rituels sont orientés à la production d'une nouvelle identité chez les adeptes et que cette identité nouvelle prend des formes différentes dans les deux cas. Les dévôts de Krishna expérimentent une transformation radicale de leurs identités antérieures qui découpe leur vie en un AVANT et un APRÈS de la conversion, qui débouche sur une rupture prononcée au niveau des valeurs et des styles de vie, et qui s'articule sur une vision dichotomique du monde: d'un côté, un monde matériel et mauvais et de l'autre, un monde spirituel et bon. Les *chelas* d'Eckankar, au contraire, font plutôt l'expérience d'une nouvelle intégration de leur personnalité. Leur nouvelle identité se situe en prolongement de l'ancienne et l'expérience spirituelle qui la fonde leur permet de développer un nouveau regard sur eux-mêmes et sur le monde.

Engagements des membres et construction d'identité

Mol fait de l'engagement un des quatre mécanismes par lesquels s'opère la sacralisation de l'identité. Il la définit comme "une attache émotive à un certain focus d'identité devenant le noyau autour duquel se constitueront des groupes sociaux unifiés et plus ou moins vastes". En conservant les mêmes groupes (A.I.C.K. et Eckankar), comparons donc la nature des engagements qu'ils suscitent chez leurs membres en tentant de déceler l'effet de ces engagements sur la manière dont se construit l'identité des membres au sein de ces groupes. Nous analyserons successivement l'engagement des membres envers le maître et leur sens d'appartenance au mouvement dont ils se réclament.

1 — Engagements envers le maître

Les nouvelles religions d'inspiration orientale insistent toutes sur l'importance du maître vivant. C'est un des traits par lesquels elles prétendent se distinguer des grandes religions dont les maîtres fondateurs sont décédés depuis longtemps. Le maître-vivant, croit-on, met ses disciples en contact avec le sacré d'une manière directe et concrète alors que les fidèles des grandes religions n'ont accès au divin que par l'intermédiaire d'écritures qui, quoique saintes, ne représentent que le dépôt fossilisé de l'expérience d'un ancien maître religieux. Le maître-vivant se situe donc au coeur de l'expérience religieuse qu'il propose à ses disciples. Il est une "incarnation vivante de Dieu, un homme-Dieu, un géant spirituel incarné dans un temple de chair", pour reprendre des expressions propres à Eckankar[32]. Examinons donc la manière dont les disciples de l'A.I.C.K. et d'Eckankar perçoivent leurs relations avec leur maître-vivant en analysant leurs réponses à la question de l'interview qui leur demandait si le maître de leur mouvement devait être écouté, ou imité, ou adoré.

Les dévôts de Krishna ne voyaient aucune difficulté à entretenir cette triple relation avec leur maître, sa divine grâce A.C. Bhaktivedanta Swami Prabhupada. Pour eux, le maître étant le représentant direct de Krishna sur terre, il est normal de lui rendre le même hommage qu'à Dieu. Comme le disait un dévôt, "rendre un culte au maître, c'est comme rendre un culte à Dieu". Les dévôts décrivent leur première initiation comme un rituel qui les rapproche du maître spirituel. Ils soulignent qu'à ce moment, le maître les a libérés de leur karma antérieur en le prenant sur ses propres épaules. Désormais, ils doivent soumission à leur maître et dévouement total à la conscience de Krishna. La seconde initiation ne fait que confirmer le disciple dans son engagement au service de Krishna. L'engagement des dévôts envers Krishna et envers le maître qui le représente sur terre est donc total.

Dans le cas des *chelas* d'Eckankar, la situation est entièrement différente. Aucun des dix-sept interviewés d'Eckankar n'a accepté de décrire sa relation au maître Eck vivant comme une relation d'adoration. Bien plus, la majorité d'entre eux refusaient même de dire qu'ils devaient imiter le maître. On s'entend cependant sur la nécessité d'écouter le maître.

Les chelas d'Eckankar affirment "qu'ils ne veulent pas tomber dans le culte de la personnalité, que leur dévotion doit s'adresser non pas au maître extérieur, mais au maître intérieur", que le maître Eck n'est pas le seul véhicule d'accession au sacré, "qu'on ne doit chercher à imiter personne, mais que chacun doit trouver sa propre route". Voilà autant d'attitudes qui tranchent avec celles des dévôts de Krishna. Tout se passe comme si les dévôts de Krishna insistaient davantage sur le vecteur ascendant de leur relation au maître, relation de service et de soumission, alors que les *chelas* d'Eckankar mettraient davantage l'accent sur le vecteur descendant de cette relation. On attend du maître Eck vivant qu'il soit un ami, un protecteur, un compagnon et un confident qui arrache ses disciples à leur solitude et aussi, un guide de leurs voyages dans les mondes spirituels. Les dévôts de Krishna ont besoin d'adorer leur maître, car c'est lui qui donne corps à la forte identité de groupe en laquelle chacun vient chercher le salut en s'y fusionnant. Les *chelas* d'Eckankar, au contraire, préfèrent croire "que le Ciel existe en chaque être humain et que chaque être humain y a accès[33]". Le maître ne peut donc être qu'un serviteur de la quête de sacralisation de l'identité individuelle en laquelle chaque membre d'Eckankar se trouve engagé. Adorer le maître, ce serait céder à une conception extrinséciste du sacré. Si les dévôts de l'A.I.C.K. font du culte de leur maître l'outil de la sacralisation de leur *NOUS* (identité de groupe), il semble bien que les *chelas* d'Eckankar se servent de lui comme d'un instrument au service de la sacralisation de leur *MOI* (identité personnelle).

2 — Engagement envers le groupe

L'engagement des membres envers leurs groupes touche à la question de leurs sentiments d'appartenance à ce groupe, sentiment dont on sait qu'il occupe une place déterminante dans la construction du sens de l'identité personnelle de chacun. Nous examinerons donc, de manière comparative, comment et en quel sens le sentiment d'appartenance détermine chez les membres de l'A.I.C.K. et d'Eckankar la construction du sens de leur identité en étudiant successivement l'intensité de leur sentiment d'appartenance, leur perception de la possibilité de concilier l'appartenance à leur groupe avec l'appartenance à d'autres groupes et, enfin, la signification relative que chacun donne au fait d'appartenir à son groupe spirituel en la comparant à la signification qu'ont pour elle ou lui d'autres groupes: famille, amis, compagnons de travail...

À très grande majorité, les dévôts de Krishna disent avoir un sentiment d'appartenance très développé à l'égard de leur groupe. Pour eux, le temple, c'est une grande famille. Toute leur vie est réglée par leur appartenance à cette communauté: les rituels occupent à eux seuls environ six heures par jour et le reste de la journée est consacré à des occupations qui sont toutes centrées sur le développement de la conscience de Krishna. Le portrait est beaucoup plus varié lorsqu'on considère le sens d'appartenance des eckistes. Trois groupes d'égale importance se dégagent: le premier avoue avoir un sentiment d'appartenance très développé à l'égard du groupe, le second qualifie ce sentiment de moyen et le troisième groupe affirme avoir un sentiment d'appartenance peu développé par rapport au groupe. Le premier groupe est composé de personnes, généralement à la retraite, qui donnent plusieurs heures par semaine à la promotion d'Eckankar, en diverses tâches. Les deux autres groupes sont formés de personnes qui, outre la pratique individuelle et quotidienne de la contemplation, sont peu ou pas du tout engagées dans des activités de promotion du mouvement. Les réponses de ces personnes sont très significatives en ce qui a trait à leur sentiment d'appartenance à Eckankar, citons-en quelques-unes:

— *Je n'appartiens pas à Eckankar, mais au Eck qui est en moi.*
— *L'essentiel n'est pas de faire partie du mouvement Eckankar, mais d'adapter à ma vie, à mes besoins les enseignements de ce mouvement.*
— *Je n'appartiens pas à Eckankar. Je suis un individu libre. Je déteste le sentiment d'appartenance.*
— *Je profite du mouvement plus que je ne lui apporte. Pour moi, c'est le ECK qui est important et non pas Eckankar.*
— *J'ai un sentiment d'appartenance, mais je ne veux pas me faire l'apôtre d'Eckankar.*

Ces citations démontrent à souhait que la majorité des eckistes sont peu engagés envers leur mouvement. Plusieurs de ceux qui tiennent ces propos ont pourtant plusieurs années de cheminement eckiste à leur crédit. Il importe cependant de souligner que la faible appartenance au groupe ne reflète en rien l'attachement que les eckistes éprouvent pour le message d'Eckankar. Cet attachement est en fait très grand. Ces considérations affermissent notre hypothèse en vertu de laquelle nous proposions qu'Eckankar et un grand nombre de nouvelles religions d'inspiration orientale doivent être interprétés comme des collectivités mystiques regroupant des alternants plutôt que comme des sectes réunissant des convertis. Bainbridge et Stark utilisent pour parler des premiers le joli terme de "cultes à clientèles[34]".

Lorsqu'on considère les perceptions des personnes des deux groupes quant à la possibilité de concilier leur appartenance à leur groupe avec une appartenance à un autre groupe, les réponses varient encore beaucoup d'un groupe à l'autre. Nous allons ici dresser un tableau comparatif[35].

	A.I.C.K.		Eckankar	
	oui	non	oui	non
1. Appartenance simultanée à votre mouvement et à d'autres nouvelles religions	25%	75%	—	100%
2. Appartenance simultanée à votre mouvement et à une grande religion	100%	—	—	100%
3. Appartenance simultanée à votre mouvement et à des groupes d'amis non membres de votre mouvement	25%	75%	100%	—
4. Appartenance simultanée à votre mouvement et à votre famille d'origine	25%	75%	100%	—
5. Appartenance simultanée à votre mouvement et à la famille fondée par vous	100%	—	100%	—

Sur l'item 1, les deux groupes se ressemblent. Les eckistes ne voient aucune possibilité de s'associer à divers groupes, ce serait pour eux une source de confusion. Les dévôts de Krishna entretiennent la même opinion et, s'ils semblent moins négatifs que les eckistes à l'idée d'avoir une double ou triple appartenance, ce n'est au fond que parce qu'ils voient l'occasion de faire du prosélytisme auprès d'un public "privilégié".

L'item 2 est plus instructif. On est là en présence de deux attitudes diamétralement opposées. Les eckistes ne voient aucune possibilité d'appartenir à la fois à Eckankar et à l'une ou l'autre des grandes traditions religieuses, alors que les dévôts de Krishna n'y voient aucun problème. Ces derniers envisagent leur engagement dans la conscience de Krishna comme un prolongement de l'acculturation chrétienne de leur enfance. Ils diront "avoir redécouvert la religion de leur jeunesse". Les eckistes sont, au contraire, unanimement sévères à l'égard de leur héritage chrétien et c'est sans aucune hésitation qu'ils s'en démarquent.

Les items 3 et 4 révèlent que les eckistes n'ont aucune difficulté à interagir avec des personnes et des groupes qui ne partagent pas leurs convictions. Ils ont un sens territorialisé de leur identité d'eckiste et sont capables de la mettre en veilleuse lorsqu'ils savent qu'elle gênerait leur communication avec les autres. Les dévôts de Krishna, au contraire, sentent le vif besoin d'afficher partout leur identité spirituelle ce qui gêne leurs rapports avec ceux qui ne peuvent tolérer leur prosélytisme. L'item 5 est peu significatif dans le cas des disciples de Krishna, car ces derniers ne se marient qu'entre eux. Chez les eckistes, on trouve à la fois des couples d'eckistes et des couples où un seul des conjoints est membre d'Eckankar.

Enfin, à la question concernant le groupe d'appartenance prioritaire privilégié par les membres des deux groupes, les dévôts de Krishna ont répondu unanimement que l'A.I.C.K. était prioritaire pour eux, alors que les eckistes dégageaient une majorité du côté de ceux qui font passer leur sens d'appartenance à leur famille avant le sentiment d'appartenance qu'ils ressentent pour Eckankar. Échappent à cette règle les eckistes qui, vivant une retraite plus ou moins solitaire, accordent au mouvement Eckankar une très grande importance dans leur vie et qui, en conséquence, s'y impliquent plus que les autres.

L'analyse de l'engagement des membres de l'A.I.C.K. et d'Eckankar à laquelle on vient de procéder nous conduit à un certain nombre de conclusions. La morphologie des engagements des membres à l'égard de leur mouvement spirituel varie autant que celle des rituels en ce qui touche à la manière dont ces deux mécanismes agissent dans la sacralisation des membres. Les rituels et les engagements des membres de l'A.I.C.K. visent avant tout à produire et à entretenir une identité de groupe en laquelle vient se fondre l'identité personnelle de chacun alors que les rituels et les engagements des eckistes sont orientés d'abord et avant tout sur le développement de l'identité personnelle de chacun. Soucieux de protéger leur *NOUS* sacré, les dévôts de Krishna constituent une formation de type sectaire où la priorité consiste à isoler le groupe (pur) du monde (impur) et à construire une société alternative et spiritualiste au sein d'un monde matérialiste et mauvais. La propagation de message de salut implique donc, dans cette perspective, à la fois une conversion des adeptes, c'est-àdire une rupture radicale avec leur ancienne identité, et une transformation profonde de la culture et de la société. Quant aux eckistes, avides de protéger leur véritable soi que les nécessités d'une vie trépidante menacent constamment de leur faire oublier, ils concevront leurs rituels et leurs engagements envers le ECK (plutôt qu'envers Eckankar) comme des moyens de produire et d'entretenir leur sens d'une identité personnelle et sacrée transcendant infiniment les limites de leurs pauvres "moi" empiriques. Une identité personnelle de nature sacrée vient alors se superposer chez eux à leur identité profane, résultante des rôles qu'ils détiennent dans la structure sociale. Pour les eckistes, comme pour beaucoup de nouvelles religions d'inspiration orientale, le salut consiste à évoluer d'une implication existentielle à une implication fonctionnelle dans les rouages de la sphère publique: le politique, l'économique, le social, le culturel...Il faut bien, certes, fonctionner, donner du rendement, si on veut vivre, mais il importe avant tout de ne pas s'identifier à cette mécanique implacable des rapports sociaux, de se savoir "ailleurs" tout en étant là. Tel est substantiellement le message des "collectivités mystiques" qui se développent au Québec comme ailleurs dans le monde. Pour ces groupes, le salut ne consiste pas à se retirer d'un monde mauvais et à s'attaquer à la transformation radicale de la société en même temps qu'à la conversion des gens, il consiste au contraire à se brancher individuellement sur une source de stabilité transcendante, à s'identifier à cette énergie cosmique universelle et, fort de cet enracinement, à affronter, visière levée, un univers d'universelle impermanence. Le salut n'appelle plus la conversion, mais l'art de savoir alterner de l'univers du relatif à celui de l'absolu. Ne plus d'identifier à rien d'autre qu'à soi-même, à l'essence sacrée qui constitue le fondement inaltérable de notre identité personnelle, voilà le secret de la paix et de la sérénité. Il n'est donc plus question de changer la société, il suffit désormais simplement de s'en protéger, de ne plus se reconnaître ni dans les grands systèmes qui prétendent régler l'existence des hommes, ni dans les systèmes bio-psycho-physiologiques qui guident le cours de nos pensées et de nos émotions.

Nos recherches nous permettent d'établir un lien entre le profil socioéconomique des personnes et leur choix d'un type de groupe plutôt que d'un autre. Les dévôts de Krishna proviennent de milieux sociaux-économiques peu favorisés. Les membres eux-mêmes n'étaient pas parvenus, pour la très grande majorité, à pénétrer de manière significative le marché du travail. Ils avaient vécu pour la plupart d'expédients, avaient fait un peu de tout. Quant aux membres d'Eckankar, ils proviennent en très grande majorité des classes moyennes, jouissant d'un travail régulier et bien rémunéré, mais qui ne parviennent pas à se réaliser d'une manière satisfaisante grâce à ce travail. Selon le plus ou moins grand bénéfice retiré de leur participation à la vie collective, les personnes s'orienteront donc vers la secte conversionniste ou vers la collectivité mystique. (voir Annexe I)

Conclusions générales

Les collectivités mystiques qui se répandent présentement au Québec offrent des spiritualités ayant une grande affinité avec les conditions de la société moderne qu'est devenu le Québec. Bien que d'autres recherches devraient être faites pour préciser les rapports entre le déclin actuel des projets d'identification collective et la quête effrénée d'identités personnelles, et à un moindre titre, d'identités de groupes, il semble bien qu'il y ait là une piste intéressante à explorer. On aurait tort cependant de s'aligner sur Wilson et de ne lire le phénomène des nouvelles religions au Québec que comme un phénomène social dérivé, produit par d'autres; notamment, l'accession du Québec à la modernité et le déclin de popularité des projets collectifs comme sources de sens pour les individus. Les nouvelles religions gagnent aussi à être examinées en tant qu'agents producteurs d'une société et d'une culture nouvelle: plus harmonieuses, plus systémiques, plus écologiques, plus holistiques. La recherche étant incapable de pronostics, c'est donc sur le temps qu'on devra compter pour savoir dans quelle mesure les nouvelles religions exerceront un impact sur la société et la culture québécoises. Si notre recherche peut apporter une contribution dans la compréhension des forces sociales qui favorisent l'essor actuel des nouvelles religions au Québec et des motivations qui poussent les personnes à y adhérer, nous serons pleinement récompensé.

Roland Chagnon
Département de sciences religieuses
Université du Québec à Montréal

Notes

1. BERGERON, Richard. *Le cortège des fous de Dieu. Un chrétien scrute les nouvelles religions*, Montréal, Éditions Paulines, 1982, 511p.
2. Cette recherche a permis de recueillir les réponses de plus de 300 membres de ces groupes à un questionnaire écrit et de procéder à plus de 100 interviews enregistrées. Une monographie sur l'Église de scientologie devrait paraître au début de 1985, intitulée: *La scientologie: une nouvelle religion de la puissance*. D'autres monographies suivront sur d'autres groupes.
3. On trouve cette citation dans Walpola, RAHULA. "L'Enseignement fondamental du Bouddhisme", dans *Présence du Bouddhisme*, édité par René de Berval, France-Asie, #153-157, 1959, p. 262.
4. La citation de Christopher LASCH est tirée de la page 20 de son livre *Le Complexe de Narcisse. La nouvelle sensibilité américaine*, Paris, Robert Laffont, 1980, 340p.
5. WALLIS, Roy. "The New Religions as Social Indicators", dans *New Religious Movements. A Perspective for Understanding Society*, Eileen Barker, ed., The Edwin Mellen Press, New-York and Toronto, 1982, pp. 216-231.
6. HEELAS, Paul. "Californian Self-Religions and Socialising the subjective", dans *New Religious Movements...*, ouvrage déjà cité en note 5, pp. 69-85.
7. GROSS, Darwin. *Votre droit de savoir*, I.W.P. Publishing, Menlo Park, 1980, p. 47.
8. Les développements de Ram Chandra PRASAD sur la pensée de Rajneesh se trouvent dans son livre *The Mystic of Feeling. A Study in Rajneesh's Religion of Experience*, Motilal Banarsidass, Delhi, Varanasi, Patna, 1970, 229p.
9. Dans ce résumé, je m'inspire du travail de Frances WESTLEY: *The Complex Forms of the Religious Life. A Durkheimian View of New Religious Movements*, Scholars Press, Chico, California, 1983, 199p.
10. ROSAK, T. *The Making of a Counterculture*, New-York, Doubleday, 1969.
11. On consultera avec profit l'ouvrage édité conjointement par Thomas ROBBINS et Dick ANTHONY, *In Gods We Trust. New Patterns of Religious Pluralism in America*, Transaction Books, New Brunswick and London, 1981, 338p.

12. TIPTON, Steven M. *Getting Saved from the sixties. Moral Meaning in Conversion and Cultural Change*, University of California Press, Berkeley, 1982, 364p.
13. TREMBLAY, Marc-Adélard. *L'identité québécoise en péril*, Sainte-Foy, Les Éditions St-Yves, Inc, 1983, 287p. La citation est en page 113.
14. Rapport de l'Assemblée des Évêques du Québec présenté à l'occasion de la visite "ad limina", 1983, 114p.
15. Hans MOL a publié, entre autres, les ouvrages suivants: *Identity and the Sacred. A Sketch for a new Social-Scientific Theory of Religion* (Basil Blackwell, Oxford, 1976, 326p.) et *Identity and Religion. International, Cross-Cultural Approaches* (Sage Studies in International Sociological Association, #16, 1978, 246p.).
16. La définition de l'identité de David J. De LEVITA se trouve en page 131 de son ouvrage intitulé: *The Concept of Identity* (Basic Books, Inc., New-York, Mouton & Co., Paris, The Hague, 1965, 197p.).
17. Mol se refère ici à l'ouvrage de Robert N. BELLAH, intitulé: *Beyond Belief*, New-York: Harper & Row, 1970.
18. L'ouvrage d'Allen WHEELIS cité par Mol est de *The Quest for Identity*, New-York, Norton, 1958.
19. Cette définition de l'identité de rôle se trouve dans G.J. McCALL et J.L. SIMMONS, *Identities and Interactions*: New York, Free Press, 1966.
20. La citation est tirée de la page 113 de l'ouvrage de Bryan WILSON intitulé: *Contemporary Transformations of Religion*, Oxford University Press, 1976, 116p.
21. DURKHEIM, Emile. "Le sentiment religieux à l'heure actuelle", dans *Archives de Sociologie des Religions*, Vol 27, 1969, p. 76.
22. Parmi les théoriciens de la sécularisation, mentionnons les noms de P. Berger, B. Wilson et parmi les théoriciens de la permanence du religieux se rangeraient des personnes comme P. Tillich, M. Eliade, A. Greely. On lira à ce sujet l'article intéressant de Roberto CIPRIANI, "Sécularisation ou retour du sacré?" dans *Archives de Sciences Sociales des Religions*, Vol 52, No 2, 1981, pp. 141-150.
23. WILSON, Bryan. *Contemporary Transformations of Religion*, ouvrage déjà cité, p. 86.
24. DUMONT, Fernand. "Pour situer les cultures parallèles", dans *Questions de culture, #3, Les Cultures Parallèles*, Institut québécois de recherche sur la culture, Leméac, 1982, p. 22.
25. LIPOVESTSKY, Gilles. *L'Ère du Vide. Essais sur l'individualisme contemporain*, Paris, Gallimard, 1983, 247p. Notre citation se trouve aux pages 11-12.
26. TROELTSCH, Ernst. *The Social Teaching of the Christian Churches*, Vol.2, The University of Chicago Press, Chicago and London, pp. 730-742. Voir aussi, du même auteur, "Christianisme et Société. Conclusions des Soziallehren", dans *Archives de Sociologie des Religions*, Vol.11, 1961, pp. 15-34.
27. CAMPBELL, Colin. "Clarifying the cult", dans *British Journal of Sociology*, Vol.28, No 3, 1977, pp. 375-388. La définition de la collectivité mystique de Campbell est tirée de la page 386.
28. KLAPP, Orvin E. *Collective Search for Identity*, Holt, Rinehart and Winston Inc., 1969, 383p.
29. TRAVISANO, Richard V. "Alternation and Conversion as Qualitatively Different Transformations", in Gregory P. STONE et Harvey A. FARBERMAN, *Social Psychology through Symbolic Interaction*, Xerox College Publishing, Waltham, Massachusetts, 1971, 783p. L'article de Travisano se trouve aux pages 594 à 606.

30. À l'automne 1982, vingt et une (21) interviews furent effectuées auprès de dévôts de la conscience de Krishna. Au cours de l'hiver et du printemps 1983, dix-sept entretiens furent tenus avec des membres (chelas) du mouvement Eckankar. Dans les deux cas, on a tenté de connaître l'itinéraire de vie des personnes (leur milieu familial, scolaire, religieux et leur milieu de travail), les rituels auxquels ils se prêtaient et la signification qu'ils revêtaient pour eux, les groupes d'appartenance qu'ils jugeaient significatifs dans leur vie, leurs valeurs et, enfin, leurs croyances. L'entrevue durait de deux à trois heures.
31. TURNER, Victor. *The Ritual Process. Structure and Anti-Structure*, Cornell Univ. Press, 1977, 213p.
32. Ces expressions sont tirées du *Shariyat-Ki-Sugmad* (SKS) dont l'auteur est Paul TWITCHELL, fondateur du mouvement Eckankar. Le SKS a été publié en anglais par Illuminated Way Press, Mento Park, en 1970. Une traduction française est disponible en français depuis 1977 sous forme d'un cahier. Les citations sont tirées des pages 58, 59 et 102 du texte français.
33. S.K.S., p. 9.
34. SIMS, Bainbridge. WILLIAM et STARK, RODNEY. "Cult formation: Three Compatible Models", in *Sociological Analysis*, 1979, 40, 4, pp. 283-295. Il distingue les *cultes à audience* qui ont des clientèles instables, des *cultes à clientèles* qui ont une clientèle plus stable de personnes qui ne vont cependant pas jusqu'à se définir comme des membres et des *mouvements cultuels* qui, eux, jouissent de véritables membres.
35. Les pourcentages du tableau indiquent des tendances générales plus que des résultats de compilations de réponses faites de manière très quantitative.

Annexe I

Quelques données sur les membres de l'A.I.C.K. et d'Eckankar (1)

SEXE

	A.I.C.K.	Eckankar
Homme	77%	40%
Femme	23%	60%
Total	100%	100%

AGE

	A.I.C.K.	Eckankar
20-25 ans	29%	4%
26-35 ans	68%	40%
36-45 ans	3%	20%
46-55 ans	—	16%
56 et plus	—	20%
Total	100%	100%

STATUT CIVIL

	A.I.C.K.	Eckankar
Marié	52%	60%
Célibataire	40%	28%
Couple non-marié	—	4%
Séparé	8%	8%
Total	100%	100%

SCOLARITÉ

	A.I.C.K.	Eckankar
Élémentaire	—	8%
Secondaire	45%	28%
Collégial	35%	20%
Univ. 1er cycle	18%	28%
Univ. 2e cycle	2%	12%
Univ. 3e cycle	—	4%
Total	100%	100%

REVENU

	A.I.C.K.		Eckankar	
	R. du père	R. du répondant	R. du père	R. du répondant
3 000 $	3,8%	67%	10%	26%
3 001 - 5 999 $	15,4%	17%	10%	—
6 000 - 9 999 $	15,4%	—	10%	9%
10 000 - 14 999 $	19,4%	11%	30%	13%
15 000 - 19 999 $	15%	—	10%	9%
20 000 - 29 999 $	11,5%	5%	10%	26%
30 000 - 39 999 $	8%	—	—	13%
40 000 - 49 999 $	—	—	10%	4%
50 000 $ et plus	11,5%	—	10%	—
Total	100%	100%	100%	100%
	(27 rép)	(18 rép)	(10 rép)	(23 rép)

OCCUPATION

	A.I.C.K.		Eckankar	
	Occupation du père	Occupation du répondant (2)	Occupation du père	Occupation du répondant
Professionnels et/ou cadres supérieurs	27%	5%	21,4%	58%
Employés de bureau et/ou vendeurs	10,8%	44%	14,3%	15%
Ouvriers spécialisés	8,1%	6%	14,3%	15%
Ouvriers non spécialisés	35,1%	17%	7%	5%
Agriculteurs	—	11%	7%	—
Retraités	19%	17%	36%	7%
Total	100%	100%	100%	100%
	(37 rép)	(18 rép)	(14 rép)	(14 rép)

(1) Ces données proviennent d'un questionnaire écrit administré aux dévôts de Krishna à l'automne 1981 (44 répondants sur un total possible d'environ 100) et aux membres d'Eckankar de la région de Montréal à l'hiver 1983 (32 répondants).

(2) L'occupation mentionnée par les répondants de l'A.I.C.K. désigne en fait leur rôle au sein du temple, là où se déroule l'ensemble de leur activité.

JOHN SIMPSON

Federal Regulation and Religious Broadcasting in Canada and the United States: A Comparative Sociological Analysis

Cet article analyse les rapports de la radio et la religion surtout dans le domaine des réglementations étatiques et de leurs effets sur la diffusion des émissions religieuses. L'auteur adopte une démarche macro-sociologique et comparative et cherche notamment à mettre en évidence les différentes formes que prend le pouvoir dans la société. C'est ainsi que l'analyse s'efforcera de rendre compte de la diversité des effets de l'autorité sociale sur l'expression culturelle. On s'appuiera sur les exemples divergents du Canada et des États-Unis.

L'analyse se divise en deux parties. Premièrement, on donne un aperçu général du développement de la réglementation des médias de la presse parlée au Canada et aux États-Unis en ce qui a trait à la religion. On avoue que cette réglementation au Canada a été conçue pour servir les intérêts nationaux. En outre, les faits historiques concordent avec ce principe.

Il est arrivé que l'on contienne la capacité latente de l'église à "troubler" l'ordre social en supprimant des programmes religieux jugés anti-patriotiques et offensants. On refusait d'octroyer un permis aux stations ne donnant la parole qu'à une seule confession ou à une seule secte. Récemment le CRTC a adopté une attitude bienveillante à l'égard des efforts accomplis pour créer une télévision multiconfessionnelle qui ne serait pas utilisée comme véhicule d'expression de conflits religieux. Aux États-Unis, par contre, on accorde des permis à des organismes religieux sectaires, on n'impose qu'un minimum de contraintes: la programmation n'étant faite presqu'entièrement qu'en fonction du marché.

Les différences au Canada et aux États-Unis entre la réglementation des médias de la presse parlée et ses effets sur l'expression religieuse reposent sur le fait qu'en général, au Canada, on met l'accent sur les objectifs collectifs et aux États-Unis sur les intérêts privés.

On peut interpréter l'intérêt continu que l'on porte au Canada à ces objectifs collectifs comme une réplique aux risques de conflits existants au sein des puissantes collectivités de l'État.

This paper explores the relationship between the broadcast media and religion in Canada. It pays special attention to the regulation of the media by the state and the effect of regulation upon religious broadcasting. The approach is macro-sociological and comparative: the paper focuses upon the forms that power and authority take across societies. The general analytic task, then, is to account for the variation in the effects that societal authority has upon cultural expression. More specifically the task is to explain the variation that arises from the contrasting cases of Canada and the United States.

The analysis is divided into two sections. The first part provides a general overview of the development of broadcasting regulation in Canada and the United States with special reference to religion. The second part sets out a theoretical explanation for the differences between Canada and the United States that are outlined in the first part of the paper.

John Simpson

The Development of Broadcasting and Its Regulation in North America

The world's first voice and music broadcast (the wireless communication of audible sound through electromagnetic waves) was made in 1906 by a Canadian inventor, Reginald A. Fessenden, from a station in Brant Rock, Massachussetts.[1] At about the same time an American, Lee de Forest, patented the Audion, a three-element electron tube, that, eventually, led to a reliable means of signal detection and amplification. With the invention of the super-heterodyne receiver by Edwin Howard Armstrong in 1918 (patented in 1920) the technology was in place for the development of broadcasting as a mass media.

While there were many experimental broadcasts after 1906, regular transmissions for the purpose of reaching audiences did not begin in earnest until the end of World War I. The magnitude of expansion then was rather remarkable. In 1922 alone six hundred stations went on the air in the United States, many surviving for only a matter of days or months. Scheduled broadcasting began in Canada in 1920 when the station that would, eventually, become CFCF Montreal aired records, news items, and weather reports.

In 1923, sixty-two private commercial broadcasting licenses were issued by the Department of Marine and Fisheries of the Dominion of Canada under authority of the Radiotelegraph Act of 1913. That act had been designed to regulate point-to-point radiotelegraphy transmission which was, by then, a well-established world-wide commercial enterprise. Under the act the effective control of voice broadcasting to a dispersed listening audience was limited to the exercise of ministerial discretion in granting and renewing licenses which were only valid for a year at a time. In the United States there was even less control since the Department of Commerce was compelled to license anyone who satisfied the legal requirements for holding a license. Furthermore, in both Canada and in the United States no stipulations were imposed on programming content during the period of broadcasting's rapid expansion in the years following World War I.

Not until 1928 was the stage set for the further development of Canadian broadcasting policy. Interestingly enough, it came about through a controversy that involved religion and reached into the House of Commons. Four radio stations owned by the Jehovah's Witnesses had their licenses revoked on March 31, 1928. According to the Minister of Marine and Fisheries, the government had received petitions and other complaints from Toronto, Saskatoon, Edmonton, and Vancouver, where the stations were located, stating that programs which were 'unpatriotic and abusive of all our churches' had been broadcast under the name of

Bible talks.[2] For its action the government was attacked in the House by, among others, the member for Winnipeg North, Mr. Woodsworth. The issue was censorship. "If the Bible Students are to be put out of business because they condemn alike Catholics and Protestants," he said, "I do not see why the Orange Sentinel and the Catholic Register should not be suppressed."[3]

The debate in the House that was stimulated by the revocation of the Bible Student's licenses led directly to the appointment of a royal commission. Chaired by Sir John Aird, the president of the Canadian Bank of Commerce, the commission was asked "to consider the manner in which the available channels can be most effectively used in the interests of Canadian listeners and in the national interests of Canada."[4] It was also asked to recommend on the future administration, management, control, and financing of broadcasting in Canada.

The report of the Royal Commission on Broadcasting was handed to the minister on September 11, 1929. It is, arguably, the most important public document ever produced in Canada in the area of the media and culture. The reason for this broad claim is that the report established and legitimized the principle that broadcasting in Canada should be in the service of "fostering a national spirit and interpreting national citizenship ...promoting national unity... turning the minds of young people to ideals and opinions that are... Canadian."[5]

In short, broadcasting in Canada should serve the national interest by creating and maintaining a sense of unity and what, today, one would call "identity." Twenty-two years later the Massey Commission would extend the principle to the production of culture as a whole. The marriage of broadcasting and national cultural goals remains the major premise of contemporary communications policy formation, and still receives, at least in theory, a privileged position on the public agenda. As the former Minister of Communication, the Honourable Frances Fox, said when asked about his job: "There is no question to me what we are doing is more important than what, say, the Minister of Energy does from day to day. It is a hell of a lot more important to Canadianize the airwaves than decide on what the price of a barrel of oil should be because of some conflict somewhere between two sheiks."[6]

Besides laying down the principle of broadcasting as the servant of the national interest, the Aird Commission specified the means for ensuring its implementation: a public system (with no private stations) that would offer programs with only a limited commercial content in the form of indirect advertising. While Canada has never had the complete system of broadcasting that was recommended by the Aird Commission -- private stations are a major element in the system -- this does not detract from the significance of the commission's recommendation: it legitimized the idea that the national interest is best served by exclusive public ownership. With the legitimization of a linkage between national interest and public ownership, private broadcasting interests have been forced to strive for a niche in a context where exclusive public ownership had always been a real possibility. Thus, in the struggles pursuant to legislation that have taken place in the wake of each royal commission or report affecting broadcasting, private interests have had to argue their case. They have, of course, been successful but it must be stressed that they cannot take for granted the full representation of their interests in legislation. Broadcasting legislation in Canada, then, may be best understood as the result of a tug-of-war between private interests, on the one hand, and the national interest linked to public ownership, on the other, with parliamentary acts designed to ensure that the latter will always be served and the former given a place in the system. The various broacasting acts - 1932, 1936, 1958, 1968 -- exemplify this struggle and the fact that, more often than not, the national interest has gotten the upper hand.

Since the Aird Commission, religious broadcasting has clearly been viewed in the context of the national interest and, especially, national unity. In its hearings the commission was sympathetic to representations against the use of the airwaves to foment religious controversy and its report stressed that religious broadcasts should be free of attack on the leaders or doctrines of another religion. A practical test of this norm occurred in 1933 soon after the Canadian Radio-Broadcasting Commission, created by the Canadian Radio Broadcasting Act of 1932, came into being. Once again it was the Jehovah's Witnesses who were at the centre of things. As Peers notes, "On the basis of statements broadcast by Judge Rutherford, leader of the sect in the United States, the commission advised all stations that Rutherford's speeches were not to be broadcast until the texts had been submitted to the commission for clearance. The Jehovah's Witnesses retaliated by attacking the commission, and especially [Hector] Charlesworth [its chairman] as a liar, thief, Judas, and polecat, and therefore fit to associate only with the clergy."[7] In the House Mr. Woodsworth attacked the commission for its censorious ways while Prime Minister Bennett vigorously defended the commission's action arguing that attacks were being made simply to destroy "this publically owned service."[8]

Religious controversy raised its head again in 1937. This time the fledgling CBC (which had a regulatory role under the Canadian Broadcasting Act of 1936) was embroiled. Since the 1920's Roman Catholics and Protestants had been broadcasting weekly series in Toronto. In the 1930's these broadcasts were carried by CRCT, the CBC station in

Toronto, for the Catholics and CFRB for the Protestants. The broadcasts were produced by the Radio League of St. Michael's and the Protestant Radio League.

The Rev. Morris Zeidman, a Presbyterian minister who spoke as director of the Protestant Radio League, proposed to give a talk on the Protestant attitude toward birth control on the first Sunday afternoon in January 1937. According to Peers, "Because Mr. Zeidman had been accused several times of attacking the Roman Catholic faith, the manager of CFRB, Harry Sedwick, advised him to submit his scripts to the CBC in Ottawa...The CBC held that the talk was of a controversial nature and advised against broadcasting it."[9] Predictably, the Loyal Orange Lodge and the Toronto *Telegram* jumped into the fray against "un-British censorship." The matter reached Parliament in April. In reply to a question, the minister, Mr. Howe, said, "...I think the first test of the suitability of a program must be whether it gives offence to any part of the population...During the time I have been responsible for the conduct of radio, all the great disputes have centred around religious broadcasts... On occasion of this kind there can be no doubt the offence has been given, judging by the scores and hundreds of letters that reach my office."[10] In the autumn of 1937, the CBC passed regulations prohibiting abusive comment on any race, religion, or creed, and branded birth control a subject that was inappropriate for broadcasting.

Father Lanphier (the broadcaster for the Radio League of St. Michael's) and Mr. Zeidman, however, continued their feud, and toward the end of 1937 they were put off the air. At this point representatives from the CBC met with the heads of all principal churches to discuss the place of politics in religious broadcasts, and the board's regulation prohibiting abusive comment. In the words of Leonard Brockington, chairman of the CBC, "All agreed that radio shall be used for reconciliation and healing and for the insistence on the eternal truths that unite us rather than on the transitory differences that divide us."[11] Once the CBC's conditions for reinstatement had been met, the two broadcast series resumed early in 1938.

The concern for the potential divisiveness of religious broadcasting and a desire to use religious expression in nation building are no less important today than they were in 1933 or 1937. For example on June 2, 1983, the CRTC announced that it would consider licensing a national television network that would be a new, broadly based network programming service devoted to serving the varied religious practices and beliefs of Canadians on a national interfaith basis. In making that announcement the CRTC has, in effect, said that it will license a religious network provided there is agreement among a large number of denominations and faiths in the form of a co-operative organization that would be responsible for the network and its programming. As we will soon see this model is the exact opposite of what has been implemented in the United States where particular denominations or representatives of a theological position (for example Christian Fundamentalists) have set up broadcasting networks. Should a Canadian interfaith communications network be licensed, it would result in a single channel carrying the messages of most of the major denominations and many of the smaller ones including a significant number of non-Christian faiths. Ironically, the Jehovah's Witnesses have chosen not to participate in the effort to obtain an interfaith television service on the ground that the "use of the mass media was not consistent with their traditional door-to-door ministry."[12]

In the United States the relationship between broadcasting regulation and religious expression has evolved differently. Like Canada's Radiotelegraph Act of 1913, the American Radio Act of 1912 was designed to regulate point-to-point transmission. With the advent of broadcasting and its rapid expansion after World War I, a need developed for regulating the new medium. The Radio Act of 1927 and the Communications Act of 1934 met that need. The former established the technical requirements that would guarantee signal quality. It also laid out the general criteria for licensing. The latter which incorporated the 1927 act centralized the control of broadcasting by creating the Federal Communications Commission (FCC). The Communications Act of 1934 still governs broadcasting in the United States.

The 1927 act which was carried forward into the 1934 act contains the stipulation that if public convenience, interest, or necessity will be served thereby the FCC shall grant a license to any applicant. Since no provision was made for publically funded broadcasting, the legislation left the service of the public convenience, interest, or necessity in the hands of private broadcasters where it largely remains today. While public broadcasting has in recent years gained something of a toe-hold in the system (for example the Public Broadcasting System) it approaches governments for funding in much the same fashion as any other interest group. Thus, in stark contrast to Canada where over the years private broadcasters have had to fight for their place in the sun, in the United States even public broadcasting has the aura of special interest advocacy.

Unlike Canada where programming content has always been carefully scrutinized and where, today, stations are mandated to broadcast specific types of programming with the range of programming over all stations presumably serving the national interest, stations in the United States are only required to satisfy certain program criteria. Until 1946 the criteria had to be deduced from decisions of the FCC. In that year the first comprehensive statement on program criteria was issued, the so-called FCC *Blue Book*. It was superceded by a statement in 1960 regarding "the major elements usually necessary to meet the public interest, needs, and desires of the community." These are the opportunity for local self-expression, the development and use of local talent, programs for children, religious programs, educational programs, public-affair programs, editorializing by licensees, political broadcasts, agricultural programs, news programs, weather and market reports, sports programs, service to minority groups, and entertainment programs. The commission, however, set no quantitative standards, pointing out that these *usually necessary elements* should not be regarded as a "rigid model or fixed formula."[13] This, in effect, means that stations in the United States can broadcast what they want as long as they can demonstrate a minimal adherence to the list of program criteria.

It should come as no surprise that the licensing process, itself, has been characterized as "ritualistic" and "formalistic." As one commentator notes, "By tacit agreement, all parties - the commission, the lawyers, the applicants - appear to go through a prescribed set of expensive motions without for a moment believing in what they are doing. Certainly the numerous instances of licensees who fail to live up to the promises in their applications or to conduct their stations according to the theoretical requirements of public interest testify to the truth of the description."[14]

The use of the broadcast media, then, to promote a specific point of view (or even a divisive interest) has not been liable to strict regulatory restraint in the United States. A case in point is the Reverend Charles E. Coughlin who broadcast his economic, political, and religious views over CBS beginning in late 1930. In 1932 he supported Franklin D. Roosevelt in his quest for the presidency but turned vehemently against him after he was elected. As the Thirties progressed Father Coughlin "became increasingly rightist, criticizing Jews and defending many of the tenets of Nazism, until pressure from the Church hierarchy and other sources forced him off the air."[15] It was not the FCC that put Father Coughlin out of business.

What, in fact, has determined programming content over the years in the United States is the economics of the broadcasting marketplace. What advertisers will support is what is aired and they support what is popular, that is, what attracts viewers. Religious broadcasting does not escape this logic as the presence on the airwaves of electronic evangelists such as Jerry Falwell, Pat Robertson and Jim Bakker testifies. One simply substitutes pleas for money for the program commercial. Obviously, the commercial element is present in Canadian broadcasting, too, but it gets there only after a struggle and serious confrontation with the national interest.

By licensing denominationally or theologically based TV networks, as it has done recently in the United States, and by freely granting radio licenses to virtually any religious group or denomination, as it has always done, the FCC has, in effect, declared the *expression* of the viewpoint of the licensee (but, remembering the wall of separation between Church and State, not the viewpoint, itself) to be in the service of the public interest. In Canada, on the other hand, the *de facto* policy of the CRTC has been one of not granting licences to religious organizations or for stations which would serve sectarian rather than community interests as a whole. Thus, a few years ago the Fundamentalist Vancouver-based Canadian Family Radio Group was denied a licence. More recently, Crossroads Christian Communications which produces 100 Huntley Street starring the Pentecostal clergyman, the Rev. David Mainse, was denied a satellite licence.[16] These denials are, presumably, justified on the ground that they are made in the national interest.

Broadcasting Regulation In Theoretical Perspective

To this point the analysis has focused upon the empirical differences between Canada and the United States in broadcasting regulation and its impact on religious expression. At a more abstract level one may suggest that these observed differences are consistent with a theoretical formulation describing the most general warrants for authoritative acts in societies, that is, the deep structural logics that enable the units in a society to assess the extent to which action and, especially, collective action can be considered legitimate.

The theoretical perspective (of which only the basic elements are presented here) is concerned with, among other things, the relationship (or, really, the lack of a relationship) between political forms and modernization. The theory accounts for this relationship by positing an hypothesis of invariance which states that (a) there are a very limited number of ways of solving the problem of authority in society; (b) once in place a logic of authority tends not to vary over time.[17] In the present context the hypothesis of invariance is attractive because it helps to understand the socio-cultural differences between Canada and the United States. Since these cannot be explained in terms of modernization (both countries have similar ranks on modernization indices) then, perhaps, the differences may be understood in terms of the logic of authority that underwrites and legitimizes action in the two nations.

The theory focuses on constitutional differences. In this context "constitution" does not refer to a differentiated aspect of government or, necessarily, to any formalized documents. A constitution is the legitimized procedures and rules (written or unwritten) that a collectivity employs and that participants use to undertake collective action in a sphere of jurisdiction where such procedures and rules may be legitimately applied. Constitutions and, hence, collectivities can be classified in terms of the extent to which one or the other of two fundamental modes of action predominate in a collectivity.[18]

The members of any collectivity as a matter of course engage in exchange and interaction in order to satisfy their own private or special interests. At the same time, the requirements and interests of the collectivity as a whole must be served in order to ensure its stability and continued existence. Some actions in a collectivity, then, are oriented to special interests while others serve collective purposes. *However, collectivities vary in the recognition and importance accorded private interests and collective purposes.* Private interests dominate action in some collectivities and the acts of units pursuing those interests have special legitimacy and authority. In other collectivities, collective purposes are ascendant and acts in pursuit of those purposes bear a significant measure of authority. Collectivities, then, can be classified in terms of the extent to which the pursuit of special interests or the maintenance and service of the collectivity, itself, is emphasized. Where special interests are dominant, a collectivity has an associational character and analysis focuses upon interaction and the outcome of exchanges between members. On the other hand, where collective purposes are dominant a collectivity is best described as a social system and analysis focuses upon the role of agents in serving and maintaining the system.

Clearly, modern nation states are very complex collectivities and in that regard Canada and the United States are not exceptions. However, despite their complexity and similarity a simple analytical distinction can be drawn between the two societies. This distinction follows the theoretical perspective outlined above and is supported by the history of broadcasting regulation and its impact upon religious expression in the two countries. In brief, Canada tends in the direction of a social system which places great emphasis upon the support and maintenance of the system, itself, while the United States is an associational collectivity emphasizing the rights and actions of constituent units.

The regulation of broadcasting in Canada has, as pointed out, proceeded on the principal that broadcasting is an instrument of nation-building and in the service of national interests. Evidence from the history of religion and broadcasting in Canada is consistent with that principle: at times, the potential power of religion to cause social disruption has been curbed by suppressing religious broadcasting deemed to be unpatriotic and abusive. There has been an unwillingness to licence stations that would be devoted principally to airing the views of a single denomination or sect and, recently, the CRTC has exhibited a friendly attitude toward efforts to create a multi-faith television service that would exclude the use of the service as a vehicle for the expression of religious conflict. In Canada, then, religious broadcasting has been constrained to serve as an agent of the social system.

In the United States, on the other hand, broadcasting defines an arena in which constituent units compete in the pursuit of private interests including religious interests. Thus, licences are granted to religious organizations which enable them to use the electronic media to disseminate sectarian points of view. Effective programming constraints are minimal and programming is almost entirely a function of market demand. That even religious broadcasting does not escape the logic of the marketplace is illustrated by the fact that Sunday morning was considered to be commercially unproductive airtime until TV evangelists created a demand for time in that period.[19] Religious broadcasting in the United States, then, exemplifies the associational character of American society.

Differences between Canada and the United States in broadcasting regulation and its effects on religious expression, then, are consistent with the Canadian emphasis on collective purposes and the American stress on private interests. In conclusion it seems prudent to point out that the characterization of Canada as a system in which collective purposes are dominant does not mean that diversity and conflict are thought to be absent. Given the French-English duality and the importance of regional distinctions, such a conclusion would be absurd. In fact, the structure of the broadcasting system in Canada reflects the diversity of Canada and, more than that, coincides with the fundamental polarities and sources of conflict in the nation. Thus, there is a complete English and French broadcasting system, a CBC regional service for each part of the country, and several provincial services, for example TV Ontario. This structure stands in marked contrast to that of the American system which is dominated by local stations. There, even in the case of network ownership, stations design their services to fit only the needs of selected metropolitan populations.[20]

Given that the broadcasting system models the fundamental structural sources of strain and conflict in Canada, it is not difficult to understand why the federal regulation of broadcasting emphasizes the service of national collective purposes for without such a counterweight pitted against the centrifugal forces of regional, linguistic, religious, and ethnic diversity, it seems likely that irresistable messages containing the acids of dissolution would fill the airwaves. Ironically, the emphasis on collective purposes in Canada may, perhaps, be best understood as a response to endemic conflict or, at least, the ever-present latent potential for conflict between powerful collective actors.

John Simpson
Director
Graduate Centre for
Religious Studies
University of Toronto

Notes

The author wishes to thank William Westfall for his helpful comments.

1. This section follows accounts found in Frank W. Peers, *The Politics of Canadian Broadcasting: 1920-1951* (Toronto: University of Toronto Press, 1969); Sidney W. Head, *Broadcasting in America: A Survey of Television and Radio* (2nd ed.) (Boston: Houghton Mifflin, 1972); Christopher H. Sterling and John M. Kittross, *Stay Tuned: A Concise History of American Broadcasting* (Belmont, California: Wadsworth, 1978).
2. Peers, *op. cit.*, p. 31.
3. Ibid., p. 32.
4. Ibid., p. 38.
5. Ibid., p. 47-48.
6. *The Globe and Mail*, May 12, 1984, Entertainment 3.
7. Peers, *op. cit.*, p. 120.
8. Ibid.
9. Ibid., p. 258.
10. Ibid., p. 259.
11. Ibid., p.p. 260-261.
12. *Rosewell Report No. 1* (Toronto: The Rosewell Group, August 1983), p. 2.
13. Head, *op. cit.*, p.p. 383-384.
14. Ibid., p. 456.
15. Sterling and Kittross, *op. cit.*, p. 180.
16. *Rosewell Report No. 4* (Toronto: The Rosewell Group, November, 1983), p. 3.
17. Rainer C. Baum, "Authority and Identity: The Case for Evolutionary Invariance", in Roland Robertson and Burkhart Holzner (eds.), *Identity and Authority: Explorations in the Theory of Society* (New York: St. Martin's), pp. 61-118.
18. Guy E. Swanson, "An Organizational Analysis of Collectivities," *American Sociological Review*, pp. 36, 607-623.
19. Jeffrey K. Hadden and Charles E. Swann, *Prime Time Preachers: The Rising Power of Televangelism* (Reading, Massachusetts: Addison-Wesley, 1981).
20. James R. Taylor, "Communication Technologies, Regional Identity, and Canadian Dualism," *Canadian Issues/Thèmes Canadiens*, V (1983), pp. 106-115.

MONIQUE DUMAIS

Religion catholique et valeurs morales des femmes au Québec au XXe siècle

The moral interventions of the Catholic Church pertaining to the role of women in Québec society have known periods of varying intensity. This study of ethics demonstrates the way in which the Catholic religion, as conveyed by the Catholic Church in 20th century Québec, has stood concerning women: what values and standards have been presented, and what bases of justification have been favoured?

The study is divided into two parts: prior to 1960, and around the 1970s. The first section refers to bishops' documents, to the series of bulletins Écoles de Bonheur *and to* La Bonne Parole *(1913-1958), a women's magazine. In this section we see that the ecclesiastical apparatus traced specific avenues defining in an imperative manner the social function of maternity and all the moral values that related to it: devotion, preservation of a moral code, courage, submission, patriotism.*

The second section is based on some texts from Québec and Canadian bishoprics after 1970 and on Les Têtes de Pioche *(1976-79), a radical feminist review. These emphasize the challenge of moral values advocated by a traditional society. The categorical, self-assured proclamations of the Catholic Church lose ground within the Church itself, while at the same time, feminist demands become more virulent. They denounce the previously imposed moral code and the myth of matriarchy - that idealization of the power of mothers which was limited to the world of the kitchen, without any real hold on political or social life.* Les Têtes de Pioche *proposes the emergence of new values for women, aimed at developing their independence.*

The overall study allows us to see that we have gone from a moral code imposed by an authoritarian system such as the Catholic Church, to the challenge of that code and the emergence of a system of morals based on the experiences of the people or groups concerned; from a rigid, monolithic code of ethics to the explosion of a moral consensus and a focus on new values.

Dans l'histoire du Québec, l'Église catholique et la morale ont entretenu pendant une longue période des relations étroites. Cependant, au début des années 70, le Rapport de la Commission d'Étude sur les laïcs et l'Église, désigné habituellement sous le nom de Rapport Dumont, faisait la constatation suivante:

> *La majorité des interventions de l'Église qui ont retenu l'attention de l'opinion publique après le Concile portaient sur des questions reliées plus ou moins directement à la sexualité: régulation des naissances, divorce, avortement, célibat, etc. Est-ce à cause d'un moralisme persistant dans l'Église? Est-ce à cause d'une profonde perplexité au sein des conduites humaines, des anciens et de nouveaux styles d'existence?*[1]

L'ère du triomphalisme étant terminée pour l'Église catholique au Québec, celle-ci se trouve désemparée, à la recherche d'un nouveau style, sans remettre suffisamment en question des aspects importants de son message.

Les interventions morales de l'Église catholique au sujet du rôle des femmes dans la société ont connu également des moments d'intensité différente. La présente étude, de nature éthique, entend démarquer comment la religion catholique, telle que transmise par l'Église catholique au Québec, au XXe siècle, s'est située vis-à-vis les femmes: quelles valeurs, quelles normes ont été présentées et quelles bases de légitimation ont été privilégiées? Avant 1960, l'Église catholique, principalement par l'intermédiaire de l'appareil ecclésiastique, a tracé des avenues précises qui définissaient de façon impérative la fonction sociale de la maternité et toutes les valeurs morales qui devaient s'y rattacher. Autour des années 70, les femmes prennent des distances vis-à-vis un système imposé de valeurs familiales et essaient de faire émerger et de nommer d'autres valeurs à partir de leur vécu.

Valeurs imposées aux femmes

La première partie de cette étude éthique s'appuie sur une documentation assez diversifiée. Elle se compose, premièrement, de cinq *Semaines sociales du Canada*[2] touchant le sujet abordé, deuxièmement, de mandements, d'exhortations pastorales et de lettres circulaires des évêques d'un diocèse déterminé[3], troisièmement, de la série de bulletins *Écoles de bonheur*, destinés aux Instituts familiaux et aux Écoles moyennes familiales du Québec[4], quatrièmement, d'une "revue féminine", *La Bonne Parole*[5]. Ce périodique s'inscrit dans une ligne féministe, poursuivant une orientation réformiste et catholique, celle qui a prévalu au Québec avant 1960 et qui vise à faire accéder les femmes étape par étape aux mêmes droits que les hommes, sans entreprendre une transformation radicale de la société mâle et cléricale. Cet ensemble assez important de textes nous permet de cerner très facilement le modèle qui a été prescrit à toutes les femmes, celui de mère, en supposant celui d'épouse. Ce modèle nécessite tout un encadrement qui a été précisé clairement dans les textes étudiés, ainsi que des qualités qui ont été également bien répertoriées.

— Le modèle de mère

Les paroles de Pie XII, dans son allocution du 21 octobre 1945: "Toute femme est destinée à être mère, mère au sens physique (biologique) du mot, ou bien dans un sens plus spirituel et plus élevé et non moins réel[6]", synthétisent la pensée de l'Église catholique qui a été véhiculée et qui le sera à travers les recommandations des évêques et de tout le clergé au Québec pour l'éducation des jeunes filles et les orientations de vie des femmes.

Ce destin de femme s'est élaboré à partir d'une interprétation selon laquelle la constitution physique et la structure psychologique des femmes sont "essentiellement ordonnées à la maternité". (*E.B.*, 37, avril 1962, p. 14). Ainsi, la composition génitale des femmes prescrivait leur avenir et les orientait de façon exclusive à la maternité tant physique que spirituelle; elle était présentée comme une donnée de base qui était innée, par conséquent naturelle. L'ordre naturel se trouvait ainsi fondé et ne pouvait être remis en question. "Un être vaut dans la mesure où il répond à sa fin. L'éducation doit sublimer la fin essentielle de la femme...la maternité." (*E.B.*, 1, avril 1956, p. 11). Il importait de ne pas dévier de cet ordre naturel et d'orienter les esprits pour que tout concoure à cette fin: "Il faut créer une forte mystique de la maternité." (*E.B.*, 1, avril 1956, p. 10). Rien ne doit y mettre obstacle. Le R. P. Rodrigue Villeneuve o.m.i. déclarait, lors d'une Semaine Sociale du Canada tenue à Montréal, en 1923: "La femme est organisée pour être mère. Et si le droit de suffrage l'expose à être moins mère, moins femme, périsse le suffrage". (*S.S.*, 1923, p. 57).

— Encadrement: le foyer et la famille

Ce modèle de la mère doit être vécu dans un cadre particulier, qui est celui du foyer, lieu de la famille. Une certaine réciprocité est établie entre la famille et le foyer: les mères sont fortement sollicitées à rester au foyer, afin d'être présentes à leur famille; par ailleurs, la famille doit s'épanouir dans un espace précis désigné sous le nom de foyer. Un cours de Soeur Marie Gérin-Lajoie, donné lors des Semaines sociales, à Montréal, en 1932, illustre bien cette double appartenance.

> *Or, tant que nous voudrons maintenir la famille, nous aurons besoin de la femme pour y veiller.*
> *Sans doute, les conditions de la vie familiale peuvent changer. Mais rien ne saurait remplacer cette présence de la mère au milieu des siens: l'âme ne saurait animer un corps sans y être!*
> [...]
> *Vivant symbole de l'ordre providentiel qui a fait l'âme de la femme comme cette flamme domestique: les murs du foyer la protègent, et la tâche de protéger la vie des autres la fait forte et lumineuse.* (*S.S.*, 1932, p. 195).

Cette nécessité de la vie au foyer pour les femmes se basait, ici encore, sur les besoins de "l'organisme féminin" qui "réclame la tranquilité de la vie d'intérieur"(p. 196). Les femmes pourront trouver au foyer "le plein épanouissement de leurs (ses) plus hautes facultés".(p.197) Soeur Marie Gérin-Lajoie souligne que les femmes peuvent occuper des positions nombreuses dans le commerce et dans les professions et qu'elles ne peuvent pas être accusées d'infériorité intellectuelle, mais que ce n'est pas à l'extérieur du foyer qu'elles atteindront leur plein rendement social, mais dans la famille. Il s'agit de répondre à un "grand principe de rationalisation du travail", qui consiste "à découvrir non pas tant les diverses aptitudes d'une personne que sa meilleure aptitude". (p. 197) L'ordre social chrétien se réalise dans ce rappel des femmes au foyer.

> *Ainsi l'ordre social chrétien, en rappelant la femme au foyer, en l'appelant non pas à l'unique poste qu'elle puisse remplir mais à celui qu'elle remplit le mieux et où elle rend le plus de service, nous donne un modèle de rationalisation sociale.* (*S.S.*, 1932, p. 197).

Conséquemment, les femmes au foyer contribuent à édifier la famille qui est "la cellule-mère de la communauté humaine", le foyer qui "est la pierre d'angle de l'édifice social" (Mgr Albert Tessier, *S.S.*, Nicolet, 1950, p. 254). Et l'Église est la gardienne de cet ordre social. Le P. Richard Arès, s.j., en rappelant les paroles de Pie XII en 1951, signale que l'Église assure "défense, protection, appui, dans tout ce qui regarde les (ses) droits de la famille, sa liberté, l'exercice de sa haute fonction". (*S.S.*, Québec, 1959, p. 18).

Les formes du féminisme qui existent dans la première moitié du XXe siècle seront évaluées en fonction de leur soutien des femmes dans les tâches familiales. L'Église, de rappeler Soeur Marie Gérin-Lajoie, opposera le "féminisme libéral qui prône le droit au divorce, la limitation des naissances, l'organisation individualiste de la vie et la licence sous toutes ses formes" et le féminisme chrétien "qui veut obtenir pour la femme certains droits, mais en vue de l'accomplissement intégral de ses devoirs[7]". Le premier type de féminisme sera rejeté, tandis que le féminisme chrétien sera accepté en autant qu'il confirme "la femme dans sa vocation providentielle" et qu'il l'attache "par des liens - plus forts que le sentiment ou la contrainte - à l'ordre social chrétien qui réclame sa présence dans la famille". (*S.S.*, 1932, p. 194).

De plus, cet ordre social chrétien suppose que la famille, société naturelle, est une société essentiellement hiérarchique qui, en vertu du droit naturel, comme du droit divin, se compose de membres qui ne sont pas égaux entre eux: le père a autorité, l'épouse doit être soumise à son mari, les enfants doivent obéissance à leurs parents.

> *Société naturelle, la famille est encore une société essen-*

tiellement hiérarchique, *c'est-à-dire, qu'en vertu du droit naturel, comme du droit divin, les membres qui la composent ne sont pas égaux entre eux, ne forment pas une sorte de démocratie en miniature, mais constituent une société inégale où les uns, de par la nature et son Auteur, doivent commander, et les autres obéir; où le père et la mère ont leur rôle propre et distinct, pour que l'ordre et l'harmonie, source de paix et de bonheur, règnent au sein du foyer. Et le rôle qui revient à la mère n'est guère compatible avec les prétentions féministes.* (*S.S.*, 1923, p. 31)[8].

— Qualités (vertus)

Pour soutenir ce modèle de la mère et lui permettre de fonctionner dans le cadre de la famille et du foyer, plusieurs qualités sont recommandées. Nous en ferons une nomenclature assez rapide qui permettra de saisir les forces morales qui devaient habiter toute mère.

Dévouement

L'une des qualités les plus exigées des mères, c'est celle du dévouement. Dans la revue *La Bonne Parole*, plusieurs textes[9] mentionnent cette nécessité pour les femmes de consacrer toutes leurs énergies, c'est-à-dire de se vouer selon toutes les capacités et toutes les dimensions de leur être au bien de leur vie familiale. Le texte, "Conférence sur le dévouement" par J.-A.-M. Brosseau, ptre (paru en juin 1916, pp. 4-8) constitue une pièce remarquable sur le sujet:

> *Il faut que la famille soit à base de dévouement, comme son Auteur l'a voulue en le fondant non pas sur l'Instinct brutal et aveugle, mais sur ce sentiment si noble qui s'appelle l'amour, c'est-à-dire le désir de transmettre avec la vie tout le bonheur de la vie.* (p. 6).

Deux formes d'égoïsme sont à combattre: l'égoïsme familial qui restreindrait volontairement le nombre des enfants, l'égoïsme social qui ne se préoccuperait pas des autres familles. Et le conférencier élargit l'horizon de l'amour jusqu'à inclure "l'amour de la grande famille qui est la nation" (p. 7). Ainsi, la charité présente son "effloraison la plus complète" dans le patriotisme.

Sens moral

Les femmes, par leur maternité, sont appelées à éduquer les enfants qu'elles mettent au monde. À travers ce rôle d'éducatrice, s'inscrit la mission de transmettre le sens moral aux générations présente et future.

> *La femme a une mission moralisatrice, et c'est logique puisque par elle se perpétue l'humanité. Elle est l'éducatrice-née du genre humain.* (A Goutay, *La mission de la femme,* B.P., septembre 1935, p. 13).

Un rôle capital est donc dévolu aux mères, car elles sont responsables du maintien et de la sauvegarde de la morale. Elles portent toutes seules la responsabilité du bon ou du mauvais fonctionnement de la famille.[10]

Conséquemment les femmes doivent avoir toutes les qualités, exercer entre autre un apostolat auprès de leur mari; elles devront faire preuve de douceur et de résignation (Courchesne, III, 19 mars 1941, p. 27). Puisqu'elles sont considérées comme les grandes responsables de la qualité morale de la famille, les évêques insisteront à plusieurs reprises avec vigueur pour que les femmes aient un grand respect de la pudeur, qu'elles soient très modestes dans leur habillement[11], et très tempérantes dans l'usage de la cigarette et de l'alcool[12].

Le troisième Congrès international de la mère, tenu à Paris du 26 avril au 2 mai 1947, a loué le rôle primordial des mères dans l'accroissement et la transmission des valeurs morales et spirituelles:

> *La Mère se place au 1er rang des artisans de Progrès Humain. Elle y travaille notamment en accroissant les valeurs morales et spirituelles sans lesquelles toute civilisation aboutit à l'avilissement de la personne humaine prise comme moyen et non comme fin. Collaboratrice du père pour l'oeuvre de procréation, la Mère participe également dans les desseins providentiels à la tâche éducatrice qui complète l'oeuvre créatrice*[13].

Du courage à la soumission

La lecture des numéros de *La Bonne Parole* nous signale plusieurs autres valeurs que les mères doivent incarner. Elles sont invitées à faire preuve de courage à travers toutes les situations sociales, soit en temps de guerre ou au moment des revendications pour un nouveau Code civil[14]. La soumission doit faire partie de la panoplie de vertus qu'elles doivent posséder, spécialement parce qu'elles appartiennent à une société hiérarchique dans laquelle elles sont second violon; "Mais deux volontés fortes en présence n'est-ce pas presque inévitablement le conflit? Et que devient pratiquement le devoir de soumission qui, en fin de compte, aujourd'hui comme hier, incombe à la femme?" (Mgr Baudrillart)[15].

Patriotisme

Une vertu non moins importante a été fortement rappelée par *La Bonne Parole*, journal de la Fédération nationale Saint-Jean-Baptiste, une fédération nationaliste. Les mères ont été effectivement sollicitées à apporter leur concours précieux, si ce n'est irremplaçable, dans la formation d'une nation, d'un peuple ou d'une race, les Canadiens français se percevant comme une race. Les enfants qu'elles mettent au monde, en grand nombre (en ce temps-là!) constituent une ressource essentielle pour le pays: elles fournissent des bras pour secourir la patrie et des poitrines pour la défendre[16]. Elles contribuent ainsi par la nombreuse descendance à sauvegarder la langue et la foi, valeurs qui ont été si fondamentales dans l'histoire canadienne-française.

> *C'est à la femme canadienne-française que nous devons ce que nous avons de meilleur et ce que le voisin nous envie le plus: la famille nombreuse, robuste, attachée au sol, fidèle à sa langue, à sa foi et conservant fièrement le culte des aïeux, l'amour de la vieille mère patrie.* (Honorable A. Taschereau)[17].

Cette première partie de l'étude fait voir que l'Église catholique au Québec a enseigné aux femmes dans la première moitié du XXe siècle un système de valeurs morales bien précis. Ce système est essentiellement transmis par les autorités ecclésiastiques, évêques et prêtres; il est ainsi véhiculé dans toute la société québécoise qui est contrôlée par l'enseignement ecclésial. Ainsi, la revue *La Bonne Parole*, dirigée par des femmes et poursuivant des objectifs d'évolution pour les femmes, a souscrit aux principes de cet enseignement.

Le système de valeurs morales prescrit un modèle bien concret, celui de la mère, qui s'inscrit dans un Ordre social chrétien. Cet ordre s'appuie sur les données de la nature qui doivent être respectées pour que l'harmonie règne. La nature a fixé chez les êtres humains une différence sexuelle qui affecte la répartition des dons, des aptitudes et des facultés diverses chez l'homme et chez la femme. Cette différenciation sexuelle crée de soi une hiérarchie naturelle, où l'homme est défini comme plus apte à exercer l'autorité et à tenir les rênes du commandement. Les femmes sont ainsi situées dans une dépendance dite naturelle[18].

Le modèle ne s'applique pas uniquement aux femmes mariées; il est aussi valable pour les religieuses au plus grand nombre desquelles sont confiées "des tâches précisément maternelles comme sont l'éducation des enfants, le soin des malades, le secours aux pauvres[19]", et qui sont soumises à la hiérarchisation des tâches dans les structures de l'Église elle-même.

L'imposition de ce modèle aux femmes est de plus en plus démasquée depuis plus d'une décennie par les femmes elles-mêmes[20]. Par exemple, Colette Moreux qui a mené en 1963 une enquête auprès de la population féminine de Saint-Pierre sur les bords du Richelieu, a remarqué "le climat autoritariste dans lequel la majorité de ses informatrices ont été élevées". Elle a constaté "un style de vie commun, une façon semblable d'être et de penser". Elle a souligné "l'absence d'intériorisation des règles morales exprimant le manque d'autonomie des consciences individuelles, la vulnérabilité au modernisme, le besoin de référence continuelle à un absolu extérieur, à une autorité personnelle." Conséquemment elle a diagnostiqué que l'Église au Québec "est responsable du retard de la maturation psychologique et morale[21]".

Valeurs morales remises en question

Autour des années 70, la Révolution tranquille ayant confirmé le changement des mentalités dans presque tous les domaines, la condition des femmes bénéficiera également de ce climat de transformations culturelles importantes. Dans cette deuxième partie, je me référerai à quelques textes des épiscopats québécois et canadien, puis j'utiliserai l'ensemble des parutions d'un journal féministe radical, *Les Têtes de Pioche* (1976-79), qui exprime fortement la remise en question des valeurs morales prônées par une société traditionnelle.

— Modification dans la pensée de l'Église

Les énoncés catégoriques et assurés de l'Église catholique pendant la première moitié du XXe siècle, perdent du terrain devant l'observation de nouvelles attitudes sociales. La lettre de l'épiscopat du Québec, sur *La Famille*, à l'occasion de Chantier 75, fait le constat suivant:

> *Il fut au Québec une époque, - encore assez proche de nous - où il allait de soi d'affirmer que la famille est nécessaire tant pour*

> *les individus que pour la société.* [...]
> *Les temps ont changé. Sous l'influence de l'industrialisation et de l'urbanisation massive qu'elle a entraînée, le modèle de la famille traditionnelle a perdu de l'importance.* (par. 1 et 2).

Dans ce contexte de changement de la famille, les rôles respectifs des parents et des enfants si clairement délimités auparavant sont modifiés et moins strictement définis. Les évêques du Québec conviennent que l'évolution est davantage marquée pour les femmes, en raison de leur importante entrée sur le marché du travail. Ils soulignent fortement les effets de contrainte du travail à l'endroit des femmes et les répercussions sur la vie familiale, comme si le "salut" de la famille ne reposait que sur les épaules des mères.

> *À moins que le père ne partage les besognes de la maison - ce qui marque l'entrée du père dans un nouveau rôle familial -, la "reine du foyer" risque de n'être qu'une femme fatiguée, épuisée, agressive ou déprimée, animée du sentiment de n'être qu'une citoyenne de seconde zone. Ce qui n'est pas sans conséquence grave sur le climat général de la famille.* (par. 2)

Les femmes sont, par ailleurs, présentées, dans les textes des épiscopats tant canadien que québécois comme des êtres ballottés par les changements, à la fois séduites et annihilées par eux, et surtout sans aucune prise sur eux: "assaillie et frustrée par une publicité aussi agressive que séductrice" (par. 2). Dans la même veine, l'épiscopat canadien, dans son document de travail préparatoire au synode sur la famille, évalue que le processus de libération de la femme est nécessaire, mais qu'il a des effets plutôt négatifs pour les femmes:

> *Le processus de libération de la femme, même s'il est perçu comme nécessaire et poursuit d'authentiques objectifs, souffre de nombreuses ambiguïtés: danger de nombrilisme et tendance à percevoir l'autre (le mâle) comme un ennemi potentiel. La première et véritable libération, c'est avant tout celle de la personne, une conversion profonde de soi pour harmoniser sa pensée et son agir. C'est le retour à l'unité*[22].

Ainsi, l'on ramène le plan collectif au plan individuel, où tout semble si facilement conciliable. Que veut-on signifier par "retour à l'unité"?

L'Église catholique qui se définit, elle aussi, comme mère veut protéger les femmes qu'elle semble concevoir comme des êtres faibles, facilement tentés, livrés à tous les vents de la société de consommation. Elle se doit de continuer à les entourer de soins et à sauver ainsi l'humanité de la catastrophe. Car si les femmes contrôlent excessivement la descendance et même la refusent par l'avortement, les sociétés sont touchées dans leurs bases vitales. Pendant ce temps-là, les hommes peuvent poursuivre leurs fonctions dans la vie économique, politique, comme s'ils étaient dégagés de leurs implications dans la transmission de la vie.

L'Église catholique se situe donc dans une position ambiguë: elle veut favoriser la promotion sociale de la femme, mais en même temps elle craint que les femmes-mères qui occupent des emplois ne négligent le soin des enfants, une tâche qu'elle confie encore exclusivement aux femmes.

> *Le Concile insiste sur le fait que les enfants, surtout les petits, ont besoin des soins de leur mère à la maison. Le rôle de la femme à la maison doit donc être préservé, "sans toutefois négliger", dit le Concile, "la légitime promotion sociale de la femme".* (G.S. *52, 1)*[23].

Toutefois, il faut noter une modification importante: l'Église refuse, avec les textes conciliaires, "de faire de la vocation de la femme au foyer un principe de morale absolu[24]". De plus, le message du Comité des affaires sociales de l'Assemblée des Evêques du Québec à l'occasion du 1er mai 1984, intitulé *Les femmes et l'emploi. Égales*, manifeste un intérêt sans réserve aux conditions du travail des femmes. Le premier paragraphe du texte confirme avec clarté:

> *Nous désirons cette année reconnaître plus particulièrement le droit des femmes d'exercer un travail qui leur permette d'assurer adéquatement leur autonomie financière, de participer au développement collectif et de se réaliser humainement.*

— Contestation par les féministes

À partir de la décennie 70, les revendications des féministes se font plus virulentes en même temps que plus globales. Elles s'attaquent au "système séculaire de domination nommé patriarcat[25]". Les revues, *Québécoise Deboutte!* (1972-74) et *Les Têtes de Pioche* (1976-79) manifestent une volonté claire de remettre en question tout principe, toute valeur, toute norme d'une société traditionnelle, qui sont imposés aux femmes, de l'extérieur et souvent à l'encontre des expériences des femmes. La voie (voix) que les femmes féministes veulent utiliser: "c'est de partir de leur quotidien[26]". et de bannir tout ce qui n'exprime pas cette autodétermination. Dans cette révision totale, les valeurs morales proposées par l'Église seront notablement sabordées. Le journal *Les Têtes de Pioche* sera le document de base pour manifester cette contestation.

Dénonciation d'une morale

La première découverte que les femmes qui deviennent féministes constatent, c'est qu'elles doivent changer leurs valeurs, d'abord en elles-mêmes[27]. Elles prennent conscience qu'un modèle leur a été imposé, un modèle que les générations antérieures et présentes ont accepté avec beaucoup de soumission.

> *Durant toutes ces années j'ai vécu avec toi, à tes côtés sans me douter ce qu'il y avait de résignation, d'acceptation d'une morale, d'une manière de vivre que tu n'avais pas choisi,* [*sic*] *qui t'avait été imposé* [*sic*] *depuis toujours et contre laquelle tu ne pouvais pas te défendre.* [...]
> *Toutes les femmes autour de toi, vivaient comme toi, soumises, résignées, sans voix pour se faire entendre, sans personne pour comprendre*[28].

Et ce modèle ne permettait pas de rejoindre ni de laisser émerger tout leur potentiel de femme. Bien plus, les femmes devenues conscientes découvrent avec indignation comment elles n'ont pas existé dans l'histoire, comment elles ont été maintenues invisibles[29].

Contre le mythe du matriarcat

Pourtant au Québec, les "gens bien-pensants", diront *Les Têtes de Pioche*, ont fait croire aux femmes qu'elles jouissaient d'un "immense" "pouvoir", parce qu'elles étaient reines et maîtresses au foyer. Dans son premier numéro, en première page, le journal féministe a analysé, démonté et dénoncé de façon magistrale ce matriarcat dont les femmes ont été affublées au Québec pour faire apparaître tout le mythisme qui l'envahit[30].

D'abord qu'en est-il de ce prétendu pouvoir? Limité au foyer, à tout ce qui l'entoure, il oblige les mères à produire le plus possible d'enfants, à accomplir assidûment les mille et une tâches quotidiennes, sans s'inquiéter et surtout sans décider de ce qui se passe à l'extérieur. En effet, "au nom de cet immense pouvoir" dirigé sur leur foyer, toute forme de participation à la "vie extérieure de la cité" est interdite aux femmes. Ainsi, le matriarcat suppose la division du monde en deux: "la puissance économique et politique à l'homme qui oeuvrait à l'extérieur et le pouvoir moral et affectif, 'l'intérieur' à la femme". Conséquemment, des membres du clergé, des hommes à la parole valeureuse, étaient fort inquiets des droits que les femmes voulaient acquérir et s'efforçaient de rabaisser toutes les participations qu'elles auraient pu exercer à l'extérieur, alors qu'eux-mêmes y excellaient. Les femmes exaltées dans leur pureté, leur dignité, placées sur un piédestal, seraient prétendûment flétries par la saleté de l'arène politique. Les femmes ont fini par se rendre compte que leur pouvoir était nul et qu'elles étaient prises dans un piège, la toile des liens affectifs qu'on leur avait imposé de tisser.

Mentionnons deux autres oeuvres littéraires de femmes québécoises qui dénoncent des aspects nocifs d'une maternité survalorisée au détriment d'une acceptation de la femme comme personne à part entière: *L'Eden éclaté* d'Andrée Pilon-Quiviger:

> *Aussi les Eglises ont-elles à leur compte une part de l'angoisse des mères. Quand la collectivité, la psychologie et la religion vous renvoient le mythe de la maternité parfaite, votre peur débouche sur le plus pernicieux des "feelings": la culpabilité*[31].

Les Fées ont soif de Denise Boucher:

> *Ils glorifient mes maternités et pourtant moi ils ne peuvent pas me souffrir*[32].

Autres valeurs

Dans ce contexte de remise en question globale, *Les Têtes de Pioche* montrent la nécessité pour les femmes de laisser émerger leur agressivité et de développer leur autonomie. Alors que l'enseignement traditionnel de l'Église catholique invitait les femmes à être douces, bonnes, sereines, *Les Têtes de Pioche* les encouragent à laisser surgir la colère, à manifester l'agressivité qu'une longue période d'oppression a développée en elles. Le travail de dénonciation et de revendication que les féministes ont entrepris ne peut s'effectuer sans colère ni violence. L'agressivité est présentée comme une force salutaire, qui permettra aux femmes de laisser surgir tout leur potentiel. La société n'accepte pas qu'une femme soit agressive, car celle-ci profane les normes sacrées de douceur, de gentillesse, qui sont imposées aux femmes dès leur naissance.

> *Maudit que je suis agressive! J'suis agressive et je suis contente de l'être. Je n'ai pas toujours été comme ça, avant je me laissais*

> *marcher dessus, sans dire un mot. Voyez-vous j'étais une femme... et une femme* ne doit pas *être agressive.* [...]
>
> *Pourtant l'agressivité est utile à tout être vivant, elle lui permet de se protéger, de sauver sa vie, et dans le cas des êtres humains, elle permet au sujet de s'affirmer en tant qu'existant. Je ne parle pas de l'agressivité destructrice, mais de celle orientée dans le sens de ne pas se laisser écraser par l'entourage: individu(s), société, règles, normes ou lois répressives*[33].

L'agressivité des femmes se déploie dans le but d'obtenir une reconnaissance explicite de leur identité, de pouvoir agir en fonction d'elles-mêmes et non plus selon les diktats de la loi du Père et des pères. Il s'agit de la recherche de leur autonomie, qui est une longue et pénible conquête après des millénaires de répression, de réduction au rôle domestique.

Les années 70 marquent définitivement la fin d'une imposition claire et directive du modèle de la mère et des valeurs morales qui y étaient reliées. L'enseignement de l'Église catholique laisse entrevoir une démarcation avec le passé et une certaine ouverture sur de nouveaux horizons pour les femmes. Du côté des féministes, le ton est définitivement dur et sévère contre une morale non désirée et asservissante. Le journal *Les Têtes de Pioche* veut en finir avec le mythe du matriarcat au Québec, cette idéalisation du pouvoir des mères qui se limitait au monde intérieur des cuisines sans une prise réelle sur la vie sociale et politique. Il mise sur des valeurs telles que l'agressivité et l'autonomie, afin de laisser émerger le potentiel polyvalent des femmes.

Conclusion

> *La morale* n'appartient à personne, *ni à l'Eglise envisagée tant dans ses instances hiérarchiques que comme communauté de croyants, ni à l'État et au peuple, ni à un groupe social déterminé ni à l'individu pris comme tel et quel que puisse être éventuellement le rayonnement moral de sa personnalité* [...]. *La morale est le bien de tous et de chacun, non pas au sens qu'elle en serait la possession et la propriété, mais qu'elle est une dimension constitutive de l'humanité même de l'homme*[34].

L'étude des valeurs morales vécues par les femmes au Québec au XXe siècle a permis de déceler un changement dans le processus d'élaboration des morales. D'une morale imposée par un système autoritaire tel qu'est l'Église catholique, nous sommes passés à la contestation de cette morale et à l'émergence de morales à partir du vécu des personnes ou des groupes concernés. D'une morale figée, monolithique, nous assistons à l'éclatement des consensus éthiques et à une polarisation autour de nouvelles valeurs. Certains et certaines pourront penser que l'éclatement signifie anéantissement; au contraire, l'éclatement semble indiquer un surgissement de vie. L'Église catholique, dans ses structures hiérarchiques, gagnera à ne pas réagir trop rapidement à ce déballement et à laisser se confirmer les lignes vitales qui proviennent des personnes concernées. La vie ne crée-t-elle pas et ne porte-t-elle pas ses propres dynamismes?

Épilogue

Marta Danylewycz, historienne, professeure à l'Université York de Toronto, a agi comme répondante. Ayant elle-même rédigé une thèse doctorale sur deux communautés religieuses féminines de Montréal à la fin du XIXe siècle, elle connaît bien la société québécoise et la situation des femmes au Québec. Elle a apprécié de façon très positive la communication présentée. Elle a fait remarquer qu'une étude des pratiques qui pourrait être faite avantageusement par des spécialistes en histoire et en sociologie permettrait d'évaluer s'il y a eu un décalage entre les écrits et le vécu. Le rapport entre la morale prescrite et la morale vécue demeure à vérifier.

Monique Dumais
Département de sciences religieuses
Université du Québec à Rimouski

Notes

1. Commission d'Étude sur les laïcs et l'Église, *L'Église du Québec: un héritage, un projet.* Montréal, Fides, 1971, p. 33.
2. *Les cinq Semaines Sociales du Canada* (*S.S.*) retenues sont: la IVe session, donnée à Montréal, en 1923: "la famille cellule sociale"; la XIe session, donnée à Montréal en 1932; "l'ordre social chrétien"; la XVIIe session, donnée à Nicolet en 1940: "le chrétien dans la famille et la nation"; la XXVIIe session donnée à Nicolet en 1950: "Le foyer, base de la société"; la XXXVIe session, donnée à Québec en 1959: "Mission et Droits de la famille".
3. *Mandements et circulaires* de Mgr Georges COURCHESNE, archevêque de Rimouski de 1928 à 1950, 5 vol.; *Mandements et circulaires* de Mgr Charles-Eugène PARENT, du même diocèse, de 1951 à 1967, 3 vol.

4. *Écoles de Bonheur*, (*E.B.*), cinquante-neuf numéros publiés d'avril 1956 à juin 1965. Ces bulletins permettent de saisir principalement la pensée de Mgr Albert Tessier, le grand instigateur des Instituts familiaux et des Écoles moyennes familiales du Québec.
5. *La Bonne Parole*, (*B.P.*), publiée de mars 1913 à 1958.
6. Paroles de Pie XII, citées par Stanislas de LESTAPIS, s.j., dans *Écoles de bonheur*, 28 (novembre 1960), p. 9.
7. "Or ce féminisme, il est réprouvé par la nature et par Dieu même, parce qu'il détourne la femme de sa voie, de son rôle, de sa mission de mère, d'éducatrice, et de maîtresse du foyer". "Et tout ce qui porte atteinte à la maternité, comme disait l'abbé Charles Antoine, à la Semaine Sociale de Limoges (1912), est par nature anti-social". "Et les aspirations féministes doivent être condamnées dans la mesure où elles éloignent la femme de son rôle au foyer". Abbé GAGNON, Cyrille. *Semaines Sociales du Canada*, Montréal, 1923, p. 36.
Il faut aussi noter ici l'éloquent réquisitoire de Mgr Louis-Adolphe Paquet contre le féminisme: "Le féminisme", *Études et Appréciations. Nouveaux Mélanges canadiens*, Québec, Imprimerie franciscaine missionnaire, 1919, pp. 3-43.
8. Cf. P. VILLENEUVE, Rodrigue, o.m.i., *Semaines Sociales du Canada*, Montréal, 1923, p. 55, R.P. GUINDON, Henri, s.m.m., *Semaines Sociales du Canada*, Nicolet, 1950, pp. 274-275; Mme HAMEL, "Etudes pédagogiques" *La Bonne Parole*, mars 1927, p. 11; Anonyme, "Régie interne de la maison", *La Bonne Parole*, juillet-août 1927.
9. Pour un inventaire des textes de *La Bonne Parole*, voir DUMAIS, Monique, *La mère dans la société québécoise. Étude éthique d'un modèle à partir de deux journaux féministes: La Bonne Parole (1913-1958) et Les Têtes de Pioche (1976-1979)*. Les documents de l'ICRAF no 5, Ottawa, Institut canadien de recherches pour l'avancement de la femme, 1983.
10. *Ibidem*, pp. 27-29.
11. COURCHESNE, III (15 janvier 1942), p. 105; III (10 novembre 1944), p. 73; IV (19 août 1944), pp. 117-118; V (20 décembre 1947), p. 128; PARENT, I (30 septembre 1952), p. 333; II (1er mai 1956), pp. 60-61; III (4 avril 1962), pp. 371-376., cf. DUMAIS, Monique, "Jalons pour une réflexion éthique sur le modèle de la mère dans la société québécoise (1940-1970)", *Les Cahiers éthicologiques de l'UQAR*, no 4 (décembre 1981), pp. 49-66.
12. COURCHESNE, IV (25 novembre 1943), p. 56; PARENT, I (30 septembre 1952), p. 333.
13. "Congrès international de 'La mère', *La Bonne Parole*, octobre 1947, p. 7.
14. Cf. *La mère dans la société québécoise...*, pp. 29-30.
15. Mgr BAUDRILLART, "Aux mariés de demain", *La Bonne Parole*, décembre 1928, p. 13.
16. BROSSEAU, J.-A.-M., ptre, "Conférence sur le dévouement", *La Bonne Parole*, juin 1916, p. 6.
17. Hon. TASCHEREAU, A. "De l'influence de la femme sur nos destinées nationales", *La Bonne Parole*, mai 1921, p. 7.
18. Cf. Mgr PAQUET, L.-A., *op. cit.*, pp. 23-24. L'auteur s'inspire de Thomas d'Aquin, *Somme Théologique*, 1, q. XCII, art. 1 ad 2.
19. Soeur GÉRIN-LAJOIE, "Le retour de la mère au foyer", *Semaines Sociales du Canada*, 1932, p. 194.
20. L'introduction de Nicole THIVIERGE, dans *Écoles ménagères et Instituts familiaux: un modèle féminin traditionnel*. Québec, Institut québécois de recherche sur la culture,

1979, pp. 19-30, fait bien la critique du modèle imposé aux femmes.

21. MOREUX, Colette. *Fin d'une religion?* Montréal, Les Presses de l'Université de Montréal, 1969, pp. 405-406.
22. C.E.C.C., *Le mariage et la famille*, Ottawa, juin 1980, p. 70.
23. *Ibidem*, p. 112.
24. *Ibidem*, p. 113.
25. SAINT-JEAN, Armande, "Préface", *Les Têtes de Pioche*. Collection complète. Montréal, Les Éditions du remue-ménage, 1980, p. 5.
26. *Les Têtes de Pioche*, "Éditorial", mars 1976, p. 2.
27. Cf. BROSSARD, Nicole. "Féminisme ou lutte spécifique des femmes," *Les Têtes de Pioche*, mars 1976, p. 4.
28. RIOUX, Eliette. "Je ne peux pas... tout dire", *Les Têtes de Pioche*, avril 1976, p. 4.
29. RIOUX, Eliette. "Histoire invisible", *Les Têtes de Pioche*, février 1977, pp. 4-5.
30. JEAN, Michèle, et THÉORET, France. "Le matriarcat québécois analysé par les reines du foyer", *Les Têtes de Pioche*, mars 1976, pp. 1, 3 et 8.
31. PILON QUIVIGER, Andrée. *L'éden éclaté*. Montréal, Léméac, 1981, p. 16.
32. BOUCHER, Denise. *Les fées ont soif*. Montréal, Intermède, 1978, p. 84.
33. RIOUX, Eliette. "L'agressivité", *Les Têtes de Pioche*, mars 1977, p. 7.
34. SIMON, René. "La Morale appartient-elle à l'Église?" *Jésus*, no 24 (mars 1980), p. 6.

Chapter
Chapitre 3

Religion and Cultural Identities/ Religion et identités culturelles

CORNELIUS J. JAENEN

Amerindian Responses to French Missionary Intrusion, 1611-1760: A Categorization

Cette étude tente de démontrer que les cultures française et amérindienne se sont affrontées en tant qu'entités et que, dès lors, la conversion des individus supposait beaucoup plus qu'une révision superficielle des convictions personnelles. Les missionnaires ont généralement cherché à unir conversion religieuse et transformation culturelle. À Rome, à la congrégation de la Propagande, on était d'avis que ces deux objectifs devaient être poursuivis simultanément. Mais ici, dans les missions, ceux qui croyaient au principe d'adaptation aux cultures étrangères ont accordé la priorité à la conversion religieuse.

En faisant appel aux concepts familiers de contre-innovation et de syncrétisme, on peut classer les réactions des autochtones en deux grandes catégories, l'une essentiellement négative, l'autre essentiellement positive. Les réponses négatives allaient de l'hostilité agressive constituant la réaction la plus outrée, au rejet méprisant, et de l'indifférence au rejet dualiste. Le dualisme concevait un univers divisé avec un présent et un au-delà pour les Européens et un autre pour les Amérindiens. Chaque culture devrait préserver ses propres croyances ainsi que ses pratiques sociales et religieuses. Nous pouvons identifier quatre types de réponses positives: l'acceptation dualiste, le dimorphisme religieux, le syncrétisme et la regénération radicale. Le dimorphisme religieux était l'acceptation simultanée de la religion traditionnelle, de la nouvelle religion et de leur structure interne respective; selon les besoins et les circonstances on se réclamait de l'une ou de l'autre. Les missionnaires reconnurent que les catholiques français vivaient eux aussi avec des valeurs et des croyances internes conflictuelles et que, tout en révélant l'enseignement de l'Église et en observant le rituel, ils se sont aussi comportés à quelques reprises d'une façon qui contredisait la foi qu'ils professaient. Le syncrétisme diffère du dimorphisme en ce qu'il représente une fusion d'éléments de chaque système de croyance en une «religion» nouvelle et différente. Le syncrétisme a permis à la culture autochtone de survivre sous l'aile protectrice du catholicisme. Finalement, bon nombre de convertis ont subi une transformation religieuse qui pourrait être définie comme une regénération radicale. Ils ont renoncé à leur ancienne culture comme faisant partie de leur passé de pécheurs et ont été identifiés dans plusieurs cas comme des «Français», alors que dans d'autres cas, même les missionnaires les considéraient comme des fanatiques et des mystiques. Les puristes considèrent probablement cette dernière catégorie comme étant la seule «expérience de conversion réelle». Il est probable que le dimorphisme décrit le mieux l'expérience des convertis autochtones, et que le syncrétisme définisse davantage une adaptation sociale plutôt qu'un changement individuel.

The Amerindians responded in a great variety of ways to French missionary intrusion in the seventeenth and eighteenth centuries. These responses, at both a collective and individual level, depended upon a number of social, economic, and military factors, as well as a variety of temporal and spatial considerations. A brief presentation can only aspire, therefore, to enumerate what would appear to have been the dominant types of responses. Before proposing a categorization, two preliminary observations should be made.

First, evangelization was a European intrusion into integrated Amerindian societies in which spiritual values were diffused throughout native cultures. By challenging native belief systems the missionaries necessarily brought into question the whole social fabric of Amerindian cultures. Although the French phrase coined in the sixteenth century to describe a state of "savagery" devoid of "civility" - *ni foi, ni roi, ni loi* - included a concept of native society which was never entirely superseded, there was a gradual admission that Amerindians possessed some religious notions and practices. By the eighteenth century, some Jesuits even employed the figurist thesis to explain Iroquoian religion as a degenerate survival of God's original revelation to primitive humanity.

Secondly, the Amerindians could not respond to missionary intrusion as an isolated challenge because Catholicism was inextricably related to French trade, military commitments and cultural assumptions. Hence, they responded to a French Catholic conglomerate or complex, which incorporated a variety of economic, social and political values and assumptions as well as moral, religious and spiritual values and assumptions. The challenge offered to Amerindian societies came not from a form of pristine Christianity but from French post-Tridentine Catholicism as propogated by missionaries and their associates whose biases and practices ranged somewhere within the boundaries of accepted orthodoxy. The Jesuits, for example, who were noted for their principle of accomodation to foreign cultures (a principle which became known as cultural relativism), still held to a parallel need to alter in some degree the very structures of primitive society, to introduce domestic values, agricultural techniques, a more serviceable political system, formal schooling, and the like. Native peoples' reactions, therefore, were not simply to a new theology but to a new belief system embedded in a radically different social organization.[1]

A great debate among French clergy and laity revolved around the emphasis to be accorded *francisation* as an aspect of conversion. It was assumed that culture, not nature, distinguished Amerindians from Europeans, although there were lingering doubts about native nature from time to time. Father Gabriel Marest stated the case for cultural transformation as the necessary preliminary:

> *Nothing is more difficult than the conversion of these Natives; it is a miracle of the Lord's mercy. It is necessary first to transform them into men, afterwards to labour to make them Christians.*[2]

This was largely an argument over precedence, not objectives. Both religious conversion and cultural transformation were desired and believed to be ultimately essential. The debate revolved about which aspect should be accorded priority and the greatest initial emphasis. The missionaries, by virtue of their special role, represented an integrated cultural system. They formed a sort of sub-culture because they were more rigorous, learned and dogmatic than the majority of their contemporaries. They were aggressive purveyors of a new and supposedly superior way of life, individuals whose purpose was to remake individuals and a whole society in the image of their ideal.[3] This was part of so-called missionary intrusion with which Amerindians had to come to terms.

For the sake of convenience and clarity one can divide the spectrum of Amerindian responses into eight categories, four of which could be termed negative and four of which could be called positive responses. The historical literature already deals with concepts of syncretism and revitalization cults. In *Friend and Foe* the concept of counter-innovative techniques was also employed. These concepts will reappear in the present classification. More important, a new model will be proposed to identify a compartmentalized dualistic adhesion to both the tenets of the "new religion," i.e. Catholicism, and the traditional native belief system. Tentatively, this category or response has been called *religious dimorphism*.

★★★

The most negative response to missions was embodied in the charge that Catholic priests practiced sorcery and witchcraft, that they enlisted supernatural forces to bring famines, storms, epidemics and military defeats to bear on those who resisted their propaganda, and that they sought to undermine the effectiveness of the shamans, who were healers, intercessors and diviners. Such an aggressive response to missionary work resulted in good measure from the accusation made by frustrated Catholics that Amerindian religion consisted of shamanism, rather than animism, which was a form of Satanism. Priest and shaman were soon in competition not only for native minds and souls, but also in performing miracles, warding off evil, invoking good fortune and success, explaining daily events and abnormal occurrences. In dress, habits, behaviour and pursuits the missionary was unlike other Frenchmen; he appeared (and wished to appear) as an individual possessing mysterious powers.

Mother Marie de l'Incarnation, superior of the Ursulines at Québec who kept well informed about colonial events, told a correspondent that among the Huron Confederacy the Jesuits were meeting stiff resistance in the 1640s and that at one point they were "within inches of death". She reported:

They were on the dock as criminals in a council of savages. The fires were lit closer to each other than usual, and they seemed to be so only for them, for they were esteemed convicted of witchcraft, and of having poisoned the air which caused the pestilence throughout the country. What put the Fathers in extreme peril was that the Savages were as it were convinced that these misfortunes would cease with their death.[4]

An old woman testified before the council of the Huron Confederacy that the Black Robes "make us die by their spells" and spread death as they travelled two by two from village to village.

Do you not see that when they move their lips, what they call prayers, those are so many spells that come forth from their mouths? It is the same when they read in their books. Besides, in their cabins they have large pieces of wood (they are guns) with which they make noise and spread their magic everywhere. If they are not promptly put to death, they will complete their ruin of the country, so that there will remain neither small nor great.[5]

Similar conclusions were reached among the Onondagas three decades later. The missionary Coquart was met with terror by many of the Assiniboines in the eighteenth century, although they had had previous contact with French traders.[6]

This conviction that Catholicism brought death and disaster was not restricted to shamans, councillors and influential matrons. In its extreme form it might manifest itself through some counter-innovative technique. During an epidemic of smallpox, a young Huron fisherman had a visitation dream in which Iouskeha, a twin son of the mother of man king who sought to do good for humanity, advised the tribes in their distress. In order to counter the teachings of the missionaries he claimed to be "the true Jesus" who would restore health and prosperity if they returned to the old ways:

I am the one whom the French wrongly call Jesus, but they do not know me. I have pity on your country, which I have taken under my protection; I come to teach you both the reasons and the remedies for your fortune. It is the strangers who alone are the cause of it; they now travel two by two through the country, with the design of spreading the disease everywhere.[7]

If this technique of a selective use of European religious beliefs and practices gained a significant following it could become institutionalized in a reformed native traditional belief system and ritualism, such as the religion of the Delaware prophet or Handsome Lake's teachings, in what is called a revitalization cult.[8]

The remedy proposed was to destroy the missionaries or to drive them out, a response not unlike the Catholic approach to demonism and witchcraft. If carried out, the pagan resistors would have produced a number of Christian martyrs. However, this did not occur. Witchcraft was punishable by death among many Amerindian nations, but religious belief was not. Those missionaries officially recognized by the church as martyrs, and an equal number whose violent deaths in the missions have not been so honoured, were not put to death because of their Christian beliefs. They were all put to death as Frenchmen during the course of inter-tribal war, raiding expeditions, international conflicts, or pillage and robbery. The Amerindians did not become religious persecutors to that degree, although missionary propaganda found it useful to present the facts in such a light. The observation of Father Joseph Le Caron, one of the Recollets who were the first missionaries to go to the Huron country, seems both precise and accurate on this matter. He wrote:

> *No one must come here in hopes of suffering martyrdom...for we are not in a country where natives put Christians to death on account of their religion. They leave every one in his own belief.*[9]

A second category of response was hostile and derisive rejection without overt aggressiveness. The fortunes of the Jesuit missions among the Five Nations seem to have fluctuated with the fortunes of war of that Confederacy. Jesuits were accepted in 1667 as "hostages" in the traditional native framework of pledges and exchanges to guarantee peace terms. Traditionalists began to win back Christian converts as the Iroquois war fortunes improved. Father Carheil said of the Cayugas in 1672 that "there is nothing more inimical to our Missions than the victories that these people gain over their enemies because by these victories they are made insolent." On the other hand, in his judgment, "there is nothing more desirable for the advancement of Christianity in this country than the humiliation of these spirits."[10]

Two classes seem to have offered the best organized resistance. First, the southern tribes which had a more institutionalized form of religion, including temples, priesthood, and often sun-worship and human sacrifices, generally succeeded in impeding evangelization. For example, the abbé Nicolas Foucault was unable to make any converts among the

Arkansas, the Tunicas were described as "so close-mouthed as to all the mysteries of their religion that the missionary could not discover anything about it," and when the abbé Marc Bergier died in misery at his mission station in 1707, it was regarded as a triumph for the "medicine men" who had always resisted him successfully. His death was seen by the traditionalists as a final triumph for them, so they gathered around the cross he had set up in the village, sang and danced, and "invoked their Manitou."[11]

It has been pointed out in the historical literature that women, particularly among Algonkian hunting bands, often resisted conversion more than the men. This was in part because the missionaries came with their own European biases about the role of women and the division of labour. The tendency to see women in subservient roles was reinforced by what they observed in a number of native cultures, although they also noticed with disapproval the role of women in influencing certain tribal councils, the control of food supplies, the education of the young, and sexual behaviour. Algonkian women seem to have been less disposed to convert than their menfolk because it involved a diminution in their status, putting them under the authority of males; the missionaries were also interfering with their role as educators of the children and transmitters of much of the culture. The men engaged in the fur trade and hunting were more likely to see advantages in adopting the religion of the French. Angry women sometimes verbally abused and ridiculed the missionaries, their converts, and those who gave them a hearing or spoke in their defence. Even the *Jesuit Relations*, which to a degree were a form of religious propaganda, offer many examples of such behaviour. Some suggested that by accepting the "new religion" the men would break their compact with the "keepers of the game" and their hunts would be unproductive. On the reserve at Sillery in 1640, when zealous male converts who had been elected "captains" under missionary guidance began to impose a rigorous Catholic discipline and administer physical punishment to offenders, women were among the chief resisters. The elders consulted the missionary, for example, to pursue a disobedient runaway and "chain her by one foot" in order to return her to her husband. Lahontan reported that the women did not take kindly to a missionary suggestion that "a fire is kindled in the other world" to torment them for their resistance. He said the men thought it was admirable, but the women replied "in a deriding way" that if that were true, then "the Mountains of the other World must consist of the Ashes of souls." A missionary who met with unbelief and scorn at Sault Ste. Marie in 1669-70 and a firm determination to hold to "the old ways," identified the women as the main source of opposition: "no persons more attached to these silly customs, or more obstinate in clinging to their error, than the old women, who will not even lend an ear to our instructions."[12]

A third type of response was manifest disinterest and indifference. By ignoring the missionaries and according little importance to their preaching it was hoped to encourage them to abandon their efforts. It is not clear whether the Amerindians in general became more indifferent as time passed, but it is certain that the French enthusiasm that marked the "heroic age" of the early seventeenth century was not sustained. The examples of "bad Catholics" among the French did not help and the failure to hold the colonists unswervingly to the moral code and spiritual ideals preached to the natives raised a few accusations of discrimination. The sincerity of conversions was questioned also, as an officer at Louisbourg explained:

> *Everyone knows, that the savages are at best but slightly tinctured with it, and have little or no attachment to it, but as they find their advantage in the benefits of presents and protection it procures to them from the French government*[...][13]

Father Laure found upon visiting the Montagnais of the Saguenay in the 1720s that they had scarcely "any tincture of our Holy Religion," that the converts scarcely remembered their prayers and precepts taught by their first missionaries, that the children had "never heard it spoken about" and all the old vices had reappeared. Father Charlevoix found the Huron at Detroit equally indifferent to their former convictions. Sister Duplessis de Ste. Hélène was of the opinion that formerly there had been opposition and conversions, but in 1723 "they listen attentively to the instructions which are given them and remain inspite of it in their infidelity." In 1750, she returned to the same theme, saying:

> *...the greatest number listen to the mysteries which are preached to them as to a fairy tale which makes no impression whatever on them, the only fruit that missionaries produce in certain regions is to baptize a lot of children who die at a young age.*

She too was convinced that the soldiers and *coureurs-de-bois*, among others, did not help the Amerindians to come to a better disposition "by telling them that it is the work of a black robe to preach, but one must not be concerned by what they say."[14]

This disinterest and the comparative lack of success of Amerindian missions in the eighteenth century, especially when compared to success in other parts of the world, led to the setting of new priorities and allocation of personnel. Father Marest contrasted the hardships of "roaming through thick forests, in clambering over mountains, in paddling the canoe across lakes and rivers, to catch a single poor savage who flies from us, and whom we can tame neither by teachings or by caresses," with the Orient "where an innumerable multitude of idolators present themselves in crowds to the zeal of the missionaries." The search for new tribes to evangelize was a positive response on the part of the missionaries, but as the mission field expanded religious vocations did not keep pace. On the contrary, we have Father Aulneau's comment as he headed for the Western plains in 1735:

> *Seven or eight of our missions had lately to be suppressed for want of evangelical laborers, and there are others where there is but one missionary, and one is not enough to work with fruit. When an occasion presents itself, Reverend Father, in behalf of our missions, for though missionaries here do not find as much comfort and consolation as in many other countries, these are not wholly wanting, while they will find here more numerous occasions than elsewhere in suffering and of becoming more like their model, Jesus Christ crucified.*[15]

It would seem that a relatively poor response in North America had resulted in cut-backs, which in turn could only reduce the impact of missions and diminish the enthusiasm and zeal of the evangelical labourers.

A fourth negative response was the assertion of the existence of a dichotomous universe, with a present and hereafter designed for Europeans and another for the Amerindians. Such a reaction developed from the tendency of the two cultures to confront each other as totalities. This theory of dualism, while essentially tolerant, acknowledged that French ways and religion were best for them, but Amerindians had their own ways and beliefs which best suited them and they ought not to abandon these. As early as 1616 the missionaries in Acadia were told, "That is the Savage way of doing it. You can have your way and we will have ours; every one values his own wares." This extended to religion, many Amerindians believing that the Great Spirit had ordained two ways of life and that each people should adhere to its own traditions to insure its happiness and prosperity. Father Aulneau acknowledged that when his co-religionists "speak of Christianity to them, one of their standing reasons for not embracing it is that the Indians were not made for that religion." Just as there were two paths on earth so there were separate places for the souls of the departed. When one missionary tried to explain the last judgment and the concept of hell and eternal punishment, he was challenged:

> *This, interrupted the rascal, "tis like all the rest of your fine lies, all the souls, among our people at least, go to the same place; two of our souls came back once and told us all I have said."*

Similarily, the Recollet missionary Father Hennepin reported he had been interrupted and his teaching challenged in these terms:

> *It's well for those of your Country; but we Americans do not go to Heaven after Death. We only go to the Country of Souls, whither our People go to hunt fat Beasts, where they live in greater Tranquility*[...][16]

In this manner the Amerindians challenged the entire concept of evangelization and the attempt to convert those of different religious persuasion.

On the other hand, there was a widely circulated view that the French Catholic missions had been relatively successful, had made numerous converts, and had by this means strengthened adherence to French trading patterns and military alliances. Official state policy, to be sure, had been directed since the inception of missionary work in the colony to encouraging the evangelical labourers to rally the converts to the "French cause." Their objective should be to win subjects for the kingdoms of God and of France. The conversion and long-term attachment of Micmacs and Abenakis to Catholicism, as well as the voluntary association of the "domiciled natives" on the reserves established within the Laurentian seigneurial tract seemed to indicate a measure of achievement of these objective. Hostile British and Anglo-American sources often conceded and deplored the success of "Papist" propaganda among Amerindians, It was only to be expected that publications such as the Jesuit *Relations* and *Lettres édifiantes* should report success in order to attract financial support and religious vocations, and in order to ensure political protection. Missionaries in the field were more likely to qualify the degree of success they had attained, especially in terms of complete and permanent change of life-style, attitudes and daily cultural practices.

Just as one can identify four categories of negative responses, so it is possible to distinguish four types of positive responses. In the domain of native tolerance and avoidance of contradiction, responses which tended more to positive results than to rejection constitute a fifth category in our classification. Rooted in the tolerance that characterized native societies, it consisted of an external assent given to the "new religion" while keeping one's own inner thoughts and convictions. The social value placed on deference and detachment was interpreted by the missionaries as dissimulation and they traced its origins back to their supposedly faulty permissive child-rearing practices:

> *Dissimulation, which is natural to those Savages, and a certain spirit of acquiesence, in which the children in that country are brought up, make them assent to all that is told them; and prevent them from ever showing any opposition to the sentiments of others, even though they may know that what is said to them is not true.*[17]

Hennepin intimated it was part of a conscious antipathy to aggression: "They think every one ought to be left to his own Opinion, without being thwarted." Using the example of the negotiations with the Senecas in 1679, he indicated its implications for conversion:

> *Notwithstanding that seeming Approbation, they believe what they please and no more; and therefore 'tis impossible to know when they are really persuaded of those things you have mention'd to them, which I take to be one of the greatest Obstructions to their Conversion; For their Civility hindering them from making any Objection or contradict what is said unto them, they seem to approve of it, though perhaps they laugh at it in private, or else never bestow a Moment to reflect upon it, such being their Indifference for a future Life.*[18]

The anonymous author of *Lettres canadiennes* (c.1725) repeated the same observations. He said that one could speak of the "adorable mysteries of our Holy Religion," of miracles, of creation, of eternal punishment, and the like and one never engaged them in any debate or controversy because in all cases "they will only answer that it is admirable."[19]

Father Rasle preferred to refer to the religion of his native flock as "Prayer," or a disposition to become Christian, rather than Christianity. The problem with what has been called "institutionalized hospitality" was that the missionaries were never certain whether their converts were engaging in a superficial courtesy or an eternal committment. The "sweet converts of one day were the relapsed heathen of the next" in many cases.[20]

A sixth category is what one may call religious dimorphism, or the simultaneous assent to both the old ways and the "new religion," each compartmentalized and called upon as circumstances and needs dictated. This internalized dualism did not indicate schizophrenia because they were quite able to cope in two cultures. Probably all individuals hold beliefs which are mutually contradictory but these produce no behavioural crises so long as they remain compartmentalized. The case of the Micmacs and Abenakis, who seemed to have converted *en masse*, best illustrates this response. Their missionaries Rasle, Le Loutre and Maillard all agreed that they behaved in an unusual way because they were firmly attached to the church, its teachings and its pious practices, yet when one least expected it, one discovered they also clung to many of their traditional beliefs and customs. This was particularly true in their relationship with nature or the environment.[21]

This response troubled the missionaries because they realized that many French Catholics, like the Amerindian converts, held strongly to a set of beliefs, practiced external ceremonies and made public confession of a creed, yet in some areas of their private and public lives operated with a different set of values. The best guarantees for holding such Catholics to their religious profession was to encapsulate them in a Christian community and state. The Sorbonne theologians, when asked about specific problems concerning baptism, communion, absolution, marriage, etc., advocated the imposition of a Catholic milieu. Jesuit education aimed at teaching the young "to act as Christians" so they might become in time sincere converts. The missionary Le Maire wrote in 1717 that "nothing disciplines nations so promptly as does religion." The imposition of a Catholic society would eventually smother the dualism that persisted after conversion. He thought it had been the policy of the Romans and "that which the Spaniards observe." The theocratic ideal of the reserves or *reductions* was in line with such reasoning.[22]

Then there were those whose conversion experience has been characterized as one of syncretism, or a marrying of traditional religion with the "new religion," a fusion of elements of both to form a new belief system different from either of its progenitors. In this syncretizing of beliefs and practices the priest could stand in the place of the shaman and traditional meanings could be given to Catholic rites and dogmas, for example, so that elements of native culture survived under the protective coloration of the religion of the intruders. Although the Jesuits have been singled out most often as contributing to the emergence of a syncretic Catholicism because of their predisposition to cultural relativism, the missionaries of the seminaries of Saint Esprit and of Missions Etrangères were no less implicated.

Father Rasles confided to his brother that to make headway in his mission he had to accommodate his hearers on many points: "There was then no room for hesitation, for it is necessary to conform to their manners and customs, to the end that I might gain their confidence and win them to

Jesus Christ." The abbé Gaulin explained that Micmac, not Latin, was used in all the religious ceremonies so that they could participate and compose their own prayers and chants. This participation could get out of control, however, as had happened among the Montagnais at Tadoussac who in the absence of a missionary had said their own mass. Le Clercq reported that among the Micmacs some of the older converts "have often been seen meddling with, and affecting to perform the office and functions of missionary, even to hearing confession, like us..." The Recollet was even more disturbed that Micmac women should have taken on a spiritual role in the "new religion" which was not denied them in traditional religion:

> *It is a surprising fact that this ambition to act as the patriarch does not only prevail among the men, but even the women meddle therewith. These in usurping the quality and name of* religieuses *say certain prayers in their own fashion, and affect a manner of living more reserved than that of the commonalty of Indians, who allow themselves to be dazzled by the glamour of a false and ridiculous devotion. They look upon these women as extraordinary persons, whom they believe to hold converse, to speak familiarly, and to hold communication with the sun, which they have all adored as their divinity.*

The abbé Maillard acknowledged that the Micmacs continued to identify the Great Spirit with the sun long after their conversion. He recounted their preparations for a raid on some Malecites which began with an invocation to the sun and terminated with the setting on fire of a pile of pelts as a sacrifice, vows being made and singing and dancing following. All this by Catholics. Father Roubaud described the funeral of a Nipissing warrior (1757) who was honoured with all the traditional religious eulogies, chants and dances and then was buried with "a sufficient quantity of provisions". The missionaries resisted the liturgical use of tobacco but they did not succeed in preventing wampum being used in public confessions, the penitents holding the long strings when supposedly speaking directly to their Maker. Examples could be multiplied. Theoretically, these actions implied a debasing of Christianity (although it ought not to be forgotten that the Catholicism preached to the Amerindians was itself a syncretic religion with many elements of European and Classical paganism); practically, it provided the "new religion" with roots in aboriginal culture and so added to its stability.[23]

Finally, there were those who had been fully converted and in the words of the missionaries had become "new creatures in Christ Jesus." These had acknowledged their personal past to be sinful and their cultural heritage contrary to God's order. Conversion for them was a total renunciation of the old way of life as well as of traditional beliefs. Chief Garakontié of the Onondaga, for example, was assailed by the traditionalists because "he was no longer a man; that he had become French; that the Black Gowns had turned his head." Those who demonstrated such a radical conversion often were ridiculed, ostracized and debarred from office, hence they found life among practitioners of traditional religion exceedingly difficult. For them, the reserves of New France often became a place of refuge or haven where they could practice their new religion and where missionaries sought to shield them from the temptations of the old religion and from imperfect French Catholics.

They often became active propagators of their faith, sometimes as catechists or *dogiques.* Not a few were fanatical in the penance and mortifications they inflicted on themselves, and some were given to manifestations of religious enthusiasm. The missionaries greatly esteemed those who led saintly lives and even the colonists honoured them in death, believing their intercessions could help them. For our purposes, the outstanding trait in this response was self-depreciation. It seemed that they truly denied themselves and took up their own crosses.[24]

★★★

There has been no attempt in this brief presentation to analyse the motives for conversion; not to venture into the question of the "depth" of conversion and the indices that can be used to measure religious commitment. Instead, we have limited ourselves to a categorization of responses to missionary intrusion. Four categories have been identified as essentially negative responses; these range from regarding missionization as witchcraft, to hostile and derisive rejection, to disinterest and indifference, and finally to a "two paths" thesis which challenged the concept of evangelization. On a more positive side, four categories have been identified. First, there was a tolerant acquiesence, then an internalized dualism we have called religious dimorphism. A seventh category is the already well-known syncretic belief system, and the final category is the response of complete renunciation of the old life to become integrated wholly into a new life and new belief system. Purists may regard the eighth category as representing the only true conversion experience. Presently, we are more inclined to believe that the state of dimorphism represented the response of the greatest number of so called converts. Syncretism, in such a case, refers more to societal accommodation than to individual change.

Cornelius J. Jaenen
Department of History
University of Ottawa

Notes

1. I am indebted to Henry Warner Bowden, *American Indians and Christian Missions: Studies in Cultural Conflict* (Chicago: 1981); to Christopher Vecsey, *Traditional Ojibwa Religion and Its Historical Changes* (Philadelphia: 1983); to James Axtell "The Invasion Within," *The European and the Indian* (New York: 1981); to James Ronda, "The European Indian: Jesuit Civilization Planning in New France," *Church History* XLI (1972), among others, for the explication and confirmation of the views expressed in this paper.
2. W. I. Kip, ed. *The Early Jesuit Missions in North America* (New York: 1846), p. 194.
3. James P. Ronda, "The European Indian: Jesuit Civilization Planning in New France," *Church History*, XLI (1972): 385-386; G. Gordon Brown, "Missionaries and Cultural Diffusion," *American Journal of Sociology*, L (1944): 214; Gerardo Reichel-Dolmatoff, "Le Missionnaire face aux cultures indiennes," in Robert Jaulin, éd. *L'Ethnocide à travers les Amériques* (Paris 1972), pp. 339-355. Cornelius J. Jaenen, "Education for Francisation: The Case of New France in the Seventeenth Century," *Canadian Journal of Native Education*, XI, 1 (1983): 1-19.
4. Dom Guy Oury, *Marie de l'Incarnation, Ursuline (1599-1672). Correspondance*, (Solesmes, 1971), Letter XXX: 67-68.
5. Oury, *Marie de l'Incarnation*, Letter L: 117-118.
6. Daniel Richter, "War and Culture, The Iroquois Experience," *William and Mary Quarterly*, 3rd series, 40 (1983): 528-544; P.A.C., MG 7, I, A-2, Fonds français Mss. 131373, Coquart to Castel, 15 October 1750, pp. 46-47.
7. R.G. Thwaites, ed. *The Jesuit Relations and Allied Documents* (New York: 1959), Vol. XX: 27-29.
8. On specific revitalization religions consult C.E. Hunter, "The Delaware nativist revival of the mid-eighteenth century," *Ethnohistory*, XVIII (1971): 39-49; Anthony F.C. Wallace, *The Death and Rebirth of the Seneca* (New York: 1970); James Mooney, *The Ghost-Dance Religion and the Sioux Outbreak of 1890* (Washington, 1896); Joseph Jorgensen, *The Sun Dance Religion: Power for the Powerless* (Chicago, 1972); S.A. Barrett, *The Dream Dance of the Chippewa and Menominee Indians of Northern Wisconsin* (Milwaukee, 1911); Wayne P. Suttles, "The Plateau Prophet Dance among the Coast Salish," *Southwestern Journal of Anthropology* 13 (1957): 352-396; Jennifer Brown "The Track of Heaven: The Hudson Bay Cree Religious Movement of 1843," (unpublished paper presented to Thirteenth Algonquian Conference, October 1981).
9. B.N., Imprimés LK[12], 733, "Au Roy sur la Nouvelle-France," 1626.
10. Thwaites, *Jesuit Relations*, LI: 81; LIV: 75; LXII: 223-239.
11. A.S.Q., Lettres N: 1212, 122; Lettres 0:28, 29; Lettres R:50, 53,60,62; Paroisses diverses: 31; Polygraphie IX, 24, 27; "Journal of the Voyage of Father Gravier," in J.G. Shea, ed. *Early Voyages Up and Down the Mississippi* (Albany, 1861), pp. 134, 136, 137.

12. Thwaites, *Jesuit Relations*, XVIII: 107, 155; XX: 195-199, 217, 225; LIV: 143: R.G. Thwaites, *Baron de Lahontan: New Voyages to North America* (New York: 1905), Vol. II, p. 463.
13. Ken Donavon, ed. "A Letter from Louisbourg 1756," *Acadiensis*, X, 1 (Autumn, 1980): 118.
14. A.E. Jones, ed. *Mission du Saguenay* (Montréal, 1889), pp. 39-40; Ernest J. Lajeunesse, ed. *The Windsor Border Region. A Collection of Documents* (Toronto: 1960), p. 27; P.A.C., MG 3, Series T, Carton 77, pp. 27, 104.
15. Kip, *Early Jesuit Missions*, pp. 193-4; Arthur E. Jones, ed. *The Aulneau Collection, 1734-1745*, (Montreal: 1893), p. 35.
16. Jones, *Aulneau Collection*, p. 77; James B. Conacher, ed. *The History of Canada or New France, by Father François du Creux, S.J.*, (Toronto: 1951), Vol. I, p. 119; R.G. Thwaites, ed. *A New Discovery of a Vast Country*, Chicago: 1903), p. 577.
17. Thwaites, *Jesuit Relations*, LII: 203.
18. Louis Hennepin, *A New Discovery of a Vast Country in America*, (London: 1698), Vol. I, p. 47; Vol. II, p. 70.
19. P.A.C., MG 18, H-52, *Lettres canadiennes*, Vol. II, Letter 100.
20. Kip, *Early Jesuit Missions*, pp. 41-42; Calvin Martin, *Keepers of the Game* (Los Angeles: 1978), p. 153.
21. A.S.Q., Lettres P, No. 64, No. 65; ibid., Lettres R, No. 87; Thwaites, *Jesuit Relations*, LXVII: 88-90.
22. Mgr H. Têtu & abbé C.-O Casgrain, éds. *Mandements, lettres pastorales et circulaires des Évêques de Québec* (Québec: 1878-88), Vol. I, pp. 434-450; Thwaites, *Jesuit Relations*, LXIII: 211; P.A.C., MG 7, I, A-2, Fonds français Ms. 12, 105, p. 73.
23. Kip, *Early Jesuit Missions*, p. 27, 166-167; P.A.C., MG 3, Series K, Carton 1232, No. 4, pp. 117-120; W.F. Ganong, ed. *New Relation of Gaspesia with the Customs and Religion of the Gaspesian Indians* (Toronto: 1910), pp. 229-230; Antoine S. Maillard, *An Account of the Customs and Manners of the Micmakis and Maricheets Savage Nations* (London: 1758), pp. 25-26.
24. Thwaites, *Jesuit Relations*, XVIII: 198; XIX: 146, 150; XX: 82; XXXIII: 168; XXXIV: 183, XXXVI: 208-210; XXXIX: 286; L: 108; LII: 26, 244; LV: 270; LVII: 137-139; LXIII: 219; Jacques Bigot, *Relation de la Mission Abnaquise* (New York: 1865), pp. 8-12.

ROBERT CHOQUETTE

Religion et rapports interculturels au Canada

From the mid-nineteenth to the mid-twentieth century, the Christian churches of Canada - Protestant and Roman Catholic, anglophone and francophone-were victims of ethnocentrism.

Since the Union of the Canadas in 1841, the Roman Catholic Church was divided into two distinct francophone and anglophone communities; the first identified with the French-Canadian ethnic group, the second with those of Irish origin. With the exception of a rare few, Protestant Churches were nonexistent within French Canada. Elsewhere they dominated English Canada where, despite several quarrels between various sects and denominations, they were in agreement concerning the often racist ideologies that were current at that time in English-language countries.

Closely bound to the various socio-political movements of their respective societies, each of these Churches became very powerful among its followers and by the same token, highly resented by others who did not espouse its vision of the world. Thus they cemented the ethnocentrism of the country and often were the cause of the hatred and hostility that characterized relations between francophones and anglophones, Protestants and Catholics, in Canada.

In the following pages we will illustrate this reciprocal antipathy which lasted until the mid-twentieth century. It was only after the Second World War and especially after 1960 that each of these religious communities showed a desire to throw its assimilative, racist policy in favour of a more open approach. Since 1967, increasingly frequent and firm stances show the Christian Churches are starting to discover the gospel.

Depuis 1960 nous avons tous été témoins, et parfois participants, d'une révolution dans notre société. On nous dit et nous redit que nous sommes dans l'ère post-industrielle, ou l'ère de l'informatique, période radicalement nouvelle qui a relégué à l'histoire les années précédant 1960. Pourtant ce sont pendant ces mêmes années 1960, 1970 et 1980 que certains vieux problèmes du Canada renaissent, entre autres les problèmes entourant les rapports entre Francophones et Anglophones, que ce soit au Québec, en Ontario, au Manitoba, ou dans les couloirs du gouvernement fédéral.

Les Églises canadiennes, catholique et protestantes, ont toujours été parties prenantes dans ces débats souvent houleux entre Francophones et Anglophones. Quoi penser de ces rôles tant avant 1960, que depuis 1960, car le discours des Églises chrétiennes du Canada a drôlement changé depuis 1960?

Deux siècles de domination britannique

Nous savons que la rencontre entre les Européens et les Autochtones aux XVIIe et XVIIIe siècles n'alla pas sans heurts[1]. Tout en voulant d'abord évangéliser, le missionnaire français était aussi soucieux de "civiliser" c'est-à-dire de franciser l'indigène. Après 1760, les missionnaires britanniques, et donc surtout protestants, s'engagent sur la même voie. À la vérité ils seront davantage soucieux de "britanniser" les Autochtones que ne le seront les missionnaires franco-catholiques à la même époque, car ses derniers se méfient quelque peu du nouveau conquérant anglais et protestant. La croissance accélérée de l'immigration anglophone au Canada après 1783 et la majorité absolue de ses effectifs à la mi-XIXe siècle favorisent l'émergence d'une flambée de triomphalisme anglo-saxon, accompagné de racisme et d'idéologies intolérantes. Les Franco-catholiques du Canada seront la cible préférée de ces bigots de la mi-XIXe à la mi-XXe siècle.

Ainsi lors des élections de 1847-48 dans la circonscription de Fourth York, le candidat *tory* William Boulton avertit ses électeurs que leurs intérêts pourraient être sacrifiés aux "Français fumeurs, buveurs et mangeurs d'ail [...] qui sont étrangers par le sang, étrangers par la race et aussi ignorants que le sol qu'ils foulent[2]". *The Globe* de George Brown, reproduit à la une en 1851, un extrait d'un volume qui vient de paraître. On y lit:

> *La race caucasienne*
>
> *Depuis trois mille ans, la race caucasienne continue dans toutes les circonstances*[...]*de manifester les mêmes traits et la même prouesse indomptable. Aucune calamité de quelque ampleur*[...]*n'a pu la maintenir longtemps dans la dégradation ou la barbarie*[...]
>
> *Presque tous les grands exploits et les réalisations aussi, qui ont marqué l'histoire du monde ont été effectués par cette branche de la famille humaine. Ils ont rendu célèbre chaque âge dans lequel ils ont vécu*[...] *C'est ainsi que cette race a toujours avancé, se distinguant toujours par son énergie, son activité et sa puissance intellectuelle*[...]
>
> *La race caucasienne, à toutes les époques,*[...]*a ainsi manifesté les mêmes traits distinctifs, montrant l'existence d'une supériorité constitutionnelle innée et constante; et pourtant, dans les diverses branches, des différences subordonnées apparaissent*[...] *Parmi ces branches, nous, Anglo-Saxons nous-mêmes, réclamons pour les Anglo-Saxons la supériorité sur toutes les autres*[3].

Nous savons que suite à la pendaison de Louis Riel, le 16 novembre 1885, les passions s'échauffent. Dans un éditorial du 24 novembre 1886 *The Toronto Mail* y va d'un texte incendiaire à l'endroit des Canadiens français:

> *Sans le lien d'une même langue, la vie nationale est à toute fin pratique impossible*[...] *L'État ne devrait pas consacrer des fonds publics à l'enseignement d'une langue autre que la sienne*[...] *Les écoles de Prescott et de Russell sont des pépinières non seulement d'une langue étrangère, mais de coutumes étrangères, de sentiments étrangers et,* [...]*d'un*

> *peuple tout à fait étranger[...] Le système qui prévaut dans les écoles interdit à la jeune génération de s'élever au-dessus du niveau intellectuel de l'habitant moyen du Bas-Canada; et si ça continue, l'est de l'Ontario[...]est condamné d'ici quelques années à devenir une tache aussi sombre, sur la carte de l'intelligence que n'importe quelle partie du Québec*[4].

Ce n'est là qu'une bordée dans une longue guerre tissée de propos orduriers à l'endroit des Canadiens français. Le *Evening Telegram*, également de Toronto écrit en 1888 et 1889:

> *L'élément français est étranger en langue, en religion et en aspirations[...] Le gouvernement du Québec est la créature des prêtres[...] L'Église a conquis le Québec, et dicte aux gouvernements à Ottawa et à Toronto[...] La lutte approche*[5].
>
> *Si quelqu'un doute pour un instant qu'il y a un peuple étranger établi dans l'est de l'Ontario, il n'a qu'à visiter ces deux comtés [Prescott et Russell]. Par exemple, regardez le pays environnant le village de South Indian, un misérable petit hameau situé à quelque 25 milles au sud-est d'Ottawa[...] Le voyageur qui se retrouve à la tombée de la nuit dans ce trou abandonné par la Providence pourra bien blêmir d'effroi devant la possibilité de devoir coucher dans l'un ou l'autre des taudis qui passent pour des maisons par ici. Si les maisons elles-mêmes ne sont pas suffisamment répugnantes, un coup d'oeil en direction des habitants l'amènera sans aucun doute à prendre la clef des champs pour se loger à la belle étoile. Ces spécimens sales, graisseux et aux yeux troubles ne ressemblent d'aucune manière aux gens du centre de l'Ontario[...] Les récoltes dans les champs sont remarquablement pauvres sans doute en raison de l'ignorance de leurs propriétaires au sujet de la fertilité du sol. Dans chaque porte on aperçoit des enfants misérables et demi-nus dont les mères s'occupent à sarcler des plates-bandes d'oignons dans le jardin ou à pêcher dans le ruisseau le plus rapproché[...] C'est le pays des Français le royaume des mangeurs d'ail*[6].

L'opinion publique au Canada anglais est donc fortement marquée par la francophobie et l'anti-catholicisme en cette fin du XIXe siècle. C'est une tendance qui saura se maintenir jusqu'à la deuxième guerre mondiale. Les causes de cette francophobie et de cet anti-catholicisme sont sans doute nombreuses, et incluent entre autres l'insécurité économique, la menace d'annexion par les États-Unis, l'immigration très forte d'étrangers mais aussi la volonté ferme chez les protestants évangéliques à la fois de protestantiser et d'angliciser tous les habitants du Canada.

Dans un excellent article publié dans la revue *SR* en 1973, Keith Clifford nous montre le *Dominion* du Canada comme la version canadienne-anglaise du Royaume de Dieu pour les protestants du Canada entre la confédération de 1867 et la deuxième guerre mondiale. Il explique "la croisade pour canadianiser les immigrants en les christianisant selon les idéaux et les standards des protestants blancs anglo-saxons[7]". Ces protestants exigent que les immigrants se conforment à cette culture; sinon on veut leur interdire l'accès au pays. Clifford illustre son propos en analysant le traitement réservé aux Chinois, aux Ukrainiens et aux Mormons; il cite les paroles de divers ministres et chefs d'Églises protestantes qui sont quasi unanimes à vouloir assimiler les étrangers afin de les christianiser. Ils ne se rendront compte de l'échec de leur politique que lors de la deuxième guerre mondiale.

Les catholiques romains de langue anglaise, la grande majorité d'origine ethnique irlandaise, verseront dans le même chauvinisme à la même époque. Le catholicisme de langue anglaise au Canada devient l'armature de l'ethnocentrisme irlandais de la majorité de ses fidèles. Ayant fait leurs premières armes dans les conflits sanglants contre les Canadiens français dans l'industrie forestière du bassin de la rivière des Outaouais, les Irlandais catholiques du Canada commencent à prendre place dans les rangs de la hiérarchie de l'Église catholique dès la mi-XIXe siècle. La première escarmouche cléricale surgit dans le diocèse de Kingston en 1855, quand vingt et un prêtres catholiques pétitionnent Rome contre la nomination du Canadien français Pierre-Adolphe Pinsoneault comme évêque-fondateur du diocèse de London, Ontario[8]. En effet le clergé canadien-français et canadien-irlandais ne réussit pas souvent à s'entendre. Une méfiance réciproque est alimentée par des moeurs, des coutumes et des appartenances culturelles différentes. Ainsi Mgr Rémi Gaulin écrit à Mgr Ignace Bourget en 1840:

> *Je vous remercie beaucoup des renseignements que vous me donnez sur mes ecclésiastiques. Ces Irlandais pour la plupart sont si mal élevés chez eux qu'il est très difficile de les amener à une règle ou discipline quelconque; et il semblerait que ces gens là se croiraient dégradés s'ils obéissaient comme nous concevons que des ecclésiastiques doivent obéir surtout quand ce sont d'autres que des supérieurs de leur nation à qui ils doivent obéir*[...] *C'est une vrai misère que d'être dans la nécessité d'employer cette sorte de gens*[9].

Gaulin exprime un sentiment généralisé parmi les clercs canadiens-français qui doivent transiger avec les clercs d'origine irlandaise[10]. Les Irlandais catholiques leur remettent la monnaie de la pièce en se plaignant ouvertement de l'influence française par la voie de journaux comme *The Mirror, The New Era et The Freeman.*

Devenu évêque résidentiel de Toronto en 1860, John Lynch mène une campagne soutenue pour annexer à sa province ecclésiastique de Toronto le territoire ontarien du diocèse d'Ottawa. Presqu'à chaque année, entre 1873 et 1886, un mémoire de l'épiscopat de langue anglaise de l'Ontario est acheminé à Rome. On y invoque tous les arguments imaginables pour faire valoir la thèse annexioniste. Le refus obstiné des évêques d'Ottawa, appuyés de ceux du Québec, d'accéder à la demande torontoise, fait surgir l'hostilité des évêques anglophones. Ces derniers accusent des évêques du Québec de manquer de franchise, s'attirant ainsi les foudres de Mgr Taschereau qui, de concert avec Mgr Duhamel d'Ottawa, tire à boulets rouges sur Lynch. Ce dernier déclare à des dirigeants romains qu'un évêque canadien-français est trop mesquin et querelleur pour pouvoir transiger avec des hommes d'État. Un évêque anglophone est donc de loin préférable pour occuper le siège épiscopal d'Ottawa[11].

Ces querelles épiscopales et cléricales seront continuelles de la mi-XIXe siècle à la mi-XXe siècle. Nous connaissons le rôle joué par ce clergé irlando-catholique dans le conflit du Règlement 17 en Ontario. Mgr Fallon, évêque de London, choisira d'être un des principaux instigateurs de la répression de l'enseignement français en Ontario. Sa religion est toute ethnocentrique[12]. Des affrontements semblables se dérouleront au Nouveau-Brunswick et dans les prairies canadiennes.

Enfin est-il nécessaire de rappeler la montée du nationalisme canadien-français dans les rangs du clergé catholique canadien-français depuis l'Union des Canadas de 1840-41? Qu'il me suffise de rappeler le sermon de Mgr Louis-Adolphe Paquet en 1902:

> *Non seulement il existe une vocation pour les peuples, mais quelques-uns d'entre eux ont l'honneur d'être appelés à une sorte de sacerdoce*[...]
>
> *Or mes Frères*[...]*ce sacerdoce social réservé aux peuples d'élite, nous avons le privilège d'en être investis; cette vocation religieuse et civilisatrice, c'est, je n'en puis douter, la vocation propre, la vocation spéciale de la race française en Amérique*[...] *Notre mission est moins de manier des capitaux que de remuer des idées; elle consiste moins à allumer le feu des usines qu'à entretenir et à faire rayonner au loin le foyer lumineux de la religion et de la pensée*[...]

> *La vie d'un arbre est dans ses racines; l'avenir d'un peuple se manifeste dans ses origines*[...]
>
> *Quand on compte parmi ses ancêtres des Clovis et des Charlemagne, des Louis IX et des Jeanne d'Arc, des Vincent de Paul et des Bossuet, n'est-on pas justifiable de revendiquer un rôle à part et une mission supérieure? Par une heureuse et providentielle combinaison, nous sentons circuler dans nos veines du sang français et du sang chrétien*[...]
>
> *C'est moi, dit le Seigneur, qui ai formé ce peuple; je l'ai établi pour ma gloire, dans l'intérêt de la religion et pour le bien de mon Église; je veux qu'il persévère dans sa noble mission, qu'il continue à publier mes louanges*[...]
>
> *Le Canada français ne répondra aux desseins de Dieu et à sa sublime vocation que dans la mesure où il gardera sa vie propre, son caractère individuel, ses traditions vraiment nationales*[...]
>
> *La langue d'un peuple est toujours un bien sacré*[...] *Laissons à d'autres nations moins éprises d'idéal, ce mercantilisme fiévreux et ce grossier naturalisme qui les rivent à la matière. Notre ambition à nous doit tendre et viser plus haut*[...]
>
> *Soyons patriotes, mes Frères, soyons-le en désirs et en paroles sans doute, mais aussi et surtout en action*[...] *Les sympathies de race sont comme des notions de justice et d'honneur; elles ne connaissent pas de frontières*[13].

De 1850 à 1950, les Églises canadiennes, catholique et protestantes, anglophones et francophone lisent l'évangile avec des oeillères ethniques. Après 1930 elles commencent lentement à percevoir que c'est une voie sans issue. En 1960, le bicentenaire de la conquête britannique marque la fin d'une époque.

La découverte du pluralisme et de l'oécuménisme

Nos parents seront portés à réfléchir à la suite des quinze années traumatisantes qui englobent la dépression économique des années 1930 et la deuxième guerre mondiale assortie de ses crimes inégalés. Le profond pessimisme, voire même le désespoir qui suivront ces événements, donneront une prise de conscience de la puissance destructrice du racisme et de l'impérialisme. Devant les explosions en série dans nos sociétés occidentales après 1960, nos Églises canadiennes sont paralysées. Elles sont témoins d'un monde qui s'écroule à une vitesse vertigineuse, et se sentent coincées entre d'une part le souci de protéger l'acquis et l'habituel, et d'autre part la bourrasque d'idées nouvelles qui veulent changer le monde. L'Église, surtout celle du Québec, ne cherchera pas à s'accrocher coûte que coûte à ses droits acquis et privilèges, et c'est à son honneur. Cependant son processus de dépouillement sera accompagné d'une amertume, d'une confusion, d'un silence et d'une débandade cléricale comme n'aurait pu le souhaiter ses pires ennemis. Écoutons Fernand Dumont diagnostiquer, en 1979, la situation québécoise:

> *Nos genres de vie traditionnels se détruisent sans donner lieu à des remaniements originaux. Nous changeons mais sans horizon*[...] *La famille, la religion, les rôles et les rituels sociaux*[...]*ont été bouleversés depuis une quinzaine d'années*[...] *Ces transformations ont toutes été inspirées par des changements venus d'ailleurs*[...] *Nous n'avons à toutes fins pratiques inventé aucun modèle, aucun idéal qui nous soit propre*[...]
>
> *Il m'arrive de penser qu'en voulant nous libérer de nous-mêmes, nous avons poursuivi en de nouveaux avatars le vieux chemin du colonialisme*[...] *Rien peut-être*[...]*ne le suggère plus douloureusement que le sort que nous avons fait à la religion de nos pères. D'aucuns l'ont rejetée mais sans ces crises ouvertement manifestées, ces crises de culture dont les autres sociétés d'Occident ont jalonné leur histoire. Nous avons rattrapé comme un* postulat *ce qui avait été pour les autres* expérience. *Le débat public n'a pas eu lieu. D'autres ont voulu transformer la religion d'antan, la réformer: là encore, rien ou presque rien n'est venu de nous;* [...]*ce Concile* [*Vatican II*...] *nous lui avons tout emprunté. Comme nous avions emprunté jadis*[...] *la scolastique thomiste*[...]*et*[...,]*plus tard* [...]*une scolastique marxiste.*
>
> *La culture est devenue irréelle. Parce qu'elle est culture fabriquée descendue d'ailleurs, elle n'est plus notre culture. Nous imitons des produits, nous ne créons plus rien*[14].

Après avoir noté l'absence de l'Église de la culture, une culture qui s'est défaite au Québec, Dumont continue:

À l'orée des années 60, l'Église officielle est entrée dans un long silence, ou en une distante bouderie[...] *Quelle parole, quelle lumière sont donc venues de l'Église du Québec depuis vingt ans?*[...]

On a fait une réforme empruntée[...] *Réforme importée, réforme avortée*[...] *Nos Évêques étaient à Rome redéfinissant la Grande Église, pendant qu'agonisait la leur*[...] *En ce pays, les responsables de l'injustice ne craignent plus les chrétiens: c'est tout dire*[...] *Après avoir gardé le silence, elle* [*l'Église*] *s'y enlise et défend qu'on l'y dérange.*

Ce qui manque à cette Église[...]*c'est l'angoisse*[...] *L'audace lui fait défaut*[...] *Il lui manque un peu de folie*[...]

Insérer la Parole dans la culture, insérer la culture dans les conflits et le tissu des sociétés: partout c'est le défi de l'Église[...] *La Parole, la culture sont poésie et critique*[15].

Ce réquisitoire de Fernand Dumont est repris par plusieurs autres dans notre littérature depuis une vingtaine d'années[16]. En effet l'Église silencieuse et insignifiante semble avoir succédé à l'Église triomphaliste et cléricale d'avant 1960.

Même si je partage dans son ensemble le brillant diagnostic de Dumont, je dois pourtant y ajouter un autre son de cloche. C'est que depuis 1960, les Églises canadiennes se sont engagées, timidement mais irrévocablement dans la voie de l'ouverture au prochain. On a abandonné l'ethnocentrisme d'antan pour accueillir le prochain, au moins au niveau du discours.

Le pape Jean XXIII écrivait dans son encyclique *Pacem in Terris* de 1963:

> *Nous devons déclarer de la façon la plus explicite que toute politique tendant à contrarier la vitalité et l'expansion des minorités constitue une faute grave contre la justice, plus grave encore quand ces manoeuvres visent à les faire disparaître. Par contre, rien de plus conforme à la justice que l'action menée par les Pouvoirs publics pour améliorer les conditions de vie des minorités ethniques, notamment en ce qui concerne leur langue, leur culture, leurs coutumes, leurs ressources et leurs entreprises économiques*[17].

Le mot d'ordre est donné, et les évêques du Canada emboîtent le pas. À l'occasion du centenaire de la Confédération canadienne en 1967, ils publient une lettre collective.

> *Quand on réfléchit au problème des minorités au Canada, il faut aussi admettre qu'on peut à bon droit juger intolérable le régime politique qui dans des situations analogues, n'assure pas le même traitement aux minorités de langue française qu'à celles de langue anglaise*[...]
> *Très souvent c'est l'ignorance qui conduit à mal juger les*

personnes d'une autre race, d'une autre nationalité, d'une autre langue, d'une autre classe sociale ou d'une autre région. Il serait assez facile de la combattre en favorisant par tous les moyens les rencontres, les échanges culturels, les informations exactes, sereines et objectives[18].

Soucieux comme jamais auparavant de prêcher la Parole de Dieu dans l'établissement de la justice linguistique et culturelle au Canada, diverses assemblées épiscopales catholiques comme la Conférence catholique canadienne (C.C.C.), l'Assemblée des évêques du Québec (A.E.Q.) et l'Assemblée des évêques de l'Ontario (A.E.O.) interviennent de plus en plus depuis 1967, dans les grands débats linguistiques du Canada. Ainsi l'Assemblée des évêques du Québec publie des déclarations à l'occasion du débat sur la Loi 101 au Québec en 1977 et à l'occasion du Référendum du Québec de 1980. On y trouve des prises de position nettes et claires voulant éclairer la conscience chrétienne sans pour autant que les évêques du Québec se fassent partisans d'une option politique en particulier. On y reconnaît le droit de la majorité francophone du Québec au rétablissement de ses droits linguistiques, culturels, économiques, sociaux et politiques. Du même souffle on y reconnaît les droits des minorités anglophone, autochtone et allophone rappelant que ces derniers sont également d'authentiques Québécois[19].

De son côté, la Conférence des évêques catholiques de l'Ontario entreprend elle aussi de s'ouvrir les yeux. Nous savons que le dossier historique est ici beaucoup plus accablant. Au printemps de 1979 ces hommes d'Église majoritairement anglophones émettent une déclaration intitulée *L'unité du Canada et les droits des minorités.* Reprenant à leur compte la déclaration de la C.C.C. de 1967, ils enchaînent:

Il arrive souvent que lorsque deux forces majeures s'affrontent, ce sont les groupements minoritaires ou les communautés marginales qui risquent le plus de souffrir[...]

L'ignorance et la peur sont toujours chez les hommes à l'origine de l'agression ou de l'injustice[20].

Disant craindre une confrontation possible entre Francophones et Anglophones, les évêques de l'Ontario redisent leur

accord avec le principe des deux langues qui ont présidé à la fondation de ce pays[...] *Nous reconnaissons et respectons la langue parlée par ces autres groupes minoritaires qui ont immigré ici depuis les débuts de la fondation du Canada et nous leur offrons notre aide et notre appui pour le maintien de ces*

> *langues*[...] *Mais nous sommes convaincus que l'histoire et l'esprit de la Confédération indiquent clairement que le français et l'anglais furent les langues des races fondatrices et en conséquence doivent bénéficier du droit acquis de langues officielles*[21].

Les mêmes prélats renchérissent en janvier 1981 devant le Comité spécial mixte de la Chambre des Communes et du Sénat sur la constitution du Canada. Ils y réclament le droit aux écoles françaises pour la minorité française de l'Ontario en plus de l'enchâssement dans la constitution du Canada du français comme langue officielle en Ontario[22]. Les Franco-ontariens eux-mêmes jouissent de l'appui de l'archevêque d'Ottawa, Joseph-Aurèle Plourde, qui déclare en 1980:

> *Un peuple qui veut garder sa langue et sa culture a le droit de le faire et le devoir de lutter pour que ce droit soit respecté, fût-il une minorité. C'est également un devoir pour ceux qui sont responsables du bien commun d'aider ces minorités à développer leur langue et leur culture*[23].

Enfin signalons que même l'Église Unie du Canada se fait solidaire des minorités françaises en 1981. En effet le 1er novembre son groupe de travail sur les relations anglophones-francophones

> *demande au Premier ministre de l'Ontario que l'article 133 de la Constitution canadienne s'applique à sa province et que soit aussi garanti l'usage du français tant à la Législature que dans les Cours de justice. Dans une lettre qu'il adresse à MM. Trudeau, Davis et Lévesque, le groupe réclame que l'Ontario reconnaisse aux Franco-ontariens le droit de gérer leur propre système scolaire*[24].

Conclusion

Après ce regard rétrospectif sur l'attitude des Églises canadiennes sur la question des rapports francophones-anglophones, il me semble évident qu'une volte-face s'est effectuée après 1960. Il est paradoxal de constater que c'est en valorisant leurs minorités linguistiques que ces hommes d'Église ont redécouvert l'homme tout court. Ainsi dans une déclaration sur la question de l'immigration publiée en 1977, la Commission pour les migrations et le tourisme des évêques catholiques du Canada se plaît à citer des textes bibliques qu'on n'époussetait pas souvent depuis un siècle.

> *Il n'est plus question de Grec ou de Juif,[...]de barbare ou de Scythe[...] Il n'y a que le Christ qui est tout en tout.*
>
> (Collosiens III, 11, Galates III, 28)
>
> *Si un étranger réside avec vous dans votre pays, vous ne le molesterez pas. L'étranger qui réside avec vous sera pour vous comme un compatriote et tu l'aimeras comme toi-même, car vous avez été étrangers au pays d'Egypte.*
>
> (Lévitique 19, 33-34)[25]

En effet les Églises canadiennes tiennent un discours tout neuf depuis 1960. Elles sont passées d'un christianisme inféodé à certaines idéologies de leurs fidèles, à un christianisme qui cherche à refaire contact avec Dieu. Paradoxalement ces Églises redécouvrent l'homme en découvrant Dieu. Lors d'une homélie prononcée à Toronto en 1978, le prêtre et historien québécois Lucien Lemieux reconnaissait que l'Église est pécheresse et qu'elle "témoigne d'ailleurs plus par ses tentatives que par ses réussites[26]". Si un tel jugement est juste, les Églises du Canada doivent être jugées, dans le dossier qui nous occupe, de meilleurs témoins de l'évangile depuis 1960. Auparavant elles se sont trop souvent avérées des prédicateurs de haine et de chauvinisme.

Robert Choquette
Département de sciences religieuses
Université d'Ottawa

Notes

1. Voir à ce sujet Cornelius JEANEN, *Friend and Foe. Aspects of French-Amerindian Cultural Contact in the Sixteenth and Seventeenth Centuries*, Toronto, McClelland, and Stewart, 1976, 207p.
   John W. GRANT, *Moon of Wintertime*, Toronto, U.T.P., 1984, 315 p.
2. "Tobacco-smoking, Dram-Drinking, Garlic-Eating Frenchmen...foreign in blood, foreign in race and as ignorant as the ground they stand upon"? — Cité dans J.M.S. CARELESS, *The Union of the Canadas The Growth of Canadian Institutions 1841-1857*, The Canadian Centenary Series, Toronto, McClelland and Stewart, 1967, p. 118.
3. " The Caucasian Race — For three thousand years, the Caucasian race continued under all circumstances and in every variety of situation to exhibit the same traits and the same indomitable prowess. No calamities,[...] have ever been able to keep them long in degradation or barbarism[...]

   Nearly all the great exploits and achievements too, which have signalized the history of the world have been performed by this branch of the human family. They have given celebrity to every age in which they have lived[...] Thus has this race gone on, always distinguishing itself by energy, activity and intellectual power[...]

   The Caucasian race has thus, in all ages,[...] evinced the same great characteristics,

marking the existence of some innate and constant constitutional superiority; and yet, in the different branches, subordinate differences appear[...] Among these branches we, Anglo-Saxons ourselves, claim for the Anglo-Saxons the superiority over all the others."
Reprint from *Life of Alfred the Great*, in *The Globe*, Toronto, Canada West, Tuesday, January 21, 1851, p. 1.

4. "Without the bond of a common language, national life is well nigh impossible[...] The State should not devote public money to teaching a language alien to its own[...] The Russell and Prescott schools are the nurseries not merely of an alien tongue, but of alien customs, of alien sentiments, and[...] of a wholly alien people[...] The system in vogue in the schools renders it quite impossible for the young generation to rise above the intellectual level of the average Lower Canadian habitant; and if it be allowed to continue, the Eastern part of Ontario[...] is doomed before many years to be as dark a spot, on the map of intelligence, as any portion of Quebec." "An extraordinary State of Things", edit. in *The Toronto Mail*, Wednesday, November 24, 1886.
5. "The French element is foreign in language, religion and aspirations[...] Government in Quebec is the creature of priests[...] The Church[...] has conquered Quebec, and dictates to Governments at Ottawa and Toronto[...] The struggle is coming." "A Nation Within A Nation," edit. in *The Evening Telegram*, Toronto, Thursday, August 2, 1888.
6. "If any one can doubt for one moment that there is an alien population growing up in eastern Ontario let him take a flying visit to these two counties. As a specious sample, consider the section of country surrounding South Indian Village, a miserable little hamlet located about 25 miles south-east from Ottawa... The traveller who finds himself in this Providence-forsaken hole at evening may well pale with anxiety at the prospect of spending a night in any of the low-walled, ram-shackle, log apologies for houses which meet his gaze. If the houses themselves are not sufficiently repulsive, a glance at the inhabitants would certainly cause him to decide in favour of taking to the woods for his lodgings. Dirty, greasy, bleary-eyed looking specimens, they no more approach the average country people to be found in central Ontario than the South African Hottentots approach the types of polished European civilization... The crops in the fields are remarkably poor owing no doubt to the ignorance of their owners with regard to the grain producing qualities of the land. In every doorway may be seen squallid, half-naked children whose mothers are either weeding onion beds in the garden or fishing in the nearest stream[...] It is the land of the French, the kingdom of the garlic-eaters[...]" "The Rome of the French. A trip in Russell County", in *The Evening Telegram*, Toronto, Saturday, June 8, 1889.
7. "A crusade to Canadianize the immigrants by christianizing them into conformity with the ideals and standards of Canadian white Anglo-Saxon Protestants" in Keith CLIFFORD,"His Dominion: a vision in crisis", in *SR* II 4 (1973), p. 315.
8. P.A. McDonagh *et al.* (21 signatures) à cardinal Franzoni, Kingston, le 4 septembre 1855, fonds Kingston, 225.102, 855-1, A.C.A.M.
9. R. Gaulin à I. Bourget, Kingston, le 13 août 1840, fonds Kingston, 255.102, 840-7, A.C.A.M.
10. Voir à ce sujet R. CHOQUETTE, *L'Église catholique dans l'Ontario français du XIXe siècle*, cahiers d'histoire de l'Université d'Ottawa, Ottawa, E.U.O., 1984, 365 p.
11. *Ibid.*
12. CHOQUETTE, R. *Langue et religion. Histoire des conflits anglo-français en Ontario*, Ottawa, E.U.O., 1977, 268 p.

13. Mgr Louis-Adolphe, PAQUETTE, "La vocation de la race française en Amérique", sermon du 23 juin 1902, reproduit par Chartier, Émile. "Bréviaire du patriote canadien-français", brochure, Montréal, Bibliothèque de l'Action Française, 1925, pp. 49-59.
14. DUMONT, Fernand. "De l'absence de la culture à l'absence de l'Église", in *Relations*, no 447, avril 1979, pp. 121-127.
15. *Ibid.*
16. Voir par exemple BERNARD, Jacques. "Culture et foi" édit. in *L'Église canadienne*, vol. XV, no 20, 10 juin 1982. MARTUCCI, Jean. *L'Ancien et le Nouveau*, Montréal, Fides, 1980, p. 105. PARENT, Rémi. "Faut-il exiler la foi des activités de l'État?", in *L'Église canadienne*, vol. XV, no 11, 4 février 1982, p. 329.
17. Cité in LÉVESQUE, Louis. président de la C.C.C., "Lettre collective...", le 7 avril 1947, in *L'Église canadienne*, vol. 1, no 7, janvier 1968, pp. 4-8.
18. *Ibid.*
19. Assemblée des évêques du Québec, Déclaration au sujet de la Charte de la langue française au Québec, S.1., le 27 juin 1977, in *L'Église canadienne*, vol. XI, no 1, le 8 septembre 1977. Assemblée des évêques du Québec, "Le peuple québécois et son avenir politique", Montréal, le 15 août 1979, in *L'Église canadienne*, vol. XII, no 22, le 30 août 1979.
20. Conférence des évêques catholiques de l'Ontario, "L'unité du Canada et les droits des minorités", in *L'Église canadienne*, vol. XII, no 16, le 19 avril 1979, pp. 483-484.
21. *Ibid.*
22. "Ephémérides, in *Église canadienne*, vol.XIV no 11, 5 février 1981, p. 348. BERNARD, Jacques. "De quoi nous mêlons-nous?", édit. in *L'Église canadienne*, vol. XIV, no 12, 18 février 1981, p. 354.
23. "Ephémérides" in *L'Église canadienne*, vol. XIII, no 20, le 12 juin 1980, p. 636.
24. *Ibid.*, vol. XV, no 6, le 12 novembre 1981, p. 189.
25. de Roo, Rémi *et al.* "Les étrangers parmi nous", Ottawa le 17 novembre 1977, in *L'Église canadienne*, vol. XI, no 6, 17 novembre 1977, p. 168.
26. LEMIEUX, Lucien. "Considérations sur l'avenir du Canada, in *L'Église canadienne*, vol. XII, no 2, 21 septembre 1978, pp. 49-52.

ROBERTO PERIN

Religion, Ethnicity and Identity: Placing the Immigrant within the Church

Face à l'ampleur du phénomène migratoire à la fin du siècle dernier, le Saint-Siège se crut obligé de prendre position. En 1887, la Sacrée Congrégation de la Propagande prépara un document qui se montra très sensible aux problèmes des immigrants et surtout à celui de leur insertion dans le pays d'accueil. Selon la Congrégation, cette insertion serait facilitée dans la mesure où les immigrants pourraient conserver leur culture d'origine. Et puisque foi et culture étaient intimement liées dans cette optique, l'Église catholique aurait un rôle de premier plan à jouer dans la vie de l'immigrant. À la suite de la parution de ce document, le Saint-Siège adopta une série d'initiatives qui cherchaient à améliorer le sort de l'immigrant dans le Nouveau Monde.

À la lumière de cette politique du Saint-Siège, l'auteur examine l'attitude de l'Église catholique face à deux communautés culturelles du Canada, les Italiens et les Ukrainiens, dans la période primitive de leur histoire, c'est à dire de 1890 à 1903. Il en conclut qu'entre les idéaux énoncés par le SaintSiège et la réalité vécue par les immigrants, il y eut un décalage considérable.

The Catholic Church was rather late in coming to grips with the phenomenon of ethnicity in the Americas. A good twenty-five years elapsed after the first mass migration began from Central and Southern Europe to the New World before the Church seriously looked at the plight of the immigrant and formulated guidelines to respond to his needs. It was the specific conditions of Italian immigrants in the United States which sparked Rome's *prise de conscience*. In the 1880's the Holy See was kept informed of these conditions by an Irish American hierarchy who, in their concern for respectability within their predominantly Protestant nation, felt acutely embarrassed by the effusive type of Catholicism common to Southern Italian immigrants. The latter's exotic wretchedness reflected poorly on a Church which was desperately trying to fit into the American mainstream. Consequently, the hierarchy pressed Rome to promote changes in Italy which would favour a more enlightened immigration to the United States.

The Holy See, for its part, had a broader view of the question. In 1887, the Propaganda Fide prepared what was essentially a policy statement, trying to deal with the spiritual and material needs of the Italian immigrant. This statement which is analyzed below was officially sanctioned by Pope Leo XIII and largely incorporated in his letter to the bishops of the Americas in 1888. Needless to say, the Holy See not only looked forward to improving the migrant's condition in Italy as the American hierarchy hoped, but also in the United States. These policies, however, met with the indifference of many and the opposition of vested interests, including those of the American bishops and as a result, were never fully implemented. But this growing awareness of the Italian immigrant's condition prompted the Holy See to widen its area of interest to include Canada. It was in this context that the first tentative efforts were made in a few Canadian dioceses to cater to the special needs of Italian immigrants.

The situation in Canada, however, was very different from that in the United States. Italian immigration in the Dominion was recent, dispersed, and much less settled. As well, in the closing years of the century, it became obvious that the major immigrant problem in Canada was not with Italians, but with Ukrainians who emigrated *en masse*, in stable family units and who established compact communities in the Canadian West. Finally, the presence of a rather powerful Apostolic Delegate in the Dominion after 1899 was a factor which influenced the application of the Holy See's directives with regard to immigrants.

It is well to note that the period under study here, from 1887-1902, is one of change and flux. It pre-dates the reforms of Pius X contained in the apostolic letter *Officium Supremi* which led to the establishment in 1912 of an Eastern rite bishop in Canada. It also comes before the creation of distinct ethnic Italian parishes in major Canadian cities. In this context, it is interesting to study how Rome's directives were applied in the Canadian setting and whether their application varied with each to immigrant community.

★★★

The document on Italian emigration prepared by Propaganda Fide in 1887 assessed the immigrant experience in very realistic terms. Its author bluntly stated that the mass exodus from Italy often assumed all the features of a white slave trade. Immigrants, he added, were prey to agents of shipping companies "which speculate on their misery and do not attend to their personal welfare. They are thrown together in overcrowded ships without distinction to age and sex in conditions detrimental to health and morality..."[1] On arrival in the new land, they were once again vulnerable, victims of their ignorance of the language and customs or of go-betweens like ethnic bosses or proselytizing Protestant ministers who, while promising a wide range of social services, exacted their pound of flesh.

But the immigrants' agony did not end there. The report in fact painted an even gloomier picture of those who were already settled in the United States. "It is humiliating to have to acknowledge that after the disappearance of the Indian from the United States and the emancipation of the Negroes, it is the Italian emigrant who has become the pariah in the great American Republic. One need only mention that they are held in such contempt for their filth and their poverty that the Irish of New York gave them the free use of the *basement* of the Church of the Transfiguration to come together for worship..."[2]

The document added that while Italians remained outsiders in America, other immigrant communities were well integrated into the political and economic fabric of the new nation. This integration, the report intimated, was affected with dignity since these immigrant groups retained their native languages and identity and formed compact communities within the Republic. The Italians on the other hand were fragmented because of their many dialects and particularistic cultures. Their inability to establish structures allowing them to act as a group led to a double form of alienation. The first-generation immigrant became more inward looking, clinging to the customs of his village culture which further accentuated his isolation; while his offspring, acculturated by the American schools and deprived of institutions reflecting their Italian heritage, lost their language and their faith. "Slowly these poor families change so as to lose themselves in the great American nation and ultimately they retain only their Italian names."[3] This situation of cultural fragmentation was made worse by the geographic dispersal of Italian migrants ("...da New York a San Francisco, dall'Ontario al Texas..."[4]) throughout the continent.

The report of the Propaganda Fide attributed the marginalization of the Italian immigrant largely to cultural factors. If the Church took care to provide structures to bring the immigrants out of their cultural and geographic isolation, their integration into American life would be assured. In this context, language and religion were inextricably tied in the minds of Propaganda officials: the Catholic faith could only flourish in a familiar linguistic environment. The stronger the attachment to Italian, the surer the foundations of religion. English-speaking churches were not only linguistically alien, they contributed to loss of faith in the first as well as in succeeding immigrant generations.

The report of Propaganda recommended a comprehensive set of measures to deal with the desperate situation. These included the constitution of local and national immigration committees in both Italy and the United States which would tend to the immigrants' spiritual and material requirements. But more important was the establishment in the Northern Italian city of Piacenza of a seminary which would train priests to do pastoral work specifically among Italian immigrants. Since these should be served wherever they were to be found in North America, whether in a bush camp or in big cities, the report proposed what were, in effect "flying missions."

In many respects, Propaganda's analysis of the immigrant condition ran counter to that of the American hierarchy for whom filth, sloth, poverty and religious indifference were atavistic characteristics of Southern Italians. Not even Rome was immune from these quasi-racist pre-conceptions. The fact that the Holy See favoured Northern Italian priests for these missions tends to suggest this. Still, the Propaganda document insisted that religious indifference was more the result of neglect by the American Church than a cause of the immigrant's failure to participate in the local church life.

The concrete results of the Holy See's reflections on the immigrant experience were disappointing when compared to the wide-ranging plan outlined by Propaganda. Apart from the foundation of the seminary in Piacenza, Leo XIII had to be satisfied with the publication on December 10, 1888 of a letter entitled *Quam Aerumnosa* addressed to all the bishops of the Americas. This missive which borrowed liberally from the Propaganda document tried to sensitize the hierarchies to the plight of the immigrant. The other proposals however, met with stiff resistance from the bishops of the United States who were anxious to protect the prerogatives of their national Church against "incursions from abroad." In addition the

Irish American episcopate, for various historical reasons, were largely responsible for developing an "entrepreneurial model" for the American Church which could not be accommodated with the recommendations of the Propaganda report.[5] Still this report is important for Canadian historians because it impelled Rome to make enquiries into the situation of Italian immigrants in Canada. As well, it is a yardstick by which to measure the Catholic Church's treatment of non-Italian immigrant communities.

Judging by the Canadian episcopate's response to *Quam Aerumnosa*, it seems obvious that the bishops considered their own concerns more important. The 1881 census appeared to bear out their disinterest since it only listed 2,000 Italians by ethnic origin. In 1889, Cardinal Alexandre Taschereau, the only prelate who officially replied to the Pope's letter, stated that Italians had worked on local railway construction around Québec City some years earlier; but they left as soon as the project was finished, the climate in those parts being too rigorous for them.[6] Undaunted, the Propaganda pursued its enquiries. Officials took advantage of the report on the state of his diocese presented by Archbishop C.E. Fabre of Montréal to ask how many Italians and German immigrants there were in his city and whether they were served by priests speaking their language.[7]

The archbishop like his colleagues, down-played the issue. "Quant aux Italiens" he replied, "ils ne comptent que pour quelques centaines en hiver; en été leur nombre est moins considérable. Quelques familles seulement sont établies à Montréal; les autres n'y sont pas fixes."[8] Fabre affirmed that although a few of his priests could hear confessions in Italian, he would be asking the Oblates to designate one of theirs to care for the spiritual needs of these immigrants. Evidently the archbishop's initiative did not bear fruit. In 1890, Propaganda Fide once again stepped in, requesting the Superior General of the Franciscans who were about to be re-established in Canada, to ensure that a member of their community take charge of the Italian mission.[9]

There was clearly some urgency in this request. An Italian Protestant congregation headed by a former Catholic had just been created in Montréal. As if this was not bad enough, several hundred Italian heads of family publicly petitioned Fabre to name a priest of their choosing to minister to them.[10] This prerogative belonged of course exclusively to the bishop. Nonetheless, an expedient was found; but it could not be a lasting solution to a problem that yearly was becoming more urgent. The Italian mission was established and operated out of the Franciscan community in Montréal. The fact that five different priests served these immigrants in as many years indicated the Order's difficulties in meeting obligations which they had not eagerly accepted.

The issue came to a head in 1895. Acting through his agent, Archbishop Fabre pressed Propaganda to secure a firm commitment from the Franciscans to care for Montréal's Italians. The Order not only resisted Propaganda's pressures, but informed them that the priest who was currently in charge of the Italian mission would be transferred to another city. Anxious, however, to show their good will the Franciscans tried to obtain for Fabre two or three candidates from the seminary in Piacenza. But the Archbishop insisted, unreasonably they thought, that these priests agree only to minister to Italians.[11] This restriction would have condemned the clerics to indigence for a number of years and was therefore rejected. Despite this failure, Fabre managed to find an expedient. An Italian secular priest, Leonardo Mazziotta, who had come to Montréal from New York to help the Franciscans care for the immigrants, agreed to take on the task alone. The Archbishop reported in 1896 that the twelve to fifteen hundred Italians of his diocese were being well looked after.[12] And there matters stood until the first Italian parish in Canada was created by Fabre's successor, Paul Bruchési in 1905. The problem of staffing this parish however, was not satisfactorily resolved until the Servites of Mary were brought to Canada in 1912, largely due to the efforts of the Apostolic Delegate Pellegrino Stagni, who had been a high ranking member of the Order.

Montréal not only had the most numerous and compact community of Italians in Canada, it also provided them with the best spiritual care. In the aftermath of *Quam Aerumnosa,* the Archbishop of Ottawa, Thomas Duhamel charged his secretary Wilfrid Deguire, a French Canadian priest, to look after that city's Italians. Deguire, who spoke their language well, performed his duties with much zeal for twelve years and was apparently greatly missed when in 1902 he was moved to another position.[13] As for Toronto, the archives of the Holy See seem to be silent on the situation of Italian immigrants. One wonders whether Archbishop John Walsh did not share many of the preconceptions of his American counterparts regarding the Italians' endemic religious indifference.[14]

The presence in Canada after 1899 of a distinguished Italian prelate as Apostolic Delegate may have raised expectations that the spiritual care of Italian immigrants would come closer to the ideals of the Propaganda's document, but such was not the case. Archbishop Diomede Falconio, the first representative of the Holy See in Ottawa, actually turned away a number of Italian clerics who offered to serve their compatriots in Canada. Admittedly some of these priests were trying to escape from difficult conditions at home; but some were personal acquaintances of the Apostolic Delegate, a few actually came from the Archdiocese of Matera, which Falconio occupied before coming to Canada.

In a letter to one of these clergymen, the Delegate succinctly stated his point of view. Apart from the Italians of Montréal who were well served, maintained Falconio, the others were too few and too dispersed to justify the cost of providing them with Italian priests. He added that many Italians in smaller centres were adequately cared for by clerics who had learned their language while studying in Rome and who performed these tasks at no extra cost. As a result, few bishops required subjects from outside their own dioceses to perform special pastoral duties, with the possible exception of Bishop B. Orth of Victoria who needed one or two priests to look after Italians working on Vancouver Island. But Falconio insisted that only the Bishop of Victoria could decide to admit priests from outside his diocese.[15] The Delegate was of course careful to respect episcopal prerogatives on this issue. It is clear, however, that Falconio and the Canadian episcopate were unanimous in tolerating a makeshift situation regarding Italian immigrants. In their eyes, the demography of Italian immigration in Canada and the financial position of Canadian dioceses were decisive factors in determining the extent of spiritual care of Italian immigrants.

The Apostolic Delegate naturally encouraged those local priests who could, to look after the Italians in their parishes. Falconio travelled throughout Canada in 1900. On his trip to the West, he met an Oblate father, H. Thayer, whom he highly praised for his work among Italian migrants in Revelstoke. The prelate also sent him Italian catechisms to strengthen the faith of these parishioners.[16] On another occasion, Falconio personally requested the Bishop of Peterborough, R. A. O'Connor, to help the Italian miners of Copper Cliff who were deprived of spiritual services in their language. The Delegate suggested that a Canadian priest of Italian origin, Joseph Accorsini, pastor at Sturgeon Falls, be sent to provide basic assistance.[17] Falconio reminded the workers, however, that they would have to pay for Accorsini's trip and give him a contribution for his services "because, as you know, priests in this country survive by means of the offerings of the faithful." In return, the miners could expect the clergyman to visit them once or twice a year to hear confessions and to instruct them. Falconio begged their leaders "to use every means so that these dear countrymen remain faithful to our holy religion and Our Lord will reward their steadfastness."[18]

While the Apostolic Delegate may not have had a very aggressive conception of pastoral work among Italian immigrants, his office was certainly a focus of the immigrant community's life. The prelate's correspondence in fact contains letters as varied as one from the infamous Antonio Cordasco to a request by the Italian Consul General in Montréal to help promote a commercial agreement between Italy and Canada. Falconio's activities to help the various Italian communities of Canada as a result were not exclusively spiritual. For example, he gave a $4 contribution to support the Montréal Italian language newspaper, *Corriere del Canada.* The delegate also tried to get funding from government sources for an Italian school sponsored by the consulate in Montréal.[19] As well, Falconio assisted two Italian immigration agents who came to Canada in 1901 with letters of reference and contacts.

In fact, this incident is well worth recounting because it illustrates yet again how the Church was used in the name of immigrant aid, by men who advanced their own selfish interests. Anguished by the plight of peasants from the Veneto who were leaving their homeland in droves to seek their livelihood elsewhere, the Vicar General of Treviso, Mgr C.B. Mander wrote in 1901 to a number of Canadian bishops in an attempt to make the process of immigration less traumatic for his flock. His initiative was very much in line with the recommendations of the Propaganda document. In the meantime, a young layman from the diocese and member of the local immigrant aid society, offered Mander his services to go to Canada. He proposed to establish employment offices for Italian immigrants and to study the suitability of the West for large-scale settlement from the Veneto. Mander and consequently Falconio both highly recommended this agent to Canadian officials.[20]

Once in this country, however, the young man busied himself by setting up contacts with members of the Canadian Manufacturers' Association and visiting the fertile Okanagan region with a view to buying up land for wealthy Italians who were looking to grow fruit in the area. The agent did write to Falconio that the lands in the Edmonton area "...would be suitable for large-scale and extensive settlement by poor families who must take advantage of the government's homesteads."[21] But he requested instead that the Apostolic Delegate obtain free passage to the interior of British Columbia for himself and another agent on the grounds that the strike by CPR roadmen at Revelstoke was causing severe hardship among Italian workers. His trip, he emphasized, motivated by the noblest humanitarian and patriotic sentiments, sought to relieve the plight of his countrymen.

Falconio was not deceived and refused the request, assuring him that the Italians of Revelstoke were already well cared for and that British Columbia was not an area suited for agricultural immigrants, unless they had much capital to invest. The delegate also informed Mgr Mander that because of the harsh cold, Italians would be ill-advised to go to the Canadian West.[22] The incident did not, however, end there. The agent returned to Italy and joined a Roman travel agency which specialized in pilgrimages. The head of this firm who provided a very impressive list of ecclesiastical references, wrote to Falconio twice, begging him to take an active interest in the possibility of trade between Italian and Canadian businesses.[23] The prelate, to his credit, left the letter unanswered.

If the condition of Italian immigrants in Canada at the turn of the century was one of raw exploitation by their own "leaders" and of relative neglect by the spiritual authorities, the situation of Ukrainians was much worse. In fact, because of the scale of Ukrainian immigration in the pre-war period, because of the compactness of their settlements and, consequently, their visibility, because of their grinding poverty in these pioneer years, these people occupied in Canada the status described by Propaganda Fide for the Italians in the United States. However, their situation was more complicated. Most of the Ukrainian immigrants in this period came to Canada from the Austro-Hungarian Empire. Theirs was not only a problem of language, as with most other immigrants, but of rite: they adhered to Uniate Catholicism with a distinct Slavonic liturgy and discipline. The overwhelming majority of the secular clergy in Uniate Catholicism were married. But Rome decreed in 1894 that only unmarried priests could serve in the New World. Attempting to meet the particular needs of Ukrainian immigrants became a difficult task indeed for the spiritual authorities in Canada. The Ukrainians of course clung tenaciously to their liturgical forms, the Roman aspects of Catholicism being in their minds historically associated with oppression, particularly with Polish chauvinism.

This situation was aggravated by the fact that, in the absence of their own priests, Ukrainian immigrants became easy prey to the proselytism of Orthodox and Protestant clergy as well as to the intrigues of their more articulate lay "leaders." And as with the Italians, this is what ultimately spurred Catholic authorities to action. The Orthodox Church for example, offered the Ukrainians a rite and an ecclesiastical discipline very close to their own. But Orthodoxy also had financial advantages which must have been irresistible to the hard-pressed peasant. The Russian government apparently subsidized their clergy in North America and these in turn offered their services without charge to the laity.[24] Instead, Catholic priests, especially in the early years, relied on the faithful for their livelihood. The Protestant churches, for their part, liberally provided a wide range of social services, not the least of which was advanced education for the immigrants' children.[25] Finally, the more sophisticated Ukrainians played on the community's phobia of Romanism to contest the Canadian hierarchy's prerogatives over the ownership and management of church property, justly confident that British law would ultimately support their Erastian views. They in fact argued as if Uniate

Catholics were somehow not subject to the authority of the local Latin bishop.[26] All these factors severely weakened the Catholic Church's hold on these immigrant communities.

The Catholic hierarchy were fully aware of how critical the situation was. Falconio often referred to the deplorable spiritual state of "these unfortunate Ruthenians." The bishops together with the Apostolic Delegate sought different ways to remedy the problem; but their actions were ultimately coloured by their objectives. The hierarchy firmly believed that the Ukrainians would have to be brought "prudently and gradually" to the Latin rite.[27] Considering the problem to be primarily one of language, they initially sought out Polish priests who could serve the Ukrainians. Falconio reported to Rome that there were only three such priests in the whole Canadian West to care for a Ukrainian population of some 20,000.[28] One of these, Olszewski, even offered to adopt the Eastern rite. But the problem then became financial. Olszewski could not maintain himself only on the offerings of impoverished farmers. He therefore suggested that he be allowed to retain the Latin rite as well. This solution however, was unacceptable to Rome.[29]

The Apostolic Delegate was convinced that the Oblates, who held a virtual monopoly over the West, did not have the manpower to cope with the immigrant situation and that the Church would have to call upon other religious Orders. Falconio, like his successor, Stagni, tried to favour his own community the Franciscans, by appealing for help to his multilingual confrères in Cincinnati. They however refused to come to Canada.[30] The Western bishops who were all Oblates also came to realize the inadequacies of their Order in dealing with this problem. Archbishop Langevin of St. Boniface appealed to Rome to send him Redemptorists together with one other community of the Latin rite.[31]

At the same time that these initiatives were taken, the diocese of St. Albert sent the old Oblate missionary, Albert Lacombe, to Europe. No mention was made of the Ukrainians in the letter which informed Falconio of the objectives of the mission. Still, some months later, the Apostolic Delegate wrote a warm letter of recommendation on Lacombe's behalf to the hierarchy of Austria-Hungary, begging them to provide Uniate priests for the care of Ukrainian immigrants.[32] This plea was not a change in the Canadian bishops' goal of gradual latinization of the Ukrainians--quite the contrary. They believed that the shift could be effected more smoothly if the immigrants initially had priests of their own rite to serve them.[33]

In order to underline the dramatic situation of the Ukrainian immigrants, Falconio even invited the Primate of Galicia and Archbishop of Lemberg, Mgr André Szeptycki, to visit the Canadian West. This invitation which was followed by a formal request to the Holy See by

Archbishop Adélard Langevin and his suffragans, received a favourable reply from Szeptycki. "Quant à moi," stated the prelate, "si mon voyage au Canada peut en quelque manière que ce soit ajouter un peu de gloire à Notre Seigneur et aider au salut des âmes, je suis prêt à le faire..."[34] The Holy See, however, did not believe it to be opportune.[35] As a result, the Galician Metropolitan sent his secretary, Basil Zoldak, to Canada. Falconio was delighted. He told Archbishop Langevin, "J'espère qu'il vous sera d'un grand secours et qu'il pourra s'opposer efficacement à la propagande protestante parmi ses compatriotes."[36] The Apostolic Delegate asked Zoldak to prepare a detailed report on the Ukrainians in Canada and even solicited his opinion on the possibility of their following the Latin rite.[37]

The material difficulties of the immigrant's settlement were not absent from the minds of ecclesiastical leaders, although spiritual concerns were certainly uppermost. Falconio in fact recommended to Rome that committees be formed in Canada to help immigrants find work and to provide them with basic social services.[38] This oft-repeated proposal met the same fate as its antecedents. Bishop Grandin, for his part, noted that sisters in Edmonton were providing forty-seven Ukrainian domestics with English lessons in the evening. This service, he added, also had the advantage of removing these young girls for a little while at least, from the Protestant environment in which they worked. "Cette promenade récréative... a fait le plus grand bien à celles qui ont pu en profiter, car toutes n'ont pas pu obtenir de leur maîtres, la permission voulue..."[39]

Because the Canadian hierarchy looked forward to the gradual latinization of the Ukrainians, they found it difficult to understand these immigrants. Falconio described them (and other central and eastern Europeans) as less dedicated than Canadians to religion, as obstinate in their adherence to the Eastern liturgy, and as "unwilling or unable to adapt to the Latin rite."[40] The Apostolic Delegate cited the situation in Winnipeg as an example. The "hapless" Ukrainians in that city were so suspicious of Latin priests that they refused to attend the church designated for German and Latin-rite Ukrainians, despite the good will shown to them by the Polish pastor. They preferred instead to build a chapel of their own where they met from time to time without the benefit of a priest. These were the conditions Falconio thought, that encouraged apostasy.

The hierarchy were mystified by the fact that Ukrainian immigrants and their priests seemed to trust "schismatic" (Orthodox) clergy more than their own Catholic priests. Bishop Grandin of St. Albert blamed himself for allowing some Ukrainians in his diocese to build a church and to consign its ownership to a board of trustees, rather than to the bishop. Twenty leading families of this parish then adhered to Orthodoxy in the absence of a Uniate priest, and turned the church over to the "schismatic" priest.[41]

The bishops of Western Canada especially mistrusted the Uniate clergy who came to their dioceses from the United States or even from Rome. "...C'est plutôt parce qu'ils [les Ukrainiens] ont eu des prêtres de leur langue," affirmed Grandin, "qu'ils sont passés au schisme, que parce qu'ils en manquaient...Ce sont des prêtres de leur nation et de leur rite...qui les ont prévenus contre nous."[42] Archbishop Langevin wholeheartedly agreed. "Le passage de prêtres séculiers Ruthènes au sein de nos colonies" he stated, "a fait plus de mal que de bien et ceux qui sont vraiment religieux parmi ces peuples, s'attachent facilement aux prêtres latins quand ce sont de saints missionaires."[43] The bishops also complained about the quality of the Uniate clergy in Canada. Father Tymkewicz, sent from Galicia by the Propaganda in 1898, was described as "bon...bien que peu zélé." The other priests, when they were not leading "ces pauvres ignorants" astray by their words, did so by their immoral acts. Grandin was especially dismayed by the behaviour of Father Jean Zakliski who never went to confession to any priest in the diocese during his stay in Canada and who purposely snubbed the Latin clergy. The bishop wanted to be rid of him, but added "...l'inderdit ne le gênera pas, ces Messieurs-là semblent croire avoir tous les pouvoirs possibles."[44]

Consequently, the Western bishops insisted that the Uniate clergy to be sent to Canada be good priests. Grandin firmly stated: "...je suis bien décidé à faire tout en mon pouvoir pour procurer à mes diocésains des prêtres parlant leur langue et même de leur nationalité, mais je préfère qu'ils ne soient pas absolument satisfaits sous ce rapport, plutôt que de leur donner des prêtres vieux ou simplement douteux."[45] At the same time, the bishop of St. Albert believed that only "un bon prêtre Ruthène" could ward off all the dangers to which the Ukrainians were prey. Falconio agreed and emphasized that the priests so chosen should be "devoted to the Holy See."[46] Only Langevin seemed to disagree with this view, arguing that religious communities of the Latin rite alone be charged with the spiritual care of these people.[47]

The fate of the Ukrainians however, was not solely in the hands of the Canadian hierarchy. Both the Ukrainian bishops of Austria-Hungary and their government expressed grave concern for the religious condition of their compatriots in Canada. The Austrian Ambassador to the Holy See exerted strong pressure on Rome to name a Ukrainian sub-delegate to the Apostolic Delegation in Ottawa, who would have overall control over the spiritual care of these immigrants.[48]

The Canadian bishops not surprisingly opposed the proposal. Only Archbishop Langevin seemed receptive to it; but he clearly did not understand its intent since he recommended that a Polish priest of his diocese, Albert Kulawy be appointed to the position. Falconio was more clear-sighted: "...Could not such an appointment provide malcontents with a pretext to promote schismatic ideas among them [the Ukrainians]?"[49] The other bishops were worried about the infringement to their authority which the nomination of a sub-delegate entailed, since they would be subject to him in matters relating to Ukrainian immigrants. As a result, Falconio recommended to the Holy See the appointment of a Ukrainian vicar-general, answerable to each of the Western bishops. This formula, he thought, not only would make the Canadian hierarchy save face, but it had financial advantages as well, since the diocese would provide for the vicar-general and the Ukrainian priests eventually under his care. "I am sure that the Holy See would find no objection to such an arrangement," confided Falconio to Langevin, "but I fear the Ruthenian bishops and government would not be pleased. Hence we must be ready to accept whatever decision may come from the Holy See, leaving the result in the hands of Providence."[50]

Faced with the very different demands of the Canadian and Ukrainian bishops, Rome temporized. For the time being, the Holy See sent Ukrainian monks and nuns of the Basilian Order to Canada, apparently with the financial support of the Austrian government.[51] The decision sparked a certain rivalry among the Western dioceses as to who would benefit from this munificence. Bishop Legal feared that Archbishop Langevin would want to appropriate all the religious for his own diocese. He reminded the Apostolic Delegate that Langevin "a même condamné en plusieurs circonstances, les démarches du Père Lacombe. Entre nous soit dit, Sa Grandeur n'a pas désiré l'arrivée de prêtres du rite grec-ruthène et a pensé et dit que des prêtres du rite latin suffisaient pour sauvegarder la situation." Legal argued that the initiative to bring Ukrainian religious to Canada came from the diocese of St. Albert which bore all the expenses. Consequently, common justice required that his diocese be the prime beneficiary.[52] While the Basilians did initially settle in Alberta, as Legal requested, they eventually spread to the other Western dioceses.

On the more complicated question of which higher ecclesiastical authority would look after the Ukrainian immigrants, Rome took longer to act. Pope Leo XIII decided to send a visitor on a fact-finding mission to Canada.[53] This visitor, Ambrose Polanski, significantly was made to depend on the Apostolic Delegate and each Western bishop.[54] This difficult issue was only resolved, however, during the pontificate of Leo XIII's successor, Pius X with the apostolic letter, *Officium Supremi*, of July 1912 which established a bishop of the Ruthenian rite with residence in Winnipeg. This bishop was given full jurisdiction over the faithful of that rite, under the sole dependency of the Apostolic Delegate in Ottawa. The following year, Propaganda Fide issued a decree, *Fidelibus ruthenis*, which dealt with a wide range of issues concerning the relations between the bishops of both rites, between the Ruthenian bishop and his priests, and between the clergy and the laity. It is only at this point that Ukrainian Catholics in Canada begin to live their own religious life.

★★★

It seems obvious then that contrary to popular opinion,[55] "fringe" immigrants were as alienated in Canada as in the United States. It was not that they were expected to conform to an image of respectability which the Irish-American hierarchy defined for immigrants south of the border. The Western Canadian Church was operating in an area of recent settlement where respectability was not yet an issue. As well, this whole area had been entrusted to the Oblate Order whose specific mandate was to do missionary work throughtout its length and breadth. The Oblates held all the episcopal sees in the West and their model of conduct was far more pastoral and less managerial or entrepreneurial. Nor was respectability a question in Québec and the Maritimes where the Catholic Church was "at home" that is, an integral part of the cultural fabric. Immigrants in these areas did not feel compelled to subscribe to "higher forms of faith and religious practice." Ontario is possibly the only region which came closest to the stereotype of American Catholicism in its response to "fringe" immigrants; but more research must be done to establish this hypothesis.

It must also be admitted that the Canadian Church seemed more willing to serve immigrants in their own language. The Oblates, many of whom were European, of course were already used to dealing in the West with the faithful in Cree and French; other European tongues did not in principle constitute insurmountable obstacles to pastoral care. In Québec, once the episcopate was sensitized to the immigrant question, there seemed to be a general willingness to provide spiritual services in other languages, given the availability of funds and manpower.

But to the immigrant, language was not the only question. Even if we put aside the important problem of rite for a moment, it was not sufficient for Ukrainians to be ministered by German or Polish priests who had an approximate knowledge of their language. Nor could Italians be satisfied with French Canadian clergymen, no matter how dedicated, who had spent two or three years in Rome. These immigrants wanted their own countrymen and preferably priests from their own regions to care for them. However, the Canadian Church, including the Apostolic Delegate, did not consider this as an important issue. In addition, although the Canadian hierarchy did not as a whole regard immigrants as an embarassment, they did believe that these newcomers had to change their ways. They looked upon the Ukrainians in the West, like the Italians of the United States, as inconstant in their faith, stubborn in their Old World ways, and somehow untrustworthy. The Ukrainian priests who happened to come to Canada, were believed to be not much better and their commitment to Catholicism, as defined by the hierarchy's standards, was thought to be shaky. The bishops assumed that the solution to the immigrants' problems should come from elsewhere, from Rome or the country of origin. In any case the final itinerary for these immigrants was, in the eyes of the hierarchy, assimilation to prevailing forms. The bishops were also very wary in their dealings with the immigrants, of protecting their own authority. This consideration very often made them lose sight of the latter's interests.

Rome, for its part, seemed much more sensitive to the needs of immigrants. The Propaganda document reflected an acute awareness of their plight. And if it had not been for the initiatives taken by the Cardinal-Perfect of this Congregation, in favour of the Italians of Montréal and of other large cities, one wonders when the local bishops would have awakened to the particular wants of the immigrants. It was also thanks to the pressure applied by Rome and the Austrian government that the Ukrainians avoided the assimilationist policies advocated by the Apostolic Delegate and Western bishops.

Of course, one cannot deny the financial difficulties involved in the proper spiritual care of immigrants in Canada. The overwhelming majority of new arrivals did not have the resources to provide for the upkeep of the clergy. They were also dispersed over a wide area of Canada. The Holy See had recommended the institution of "flying missions," but had not indicated how these missions could be financed. The Canadian bishops on the other hand either administered newly created dioceses, like those in the West, where financial resources were limited, or more established ones which had large debts and a surfeit of religious communities. Mgr Fabre, for example, did not want the Scalibrinians in Montréal because, unless they exclusively looked after the Italians, they could merely draw away money that could go to another community or parish. The solution to the spiritual care of immigrants was ultimately not achieved until they were themselves more settled, both socially and geographically.

Roberto Perin
Department of History
York University
Director
Canadian Academic Centre
Rome

Notes

1. Archives of the Propaganda Fide in Rome (APFR), Acta 1887, "Rapporto sull'emigrazione italiana con sommario," 683-693. "Le quali speculando sulla loro miseria, non si dan troppo cura delle loro persone. Sono imbarcati alla rinfusa, pigiati senza distinzione d'eta e di sesso in numero soverchio sui piroscafi, in condizione esiziale per l'igiene e la moralità..."(683).
2. Ibid., 685. "È umiliante riconoscere come, 'dopo la scomparsa degl' indiani dagli Stati Uniti e l'emancipazione dei negri, sono gli emigrati italiani quelli che in gran numero rappresentano i paria nella grande Reppublica Americana. Basti l'accennare che sono cosi disprezzati per il loro sudicium e la loro pitocheria, che a New York gli Irlandesi concedettero loro l'uso gratuito del Sotterraneo della Chiesa della Trasfigurazione, per riunirsi alle pratiche del culto..."
3. Ibid., 686. "Lentamente quelle famiglie povere van trasformandosi, per perdersi in pochi anni nella grande nazione americana, d'italiano non conservando che il nome."
4. Ibid., 686. The mention of Ontario would tend to suggest that the report was not completely oblivious to the Canadian dimension of the problem.
5. See Maria Laura Vannicelli, "L'Opera della Congregazione de Propaganda Fide per gli Emigrati Italiana negli Stati Uniti (1883-1887)" in Pietro Borzomati, ed. *L'Emigrazione Calabrese dall'Unità ad Oggi* (Roma: 1982), pp. 135-151.
6. APFR, Scritture Riferite in Congressi (SC) 31, A. E. Taschereau au Cardinal Jacobini, 5 janvier, 1891.
7. APFR, SC 30. Rapport de Mgr. Fabre, 24 avril 1889; Lettere, Decreti e Biglietti di Monsignore (LDB) 1889, Cardinalis J. Simeoni ad Fabre, 8maius 1889.
8. APFR, SC 31. Fabre à G. Simeoni, 28 mai 1889. It is difficult to establish exactly how many Italians lived in Montréal at that time. The 1901 census seems to agree with Fabre by giving only 1,398 Italian residents. Vangelisti, the first historian of the Italian community in Montréal, states that there were 2,000 Italians in 1885. Clearly though, the census underestimates their real numbers.
9. APFR, LDB 1890, Cardinalis M. Ledochowski ad Fabre, 30 aprilis 1890.
10. G. Vangelisti, *Gli Italiani in Canada* (Montréal: 1955), chap. 7.
11. APFR, NS 75, Rubrica 154, Luigi di Parma a Ledochowski, 15 giugno 1895.
12. APFR, NS 98 Rubrica 154. Rapport de Mgr Fabre sur son archevêché, 22 août 1896.
13. Archivio Segreto Vaticano (ASV), Delegazione Apostolica del Canada (DAC) 50, Ottawa, Wilfrid Deguire à Diomede Falconio, 10 octobre 1902; DAC, Letter Book of Msgr. Falconio (LBF), Falconio à Deguire, 24 octobre 1902; These papers have neither been numbered, nor have they been re-ordered since their shipment from Canada to Rome. The categories may eventually be altered.
14. John Zucchi, *The Italians of the St. John's Ward, 1875-1915* (Toronto: 1980), pp. 16-17, would tend to suggest this interpretation.
15. ASV, DAC, LBF. Falconio a Luigi de Biasi, 27 giugno 1901; Falconio a Angelo Cianci, 9 giugno 1900.
16. ASV, DAC 50, New Westminster. Falconio to Thayer, 4 Nov. 1900.
17. ASV, LBF. Falconio to O'Connor, 5 July 1902.
18. ASV, LBF. Falconio a Basilio Cappellini, 2 luglio 1902. "...poichè, come sapete, i sacerdoti qui vivono con le oblazioni dei fedeli"; "Vi esorto ad usare ogni mezzo affinchè

cotesti cari connazionali restino fedeli alla nostra santa religione ed il Signore ve ne farà merito."

19. ASV, DAC 50, Montréal. Cordasco a Falconio, 31 dicembre 1901; DAC 157, G. Solimbergo a Falconio, 11 dicembre 1899, 8 gennaio 1900, 5 aprile 1900; LBF. Falconio to Mr. Nobile, 5 July 1902; Falconio a Solimbergo, 4 dicembre 1899.
20. ASV, DAC 157. G.B. Mander a Falconio, 17 aprile 1901; Mander a Falconio 29 aprile 1901; LBF, Falconio to whom it may concern, 5 August 1901.
21. ASV, DAC 157. A. B. Mattis de Paul e Domenico Rebecca a Falconio, 18 agosto 1901. "...sarebbero adatti alla colonizzazione estesa ed in massa e famiglie di quelle senza mezzi finanziari che devono approfittarvi dei terreni del governo (Homesteads)."
22. ASV, LBF. Falconio a Mattis de Paul e Rebecca, 27 agosto 1901; Falconio a Mander, 13 aprile 1901.
23. ASV, DAC 157. Rebecca a Falconio, 12 marzo 1902; G. Sommariva a Falconio, 21 marzo 1902, 7 giugno 1902.
24. ASV, DAC St. Albert. V. Grandin à Falconio, 31 mars 1901.
25. APFR, NS 215 Rubrica 154. Rapporto di Falconio a M. Rampolla, Segretario di Stato, sulla propaganda protestante in Canada, 20 marzo, 1901. ff. 619-641.
26. This pseudo-nationalist interpretation finds its way in chap. 2 of Paul Yuzyk's *The Ukrainian Greek Orthodox Church of Canada 1918-1951* (Ottawa: 1981). Yet Yuzyk himself admits (p. 40) that in Galicia and Bukovyna the administration of church property was an exclusive prerogative of the clergy.
27. ASV, LBF. Falconio a Rampolla, 4 agosto 1900; Falconio to A. Lacombe 10 July 1900; Falconio to A. Langevin, 13 Oct. 1900; Falconio a Ledochowski, 23 marzo 1901; Langevin au Cardinal J. M. Gotti, Préfet de la Propaganda, 11 août 1902.
28. APFR, NS 215 Rubrica 154. La propaganda protestante...20 marzo 1901.
29. APFR, NS 215 Rubrica 154. F. Olszewski a Ledochowski, 13 marzo 1900. This is an Italian translation of the Polish original.
30. ASV, LBF Falconio à Langevin, 20 mai 1900; DAC St. Boniface. Grandin à Falconio, 15 mai 1901.
31. APFR, NS 242, Rubrica 154. Langevin à Gotti, 11 août 1902.
32. ASV, DAC. St. Albert. Mgr Emile Legal à Falconio, 15 février 1900; LBF. Falconio aux Évêques de L'Empire Austro-Hongrois, 10 juillet 1900.
33. ASV, LBF Falconio to Lacombe, 10 July 1900.
34. ASV, LBF. Falconio a Ledochowski, 12 marzo 1901. Falconio was citing a letter which he had received from Szeptycki.
35. ASV, LBF. Falconio à Grandin, 18 avril 1901.
36. ASV, LBF. Falconio à Langevin, 12 octobre 1901.
37. ASV, LBF. Falconio à Basilio Zoldak, 13 novembre 1901.
38. APFR, NS 215 Rubrica 154. "La Propaganda Protestante..." 20 marzo 1901.
39. ASV, DAC St. Albert. Grandin à Falconio, 22 juillet 1901.
40. APFR, NS 215 Rubrica 154 La Propaganda Protestante...20 marzo 1901. "Questi popoli ostinati come sono nel loro rito..."; La Chiesa Cattolica nel Canada ff. 710-745. "...non sapendosi o non volendosi adattare al rito latino."
41. ASV, LBF. Falconio a Ledochowski, 23 marzo 1901.
42. ASV, DAC St. Albert. Grandin à Falconio, 31 mars 1901.

43. APFR, NS 242 Rubrica 154, Langevin à Gotti, 11 août 1902.
44. ASV, DAC St. Albert. Grandin à Falconio 31 mars 1901; 29 avril 1901, 12 juillet 1901.
45. ASV, DAC St. Albert. Grandin à Falconio 31 mars 1901.
46. ASV, DAC St. Albert. Grandin à Falconio, 18 octobre 1900; LBF. Falconio a Rampolla, 4 agosto 1900.
47. APFR, NS 242 Rubrica 154. Langevin à Gotti, 11 août 1902.
48. ASV, LBF. Falconio to Langevin 27 July 1900; Falconio a Rampolla, 4 agosto 1900.
49. ASV, LBF. Falconio a Rampolla, 4 agosto 1900. "...non potrebbe una tal nomina fornire ai malcontenti un pretesto per formare idee scismatiche fra di essi?"
50. ASV,LBF. Falconio a Rampolla, 5 agosto 1900; Falconio to Langevin, 13 October 1900.
51. ASV, LBF. Falconio a Ledochowski, 23 marzo 1901; Falconio a Rampolla 1 marzo 1902.
52. ASV, LBF. Legal à Falconio 16 octobre 1902.
53. APFR, NS 215 Rubrica 154. Ledochowski a Falconio, 13 gennaio 1902.
54. ASV, LBF. Falconio à Langevin, 6 mai 1902.
55. Joseph Jean, "Mgr Adélard Langevin, Archevêque de Saint Boniface, et les Ukrainiens", *Rapport de la Société Canadienne d'Histoire de l'Église Catholique* (1944-45): pp. 101-110; Yuzyk, *Ukrainian Greek Orthodox Church...*

Chapter
Chapitre **4**

Art and Religion/Art et religion

YVON DESROSIERS

Mythes et symboles fondamentaux dans la littérature québécoise

The author compares the culture or civilization represented in ten of the best-known novels of Québec literature from its origins to present day, with the Catholic religion present in each by these works. They are analyzed from the point of view of a phenomenology (after Eliade) of religion. The inherent symbols present in these works that constitute the myths and rites structuring the universe represented, are considered the equivalent of a non-institutional religion experienced by the novels' characters. A variety of sacred forms are observed: the mother country, nature, mother earth, the city, poverty, the absurdity of life, the poetic universe, and cosmic perfection. The institutional religion represented in these works, with its images of God, the role of the Church and the beliefs and practices of the characters, comes into contact with the non-institutional religion in various ways; the relationship between the two varies greatly and a typology may be established, presenting the following categories: agreement, fusion, juxtaposition, disagreement with the failure of one form, triumph of the other, dispute, transformation, replacement and appearance of a new form.

Art et religion - Préalables épistémologiques

Une des façons d'approcher le problème des rapports existant entre l'art et la religion a été proposée par Mircea Eliade dans un ouvrage qu'il consacrait à la méthode et à l'histoire des religions[1]. Selon lui, les deux phénomènes ne sont pas homologables: des structures religieuses, comme celle de l'initiation, peuvent survivre dans la littérature comme structures d'un univers imaginaire, tandis qu'en histoire des religions, on a affaire à des expériences vécues et à des institutions traditionnelles. Dans un monde désacralisé comme le nôtre, le sacré est surtout présent et actif dans les univers imaginaires des productions artistiques, même si on l'y retrouve sous des formes camouflées ou dégradées. Ces univers sont aussi importants pour l'existence humaine que la vie diurne et réaliste.

Eliade proposait alors aux religiologues ou "religionistes" d'entreprendre une "démystification à rebours" pour dévoiler le sacré à l'oeuvre dans ces langages apparemment profanes des arts et montrer en quelque sorte la permanence, sous des formes différentes, du phénomène religieux tel qu'étudié par l'historien des religions.

Nous estimons, comme Eliade, que cette interprétation religieuse que nous préférons qualifier de religiologique - est nécessaire pour comprendre toute la richesse des oeuvres d'art et c'est ce que nous voulons faire présentement à propos de quelques oeuvres de la littérature québécoise, en nous permettant cependant de faire au préalable quelques commentaires sur le projet éliadien mentionné.

Notre auteur propose que le sacré que l'on retrouve dans la religion de l'homme archaïque, pourrait être retracé et dévoilé dans les productions artistiques de l'homme moderne. Cette proposition que nous acceptons se double cependant d'une autre qui nous paraît discutable, à savoir que dans le premier cas, on aurait affaire à un univers réaliste, celui des religions instituées, tandis que dans le second, on serait en présence d'un univers imaginaire. Cette distinction ou opposition entre des univers réaliste et imaginaire nous semble discutable, sinon récusable. La religion et l'art nous paraissent également, tous les deux, être des productions imaginaires, des créations de l'imagination symbolique, c'est-à-dire de cette fonction de l'esprit humain qui transforme les images fournies par la perception (le ciel, la terre, l'arbre...) en fonction de la propriété du symbole d'être toujours ouvert, de renvoyer à l'autre et à la limite, chez l'esprit religieux, au Tout Autre (qui peut être transcendant autant qu'immanent, en dehors ou en dedans du monde, ailleurs plus loin ou ici au plus profond).

Une théorie anthropologique est nécessaire et inévitable pour discuter de la nature de la religion et des rapports existant entre la religion comme système de symboles (organisés en mythes et rites) reliant l'homme au sacré et les autres systèmes de symboles (art, société, politique...) constituant les expériences humaines. La perception, apparemment plus réaliste, fournit le donné, tandis que la représentation est créée par l'imagination symbolique. Par ailleurs, la perception n'est jamais purement et simplement donnée (objective), elle est toujours transformée en représentation (subjective) chargée d'affectivité par les structures d'accueil (conscientes ou inconscientes, i.e. les archétypes). On se rappele comment Durkheim, pour un, a souligné l'importance des représentations (i.e. de l'imaginaire) qui pour lui ne sont pas des copies inertes de la réalité, mais des images chargées d'affectivité et de dynamisme.

Si nous osons suggérer ce qui nous semble être la différence majeure entre la religion et l'art, nous dirions que l'homme religieux a toujours vu son univers religieux comme une réalité (v.g.: "Dieu existe objectivement") tandis que l'artiste moderne peut ne pas avoir cette prétention. L'homme religieux a droit (politique) à ses croyances, mais un religiologue doit discuter de la valeur du réalisme et essayer d'échapper à un réalisme naïf ("le corps et l'âme existent, l'atome existe"...).

En conclusion, il faut cesser de voir la religion comme lieu privilégié de l'expérience du sacré et la définir davantage comme un système (socio-juridico-politique) parmi d'autres. Autrement dit, il faut définir les religions comme des institutions et la religion comme une expérience présente (ou absente) dans toutes les institutions, en contradiction avec le vieux postulat des sciences religieuses (formulé par Frick) à l'effet que la religion n'est réelle que dans les religions.

Une double sacralité

Dans le cadre des perspectives épistémologiques que nous venons de présenter, nous nous proposons ici de rechercher à l'intérieur d'une dizaine de romans choisis au hasard tout au long de notre histoire littéraire, depuis *Les Anciens Canadiens* jusqu'au récent *Matou*, la symbolique fondamentale vécue par les personnages et de la comparer à la religion institutionnelle, lorsqu'elle s'y retrouve, de ces mêmes personnages. Nous nous permettons de renvoyer à d'autres essais pouvant éclairer la présente démarche: nous avons essayé, par exemple, de montrer *La dimension religieuse* (autre que la religion institutionnelle) *dans l'oeuvre d'Émile Nelligan*[2], les *Structures du sacré dans le théâtre de Michel Tremblay*[3] et *Les thèmes religieux dans la peinture de Jean Paul Lemieux*[4]. Pareillement, nous avons fait un court inventaire de l'*Imaginaire et* (des) *mythes dans la littérature québécoise*[5]; nous avons recueilli, par exemple, la forêt (comme paradis terrestre et enfer), le sauvage (bon et sanguinaire), la terre (nourricière et dévorante), la ville (refuge et désert), le voyage intérieur (libérateur et destructeur), etc...

Les Anciens Canadiens[6], "le roman le plus célèbre de l'époque, sinon du siècle[7]" selon un critique, raconte la vie d'un seigneur canadien et de sa famille peu avant la cession du Canada à l'Angleterre, ses malheurs durant la guerre et son rétablissement (dans ses privilèges et sa fortune) après celle-ci. Le fils Jules et son grand ami de collège, Archibald, orphelin de famille écossaise noble et accueilli par la famille, devront faire la guerre dans des camps opposés - Archibald devra même brûler les biens de ses bienfaiteurs - mais se retrouveront dans la paix. Jules épousera une anglaise, mais sa soeur ne voudra pas, par fidélité à sa race, épouser Archibald, malgré le grand amour qu'ils se portent mutuellement.

La religion est omniprésente dans cette oeuvre de P.-A. de Gaspé: les personnages ont toutes les vertus chrétiennes; dans l'épreuve, ils se comportent comme Job; "tout le monde pratiquant le même culte", on ne craint pas de s'agenouiller en public pour réciter l'Angelus ou "pour demander à Dieu de les préserver de tout accident pendant cette journée". À leur sortie du collège, les deux jeunes amis reçoivent du supérieur la consigne connue: "Que votre cri de guerre soit: Mon Dieu, mon roi, ma patrie". Même la guerre est sainte...pour les deux opposants d'ailleurs! La patrie (mère) et la religion sont associées dans l'opposition au sauvage: "L'Iroquois sur Québec lance un regard de feu...il contemple en silence l'étendard de la France et la croix du vrai Dieu".

L'auteur s'était donné pour "'toute[...]ambition[...][de] consigner quelques épisodes du bon vieux temps", mais un autre propos court tout au long du texte. On trouve en exergue une vision fataliste empruntée, curieusement, au Ramayana: "notre vie nous échappe", que l'auteur va transformer en une perspective religieuse de soumission à "Celui qui tient dans ses mains puissantes la vie et la mort de ses faibles créatures". Ce qui est règle de conduite pour l'individu: Archibald (catholique lui aussi) "se courba avec résignation sous la main de Dieu" et il affirme: "la Providence de Dieu s'est certainement manifestée d'une manière visible", cette règle devient une philosophie de l'histoire collective qui, on le sait, fera long feu: "la cession du Canada a peut-être été[...]un bienfait pour nous; la révolution de 93, avec toutes ses horreurs, n'a pas pesé sur cette heureuse colonie, protégée alors par le drapeau britannique".

Si l'on emprunte les catégories de l'histoire des religions pour réinterpréter (religiologiquement) ce roman, on peut proposer qu'on est en présence d'un mythe-rite de passage du "bon vieux temps" nostalique du régime français à l'ère nouvelle, valable pour le microcosme qu'est la famille du seigneur d'Haberville et pour toute la collectivité canadienne. On a un départ du héros (ou des héros Jules et Archibald), une initiation, c'est-à-dire un affrontement des puissances surhumaines maléfiques (la guerre, la misère, la mort) et un retour des héros normalement triomphant et recréant un monde renouvelé. Mais dans le cas présent Jules a perdu la guerre et l'indépendance de son pays, et même le vainqueur Archibald a perdu celle qu'il aimait. Nous arrivons ainsi à la conclusion essentielle pour nous et nous trouvons un premier rapport entre la vision fournie par la religion institutionnelle et le vécu religieux véritable des personnages; ce rapport en est un de contradiction: la religion officielle présente comme un bienfait et un renouvellement - recréation du monde, selon le modèle: cosmos usé-chaos-cosmos renouvelé, ce qui a été une perte-destruction. Le discours religieux institutionnel cherche à rendre acceptable un récit de chute, de perte: pour demeurer fidèle à la France et à sa race, Blanche devra renoncer à l'amour et sera stérile, tandis que Jules, pour entrer dans l'histoire, devra devenir "impur" et "infidèle": il épousera une anglaise. La famille seigneuriale pourra continuer sa vie heureuse mais sérieusement diminuée.

Maria Chapdelaine, dont on a fait le roman de la survivance - "au pays de Québec rien ne doit mourir et rien ne doit changer" -, est d'abord le récit de vie d'une famille de défricheurs. Samuel Chapdelaine a une passion: "faire de la terre", faire reculer la sombre lisière de la forêt menaçante. Sa fille, Maria, connaît les promesses de l'amour mais son amoureux meurt perdu en forêt dans une tempête de neige. Maria renonce à l'attrait de la vie facile dans la ville étrangère et choisit de demeurer fidèle au passé, à la race et au pays.

Ces gens vivent dans "la soumission aux lois de la nature et de l'Église". Il y a un accord entre ces deux figures du divin: en Maria, "la ferveur religieuse, la montée de son amour adolescent, le son remuant des voix familières se fondaient dans son coeur en une seule émotion[...] le monde était tout plein d'amour[...]profane et d'amour sacré également simples et forts, envisagés tous deux comme des choses naturelles et nécessaires". Mais cet accord est brisé par la mort de François Paradis, et Maria, qui avait prié pour demander la protection pour un homme, va prier pour demander le pardon pour son âme, elle se soumettra à la directive du prêtre: "le bon Dieu sait ce qui est bon pour nous; il ne faut pas se révolter, ni se plaindre". Sa décision de continuer la vie passée lui sera inspirée par cette fameuse voix, "la voix du pays de Québec qui était à moitié un chant de femme et à moitié un sermon de prêtre[...]nos prières et nos chansons[...] notre culte et notre langue deviennent des choses sacrées[...] qui devront demeurer jusqu'à la fin[...]"

Si on cherche à comparer la religion présente dans le roman avec les symboles fondamentaux du sacré qu'il contient, on aboutit aux éléments suivants: tout comme Dieu accorde une température favorable à un moment (celui des foins) et un climat défavorable à un autre moment (celui de la récolte), tout comme aussi la divine Marie, invoquée par Maria en faveur de son amoureux, apparaît non bienveillante "en [se] figeant dans une immobilité vraiment divine pendant que s'accomplissait le destin", alors qu'elle paraîtra miséricordieuse lorsque Maria lui demande protection pour l'âme du défunt, pareillement la nature est à la fois puissance maléfique lorsque la forêt dévorera François et puissance bénéfique sous forme de la terre nourricière à laquelle Maria se dévouera à la suite des siens. Le Dieu de la religion est en somme bien accordé aux figures sacrées au milieu desquelles se joue la vie des personnages.

Trente Arpents présente les étapes (naissance, mariage, maladie et mort) de la vie d'un paysan orphelin, puis héritier d'"une terre", c'est-à-dire d'une ferme, et ensuite chef de famille, petit notable propère, qui finit sa vie pauvre et exilé (dans une petite ville des États-Unis). Ce cycle est lié à celui de la terre (printemps, été, automne et hiver) virginale, mère d'abord nourricière puis indifférente sinon hostile, à qui l'homme est lié, accouplé, comme maître tout autant que serf.

La religion institutionnelle est présente surtout dans la personne du prêtre, "chef de paroisse, à la fois pasteur, juge et conseiller de tous[...]intercesseur auprès du ciel qui dispense les pluies et accorde les beaux temps". Notre paysan se doit de fournir à l'Église un de ses prêtres pour achever la réussite de sa vie: "tout le monde le respecterait, un peu de cette gloire rejaillirait sur lui, père d'un prêtre". Le lien entre la terre et le divin est ainsi formulé par l'évêque qui "est venu dans la paroisse[...][et] a dit qu'un homme qu[i]'aime la terre, c'est quasiment comme aimer le bon Dieu qui l'a faite[...][et] que lâcher la terre, c'est comme qui dirait mal tourner". Ce don d'un prêtre à Dieu comporte un certain calcul: "Deux religieuses et un prêtre, le bon Dieu n'aurait pas à se plaindre et saurait en retour se montrer généreux".

Une symbolique religieuse profonde est vécue dans la relation de l'être humain à la terre. "La vie passait de la terre à l'homme, de l'homme à la femme et de la femme à l'enfant qui était le terme temporaire". On est en présence d'une religion de la Terre-Mère, comme au temps néolithique: "la terre[...]était toujours la fille du Ciel et l'épouse du temps, la bonne et féconde Déesse", celle qui "par les deux cycles, celui des hommes et celui de la nature[...]retrouve une nouvelle fécondité". La terre est ainsi la véritable figure du sacré, la "grande immortelle", la puissance surhumaine, à la fois bénéfique, maternelle et nourricière, et aussi maléfique, "immuable et insensible, sans tendresse et sans compassion" qui abandonne les siens à la mort: "La terre faillait aux siens, la terre éternellement maternelle ne nourrissait plus ses fils".

Le rapport entre la religion institutionnelle et la sacralité vécue dans le roman pourrait être formulé ainsi: la signification fournie par l'institution religieuse - à travers les discours du prêtre et de l'évêque - à ce qui est vécu par les personnages est surajoutée; la symbolique de la terre est mise en relation avec le Ciel qu'on identifie au Dieu chrétien, mais le rôle de ce Dieu se borne à celui de dispensateur du climat favorable ou défavorable à la vie agricole. Le récit pourrait avoir tout son sens sans cette référence à la symbolique chrétienne. La véritable religion vécue se joue dans les rapports de soumission, de crainte et de respect à cette figure sacrée qui est celle de la terre et au-delà de laquelle la figure du Dieu chrétien est posée par le discours officiel sans qu'on puisse bien savoir si elle devient un vécu véritable pour les personnages.

Bonheur d'occasion décrit la vie, ou mieux, la survie misérable d'une famille pauvre de citadins. Le père, un discoureur idéaliste et chômeur qui attend toujours un emploi conforme à son métier, s'éveillera à la fin à la réalité de la misère et, à l'occasion de la guerre, s'enrôlera dans l'armée pour assurer la subsistance familiale. La mère représente la figure forte, le véritable soutien de famille, traversant dans la solitude toutes les épreuves. L'aînée connaîtra un amour d'occasion auquel elle devra renoncer, et se résignera à un "bon mariage" (de guerre) pour assurer son avenir et celui de l'enfant que lui a laissé cet amour malheureux.

La religion tient peu de place: on sait que des images pieuses décorent le pauvre foyer; la prière de l'aînée se borne à une demande, "presque un ordre, presque un défi. Faites que je le revoie[...]bonne sainte Vierge[...]Je ferai une neuvaine[...]"; la mère fait une visite à l'église; "Parce qu'elle était fatiguée et qu'elle éprouvait le besoin de s'asseoir, de réfléchir, elle y entra, égrénant son chapelet", émettant une vague protestation: "C'est pas juste pour mes enfants. Notre-Seigneur, écoutez-moi". "Sa prière était moins un effort pour rejeter ses fardeaux qu'une humble façon d'en détourner la responsabilité sur qui l'en avait chargée". Elle a bien appris la leçon répétée par sa propre mère et résumant sa vision religieuse de la vie: "Elle avait parlé toute sa vie de résignation et de douleurs à endurer: Tu crois p't'être ben te sauver de la misère[...]mais[...]la misère nous trouve[...][toujours et partout]".

Le récit mythique raconté ici en est un de chute radicale et de recherche d'un salut pour y échapper. La misère, la vie misérable est ici portée au niveau d'une figure sacrée, maléfique, toute-puissante, horrible. "Tous les événements importants de la vie prenaient à ses yeux [de la mère] le même caractère tragique, insondable, amer". Même la guerre qui va permettre à tout le monde d'en sortir est ressentie comme "une horrible misère qui reconnaissait là sa suprême ressource". Le rituel du salut sera opéré par la guerre: "cet espoir diffus...soulevait encore une fois l'humanité, détruire la guerre". Le père s'éveille à la réalité de la misère, mais il surmonte "la voix de défaite en lui"; la mère connaîtra le répit dans sa lutte; la fille "était contente d'elle-même[...]elle commençait vraiment une autre vie[...]elle s'en allait vers l'avenir, sans grande joie, mais sans détresse[...]son enfant n'était plus de Jean, mais d'elle et d'Emmanuel [son mari]". Cette vie renouvelée pour tous n'est cependant pas magique, comme l'indique la fin du récit: "Très bas dans le ciel, des nuées sombres annonçaient l'orage".

Le lien est assez lâche, on le voit, entre ce qui est vécu par les personnages et la vision religieuse chrétienne véhiculée par les trois femmes (la fille, la mère et la grand-mère), vision d'ailleurs plus pessimiste que la réalité vécue. La prière de la fille ne sera pas exaucée, elle renoncera à l'amour; celle de la mère a peut-être pour effet de lui permettre de continuer à lutter. La seule dimension religieuse vécue, i.e. la présence du mystère, ses aspects terribles, la recherche d'un salut, se retrouve dans les événements vécus sans que les croyances et les pratiques religieuses interfèrent vraiment avec la réalité: la religion institutionnelle semble plutôt juxtaposée que reliée vitalement au vécu des personnages.

Le Torrent raconte l'enfance d'un garçon soumis à l'autorité inflexible d'une mère qui le destine au sacerdoce pour réparer sa propre faute et conquérir le respect des autres. L'enfant s'oppose au projet de sa mère qui le frappe et le rend sourd; il contribue à sa mort violente en libérant un cheval indompté et il introduit ensuite dans sa maison une inconnue avec laquelle il va vivre un moment avant de s'abandonner à l'attrait d'un précipice de pierres, le torrent qui est l'image de sa propre violence.

La religion est omniprésente dans la première partie du récit en la personne de la mère qui parle constamment de "châtiment", de "justice de Dieu", de damnation, d'enfer et de discipline, dont la devise est: "se dompter jusqu'aux os" et qui associe dans son agenda: "blanchir les draps" et "battre François". Alors que le fils veut "voir de près et en détail une figure humaine", la mère insiste que "le monde n'est pas beau...[et qu']il ne faut pas y toucher". Le fils est amené à ne "retenir que les signes extérieurs". Ainsi, dira-t-il, au sujet de Dieu, "je m'accrochais de toutes mes forces de volonté aux innombrables prières récitées chaque jour, pour m'en faire un rempart contre l'ombre possible de la face nue de Dieu".

En opposition à cette mère religieuse et à sa "terrible grandeur" représentant évidemment l'Église et le Dieu chrétien, et qui laisse en "l'enfant dépossédé du monde" une "impression de dégoût infini", une autre forme de sacralité, celle d'un sacré sauvage, va être vécue et décrite, opérant comme un retournement, un état de possession: "Je ne possédais pas le monde...une partie du monde me possédait. Le domaine d'eau, de montagnes et d'antres bas venait de poser sur moi sa touche souveraine". Les figures sacrées de la mère, de l'Église et du ciel en haut vont être remplacées par celles de la terre, de l'eau, de la pierre et surtout du torrent. La deuxième femme, introduite dans la maison comme substitut de la mère, ne sera qu'une image de plus des forces animales et cosmiques pour le personnage qui se sent "livré à la nature": "Je me sens devenir un arbre ou une motte de terre" et qui se prépare "à l'ultime abandon aux forces cosmiques", abandon qui va devenir comme une fusion au torrent extérieur autant qu'intérieur.

Le rapport entre la religion de la mère et le sacré "sauvage" vécu par le fils est clair: on a au départ une domination, puis une opposition, une libération et enfin un abandon aux forces de la nature. Cet épisode de la littérature, daté de 1945 et paru en 1950, est évidemment à rapprocher des changements survenus au Québec autour de cette période et préparant la Révolution tranquille.

La fin des songes décrit l'échec, qui se terminera par un suicide, de la quête de sens à sa vie, d'un homme faible et angoissé qui prend conscience de "l'horrible sensation de vide et d'absence complète" qu'il éprouve devant la vie et la mort. Ni la présence de sa femme et de ses enfants, ni l'aide de ses amis, ni sa recherche de Dieu ne suffisent à lui permettre de sortir des songes de l'adolescence, des rêves de bonheur et d'amour. Sa mort permettra cependant à ceux qui l'entourent de s'éveiller à la réalité et de sortir de leur individualisme.

Cet homme qui a eu une enfance et une adolescence pieuses cherche Dieu dans sa vie mais ne parvient pas à Le trouver: "un immense vide répond à l'appel de ce mot". "Son missel représentait[...] la plus sûre vérité de sa vie intérieure si confuse[...,] [ces pages] le touchaient encore plus qu'aucun autre text[...]" Mais il finit par découvrir qu'il ne croit pas en Dieu puisqu'il ne réussit pas à Le trouver dans sa vie.

Le rapport entre la religion du personnage et son existence pourrait être résumé ainsi: il attend de la foi en Dieu et de la prière qu'elles remplissent sa vie ou à l'inverse que la vie le mette en contact avec Dieu. La vie est choisie comme le symbole devant donner accès à Dieu, mais la réalité de son existence lui fait vivre l'expérience de la "chienne de vie" et de la mort appelée aussi cette "chienne"; "les deux chiennes sont bonnes amies". La vie et la mort, identifiées, deviennent comme deux figures surhumaines et maléfiques dont la foi cherchée en Dieu et la pratique religieuse ne peuvent triompher. La "religion" s'avère ainsi impuissante à sauver le personnage. Il faut ajouter que ce roman pose, pour la première fois sans doute d'une façon aussi radicale dans l'univers romanesque québécois, la question du sens de la vie humaine, question à laquelle la religion traditionnelle avait toujours fourni toutes les réponses. En ce sens, ce roman représente en quelque sorte une transgression, au sens fort et religieux, d'un interdit de taille.

Poussière sur la ville est l'histoire d'un jeune médecin nouveau venu dans une petite ville dont il va bouleverser les valeurs, d'abord par son incroyance et sa révolte contre l'injustice de Dieu qui permet la souffrance et la mort, surtout celle de l'enfant, mais surtout parce qu'il tolère la liaison publique de sa femme avec un jeune homme de la ville. Celle-ci, par ses notables, le curé et un marchand omnipotent, se charge de régler la situation et veut forcer le médecin à partir, mais celui-ci s'entête à demeurer et à se faire accepter des gens.

Le curé, qui ne peut croire au bonheur sur terre (cherché par l'épouse), condamne le péché à cause du scandale, et se fait le défenseur de la foi en un Dieu juste et bon, malgré la souffrance et la mort inacceptables. Le médecin conteste la recherche du salut à quoi il préfère celle du bonheur. Il a pitié et pardonne, il estime que l'amour véritable, c'est la pitié, un amour qui a renoncé à être absolu et qui est une forme de sainteté.

Nous avons ici un rapport d'opposition entre deux visions de la vie et un essai de remplacement, par ce qu'on pourrait appeler un sacré humaniste, d'une vision religieuse transcendante (le bonheur sera préféré au salut). Selon le titre d'un autre roman du même auteur, c'est maintenant, après celui de Dieu, "le temps des hommes".

Une saison dans la vie d'Emmanuel décrit la vie misérable d'une famille à la campagne durant une saison d'hiver, telle que vue par un nouveau-né, mais racontée par son frère Jean-Le Maigre, adolescent vicieux, tuberculeux, mais aussi poète-biographe "maudit" qui ira mourir au noviciat, et enfant préféré de la Grand-Mère Antoinette. Celle-ci domine la maisonnée, elle, qui se considère "la seule personne digne de la maison" et dont "les pieds nobles et pieux allaient à l'église" et aux bonnes oeuvres "chaque matin en hiver", elle "eut voulu séquestrer toute sa famille au Noviciat", mais se contente de faire le compte des enfants morts et déjà rendus auprès de Dieu, à qui seul "ils sont destinés". Le père est absent ou dérisoire, "la voix de l'homme n'est qu'un murmure. Elle se perd, disparaît"; la mère ne compte guère davantage: elle "semblait toujours épuisée. Son visage avait la couleur de la terre". Les filles sont "soumise[s] au labeur, rebelle[s] à l'amour, [elles] aurai[en]t la beauté familière, la fierté obscure d'un bétail". L'une d'elles passe presque naturellement du noviciat au bordel où elle poursuit une vie des sens qu'elle continue à confondre avec la vie mystique. Les garçons, eux, s'adonnent tout aussi librement à l'ivrognerie et à la luxure sous le regard presque complaisant de la grand-mère.

On devine que l'institution religieuse est comme tournée en dérision. L'église, l'école (qui sera incendiée), l'orphelinat, le noviciat et le couvent semblent naturellement laisser place à la maison de correction, à la prison et au bordel. Le noviciat est présenté comme un "jardin étrange où poussaient[...]entremêlant leurs tiges, les plantes gracieuses du Vice et de la Vertu". Le curé lui-même, complice à la fois de la grand-mère et de Jean-Le Maigre qu'il alimente en livres, ne manque pas une occasion de boire sa bière même les jours sacrés. Le discours de l'institution, par la voix de la grand-mère s'adressant au nouveau-né est traditionnel: "tu es seul au monde. Toi aussi tu auras peur"; la vie ne peut mener qu'à la mort. L'enfant a compris: "il a su que cette misère n'aurait pas de fin, mais il a consenti à vivre".

On imagine que dans une telle oeuvre, d'allure poétique et non de caractère réaliste, le rapport entre la religion institutionnelle et la sacralité vécue ne soit pas facile à formuler. S'il est évident que la figure toute-puissante de Grand-Mère Antoinette qui "se croyait immortelle" et qui "immense, souveraine[...]semblait diriger le monde de son fauteuil", puisse être interprétée comme étant l'Église québécoise d'une certaine époque, avec toutes ses ramifications (école-couvent-noviciat-hôpital); par contre elle se permet une certaine complicité avec le poète-prophète qui fournit la perspective du récit: elle "se laissait bercer par la vague des morts, soudain comblée d'un singulier bonheur[...]malgré tout[...]elle préférait à la splendeur de l'ange étincelant de propreté [défunt dans sa tombe], ce modeste Jean-Le Maigre en haillons sous la table et qui levait vers elle un front sauvage pour mendier". On assisterait en quelque sorte, dans le roman, au remplacement de la vision religieuse prédominante de l'Église par une relecture poétique, euphémisante en quelque sorte, de la condition misérable de la famille: Grand-Mère Antoinette, qui "lit les prophéties" de son petit-fils poète "s'ennuyait depuis la mort de celui-ci[...]: ce sera un beau printemps mais Jean-Le Maigre ne sera pas avec nous cette année".

Le Matou raconte les aventures rocambolesques d'un jeune homme qui veut faire fortune dans la restauration. Il sera aidé dans son projet par un vieillard étrange qui le prend en affection après l'avoir vu secourir une personne blessée. Mais le bienfaiteur mettra son protégé à l'épreuve et même le dépouillera, ce qui donnera lieu à toutes sortes d'affrontements entre les deux personnages. Le jeune homme réussira quand même à la fin, grâce à l'aide d'autres amis. Le "vieux matou" disparaîtra pour un moment, défiguré par le chat vengeur d'un jeune ami qui est mort accidentellement suite aux manigances du "Vieux".

La religion n'est guère mise en cause sinon de façon marginale. On apprendra que le vieillard a fait fortune en fraudant une communauté religieuse où il était "entré dans les Ordres". Un cousin du personnage principal est un prêtre farfelu dont toute l'activité réside dans la lecture et la poursuite de quelque manuscrit littéraire introuvable.

Une forme d'expérience religieuse est vécue par le personnage central: "Des idées bizarres lui passaient par la tête. Il en vint par exemple à se demander s'il n'était pas engagé dans un combat contre des forces d'un autre monde". Effectivement, le "Vieux" a tous les traits d'une figure divine: il apparaît partout où le jeune homme ne l'attendait pas, il sait tout des projets de celui-ci, il laisse croire un moment qu'il est mort et après les "funérailles" il reparaît; il suscite même la révolte du héros qui se plaint presque à la manière de Job: "Qu'est-ce que je t'ai fait? Pourquoi me tourmentes-tu? Ça ne te suffisait pas de m'arracher mon restaurant? Qu'est-ce qu'il te faut de plus?". Le vieillard, à la fin, lui livrera sa vision du monde qui a tous les traits d'une "religion cosmique", d'une vision religieuse prenant l'univers comme symbole: "Aujourd'hui votre haine bouillonne contre moi. Mais demain[...]cela pourrait devenir votre amour"[...]"C'est l'amour qui guidait ma main...J'ai voulu vous enseigner[...]" "L'univers, voilà, c'est l'univers qui moule les actes des hommes[...]Tout est bon. Tout est mauvais. Et le bon et le mauvais, quand on fait l'union[...]eh bien, c'est la Perfection, voilà, car c'est la Vie complète[...]J'ai voulu pour vous la Perfection de la Vie. Esclave, et ensuite libre! Un esclave libre, il est le plus libre des hommes n'est-ce pas?[...]Mais vous n'avez pas compris, soupira-t-il, car j'agissais peut-être avec trop[...]de dureté[...]" On croirait entendre le Dieu chrétien de la tradition québécoise, celui qui châtie bien parce qu'il aime beaucoup. Le personnage principal n'a pas compris, mais il y songera et le "Vieux" a annoncé qu'il reviendrait après être allé "dans les vieux pays" faire arranger son visage défiguré...et le duel entre la figure divine et l'homme reprendra sûrement...

Ces lignes étonnantes dans un roman picaresque qui a amusé des milliers de lecteurs dans le monde méritaient d'être citées longuement. On y retrouve la *coincidentia oppositorum* de la grande tradition mystique et aussi une sensibilité religieuse tout-à-fait contemporaine reliée à ce qu'on peut appeler la Conscience cosmique: le symbole du sacré est devenu le cosmos, l'univers et ses lois, auxquels l'homme se sent lié, fusionné, comme dans un Grand Tout. La vision religieuse chrétienne traditionnelle est ici tout simplement disparue et remplacée par un sens religieux et même mystique, de la Vie, de l'Univers.

Conclusion

Rappelons que nous avions choisi de présenter une dizaine de romans importants - du moins aux yeux des critiques littéraires - en essayant d'y retrouver, c'était notre postulat, une double expérience religieuse, celle de la religion institutionnelle (chrétienne) et celle vécue à travers les symboles importants de la vie des personnages. Nous ne prétendons aucunement, même si cela pouvait être tentant, raconter une évolution des mentalités religieuses. Ce serait reprendre un long débat autour de la question connue: ces romans représentent-ils vraiment, au sens sociologique, le vécu de la société de l'époque correspondante? Sans y répondre, on peut au moins suggérer que ces romans ont pu d'une certaine manière marquer la sensibilité religieuse de leurs nombreux lecteurs.

Nous nous contenterons de rappeler les différentes formes de rapport que nous avons cru pouvoir relever dans nos analyses, en reportant pour des recherches ultérieures le projet d'élaborer une typologie plus exhaustive. Dans *Les Anciens Canadiens*, on était en présence d'une contradiction entre deux visions et d'une tentative de réarrangement, pour ne pas dire récupération, de l'une par l'autre. *Maria Chapdelaine* nous a montré un accord, une correspondance qui n'est pas loin d'être une identité et une fusion entre deux sensibilités religieuses. *Bonheur d'occasion* nous a fait voir une simple juxtaposition sans lien vital apparent de deux visions religieuses. Dans *Le Torrent*, le rapport se présente sous forme d'une dynamique dont les étapes seraient: domination-opposition-révolte-libération-transformation. *La Fin des Songes* nous a fait voir l'échec d'une forme de religion et sa non-communication avec une autre forme, vécue, d'expérience religieuse. Avec *Poussière sur la Ville* nous avons retrouvé encore une fois une stucture d'opposition et un processus de changement. *Une Saison dans la Vie d'Emmanuel* est apparu comme présentant un modèle nouveau, celui du remplacement d'une vision chrétienne par une lecture poétique, critique en quelque sorte et à la limite positive par son aspect démystificateur. *Le Matou*, enfin, présentait aussi un cas nouveau, celui de l'absence d'une forme religieuse chrétienne traditionnelle et l'entrée dans l'univers romanesque d'une sensibilité religieuse contemporaine utilisant l'Univers comme symbole fondamental et régulateur de l'existence humaine.

Sans prétendre, encore une fois, proposer une typologie systématique, disons en conclusion qu'on aurait repéré les variantes suivantes de rapport:

— accord-fusion (*MC*)
— juxtaposition (*TA et BO*)
— désaccord avec:
  échec d'une forme (*FS*)
  triomphe d'une autre (*AC*)
  contestation-mutation (*PV et T*)
  remplacement (*SVE*)
— apparition de forme nouvelle (*M*)

Yvon Desrosiers
Département de sciences religieuses
Université du Québec à Montréal

Notes

1. *La nostalgie des origines*, Gallimard, 1971, 335 p., cf. pp. 139, 239 et 247-248.
2. Cf. *Religion et culture au Canada*, ed. P. Slater, CCSR, 1977, pp. 333-351.
3. *Sciences Religieuses*, Vol. 10 no 3, pp. 303-309, 1981.
4. *Sciences Religieuses*, Vol. 11 no 3, pp. 235-244, 1982.
5. Communication au Colloque de l'Association des Professeurs de Français du Québec: "Créativité et Imaginaire", 1983, Actes à paraître.
6. Pour les romans analysés, voir la Bibliographie.
7. LAUZIÈRE, A. *Histoire de la littérature française du Québec*, I, Beauchemin, Montréal, 1967, p. 247.

Bibliographie

de GASPÉ, Philippe-Aubert. *Les Anciens Canadiens*, Beauchemin, Montréal, 1946 (1863), 279p.

HÉMON, Louis. *Maria Chapdelaine*, Fides, Montréal, 1980 (1916), 225p.

RINGUET. *Trente Arpents*, J'ai lu, Paris, 1980 (1938), 319p.

ROY, Gabrielle. *Bonheur d'occasion*, Beauchemin, Montréal, 1947 (1945), 532p.

HÉBERT, Anne. *Le Torrent*, HMH, Montréal, 1971 (1950), 248p.

ÉLIE, Robert. *La fin des songes*, Fides, Montréal, 1968 (1950), 213p.

LANGEVIN, André. *Poussière sur la ville*, Ed. du Renouveau Pédagogique Inc., Ottawa, 1969 (1953), 187p.

BLAIS, Marie-Claire. *Une saison dans la vie d'Emmanuel*, Ed. du Jour, Montréal, 1970 (1965), 128p.

BEAUCHEMIN, Yves. *Le Matou*, Ed. Québec/Amérique, Montréal, 1981, 583p.

WILLIAM C. JAMES

Religious Symbolism in Recent English Canadian Fiction

D'aucuns estiment qu'il faut croire en l'éternité pour écrire un ouvrage de fiction cohérent. L'image de la réalité reflétée par la littérature constitue un degré de plus par rapport à la perception commune de la réalité. C'est ce qu'en termes religieux on nomme transcendance ou supranaturel.

Dans la littérature canadienne, les romans de Hugh MacLennan et de Morley Callaghan illustrent une version plus ancienne de cet "autre monde". Dans leurs romans, et en particulier vers le dénoûment "l'aéronef terrestre" devient le point de départ d'un envol vers l'éternité; ce qui ne peut être résolu en des termes de ce monde est transposé dans un autre royaume. Même pour des auteurs qui ne croient pas à l'éternité, comme W.O. Mitchell auteur de Who Has Seen the Wind, *la mort devient comme le catalyseur de la transcendance (dans le cas "horizontale" plutôt que "verticale". Dans le roman de Mitchell, la ville symbolise la réalité conventionnelle alors que la prairie représente plutôt le domaine du mystérieux et du transcendant. De la même façon dans* Lives of Girls and Women *d'Alice Munro, les images d'un monde situé par-delà la ville de Jubilee suggèrent un royaume de transcendance. Tout comme Brian O'Connal, Del Jordan doit réconcilier ce monde de folie, de mort et de mystère avec le monde conventionnel symbolisé par la ville. Dans la trilogie de Deptford, son auteur Robertson Davies, dépeint un "monde de merveilles" reposant sous les contours de la réalité ordinaire. L'étude de ce royaume mythique engendre la renaissance et l'enrichissement de la réalité quotidienne. Dans cet ouvrage et dans le roman* Surfacing *de Margaret Atwood, l'exploration de la transcendance conduit à une initiation à la mort (le prélude à la renaissance), tout près de l'expérience de la folie.*

On trouve également bon nombre d'indices de transcendance dans The Diviners *de Margaret Laurence. L'expérience progressive de transformation prend son essort lors d'une expérience de la mort et comporte, à certains moments, une sorte de folie prophétique. Le thème central de "divination" suggère que ceux qui possèdent les dons nécessaires découvrent et explorent à fond l'autre réalité. Ici encore, un mentor aide le protagoniste à découvrir cette autre réalité.*

La coexistence de deux royaumes - le quotidien et le surnaturel rappelle le "monomythe" de la quête héroïque définie par Joseph Campbell et regroupe des éléments du "sacré" tels que caractérisés par Rudolf Otto. On pourrait soutenir que ce schéma, propre à la littérature d'imagination en général, s'applique plus particulièrement au roman canadien. Cette situation s'intègre parfaitement à l'attitude typiquement canadienne qui consiste à être en marge des courants dominants, à se tenir à la périphérie des choses.

About a generation ago the Scottish poet Edwin Muir proposed that the decay of the religious sense meant the decline of the novel. Muir argued that for novelists of an earlier era "life obediently fell into the mould of a story" because "everybody possessed without thinking about it very much the feeling for a permanence above the permanence of one human existence, and believed that the ceaseless flux of life passed against an unchangeable background."[1] The basis, then, of this particular correlation of faith with fiction is the claim that imaginative literature somehow depends upon the belief in eternity. When that belief fails, then imagination is also eclipsed. Some theorists of the "new novel" not only take for granted the failure of belief in eternity, but are opposed to any effort to assign a meaning to the world. They maintain that our relationship with the world has changed, and that the "new novel" must abandon the old myths of depth and simply take into account the world's "presence."[2]

This line of thought has been taken up in various ways by other critics, some of whom, for instance, restate the issue in terms of the much-vexed old question of literature and belief: Do I have to share the medieval world-view in order to read medieval literature with full appreciation? Others follow a more fruitful line by asking whether religious faith need imply a particular cosmology: Does the breaking of an older conceptual mirror mean that the reality whose image was caught there is also broken?[3] Still others have tried to show what might constitute the religious meaning of contemporary literature after the collapse of traditional theism when a kind of nihilism, a sense of the absurdity of existence, or the apparent disappearance of God becomes widely taken for granted.[4]

If an account by D.J. Dooley is to be believed, the Canadian scene is even more perilous for the contemporary writer of fiction than the Anglo-European one. In a telling footnote in his book, *Moral Vision in the Canadian Novel*, Dooley suggests that Canadian fiction has been more deeply affected by "Nietzscheanism" because our authors lack "gigantic forerunners" who might have reminded them of the religious basis of moral demands and of the "great disciplines of humanity."[5] Surveying some of the landmarks in Canadian fiction written before 1970, Dooley's reiterated complaint is that our novelists lack a consistent philosophical, moral, or religious framework to sustain them and to make convincing their portrayal of a context in which choices can be made.

The general line which is frequently taken - and examples could be multiplied - is that the novel depends upon an ordered universe for its coherence of plot and structure. If, for example, the world is taken to be chaotic or meaningless, is it possible to propose a moral law? Again, does it not seem that the traditional plot with a beginning, a middle, and an end is a kind of false imposition, if life is experienced by most modern individuals as something other than linear and teleological? Or, to put the matter in Muir's terms once again, if people stop believing in an eternity existing as a kind of backdrop to this temporal world, can the writing of fiction persist?

Towards the end of his little essay, "The Decline of the Novel," Edwin Muir asserts that the religious sense - and for that reason literature too - can never disappear because "the belief in eternity is natural to man."[6] And, with some slight alternation of terminology, perhaps that is a general view capable of being supported further. Applying the canons of a more inclusive language, we might read "people" or "humankind" for "man"; for "eternity" we might substitute "transcendent"; and for "belief" we might propose "faith". Thus reformulated as "faith in the transcendent is natural to people", the notion underlying Muir's statement can now be endorsed and argued further.

In his book *A Rumour of Angels*, the sociologist of religion, Peter Berger spoke of "The Alleged Demise of the Supernatural". He maintained that although the "supernatural" realm, thought of as a sphere inhabited by divine beings and forces, had pretty well disappeared from the modern consciousness, the phrase continued to denote a fundamental category of religion. For Berger the term "supernatural" means simply the "belief that there is *an other reality*, and one of ultimate significance for man, which transcends the reality within which our everyday experience unfolds."[7] In other words, the *Lebenswelt* or taken-for-granted world in which modern men and women live out their ordinary lives may be broken through in various ways. Berger turned his attention to certain "prototypical human gestures" in which he discerned "signals of transcendence," that is, reiterated acts and experiences which, although grounded in the everyday world, point beyond it to a transcendent order. On the basis of such gestures, Berger offers a series of arguments - from order, from play, from hope, from damnation, and from humour - having discovered "a basic ontological ground in human experience for the affirmation of transcendence."[8]

Various arguments have been made on such a basis for the religious meaning of literary art. Vincent Buckley, drawing upon the work of Rudolf Otto and Mircea Eliade, has shown how poetry performs a "sacralising act" by specifying the sacred through its symbols, setting aside "certain experiences or places or people or memories as representatively revealing ones."[9] Similarly, it could be maintained that novels, poems, and plays express and represent those prototypical human gestures which Berger calls "signals of transcendence." In the same vein R.W.B. Lewis argued that literature intensifies "the human drama to the moment where it [gives] off intimations of the sacred."[10] But what is important in all these instances is that it is through an intensification of ordinary experience that one encounters gestures which point to the transcendent - reality is whole, with no breaks or gaps. The supernatural is as likely to be found *within* (a kind of transcendence in immanence) or in a dimension of depth, as it is in some overhead realm, in eternity, or infinity. This movement towards the representation of this-wordly transcendence may be seen in Canadian fiction of the past few decades.

The Canadian novel displays, in its development, the passage from the depiction of eternity as the backdrop to the temporal world to the representation of life as an interplay between everyday reality and transcendence. The earlier part of this movement might be traced quickly by reference to a few of our better known older novelists before we turn to more contemporary fiction. In an essay of 1957, significantly entitled "The Two Worlds of Morley Callaghan," Hugo McPherson suggested that Callaghan could be termed a religious writer because he had "concluded that the temporal world cannot be self-redeemed; that human frailty is bearable only in the light of divine perfection."[11] These "two worlds" which McPherson discovered in Callaghan's writing he termed the "empirical" and the "spiritual," or "an imperfect world of time" and "a larger reality *out of time*."[12] At the end of *Such Is My Beloved*, Father Dowling having offered up his insanity as a sacrifice for the souls of the two prostitutes, Midge and Ronnie, looks across "the calm, eternal water" to the three stars high in the sky, and identifies his love in its steadfastness with the stars. In the same vein, the relationship between Kip and Julie in *More Joy in Heaven*, not having been granted the conditions for its fulfilment within the society in the midst of which the novel's action is set, is taken up at the end to some realm beyond the earth. It is the familiar theme of a love which is too good for this rotten world.

Similarly, in Hugh MacLennan's *The Watch that Ends the Night*, George Stewart at the conclusion speaks of the unreality of the surrounding world, which becomes a shadow as Catherine's death approaches. It is his spiritual illumination - Edmund Wilson calls it "a spasm of revelation," while George Woodcock alludes to its "flavour of pietistic smugness" - which enables him to surrender his earlier wrestlings with the problem of theodicy and to accept all of life as a gift. As in many older novels, one leaves the temporal world behind at the end as the action moves beyond the terrestrial plane to an eternal realm. As Edwin Muir commented about the traditional novel, the circle of the story is closed in the work of Callaghan and MacLennan because the flux of human life is seen against the unchangeable background of eternity.

In those examples - especially if one regards Callaghan's Father Dowling in his insanity as having undergone a "psychic death" - death becomes, in the words of Amos Wilder, "a catalyst of transcendence." Terrence Des Pres points out that in Western religion and literature our highest praise is reserved for "action which culminates in death."[13] Our greatest heroes become heroic in death or resolve conflict by dying. Perhaps it is just that older belief in eternity which provides the sanction for a heroic death. In any case it appears that once again problems which a novelist sets in motion in terrestrial terms are resolved or have their culmination or explanation in some eternal or extra-terrestrial realm. Criticism has been levelled against Christianity by both Albert Camus and Elie Wiesel at this point, the one suggesting that eternity is an illegitimate solution to the problem of the absurd, the other suggesting that the

Holocaust may not be taken seriously by Christians who regard life as somehow penultimate.

But death can become a catalyst of transcendence in fiction even where heroism or eternity (at least in their traditional guises) are not evident. In *Who Has Seen the Wind* young Brian's search for some clue to the riddle of existence is prompted, deepened, and paradoxically answered by a succession of experiences of death, ranging from the death of a pigeon or a gopher, to that of his dog, and finally to the death of first his father and then his grandmother. Although there is no prospect of immortality in this novel to alleviate his loss - "People were forever born; people forever died, and never were again" - his sense of the sacred, of otherness, comes as much from death as from such other sources of the mysterious or uncanny as the prairie, the wind, Saint Sammy, a two-headed calf, the Young Ben, and the strange feeling of excitement (the "electric tingling") he has at the song of a meadowlark or the sight of a drop of dew on a spirea leaf. All of these glimpses of transcendence which he experiences are set over and against the world-taken-for-granted represented by the conventional folk of the prairie town whose lives exclude mystery, questions, and longing, and whose educational, judicial, and religious institutions restrict freedom and inhibit growth. As Brian walks out on the prairie at the end of the story and sees the sun glinting on a wild rosebush covered with frost crystals, he experiences a realization of the nature of the cycle of life and death. From that vantage point he looks back at the town: "And the town was dim - gray and low upon the horizon, it lay, not real, swathed in bodiless mist - quite sunless in the rest of the dazzling prairie."[14]

Although in Mitchell's novel there is clearly an other reality which stands over and against the *lebenswelt* of everyday experience, the transcendence is horizontal rather than vertical, achieved within the temporal world rather than requiring a leap beyond it. The experience of Del Jordan's growing up in Alice Munro's *Lives of Girls and Women* is in many respects similar to that of Brian. Once again there is a conventional town, Jubilee, which comprises the ordinary world. Outside the town, on the Flats Road, Del's father has a fox-farming venture, and fits in well with the neighbours who raise donkeys or goats. But also to be found there are such oddities as Uncle Benny, who "valued debris for its own sake," and whose tabloid newspapers with their "grand invention" and "horrific playfulness" contain "revelations of evil." Uncle Benny catches frogs for bait, and keeps turtles to sell to Americans for soup. Del's mother insists that their family does not really belong among the bootleggers, idiots, and cripples who live on the Flats Road with them. Del comes to picture Uncle Benny's world as lying alongside their own world "like a troubling distorted reflection":

> In that world people could go down in quicksand, be vanquished by ghosts or terrible ordinary cities; luck and wickedness were gigantic and predictable; nothing was deserved, anything might happen; defeats were met with crazy satisfaction.[15]

While Munro's fiction is much more elusive in its meanings than Mitchell's, Del, like Brian, struggles with the choices represented by the conventional world of Jubilee and the possibilities of transcending it. These means of transcendence include, at different times, the aesthetic ritual of the Anglican Church, the escapism of adolescent romance, the glamour of a school dramatic production, the elevating power of knowledge and academic achievement. Each of these has its appeal to Del at one or another stage of her life. Each offers her the possibility of escaping the limits of her own selfhood and of becoming other than what she is, of achieving a different kind of humanity. In fact the danger in this "portrait of the girl as a young artist" (or so the Epilogue seems to suggest) is that Del may lose touch with the conventional and very ordinary world of Jubilee and be overpowered by a kind of mythomania. Instead of writing her intended fantastic "black fable," Del, having been brought up short by "the ordinariness of everything," settles instead for the reality of the ordinary, wants to make up lists and get it all down - "every last thing, every layer of speech and thought." Del has discovered that "people's lives, in Jubilee as elsewhere, were dull, simple, amazing and unfathomable."[16] Like young Brian at the end of *Who Has Seen the Wind* who hopes to reconcile his two opposing worlds - town and prairie, knowledge and nature - by becoming a "dirt doctor" or agricultural scientist, Del's transcendence of the ordinary world of Jubilee is completed by a return to its ordinariness with her vision of possibility.

The most casual reader cannot help noticing the religious overtones of Munro's chapter titles: "Age of Faith," "Changes and Ceremonies," and "Baptizing" are some examples. In the second chapter, "Heirs of the Living Body", it is Del's encounter with death which opens up the frightening other world of the unfamiliar that Uncle Benny's world had represented in a different way in the previous chapter.[17] The fascination of death occurs first when Del, on a walk with her slightly odd cousin Mary Agnes, encounters a dead cow. At Del's dare Mary Agnes not only touches the cow, but places her palm over its open eye, and then laughs at Del. At their uncle's funeral Mary Agnes tries physically to make Del accompany her and view the body. Del bites her cousin's arm, causes an uproar, in the aftermath of which she realizes that by her behaviour she will enter the family's legends as someone who is "erratic" or "a borderline case." Once again death is associated with the uncanny, the sacred in its negative as well as positive senses. As with other experiences of the strange, the exotic, or the bizarre, death, especially in its impact on a young protagonist, is incommensurable with the ordinary realm of experience. It evokes, therefore, feelings of awe and power that associate it with some other dimension of reality.

The editor of a recent collection of critical essays on Munro's fiction identifies as one of two themes in her work "the provocative elaboration and mystery beyond the seemingly 'real'."[18] Robertson Davies, speaking through the narrative persona of Dunstan Ramsay in the first novel of his Deptford trilogy, says: "I have been sometimes praised, sometimes mocked, for my way of pointing out the mythical elements that seem to me to underlie our apparently ordinary lives."[19] Ramsay, incensed at a colleague's patronizing portrait of him as a doddering old schoolmaster, writes his *apologia* to his headmaster to demonstrate that "the sources from which [his] larger life were nourished were elsewhere" and to show how all his life he has inhabited "a strange world that showed very little of itself on the surface."[20] Ramsay's world, invisible to the unpracticed eye of his superficial younger colleague, is one in which romance and marvels, conjuring and madness, saints and legends, miracles and the devil predominate. Religion is "psychologically rather than literally true," and "the poetic grace of myth" is preferred to "the cruelty of doctrine."[21] It is a world of coincidence (or Jungian synchronicity) and of spiritual adventures. But Davies' world of wonders shares in common with the transcendent aspects of the fictional worlds of Mitchell and Munro the bizarre and initiatory aspects of death and the uncanny otherness of madness which, perhaps more than anything else, mark it off from the ordinary taken for-granted realm.

Just as his brother Willie is brought back to life by Mary Dempster, so too Dunstable Ramsay, thanks to the auspices of this apparent madwoman, after he "dies" at Passchendaele in November 1917, enters a long coma from which he emerges in May, and completes his second birth when Diana renames him Dunstan the following Christmas. Convinced that Mrs. Dempster has vicariously suffered a fate that might have been his, figuratively died for him in the process, and thus enabled him to enjoy a good life, Ramsay embarks on the effort to canonize her and ends up, in the manner of his namesake, grappling with his personal devil. In similar fashion David Staunton in the second novel of the trilogy is launched on his quest of "an other reality" by the death of his father and his own subsequent erratic behaviour which makes him fear the possibility of madness. The world of *The Manticore* is much more explicitly Jungian than is *Fifth Business*; Staunton, after all, takes himself to a Jungian analyst in Zurich. Under her guidance he comes to learn how underdeveloped his Feeling side is, and he explores a previously hidden reality through the analysis of his dreams and the figures which present themselves from his past. David Staunton's "rebirth" occurs in a cave high in the Swiss Alps, inhabited in a prehistoric time by the practitioners of bear cult rituals. Crawling out through the narrow passage (the imagery of a birth canal is unmistakeable), Staunton, exhausted and struggling, is unnerved by a roar in the darkness: "I knew in that instant the sharpness of death,"[22] he recounts. Both these novels by Davies share the motifs of death and rebirth and the exploration of a mythic realm just below the surfaces of ordinary life. The movement towards integration is not, unlike the previous two authors, accomplished through reconciling the demands of two conflicting worlds - one the ordinary world and the other transcendent which lie along-side each other - but seemingly through a descent into the mythic inner world of the self, there to fight one's trolls or be reconciled with one's personal devil.

Margaret Atwood's *Surfacing* is even more obviously an archetypal narrative of rebirth, at least in many respects, than Davies' work. It has been suggested that the heroine of the female rebirth narrative will have greater difficulty in reintegrating into culture than her male counterpart, and that her adventures "increase her chances for death, madness, self-sacrifice, and accusations of 'deviance'."[23] Many (if not all) of the stages outlined by Mircea Eliade as pertaining to the mysteries of initiation apply directly to Atwood's narrator in *Surfacing*. Especially prominent is the central motif of "the symbolism of death as the ground of all spiritual birth."[24] In their various ways, the deaths of her parents, of her aborted fetus, and of the natural world, as well as the numbing psychological death she herself is experiencing (described repeatedly as due to the separation of her head from her body), receive their sympathetic response and have their completion in her ritualized initiatory death at the end of the novel.

This novel, capable of being explored from so many angles, and with fruitful results, fulfils many of the aspects of what Carol Christ has maintained is central to the spiritual quest of a modern woman. It "begins in the experience of nothingness, the experience of being without an adequate image of self." Many feminist readings of the novel would see that lacking self-image as the result of a male-defined world in which the narrator has become a victim--of her rationalist father, her married lover, her predatory brother, her boss, and so on. Getting beyond the resulting nothingness demands what Carol Christ calls "a vision..., however fleeting, of transcendence." Indeed, the sight of her father's dead body underwater, interpreted by her as an image of her aborted fetus, constitutes a vision which she understands to be a gift from him. Supplementing it is a gift from her mother - a picture the narrator herself had drawn as a child - which she takes as an injunction to atone for the abortion in a redemptive act of conception. This event may correspond to what Christ refers to as learning "from motherhood to gain detachment from all her past struggles." In her integration with the natural world, a kind of descent into madness, the narrator "explores a reality underlying ordinary reality" and finally emerges as "a seer, a prophet."[25]

Even without drawing in or making reference to its feminist or nationalist or ecological implications, *Surfacing* can readily be seen as having at its core the basic pattern of a rebirth into a new reality, given a special kind of impetus by several experiences of death, and involving madness as one of the aspects of the exploration into a transcendent reality. More epic in scope than Atwood's novel, yet surprisingly similar in many respects, is Margaret Laurence's *The Diviners*. It too has been referred to as "an archetypal quest for salvation and meaning," a description of some accuracy, though not likely to be the way one would immediately think of to describe this novel."[26] As with Atwood's narrator, Morag's quest (though it begins at a point much earlier in her life) has its initial impetus in the deaths of her parents. Though it follows a somewhat different route, and ranges over more space and time, Morag's journey involves, as does Atwood's heroine's, an exploration of the past, and emerges finally with a similar insight. As Marian Engel effectively puts it, Morag "achieves the apocalypse of knowing what her life has been about, not through the agency of a man, but through her own experience."[27]

Like Munro's Del, Morag is at many points excluded by the conventional world, or else does not wish to be identified with it. Moreover, there does not seem to be a consistent single alternative world - a consistent and stable "other" reality - available to her from beginning to end. Like many of the protagonists in the novels under consideration, she has an unlikely mentor (hers in the form of her stepfather, Christie). He, along with Jules Tonnere, opens up for her the possibility of that other reality, an alternative way of being. But the novel's vision of transcendence is most clearly alluded to in the complex of meanings suggested by its title. "Divining" refers in a literal way to the water-witching activity of Royland and to Christie's ability to prophesy through plumbing the depths of the community's garbage. By easy extension, it comes to mean Morag's writing of fiction and Jules' composition of songs. Finally, divining suggests the ability to probe beneath the surfaces of a visible reality, to read its hidden meaning. to have, in a sense, a shamanistic gift of second sight. Those who possess the gift are frequently loony or clowns or otherwise outside society's mainstream, so that visionary powers are associated once more with madness. From that transcendent other realm Christie bears to the orphaned Morag a fund of stories from a mythic past which provides her with the ancestors and history which she needs to sustain her. One thinks here of how Brian O'Connal's mentor, his grandmother, performs a similar function, and of how David Staunton in his extremity summons up the story of Maria Dymock. In Laurence's *The Diviners*, as in many other works, the death of one or both parents launches the protagonist on the quest for a "real" past.

The kind of analysis which has here been accorded to five authors undeniably in the front rank of Canada's writers of fiction could be extended to others. The experience of motherhood, the threat of madness, the fragmentation of the self almost to the point of nothingness, the alienation of a woman from the mainstream of conventional culture, and the loss of a parent in death are themes predominant in Adele Wiseman's novel *Crackpot*. While these thematic similarities make her work comparable in many respects to that of her friend Margaret Laurence, especially, for instance, in the manner in which stories of an ancestral past provide her protagonist Hoda with a potentially transformative model, Wiseman's Jewishness suggests that the kind of fictional perspective we have been identifying cannot be restricted to novelists whose background is more conventionally "WASP."

Two further examples might serve briefly to demonstrate directions in which this analysis might be extended, and to demonstrate further that the kinds of themes we have been looking at are not now being explored exclusively by female novelists. Clark Blaise in *Lunar Attractions*, a work which in 1979 won the Books in Canada Award for first novels, deals with conflicting realities as experienced in the consciousness of a boy growing up in the United States. Once again, as the title suggests, madness lurks in wait as a chaotic dream world intrudes upon an otherwise ordinary world. Death is here much more violent than in the other fictions, since a murder is central to the work. But throughout this *bildungsroman* the young protagonist struggles to retain his grip on himself, and to find some pattern of meaning in the chaos of his experience. A different blend of violence and spirituality occurs in Thomas York's *Trapper*, a fictional attempt to chronicle the inner life of the "mad trapper," Albert Johnson. Once again, death in this novel is of the violent kind, beginning with Johnson's shooting of a policeman (whose fault seems only to lie in the fact that, representative of law and order that he is, he is bound to attempt to bring the lawless Johnson within that net) and concluding (after Johnson's own literal and figurative "ascent") in his own death at the hands of the posse which has carried out an extensive manhunt. The "two worlds" of this fiction are represented by the institutions and conventions of an ordered society and the possibility of the attainment by the individual of an inner freedom. Clearly York wants his readers to know that Johnson has, like Callaghan's Kip Caley, asserted the primacy of the inner world over the outer, achieved a transcendence of the ordinary world in doing so, though paid the (perhaps necessary) price of dying for the sake of its accomplishment.

The convergence of religion and literature envisaged here lies in the fiction's creation of "an other reality," a world which transcends the taken-for-granted world of ordinary reality. Whether lying alongside the ordinary world, or above or below it, or within the individual self, in one way or another this transcendent dimension is explored by the protagonists of the fictions examined here. Indeed, the pattern may be seen to conform in many respects to that suggested by Joseph Campbell in his composite "monomyth" of the heroic quest. While the transcendent resembles in some of its aspects what an earlier age might have called "eternity," perhaps one outstanding mark of its contemporary character is seen in the fact that this dimension represents what might be called a "negative horizon of ultimacy," a void which must be filled up with some positive meaning. In that respect it resembles what Rudolf Otto characterized as "the Holy." The hero or heroine in the fictions looked at here may be transported beyond the usual realm of ordinary experience by an experience of the numinous, or the uncanny, of death or madness, of nothingness or non-being.

If Flannery O'Connor is right in saying that "all good stories are about conversion, about a character's changing," and if religions "induce a selfhood in which a transformation is effected from an old self perceived as broken and awry to a new identity of ultimate integration and well-being," then the sort of "passage from plight to redemption," from "chaos to meaning," examined here is central to literature and to religion and to that point of intersection at which the two mutually illuminate each other.[28] But the question remains as to how, other than in the fact that Canadian fiction has been explored here, this exploration has brought to light a Canadian "specific." Death and madness and transcendence and, yes, even survival, are not after all exclusively Canadian themes. (Though perhaps we have moved already beyond a literature which dramatizes failure to one which suggests the possible "jailbreaks and recreations" of transformative possibilities.) Perhaps the typical Canadian stance is not so much that the loser or victim as that of "the watcher at the window," the ironic onlooker standing aside from the mainstream. Insofar as the heroes and heroines looked at here share a common cultural background, remain in it though not of it, and seek an other reality beyond the *lebenswelt* of the conventional, perhaps they share a typically Canadian consciousness. At a recent conference in Toronto on popular culture the case was made that the mainstream of Canadian culture is, in fact, in marginality, that is, on the outside, on the periphery. In spite of the perils of alienation - who can escape them? - when one looks at what might constitute the mainstream of a "melting pot" culture in a modern technocratic nation-state, would anyone care to argue that to be on the outside is such a very bad place to be?

William C. James
Department of Religion
Queen's University

Notes

1. Edwin Muir, "The Decline of the Novel," in *Religion and Modern Literature: Essays in Theory and Criticism*, ed. G.B. Tennyson and Edward E. Ericson, Jr. (Grand Rapids, MI: William B. Eerdmans, 1975), p. 176.
2. See Alain Robbe-Grillet, *For a New Novel: Essays on Fiction* (New York: Grove Press, 1965), p. 23.
3. See Stanley Romaine Hopper, "The Poetry of Meaning," in *Literature and Religion*, ed. Giles B. Gunn (London: SCM Press, 1971), pp. 221-235.
4. See J. Hillis Miller, *Poets of Reality: Six Twentieth-Century Writers* (Cambridge: Harvard University Press, 1965) and Nathan A. Scott, Jr., "The Name and Nature of our Period-Style," in *Religion and Modern Literature*, pp. 121-137.
5. D.J. Dooley, *Moral Vision in the Canadian Novel* (Toronto: Clarke, Irwin, 1979), p. 178, fn. 36.
6. "Decline of the Novel," p. 177.
7. Peter L. Berger, *A Rumour of Angels: Modern Society and the Rediscovery of the Supernatural* (Harmondsworth, England: Penguin Books, 1969), p. 14.
8. This phrase comes from a review essay: see Van A. Harvey and Marie Augusta Neal, "Peter Berger: Retrospect," *Religious Studies Review* 5 (1979): 9, fn. 1.
9. Vincent Buckley, "Specifying the Sacred," in *Literature and Religion*, p. 66.
10. R.W.B. Lewis, "Hold on Hard to the Huckleberry Bushes," in *Literature and Religion*, p.100.
11. Hugo McPherson, "The Two Worlds of Morley Callaghan," in *Morley Callaghan*, ed. Brandon Conron (Toronto: McGraw-Hill Ryerson, 1975), p. 61.
12. McPherson, p. 62.
13. Terrence Des Pres, *The Survivor: An Anatomy of Life in the Death Camps* (New York: Oxford University Press, 1976), p. 5.
14. W.O. Mitchell, *Who Has Seen the Wind* (Toronto: Macmillan, Laurentian Library, 1972), p. 299.
15. Alice Munro, *Lives of Girls and Women* (Scarborough, Ont.: Signet, 1974), p. 22.
16. Munro, p. 210.
17. Del's mother read an article about organ transplants called "Heirs of the Living Body," and thinks that "beautiful idea" is far preferable to notions of immortality. Del, who

inherits her Uncle Craig's manuscript (later destroyed in a flooded cellar), becomes heir to the "living body" of his work at the end, when it appears that her artistic aspirations differ little from his as an historian (see p. 210; cf. pp. 26-27).

18. Louis MacKendrick, in *Probable Fictions: Alice Munro's Narrative Acts* (Downsview, Ont.: ECW Press, 1983), p. 2.
19. Robertson Davies, *Fifth Business* (Harmondsworth, England: Penguin Books, 1977), p.46.
20. Davies, pp. 118, 36.
21. Davies, pp. 71, 226.
22. Robertson Davies, *The Manticore* (Harmondsworth, England: Penguin Books, 1976), p. 304.
23. Annis Pratt, "*Surfacing* and the Rebirth Journey," in *The Art of Margaret Atwood: Essays in Criticism*, ed. Arnold E. Davidson and Cathy N. Davidson (Toronto: Anansi, 1981), p.141.
24. Mircea Eliade, *Myths, Dreams and Mysteries: The Encounter between Contemporary Faiths and Archaic Realities* (New York: Harper & Row, 1967), p. 200.
25. See Carol Christ, "Spiritual Quest and Women's Experience," in *Womanspirit Rising: A Feminist Reader in Religion*, ed. Carol P. Christ and Judith Plaskow (New York: Harper & Row, 1979), p. 238.
26. Michel Fabre, "Words and the World: *The Diviners* as an Exploration of the Book of Life," in *A Place to Stand On: Essays by and about Margaret Laurence*, ed. George Woodcock (Edmonton: Newest Press, 1983), p. 247.
27. Marian Engel, "Steps to the Mythic: *The Diviners* and *A Bird in the House*," in *A Place to Stand On*, p. 240.
28. The phrase from O'Connor appears in one of her letters in *The Habit of Being*, ed. Sally Fitzgerald (New York: Farrar, Straus, Giroux, 1979). The definition of religion is a part of that offered by Antonio R. Gualtieri in "Towards a Theological Perspective on Nationalism," in *Religion and Culture in Canada/ Religion et Culture au Canada*, ed. Peter Slater (Waterloo, Ont.: Canadian Corporation for Studies in Religion, 1977), p. 508.

DENNIS DUFFY

The Rejection of Modernity in Recent Canadian Fiction

Le roman Beautiful Losers *(1966) de Leonard Cohen a semblé de prime abord être un phénomène des années soixante de par sa structure formelle avant-gardiste et son message de libération sexuelle. En fait, l'ouvrage devint le précurseur de bon nombre d'autres romans canadiens écrits autour du thème d'une crise culturelle que seul un retour à une vision plus primitive et non raisonnée de la réalité pouvait résoudre. Des récits comme* Surfacing *(1972) de Margaret Atwood,* Bear *(1976) de Marian Engel et* The Wars *(1977) de Timothy Findley, malgré d'énormes différences quant à la forme et au sujet traité, portent tous sur ce thème.*

Les contraintes de la société rationnelle et technologique (apparaissant souvent sous la forme de l'américanisation du Canada) ne peuvent être transcendées qu'en adoptant de nouvelles façons de percevoir le rôle de l'Homme dans l'univers. Ainsi, les protagonistes se lancent-ils souvent dans des quêtes quasi-religieuses, à la recherche d'un nouvel ordre moral et social. Ces entreprises hasardeuses ne sont cependant pas toujours couronnées de succès et dépassent rarement le stade de l'accomplissement personnel.

Un rejet si radical de la société contemporaine entraîne, qu'on le veuille ou non, le rejet de la société en général. Ainsi, bon nombre de romans transmettent une vision apocalyptique de la destruction du fondement de la culture, sans toutefois suggérer un mode de transcendance culturelle qui dépasserait la libération du soi atomisé. À cet égard, les romans encouragent la perception déjà répandue d'un écart entre les préoccupations de la fiction littéraire et la vie réelle de leurs lecteurs.

..It is not from simple derision
that the imagination snickers. But faced with an alien
reality it
stammers, it races & churns
for want of a common syntax and
lacking a possible language
who, now, can speak of gods? for random example
a bear to our forebears, and even to
grope in a pristine hunch back to that way of being on earth
is nearly beyond me.

Dennis Lee, *The Gods*

"God is alive. Magic is afoot."[1] Before too long a time had passed, a folk singer was chanting the passage that began with those words.[2] They came from Leonard Cohen's *Beautiful Losers*. While the 1960s saw the appearance of a number of memorable Canadian fictions - *The Stone Angel* (1964), *Mad Shadows* (1960), *Dance of the Happy Shades* (1968), *The Edible Woman* (1969), *Place d'Armes* (1967), *Five Legs* (1969) - Cohen's 1966 novel typifies the period in a way that none of the others does. Its message of cultural revolution, of sexual liberation, of the use and recovery of a past that would be decked out in new garb and yoked to the themes of the present, its unabashed use of popcult motifs and figures, from Charles Atlas to Ray Charles, accepted without a blur the weighty impress of that moving age. The devices of the *avant-garde* were now the stuff of mainstream serious fiction.

The Apollonian element in culture, the novel proclaimed, had become a thing of the past. Dionysius was the safer bet, and a rapturous, magical, dancing god was at loose in the world. The road of excess that Blake thought led to the palace of wisdom had now become a freeway, and drugs, sex and every mode of disrupting the rational became its access ramps.

Beautiful Losers was far from a fluke. As influential in those times as Susan Sontag's *Against Interpretation* (1966) or Marshall McLuhan's *Understanding Media* (1968), it demonstrated that the age of literary modernism had passed. That is, modernity had not turned out to be a wholly liberating process, nor the construction of a demanding, difficult-of-access literature an inescapable task for every writer with a claim to seriousness. Cohen's novel took many of the elements associated with literary modernism - the emphasis on sexuality, unconventional narrative form (the inclusion of "poetic" prose), the relegation of the moralistic past to the trash heap - and blended them with something new. That new element, the full-throated acceptance of the homogenized, professionally created and manipulated mass culture that had been the enemy of literary modernism, stood out like a wax banana in a bowl of real oranges. It heralded the new.

Of course, the quest itself wasn't. The search for a new form of godhead to replace the old has haunted our culture since its beginnings in the Industrial Revolution. Cohen's protagonist F. sought Nietzsche's dancing god. It found him no fun-loving toper from a whitewashed Grecian urn, no tree-tripping, nectar-sipping Pan of Bliss Carman; he was instead, like many another old Nazi of pop mythology, alive and well in Argentina. He regaled himself with hair on the toast, had a thing for death, violence and sado-masochism, and owed no small portion of his lifestyle to the writings of William S. Burroughs.

What had been in the genteel tradition of Canadian letters the discreet romantic quest became in Cohen a flirtation with violence and self-destruction. In a culture where the future arrives a little late, the nihilism of Louis-Ferdinand Céline and William Burroughs, so familiar elsewhere, seemed to leap into the peaceable kingdom out of nowhere. The year before the publication of *Beautiful Losers* had seen the appearance of two disturbing works from French Canada. Hubert Aquin's *Prochain épisode* and Jacques Godbout's *Le couteau sur la table* would wait a couple of years to be translated into the enemy's language, but their message was clear: *à bas les angluches canadiens.* Of course, extremists in Québec were always up to that sort of thing. These were political novels, political allegories, pamphlets almost. They were heated, separatist versions of the kind of novelizations of political and cultural protest found in a classic like Savard's *Menaud, maître-draveur* (1937). They fed into a particular mode of extremist thought in Québec that had moved out of the care of the clerics into that of the secularized intellectuals. Québec, it was reasoned, occupied an absolutely unique political and cultural space in the New World. Its inmost needs and longings necessitated a segregation from the outsider. The Francophone atoll needed a higher floodwall to fend off the Anglophone ocean. Thus the idea of the transformation of the self through acts of violence and rejection came about in these novels for *political* reasons. Thus the oddities of Québec politics suited the extremism of the novels. Could the rebellious messages of these novels feed a spirit that would express itself in political action? Perhaps.

An English Canadian, on the other hand, knew that Cohen's novel was no more than an episode in cultural politics. There stood no genuine grounds for assuming that the audience for *Beautiful Losers* might one day stream into the streets with the urge to satisfy their illicit cravings. Even were they to do so, the novel showed, they would gather around an image of Ray Charles rather than one of Mao or Che. Ray Charles, the great American pop singer, not James Earl Ray, not Charles Manson. Well, our marketing system had been merchandising pop hysteria for decades. TransMediaMegaBucks had nothing to fear from *Beautiful Losers*.

Yet the novel did indicate a shift in our cultural politics. Canadian fiction still maintained a strong moral tone. Hagar Shipley died while enduring or hesitating over some form of a baptismal rite; Marian MacAlpine, as her name suggests, sought some height from which she could find a refuge from the consumer society; Symons' and Gibson's heroes sought to transcend a materialist culture that could lead them only to self-destruction. That moral quest was still happening in Cohen, but with a greater degree of aberrant and anti-social behavior. Yet in its essence the quest involved the familiar one of the romantic hero or heroine seeking to find in this world hints of a better one elsewhere.

The dark gods of paganism, of riot and anarchy, served as the soul's only refuge from the technologized, body-hating, life-destroying culture of modernity. Finding these spirits amid the dark forest of a demented rationality, the golden bough of a polymorphous aesthetic one's only talisman, became the model of the new religious quest in Canadian fiction. No longer would the ground of being reveal itself in the wild colourings of a Northern landscape (the group of Seven, *The Watch that Ends the Night*), the secularization of ancient mythic/religious patternings of experience (*The Sacrifice, As for Me and My House*), the acceptance of selfhood within a flawed but embracing community (*The Mountain and the Valley*), or the veiled, ambiguous hints of a divine grace and mystery that sustained the cosmos (*More Joy in Heaven, Flying a Red Kite*), but in a personal release from the bonds of modern culture which had detached rationality from any moral and emotional governor. That new mode of pilgrimage was to repeat itself.

I

The novels I have chosen to examine here - Margaret Atwood's *Surfacing* (1972), Marian Engel's *Bear* (1976) and Timothy Findley's *The Wars* (1977) - continue the theme of *Beautiful Losers* and perhaps extend it. Increasingly, as the novels proved, the audience realizes that here stands something more than a rejection of modern culture. Or rather, the rejection of modernity implies the search for some ground of transcendence. The question becomes one of trying to locate a new grounding for the self that is more than an individual refuge. In this respect the novels falter. They retain the concern for individual salvation that marks Protestant theology, and thus continue a tradition rather than radically subvert it. In so doing, they leave the individual with no genuine alternative to that of solitude.

So thorough-going is the nausea the characters express, so feeble remains the sense of any cultured alternative to the institutions of the modern world, that the audience faces what is in effect the rejection of human culture in general, rather than any particular manifestation of it. Readers have long ago absorbed the paradoxical coupling of modernist literary form with anti-modernist message. The classics of the *avant-garde* proclaim a message of cultural reaction.[3] Certainly the writings of Scott Symons fit this mold, since their cultural disgust is balanced by an invocation of an earlier, pre-lapsarian period before a split in the human spirit had created a gap between body and soul.[4] However invalid that view of a pre-fallen past may be, it stands as a countervailing influence to the present and mitigates the sense of cultural despair.

The sense of the utter inhumanity of cultural institutions makes all the more urgent the themes of the three novels, since wherever political and social structures no longer suffice, then some version of apocalyptic reversal is in order. In actual fact, this "radical" gesture usually entails political quietism, though that is not its expressed intention. Nonetheless, a variety of cultural aceticism whose (rarely taken-up) implications foster the urge for a radical demolition of institutions characterizes these works and locates them in a secular stream of prophetic lamentations. Beyond lamentation however, they do not move.

Four common motifs link these novels in a similarity that exists alongside the unlikeliness of their yoking. As an historical novel, *The Wars* appears to fill a very different fictional role than the other two. This is true, but it is far from the whole case, as this examination will disclose. The three novels share:

a) an atmosphere of mystery and an ambience filled with events of an irrational, unpredictable and puzzling nature;
b) clearly defined sets of oppositions and clearly defined, easily-perceptible enemies;
c) a sad and loveless sexuality.

The air of mystery, at its most concrete, comes about through the simple effect of narrative suspense in *Surfacing*. There the question is one of "will the (nameless) heroine find her father?" Questions of "is he living," and "where is he living" permeate the text. Enriching the mysterious context stands the puzzle of the father's cryptic messages and map and the final discovery of the submerged rock paintings that so remind the heroine of the aborted fetus that haunts her.[5] The rock paintings provide the material for father and daughter's visions of the gods whom they seek to know, but the strange figures also enhance the novel's sense of the mysterious.

Such an element flourishes in *Bear* through a number of minor devices, such as the notes on ursine legend and behaviour that keep slipping from between the bindings in Colonel Cary's library, the initial reticence of Homer Campbell and the other locals about the users of the Cary property, and the slow process by which the heroine Lou grows aware of the oddities in both the house's structure and contents. The suspense comes as a gamey variation on the old "will she or won't she" sexual question, only here the sex is with an animal. The oddities of owners, of property and of inhabitant underpin the oddity of many of the novel's events, and prevent the reader from regaining full balance and ever feeling thoroughly knowledgeable about the import of events.

Awash in the irrationality of combat, *The Wars* piles *bizarrerie* atop *bizarrerie* to present a world given up wholly to the random and mysterious. Threads of causality and meaning fray not only in combat, but in the pre-War Rosedale life of Robert Ross as he finds an obsession with death and repression at the core of his mother's sense of life and a masochistic homosexual predilection in the behaviour of one of his idols of masculinity.[6]

Two wartime occasions best demonstrate the mysterious, random nature of events in the novel. The first occurs at the beginning of one of the novel's most decisive events - the poison-gas attack in the shell crater and the subsequent shooting of an enemy soldier who turns out to have been harmless (pp. 135-50). Robert and his unit sight on a landmark to guide their patrol, a "thing that looks like a ski pole." At the end of their grim entry and fall into the shell crater, they discover that what they had thought was a ski pole, is exactly that (p. 139). No explanation is ever given for the presence of so incongruous an object. From one viewpoint, it functions as an absurdist, post-modern device, like the toy boat in the tree of Herzog's film *Aguirre* (1973), an object that calls attention to the arbitrary, imposed made-up nature of any artifact. Without contradicting this function, the ski pole also works as a device indicating that those fictional qualities also characterize the "real" world that the novel seeks to illuminate. It too functions as a puzzle. The second incident that numbs any expectation of rationality in the world occurs when Robert is gang-raped in the bathhouse (pp. 196-201). It happens suddenly, brutally, unexpectedly in the dark, recalling the line from Findley's next novel, *Famous Last Words* (1981): "We are led into the light and shown such marvels as one cannot tell... And then...they turn out all the lights and hit you with a baseball bat."[7] It ends quickly, leaving Robert in a daze, heightening the audience's sense of the unfixed nature of experience.

The mysterious worlds of the three novels appear better suited to animals and the non-human than to us. Whatever may be the exact significance of Lou's acts of sexual intercourse with the bear, it indicates a quest for some kind of union with natural forces whose strength and creativity lie beneath the arid superficialities of human culture, past and present. In a motif that recalls the hero of Irving Layton's *A Tall Man Executes a Jig* (1963), *Bear* concludes with the heroine enfolded by a constellation that emblematizes the greater powers of nature that govern both earth and sky.[8]

Surfacing shows its heroine transforming herself into a creature that appears non-human, or rather "a creature neither animal nor human," a creature that exists in a pre-linguistic world. While she sees herself as no more than "a natural woman, state of nature," she realizes that ordinary acculturated humans would choose one of two locations for her, the hospital or the zoo (p. 190). Her refusal to be a victim has compelled her to cease being fully human, at least as her culture defines that state. As unaccomodated man, she can but appear an animal to cultured eyes.[9]

The animal world forms a persistent motif in *The Wars*, standing throughout as a foil to the inhumane world of humanity. Robert's first conflict with his parents arises over his attempts to protect the rabbits after his sister Rowena has died (pp. 20-22). During his basic training, he senses a connection between his own animal spirits as a runner and those of a coyote he runs with (pp. 27-30). Aboard the troop-ship, Robert finds a more congenial world below with the horses than topside with the men, though he must later bring himself to shoot a horse that has been injured (pp. 61-69). He later consigns the ashes of Harris, a brother officer, to the deep, with the invocation to "Go... in peace and sing with the whales" (pp. 119-20). Small wonder that one of Robert's dead trench-mates leaves behind a sketchbook in which the hero appears amid a collection of animal drawings, "[m]odified and mutated - he was one with the others" (p. 158).

This theme of metamorphosis as Robert is subsumed into the animal world reaches its (and the novel's) climax when he swiftly shoots two fellowsoldiers who attempt to bar his way from rescuing some horses threatened by the approaching combat. His announcement to the military police who have come for him and the horses, that "*We* shall not be taken" (p. 220; emphasis added) confirms the emblematic nature of the opening scene (which like a snapshot occurs later, word-for-word: pp. 3-5; 215-17). Robert, the dog, and the horse pose as a trio of similar creatures, caught for a moment in their flight from human madness.

If the animal world offers in these novels an alternative to the insufficiencies of human society, then it functions as another of the stark oppositions around which the works are structured. For Lou, the sterile world of the historical-antiquarian Institute where she works serves as the enemy. In the North she finds an environment whose harshness is illuminated by flashes of beauty, and discovers in herself "an odd sense... of being reborn" (p. 19). She has been reborn from a dry-as-dust world of parasitic, bureaucratized cataloguing of knowledge. The Director of the Institute, whose title eventually takes on the connotation of Big Brother, has sent her to the site to catalogue the library, and her recollection of their grim sexual encounters on the office desk recalls to her other wasted loves (pp. 92-93, 118). It is that barely-but-effectively evoked world of rationalization down in the city that serves as the enemy, and the chief intellectual discovery in the novel lies in Lou's growing perception that the Cary estate whose elegance charms her is somehow a part of the same arid system.

That quiet, dusty world of underfunded historical preservation seems a fairly tame enemy compared to Robert's. Here the title bids us to proceed beyond the obvious and to discover that the war machine is not some cruel interlude but simply an intensification of the killing process that exists in the world back home as well. Robert's mother may make a scene during Sunday service as the prayers for victory are intoned, but earlier hints exist of the general corruption that has made the war into a plural form in order to denote its universality. The sterility of the Ross household as exemplified in the quadrille-like formality of the parents, the repressed sexuality exhibited by Robert's mother when she intrudes upon his bath, the killing of the rabbits after Rowena's death, the brutal sexual activity that Robert voyeuristically witnesses during basic training: all compose a world of denied kinship and feeling that Robert can only recover by his flight to that of the animals. His own sexual activity, in the form of his encounter with Lady Barbara, appears brutal in the eyes of an innocent (p. 183); his own comrades become the victims he kills least regretfully. His closest human companions, his trench-mates, are a group of outsiders who are killed one by one. The enemy then becomes anything in the world of man - and chiefly the world of men - that appears successful, authoritative, in charge. It is a formidable and widespread enemies' list.

In the demonology of *Surfacing*, the chief offenders reveal themselves in the guise of a mythical race known as The Americans. Technologized, exploitative, casual in their rape of the environment, they are creatures from a 1950s sci-fi film in that they readily assume the shape of the locals. The glib, knee-jerk anti-Americanism of the heroine's film-making companions easily discloses itself as a sham hostility, a disguise for their own estrangement from the natural environment, while the absurdity of the easy labelling reveals itself in a significant encounter. Here a pair of Southwestern Ontarians appear American to the heroine because they have adorned their canoe with an emblem of American pop culture. At the same time, the heroine and her companions appear American to the sportsmen because their long hair marks them as hippies (p. 128).

The incident makes us peer below any easy nationalistic assumptions about the nature of the enemy to the inner core of evil: modernity. The heroine's father has abandoned his scientific pursuits to sketch the fearful creatures that have come to him as visions of the gods, the heroine strips and seeks to return to a more primitive self. We - that is to say all members of a modern culture - are all Americans, and the only way to escape from Gertrude Stein's oldest country is to return through a spiritual and physical ordeal to a more authentic tribe.

Amid a world of random collisions and stark polarities, a world in which the animal grows more humane than the human, a joyless sexuality prevails. The lack of any spark between *Surfacing*'s heroine and her partner Joe, the game-playing and brutality of his friend, David; the bookish encounters between Lou and the Director in *Bear*; the seeming violence between Robert and Lady Barbara in *The Wars*, followed by her faithlessness and the terror of Robert's rape: none of these offers any sense of sexual activity in any form as an escape or even alternative to the horrors a culture visits upon its members. Even the bestiality in *Bear* can only extend so far. Lou may reach orgasm from her pet's diligent lickings, but her sole attempt to insert his penis within her earns her a slash across the shoulders that even she cannot mistake for a pat on the back (p. 131).

Their considerable differences aside, the three novels deliver a similar vision of culture-as-enemy. Read generally as a war novel and nothing more, *The Wars* demonstrates how a work of historical fiction always recasts the past in terms of the present concerns. The wreckage of the Western Front and the polite wilderness of Rosedale serve as stage sets for the cultural wars that Canadian fiction has been waging since *Beautiful Losers*.

II

In view of their shared concerns, what do these novels both individually and collectively envision as a ground of being which will satisfy their searchers' quests for something more? In truth, they find very little in the way of a convincing alternative to the cultural rot that obsesses them. Another way of putting this is to note how little the endings of each do to advance the action of the novels.

Surfacing risks the sort of ending that would tickle a more sardonic sensibility. The now-pregnant heroine slips back into her clothing after her woodland freakout and decides to offer the rejected Joe another chance. After all the discovery and turmoil - the horrible advances of "the Americans," the anguished search for the father, the terrifying encounter with the water phantasm who resembles the narrator's fantasy of the fetus she has aborted - after the heroine's attempt to live as a secluded, naked woman of the woods, comes a return to domesticity. Of course, the final paragraphs stress the very tentative nature of this return, and so they should. For the narrative has boxed itself in very tightly. Were it a mere "symbolic" account of events, the audience could swallow the account of a naked woman thrashing about the wilds of northern Québec with summer nearly over. Unfortunately for this, the world of mundane objects - canoes, tins of food, cameras, beer bottles - with which the novel deals makes its demands and necessitates doing something to preserve the heroine. The alternative, a notion subversive to the heroine's proclaimed intent "to refuse to be a victim" (p. 191), would be to have her perish for her convictions. Thus a rescue is provided as the heroine modifies her extreme stand sufficiently to consider it.

The ending of *Bear* appears even less genuinely conclusive. It requires the reader's assent to two dubious propositions. First, one must agree that the Cary house represents some parasitic, irrelevant colonial structure imposed upon the landscape (pp. 36; 46; 139). One need not adopt the furious tone of Scott Symons' article on *Bear* and other novels to agree with his contention that Lou has gotten the meaning of the house all wrong.[10] Yet even someone sharing Lou's trendy, colonialism-is-a-naughty-word views might still pale at finding so redemptive a ritual made of sexual contact with an animal. Push on for the sake of argument and grant these theses, and what remains? The effects of a bracing summer holiday are what remain; this endures as the solution for the *angst* Lou suffers. The familiar device of the love affair in an exotic setting as a tonic for the tired woman would properly generate a heated response these days, yet when one has stripped away the cultural ideology and the bestiality, this is what survives. Having catalogued a few books and made a few discoveries, Lou leaves the northern site "clean and simple and proud" (pp. 136-37) and with the knowledge that the Ursa Major constellation is looking out for her. As a response to a cultural crisis, it offers the equivalent of finding the Holy Grail at a Tupperware party.

The Wars' superiority as a work of fiction leaves it with a more complex ending than the others. Its narrative convention - that its material springs from an archival source, and that its "facts" consist in what the researcher has been able to garner from photos, diaries, interviews and the like - distances the reader from the action. The unidentified narrator-researcher obviously agrees with his sources that Robert's act of killing was a fitting response to a culture gone mad. Whether or not the reader agrees with that (I happen not to), the narrator then implicitly demands further assent, this time to the proposition that the photograph of Robert and his sister which enables the viewer to see their breath has somehow granted them an enduring existence beyond the grave.[11] Again, even if one assents to this, it scarcely seems a fitting solution to the cultural crises that the novel has depicted.

How to account for these weak endings? Are they anything more than examples of the cultural disintegration they have anatomized? Have the novels not dealt with the insufficiencies of cultures hampered by the absence of any standard beyond that of naturalistic individualism, and then put forward that personalist cause as the solution?[12]

It is enough, of course, for a novel to show the existence of a problem. A reader has no just expectations for the same work to provide a solution. Yet the endings of the novels demand some sort of affirmative response from the reader, some assent to an implicit proposition that the events and processes depicted offer some solution to the cultural crises. Unfortunately the solutions appeal only to those willing to believe that personal revelations confined to individuals and incapable of any institutional and communal mediation can become the ground for social and political well-being.

The danger of examining imaginative works from the thematic standpoint in the way this paper has, lies in reducing them to ideology and theory. The critic finds them lacking in these respects, and then smugly concludes that the novels fail to excel in matters they never set out to handle in the first place. That charge, however, is weakened in the case of these novels. They *do* set out to deal with topical aspects of our experience; they at least implicitly endorse certain responses as offering the hope of a way out of our present dilemmas. It therefore becomes the burden of the critic to state that in this respect the emperor has no clothes.

But should he? Am I demanding from these novels a message no serious writer can any longer deliver? After all, do they call for anything more than a clearing of the ground. "Clear away the mess of an obsolescent, killing culture before it smothers us all!": can a critic expect anything beyond that? Could I be asking for a happy ending a pleasant, utopian completion to a cultural project that can properly concern itself with demolition alone? Against all this, two observations can be made:

1) The demolition derby has been roaring at least since the première of Stravinsky's *Rite of Spring* in 1910. How much sap remains in that trunk? How long before audiences shrug their shoulders at yet another revelation of chaos? Our culture has domesticated modernism. Students who resist the difficulty of its literary manifestation, who balk at the complexities of Joyce, gaze blankly at the intricacies of Wallace Stevens, giggle at Godot, trek home to watch on rock videos that fractionating and derangement of experience, that usage of non-sequential narrative, that reliance on symbolic play that is the hallmark of modernism. Who remains to be appalled at anything?

2) At least one English-Canadian writer has passed beyond this. Jack Hodgins' *The Invention of the World* (1977) gave readers the sense of a fresh wind blowing through the haunted wilderness of Canadian fiction. This refreshment proved a matter of more than its narrative virtuosity and its sense of play with the distinctions between myth and history. Its bracing effect stemmed also from the novel's unabashed acceptance of the here and now as the place to begin re-inventing the world. The work concludes with the chaos and violence of the wedding, where the ghosts of the past continue to wander amid the litter and confusion of the present. Maggie and Wade cannot create the wedding-cake ceremony that propriety and their own desire for a more orderly world demand. The world has never been quite that way. We cannot re-invent it wholly.

Instead, they celebrate. They commit themselves to building their new lives within the same world that supported their old ones. Let Strabo Becker collect his memorabilia and jottings, like the nameless archivist in *The Wars*. His work is important. More important is the business of getting on with it.

No critical point is served by observing that some novelists deliver messages more congenial than others. I hope that I am saying more: that it is possible to pass beyond the esthetics of cultural despair and remain a serious novelist.

Literary historians will come to judge how important a theme in our imaginative literature this rejection of culture has been. They will observe how imaginative writers after *Beautiful Losers* presented image after image of the loss of any sense that human culture and institutions possessed the power to satisfy an individual's yearnings for a coherent vision of his role in the universe. They will understand how the expression of these yearnings, religious in nature, had been farmed out by a secular society to the new clerisy of serious artists. These same historians, however, after they have made their bows to the imaginative power of these fictional accounts of the crisis, must then observe something else. They will have to note that a symptom of the crisis and the seeming insolubility of the problems it posed can be found in the novels' ultimate inability to deal with a human condition composed of groups, communities and institutions rather than of crisis-prone individuals. These historians will confess bewilderment at the absence of the banal and the routine, things which of necessity compose the most of human experience. At that point, they will have happened upon a prime characteristic of much of our literature at this time, its reluctance to engage with the dull, collective, material realities that govern so much of our existence.

Dennis Duffy
Department of English
University of Toronto

Notes

1. Leonard Cohen, *Beautiful Losers* (Toronto: McClelland and Stewart, 1966), p. 157. Subsequent references to this work are included in the body of the text.
2. Buffy St. Marie, "God is alive. Magic is afoot," from Leonard Cohen's *Beautiful Losers. Illuminations* (Vanguard VSD 79300).
3. See John R. Harrison *The Reactionaries* (London: Gollancz, 1968), and Marshall Berman, *All That Is Solide Melts Into Air, The Experience of Modernity* (New York: Simon and Schuster, 1982).
4. See Dennis Duffy, *Gardens, Covenants, Exiles: Loyalism in the Literature of Upper Canada/Ontario* (Toronto: University of Toronto Press, 1982), pp. 114-118.
5. Margaret Atwood, *Surfacing* (Toronto: McClelland and Stewart, 1972), p. 142. Subsequent references to this work are included in the body of the text.
6. Timothy Findley, *The Wars* (Toronto: Clarke Irwin, 1977), pp. 22-25; 45. Subsequent references to this work are included in the body of the text.
7. Timothy Findley, *Famous Last Words* (Toronto: Clarke Irwin, 1981), p. 73.
8. Marian Engel, *Bear* (Toronto: McClelland and Stewart, 1976), p. 141. Subsequent references to this work are included in the body of the text.
9. Recall the "wild" hair and eyes of Lou at the end of her Northern stay in *Bear*, p. 125.
10. Scott Symons, "The Canadian Bestiary: Ongoing Literary Depravity", *West Coast Review*, 11 (January 1977), pp. 3-16.
11. Thus have I heard the author explain to an undergraduate class on the novel.

12. For a profound meditation on naturalistic individualism as the character of our cultural decadence, see James Doull, "Naturalistic individualism: Quebec independence and an independent Canada", in *Modernity and Responsibility, Essays for George Grant*, ed. Eugene Combs (Toronto: University of Toronto Press, 1983), pp. 29-50. This altered version of the paper originally delivered owes much to the advice and encouragement of Prof. William Westfall. A cogent critique of the original can be found in Prof. John Lennox of York University's response to it, though no way of reconciling his reading of the novels with mine exists.

MARIE-THÉRÈSE LEFEBVRE

Le rôle de l'Église dans l'histoire de la vie musicale au Québec

Despite the relative newness of research into our musical heritage, we can still attempt an initial synthesis of our existing knowledge of the role of the Catholic Church in the history of music in Québec.

Heir to the Baroque religious sensitivity and the CounterReformation positions that resulted from the Council of Trent, the French colonial population in North America imported the music of the Versailles school and, thanks to the Jesuits and the Ursulines, benefitted from a musical education that allowed them to read and perform standard repertoires of motets and hymns.

With the advent of Romanticism, the Church began to feel the influence of concert music, the text of the mass serving as a sort of libretto for composers. But the same romantic sensitivity also led to a revival of Gregorian chant and the beginnings of the debate on the "true" music of the Church. In the last third of the 19th century, Québec bishops were increasingly opposed to the secularisation of musical practices and advocated a return to Latin, to the organ as the sole musical instrument and to the restriction of women from the religious vocal art. This aesthetic conservatism, enforced through educational institutions, held sway until the post-war years. Vatican Council II, advocating the conscious participation of believers in the liturgy, had the effect of sounding the knell of the grand Gregorian tradition and drove away those creators of modern music who were insensible to the populism dominating the new pastoral. The religious inspiration of certain creators influenced by Messiaen thus went beyond the Church, given rise to astonishing works of invention.

Tenter de présenter une synthèse du rôle qu'a tenu l'Église dans l'histoire de la musique au Québec depuis ses origines peut sembler une entreprise téméraire si l'on considère que la recherche sur notre patrimoine musical est récente.

Pourtant, parce que la Musique fait son entrée dans cette Association des études canadiennes aujourd'hui, il nous apparaît important de faire un bilan des recherches en ce domaine et de présenter quelques-uns des travaux accomplis par les musicologues et historiens dont plusieurs sont membres de l'A.R.M.U.Q.[1]. Nous présenterons donc un tableau de la situation de la musique liturgique et religieuse en Europe au moment de la fondation de la Nouvelle-France, et nous exposerons en trois étapes correspondant aux grandes divisions historiques de notre histoire, les positions de l'Église face à l'éducation et à la formation des musiciens, ses mandements en regard de l'interprétation de la musique d'église et le répertoire religieux qu'elle encouragea.

Tous ceux qui s'intéressent de près ou de loin à l'histoire de la musique constateront le rôle primordial qu'a tenu l'Église dans le développement de la musique occidentale, dont les origines remontent aux premiers chants des chrétiens.

Le chant grégorien, chant officiel de la liturgie catholique, se caractérise ainsi: il est chanté à l'unisson, son rythme verbal est libre épousant les accents de la langue latine et sa structure mélodique reflète les échelles défectives et les modes anciens. Ce chant fut transmis oralement jusqu'à l'époque carolingienne qui est celle de sa première notation; il fut alors appelé chant grégorien, du nom de St Grégoire le Grand. Il est à l'origine du développement polyphonique que l'on observe au Moyen Âge.

La musique devient alors plus complexe, les voix se superposent, le rythme devient plus mesuré, et la langue vulgaire commence à s'infiltrer, au 13e siècle, dans la polyphonie de l'Ars Antiqua. On assiste plus tard à la floraison des grandes oeuvres contrapuntiques de la Renaissance, oeuvres où l'élément humain et profane s'affirme de plus en plus si bien qu'on ne peut plus tracer de frontière définie entre l'élément religieux et l'élément profane dans la musique d'Église.

Cette intrusion du profane dans la musique religieuse, ajoutée à plusieurs autres raisons qu'invoquera Luther suivi d'autres réformateurs pour se séparer de l'Église catholique, est à l'origine des décisions qui seront prises à la suite du Concile de Trente touchant le chant liturgique et la musique sacrée. Or, comme l'ont souligné plusieurs historiens, l'histoire de la fondation de la Nouvelle-France est intimement liée au grand débat religieux de la Réforme et de la Contre-Réforme et à ses conséquences d'ordre politique. Rappelons-nous que l'année 1534 voit la découverte du Canada par Jacques Cartier, la publication en langue allemande de la Bible de Luther, la fuite de Calvin en Suisse, la fondation de la Compagnie de Jésus par Ignace de Loyola et de la communauté religieuse des Ursulines par Angèle Merici. À la lumière de ces coïncidences et avant d'entrer dans notre sujet proprement dit, nous présentons brièvement les enjeux musicaux mis en cause par Luther et par le Concile de Trente et les décisions qui définiront l'orientation esthétique de chacun.

Le plus grand reproche qu'adresse Luther à la musique de l'Église catholique vise son inacessibilité, et le caractère savant et complexe des compositions. Il prône donc un cérémonial où les fidèles pourront participer, supprimant ainsi les distinctions hiérarchiques entre le clergé et les fidèles, où ils pourront comprendre le texte biblique, en utilisant la langue vernaculaire et incite les compositeurs à écrire une musique simple afin que les fidèles puissent chanter non seulement aux offices religieux mais aussi dans leurs familles; c'est ainsi que se développe le *kirchenlied* le cantique allemand que les Jésuites utiliseront par la suite dans leur processus d'éducation religieuse populaire. Le but poursuivi étant de faciliter la mémorisation des textes, la musique devient un moyen par lequel se propage le message religieux. Une musique fonctionnelle donc, qui sera encouragée par une éducation musicale obligatoire pour tous, qui favorisera la formation de chorales, de musiciens amateurs, de clubs musicaux qui deviendront très populaires en Angleterre au siècle suivant.

De son côté, le Concile de Trente cherche d'une part à épurer le chant liturgique de tout élément profane et populaire pour retrouver la pureté primitive du chant grégorien. Considérant ce chant comme un moyen de réflexion et de communication avec Dieu, il demeure sacerdotal, sacré, et seules de voix exercées peuvent l'interpréter. Ce qui amène le Concile à se prononcer en 1563 sur l'éducation musicale, ordonnant la formation de musiciens d'élite dans les collèges et séminaires contrôlés par le clergé. De plus la langue latine, langue de l'Église et des savants, demeure la seule autorisée dans les offices. "Il y a dans la Messe", dit le Concile, "des choses mystérieuses qui doivent toujours rester cachées au peuple et que, pour cela, on ordonnoit de conserver dans la langue originale...[2]"

D'autre part, si le Concile manifeste des positions fermes sur le retour au chant grégorien, sur la hiérarchie des chantres d'église et sur l'utilisation de la langue latine, il demeure silencieux sur les compositions religieuses qui peuvent être interprétées à l'Église et remet aux comités des cardinaux et des évêques le pouvoir de réglementer les questions proprement musicales et de prendre position sur le plan esthétique.

Or le Dieu que présente l'Église à cette époque baroque n'est plus le Dieu souffrant et mystérieux du Moyen Âge mais bien un Être puissant, glorieux, ressuscité, éclatant. Les compositions religieuses de cette période mettront en relief ces qualités par le caractère solennel et majestueux des oeuvres vocales et instrumentales et par une recherche d'un langage musical plus hardi. Les tendances entre le *stile antico* de la musique *a capella* et le *stile moderno* défendu par les théoriciens contemporains qui ouvrent la voie à l'harmonie moderne (passage des modes anciens aux modes majeurs et mineurs) se répercutent sur la musique religieuse. On observe alors des prises de position de certains comités épiscopaux concernant l'écriture musicale: le style fugué, par exemple, sera un temps très mal vu puisqu'il altère l'intelligibilité du texte. Ainsi, si la musique de Palestrina (1525-1594) se caractérise par une recherche d'équilibre entre les deux tendances, en France les musiciens manifestent une certaine opposition aux directives du Concile; plusieurs compositeurs du 17e et du 18e siècle publient des oeuvres religieuses nouvelles, adaptées au style moderne de l'époque; on assiste alors au développement des grandes oeuvres religieuses de l'école de Versailles, alors que, de leur côté les Jésuites encouragent les chansons pieuses en langue française (cantiques spirituels) pour réagir contre la grande vague des psaumes huguenots.

C'est ce répertoire et cette culture musicale qui sont importés en

Nouvelle-France au 17e siècle et qui s'y développent au 18e siècle. Grâce aux recherches accomplies par Louise Courville, Andrée Desautels, Elizabeth Gallat-Morin, Charlotte Leclerc-Bonenfant et Eric Schwandt, nous savons maintenant que cette musique de l'École de Versailles résonnait dans les églises de la Nouvelle-France. Ces chercheurs ont découvert dans nos archives des oeuvres des compositeurs français tels: Nicolas Bernier (1664-1734), Marc Antoine Charpentier (1635-1704), André Campra (1660-1774), Henri Du Mont (1610-1684), Elizabeth Jacquet de la Guerre (1659-1729), Nicolas Lebègue, (1630-1702), Louis Marchand (1669-1732), Jean-Baptiste Morin (1677-1745), Guillaume-Gabriel Nivers (1632-1714), ainsi que des répertoires de cantiques composés sur des airs d'opéras français et des traités de composition de Nivers et de Rameau.

L'existence de ce répertoire en Nouvelle-France témoigne donc des origines de notre vie musicale à laquelle participe l'Église principalement dans l'éducation. Les premières écoles, fondées par les Jésuites, ont à leur programme l'enseignement du chant grégorien et de la notation musicale. Il en est de même chez les Ursulines où l'on rapporte que Mère St-Joseph enseignait les chants religieux en s'accompagnant de la viole. On rapporte aussi qu'à la Messe de Minuit de 1645, Martin Boutet, premier professeur laïc au collège des Jésuites et fondateur de la première chorale, accompagnait au violon les chants religieux.

On a épilogué longuement sur le rôle qu'a tenu Mgr de Laval dans la vie musicale de la Nouvelle-France. Après avoir rapporté un orgue de Paris en 1663, il institue le chant grégorien comme matière au programme de la formation du clergé; il définit le rôle de la musique dans l'Église et institue la dévotion à la Sainte-Famille en 1684. On croit d'ailleurs que Charles Amador Martin, deuxième prêtre canadien est l'auteur d'une Messe que Mgr de Laval avait commandée pour l'occasion. Il a cependant porté des jugements plus sévères à l'égard des femmes, comme en témoigne une lettre de Marie de l'Incarnation qui se plaint que Mgr de Laval défende maintenant aux Ursulines de chanter à l'Église. Mais l'inventaire d'un répertoire d'environ 120 motets écrits entre 1675 et 1740, produit par E. Schwandt à partir des archives des Ursulines, nous permet d'affirmer que la musique était bien vivante chez les religieuses de l'époque, comme en témoigne par exemple, cet Ave virgo, petit motet à deux voix, retrouvé dans ces archives, interprété par l'ensemble Nouvelle-France (SISCOM-SCO8211).

Au début du 18e siècle, la paroisse de Montréal achète son premier orgue, sous l'initiative des Sulpiciens. Un jeune clerc sulpicien, Jean Girard, originaire de Bourges, maître d'école et organiste, arrive en Nouvelle-France en 1724 emportant sous son bras le Traité de composition et le premier Livre d'orgue de Nivers (organiste et maître de chant à l'école de Mme de Maintenon, à St-Cyr) ainsi qu'une anthologie de plus de 400 pièces, récemment découverte, et que l'on a appelée *Le livre d'orgue de Montréal.*

L'auteure de cette découverte, Madame Elizabeth Gallat-Morin a identifié quelques-unes des pièces comme étant celles de Nicolas Lebègue, compositeur français dont les oeuvres d'orgue empruntent plusieurs éléments formels à la musique profane et s'inspirent de la musique théâtrale de Lully, s'éloignant ainsi de plus en plus de l'esprit liturgique pour évoluer dans une ambiance plus "mondaine[3]".

Mais en 1760, la France, épuisée par ses guerres de religion et de pouvoir politique, cède ses "quelques arpents de neige" à l'Angleterre; la compagnie des Jésuites est supprimée et les échanges culturels avec la France sont rompus, du moins jusqu'en 1855, au retour de "la Capricieuse". Pendant ce temps, la musique d'Église poursuit son évolution de façon conjointe avec le mouvement romantique du 19e siècle. Empruntant de plus en plus les éléments théâtraux de l'opéra, les harmonies chatoyantes et dissonantes de la musique profane, les églises deviennent rapidement des lieux de concerts où, sous le couvert de l'inspiration religieuse, les organistes et maîtres de chapelle transforment l'orgue en un véritable instrument d'orchestre.

C'est ainsi que Jean-Chrysostome Brauneiss II (1814-1871) présente en 1835 à Montréal une Messe avec orgue, violon, viole, flûte et basson et invite, par une annonce dans la *Minerve*, en novembre 1842, les femmes et les hommes à suivre des cours de musique vocale destinée à l'interprétation de la musique sacrée. Un critique de l'époque commente ainsi l'initiative du compositeur:

> *Nous savons gré à M. Brauneiss des efforts qu'il fait pour introduire la musique moderne dans nos temples. Le chant grégorien a sans doute quelque chose de sublime mais nos grands maîtres ont fait de grandes choses aussi. Quoi de plus beau que le Requiem de Mozart et toute la musique religieuse de Beethoven.*

Le mois suivant cependant, le directeur du Séminaire St-Sulpice interdit un concert des oeuvres de Haydn dans l'église parce qu'il y a des voix de femmes dans la chorale, décision contestée par un critique de la *Minerve*, qui constate le 12 décembre 1842 que ce même Supérieur a accepté deux directeurs d'opéra et un célèbre pantomime à une grande messe chantée,

Il est vrai que ces élans romantiques déplaisent de plus en plus au clergé qui voit la foi des fidèles mise en péril par ces extravagances musicales, "où le texte de la messe" dit Norbert Dufourq "est de plus en plus traité comme un livret d'opéra"[4]. Mais c'est par un détour d'ordre musicologique que va s'opérer l'épuration du chant grégorien, qui, débarrassé de ces accompagnements colorés d'harmonie tonale, retrouvera sa ligne mélodique sinueuse, son rythme libre, sa structure modale et par conséquent son caractère sacré dans la liturgie catholique. Fait intéressant à noter mais sur lequel il ne nous est pas possible d'élaborer dans cette étude, cette redécouverte des modes anciens ou de la musique modale est aussi à l'origine de l'émancipation du système tonal et de la nouvelle aventure de la musique française du 20e siècle à partir de Debussy, puis de Messiaen.

Revenons à ce détour musicologique; Louis de Neidermeyer, compositeur français d'origine suisse, fonde en 1853 à Paris une école qui porte son nom. Fasciné par la musique religieuse de la Renaissance et attiré par la liturgie catholique, il se donne pour tâche de restaurer le chant grégorien. Appuyé par l'Archevêque de Paris, il organise un programme d'étude et publie en 1856, en collaboration avec Joseph d'Ortigue, un *Traité théorique et pratique d'accompagnement du plain chant.* Cette étude historique est poursuivie parallèlement par l'école de Solesmes qui étudie les sources mêmes du chant grégorien: Dom Mocquereau, renouvellera son interprétation d'après la notation neumatique. Le *Motu Proprio* de 1903 promulgué par Pie X appuiera ses décisions en matière de chant liturgique sur les résultats de ces travaux musicologiques.

Ces recherches sur le chant grégorien sont aussi à l'origine des grandes polémiques portant sur l'accompagnement, modal ou tonal, donc ancien ou moderne, et par la suite sur le langage musical des oeuvres religieuses permises à l'Église. Une de ces polémiques eut lieu à Québec au milieu du 19e siècle.

Le Père Pierre-Minier Lagacé (1830-1884), vicaire à la basilique de Québec, avait étudié les théories de Niedermeyer lors d'un séjour à Paris; il y publia en 1860 *les chants d'Église, harmonisés pour l'orgue suivant les principes de la tonalité grégorienne*, ouvrage qu'Ernest Gagnon louangea dans les journaux.

Cependant, Antoine Dessane, compositeur formé par l'illustre Cherubini et organiste à la basilique de Québec à partir de 1848, se porte à la défense de l'harmonie moderne dans la musique religieuse et engage un débat avec Ernest Gagnon, débat qui se termine par la démission du compositeur. Dessane, dont le fonds d'archives a été déposé récemment à la bibliothèque de l'Université Laval, a écrit plusieurs messes. Diane Cloutier a transcrit la Messe en mi b Majeur qui fut enregistrée le 12 avril dernier au petit Séminaire de Québec et dans laquelle on peut remarquer le style emprunté à l'opéra et les harmonies modernes préconisées par le compositeur.

Entre 1867 et 1914, le Canada subit des changements sociaux et politiques importants: ce nouveau pays confédéré entre dans l'ère industrielle où les échanges commerciaux et culturels avec les voisins du sud et l'Europe se multiplient. Des troupes de théâtre et d'opéra viennent fréquemment présenter leurs spectacles à Montréal et des troupes locales s'y développent; le clergé s'inquiète du relâchement des principes moraux de ses paroissiens, de la présence féminine sur les scènes et de l'envahissement de la musique profane dans les églises, comme en font foi ces mandements des Évêques de Montréal de 1878 où on peut lire:

> *À partir du 1er juin 1879, il ne sera plus permis aux femmes de chanter dans les Églises[...]. Cependant nous permettons que les femmes chantent, mais seules, dans les retraites qui leur sont données.*

Et en 1881: on ajoute:

> *Il arrive malheureusement que par une inattention, une négligence ou une connivence coupable de la part de ceux qui ont le pouvoir sur eux, des organistes ne craignent pas de faire entendre des valses, des polkas ou autres morceaux tirés d'opéras en vogue [...]. S'il n'y a pas d'organiste qui sache choisir et exécuter de musique en rapport avec la solennité et le respect dû aux rites sacrés, je veux que l'on ferme l'orgue.*

À partir de 1892, et jusqu'à 1903, ces mandements sont de plus en plus nombreux et sévères:

> *L'orchestre à l'Église ne peut être admis que pour accompagner le chant et que les soli de violon, de clarinette etc... sont absolument interdits dans le saint lieu.* (1892)

> *La musique d'église doit être grave, noble et pieuse: il faut qu'elle porte à la prière et non à la réminiscence des airs d'opéra ou de théâtre* [...]. (1896)

> *Qu'il soit bien compris que les choeurs d'hommes et de femmes sont absolument défendus et que celles-ci ne doivent jamais être admises à faire partie de l'orchestre.* (1896)

Pourtant malgré ces recommandations du clergé, Guillaume Couture, compositeur et maître de chapelle à la Cathédrale de Montréal (1851-1915) écrit en 1900 une Messe de Requiem pour solistes, choeur mixte, orchestre et orgue.

Cependant, cette situation n'est pas propre à notre pays: des abus semblables sont observés en Europe, si bien qu'en 1903 Pie X promulgue le *Motu proprio* par lequel il instaure un code de la musique sacrée et affirme la position de l'Église en matière de chant liturgique et de musique religieuse.

Proclamant le retour à la pratique du chant grégorien traditionnel, le Pape déplore les abus qui se sont introduits dans la musique sacrée; il réitère la suprématie de la langue latine dans la liturgie, affirme que seul l'orgue et parfois "dans de sages limites" quelques instruments à vent sont permis. Il confirme la nécessité de fournir des chantres d'église, composés de prêtres et de séculiers qui ont dit-il, "une véritable charge liturgique. Par conséquent, les femmes étant incapables de remplir semblable mission, ne peuvent être admises à faire partie du choeur". Il ordonne la création de Schola Cantorum dans les Séminaires et dans les paroisses et la création d'écoles supérieures de musique sacrée.

Enfin, au moment où le langage musical subit de profondes transformations à travers les oeuvres de Debussy et de Schonberg, le *Motu proprio* de 1903 expose sa position vis-à-vis le modernisme.

> *L'Église a toujours reconnu et favorisé le progrès des arts en admettant au service du culte tout ce que le talent a pu trouver de beau et de bon au cours des siècles, les règles liturgiques demeurant intactes. La musique moderne est donc acceptée à l'Église car elle offre, elle aussi, ces compositions, qui, par leur beauté, leur ampleur, leur gravité, ne sont aucunement indignes des fonctions liturgiques.*
> *Toutefois, la musique moderne étant surtout destinée aux usages profanes, il faudra prendre garde que les compositions musicales de style moderne, autorisées dans les églises, ne contiennent rien de profane, pas de réminiscence de motifs développés au théâtre, et modelées, même dans leurs formes extérieures, sur le mouvement des morceaux profanes.*

Ces idées sont reprises dans les lettres pastorales des Évêques de Montréal, où l'on confond cependant la musique profane et l'esprit moderne; le conservatisme continue de se manifester dans l'éducation musicale et on assiste, jusqu'en 1950 à une profusion de compositions religieuses dont plusieurs Messes. La fondation de la Schola Cantorum en 1915, créée sur le modèle de celle de Paris, approuvée par Mgr Gauthier et affiliée un certain temps à l'Université de Montréal favorise l'émergence de ce répertoire religieux traditionnel.

Le *Divini Cultus* de Pie XI en 1928 présente des directives se rapprochant de celles de Pie X où l'on remarque cependant une certaine distance vis-à-vis la musique moderne:

> *Il faut éviter le mélange du sacré et du profane par la faute de certains organistes trop favorables aux productions d'une musique ultra-moderne* [...]. *Nous ne saurions ne pas nous plaindre des tentatives faites aujourd'hui pour introduire dans le temple un esprit profane grâce à des formes de musique tout à fait moderne(...) Si ce genre de musique commençait à s'introduire, l'Église devrait le condamner absolument.*

Mais quelles sont ces tentatives de modernisme dans la musique religieuse auxquelles se réfèrent le pape Pie XI? Sans pouvoir répondre à cette question de façon précise, on sait qu'Olivier Messiaen, alors jeune compositeur français qui se définissait comme "musicien théologique" et qui aura une influence marquante sur l'évolution de la musique du 20e siècle, était organiste et présentait à chaque dimanche à l'église de la Ste-Trinité à Paris des improvisations très personnelles, improvisations dont il fera la synthèse dans la Messe de la Pentecôte en 1950 et dans le Livre d'orgue en 1951.

Il y a derrière la musique de Messiaen une dimension spirituelle et religieuse qu'on ne peut ignorer: c'est une musique qui évoque les mystères de la Gloire et de la Joie: c'est un Dieu glorieux qui inspire le compositeur. Ainsi, dans les *Trois petites Liturgies*, oeuvre qui fit scandale en 1945 par son écriture moderne et son inspiration religieuse, Messiaen glorifie la force divine et la permanence de l'Église, la Création et l'Éternité, en s'inspirant des textes bibliques qui lui servent de référence. Pour expliquer sa démarche esthétique, il commente ainsi un texte de St-Thomas d'Aquin: "La musique nous porte à Dieu, *par défaut de vérité*, jusqu'au jour où lui-même nous éblouira *par excès de vérité*. Tel est peut-être le sens signifiant et aussi le sens directionnel de la musique[5]".

La strette finale, jubilatoire, du deuxième mouvement des *Trois petites Liturgies* de Messiaen, intitulé "Séquence du Verbe" (Dieu présent en nous), est un exemple des positions religieuses du compositeur et de ses recherches musicales.

En 1947, l'encyclique *Mediator Dei* de Pie XII semble donner raison à Messiaen et présente une plus grande ouverture d'esprit devant les transformations de l'écriture musicale:

> *Il importe extrêmement de laisser le champ libre à l'art de notre temps qui, soucieux du respect dû aux temples et aux rites sacrés, se met à leur service.*

Et en 1955, l'encyclique *Musicae sacrae disciplina* ajoute:

> *On ne saurait toutefois exclure totalement du culte catholique la musique et le chant moderne. Bien mieux, pourvu qu'ils n'aient rien de profane ou d'inconvenant, étant donné la sainteté du lieu et des offices sacrés, qu'ils ne témoignent pas non plus d'une recherche d'effets bizarres et insolites, il est indispensable de leur permettre l'entrée dans nos églises, car il peuvent l'un et l'autre, grandement contribuer à la magnificence de nos cérémonies, aussi bien qu'à l'élévation des âmes et à la vraie dévotion.*

Au Québec, cependant les résistances face au modernisme sont encore très fortes: la création de la faculté de musique de l'Université de Montréal en 1950 dont la vocation première fut de favoriser la formation de musiciens d'église et de développer l'enseignement de l'art sacré en est un exemple.

Mais déjà quelques voix dissonantes commencent à se faire entendre; plusieurs de nos jeunes créateurs, devant la stagnation culturelle d'après-guerre, vont étudier à Paris avec Messiaen. Parmi ceux-ci Gilles Tremblay, l'un des compositeurs marquants de notre jeune musique québécoise, est celui qui fut le plus influencé par la pensée musicale et spirituelle du musicien français.

Une grande partie de son oeuvre, depuis le *Cantique de durées* (1960) *Oralleluiants* (1975) *Fleuves* (1976) *Compostelle I* (1978) à *Dzei, voies de feu* (1981) puisse sa substance spirituelle dans les textes théologiques; et c'est à partir d'une réflexion sur la structure du chant grégorien que le compositeur développe son propre langage ainsi qu'en témoigne ce long mélisme construit sur le mot *Alleluia* que l'on peut entendre dans *Oralleluiants*, mot construit sous forme de trope, (alléluia inséré dans orants,) dont le texte provient du premier alléluia de la Messe de la Pentecôte.

C'est par cette musique spirituelle que nous terminons cet exposé sur le rôle important qu'a joué l'Église dans l'évolution de la musique au Québec. Nous le disons au passé car les décisions prises en 1964 à la suite de Vatican II en matière de musique liturgique et religieuse ont définitivement mis un frein à la production d'oeuvres religieuses originales pouvant être interprétées dans les églises. Ces décisions sont à l'origine du Renouveau liturgique laissant aux instances locales le pouvoir de choisir les modalités d'application de cette nouvelle liturgie.

L'Église qui avait encouragé les musiciens à mettre leur talent et parfois leur génie au service du culte, prône désormais une musique simple, accessible et facile dans la langue du peuple afin de favoriser la participation des fidèles. Étrange retour aux idées de Luther, contre lesquelles s'opposaient le Concile de Trente, et qui a donné libre cours, au Québec, à une multitude d'airs populaires; l'influence du Jésuite J. Gélineau sur les décisions du Concile en matière de chant d'église est peut-être à l'origine de cette désertion des compositeurs actuels et de la disparition du chant grégorien et du répertoire polyphonique:

> *En principe,* dit Gélineau en 1962, *l'Église ne prend pas parti sur la technique et elle laisse le champ libre aux artistes* [...] *cependant, l'évolution du langage musical et ses conquêtes techniques provoquent souvent dès l'abord un choc et une surprise* [...]. *Or la liturgie ne peut servir de champ d'expérience à la technique ni accepter un art déconcertant ou hermétique* [...]. *Puisque le culte doit aider les fidèles à entrer dans le mystère au moyen de signes sensibles, il faut de toute évidence que ces signes leur soient accessibles* [...]. *Il est donc contradictoire de faire appel dans le culte à des formes d'art qui déconcertent l'ensemble des fidèles* [...]. *C'est pourquoi l'Église refuse dans sa liturgie la nouveauté qui étonne* [...][6].

Cette dimension spirituelle et sacrée de la musique qui, selon les Pères de l'Église, favorisait une réflexion et une communication avec l'esprit divin, demeure toujours dans certaines oeuvres qui vivent désormais en dehors des lieux réservés au culte; comme l'a souligné Gilles Tremblay en 1974 dans une entrevue sur l'avenir de la musique liturgique: “les oeuvres humaines sont comme une participation à la Création. C'est même pour cela que l'on peut dire que toute création est sacrée: elle vient du même mouvement [...]. Devant la situation actuelle [...] je crois que l'expression spirituelle [...] s'exprime par toutes sortes de moyens inattendus et il y a peut-être une partie de cette expression qui se trouve déplacée ailleurs. Je souhaite qu'elle revienne dans l'Église, pour le plus grand bien de celle-ci et de la communauté chrétienne”.

Marie-Thérèse Lefebvre
Faculté de musique
Université de Montréal et
Présidente de l'ARMUQ

Notes

1. Association pour la recherche en musique du Québec.

2. WEBER, Edith. *Le Concile de Trente et la musique*, Paris, Honoré Champion, 1982, p. 168.
3. Plusieurs oeuvres du *Livre d'orgue de Montréal* furent interprétées par Kenneth Gilbert à un concert donné en 1981 lors de l'inauguration d'un orgue de type français du 18e siècle construit à la salle Redpath de l'Université McGill ainsi qu'à une série d'émissions produite par Radio-Canada en septembre et octobre 1983.
4. ROLLAND-MANUEL, dir., *Histoire de la Musique*. Encyclopédie de la Pléiade, tome II, N.R./F., 1963, p. 844.
5. HALBREICH, Harry. *Olivier Messiaen*, Fayard, Paris, 1980, p. 59.
6. GÉLINEAU, J. *Chant et musique dans le culte chrétien*, Fleurus, Paris, 1962, p. 61-62.

MARGARET A. FILSHIE

Sacred Harmonies: The Congregational Voice in Canadian Protestant Worship, 1750-1850

Cet article traite du rôle de la musique dans le culte protestant congrégationaliste et explore le premier siècle (1750-1850) de composition musicale dans les églises et les maisons de prière ("meeting houses") d'Amérique du Nord britannique. On y aborde les formes et rôles de la musique protestante congrégationaliste au travers des aspects suivants: culte, interprétation et interprètes, enseignement de la musique, maîtres, écoles, cahiers de chant, et changements intervenus jusqu'en 1850.

On développe la thèse que les hymnes qu'une congrégation choisit d'interpréter refllètent sa vision de Dieu et de ses membres, mais aussi sa perception du monde. Contrairement à une litanie de versets pieux, fruits des méditations du poète, les hymnes et chants spirituels traduisent les pensées de ceux qui les chantent. Les hymnes constituent un témoignage unique des convictions du groupe et de sa représentation collective. Les psaumes, hymnes et cantiques n'ont pas qu'une fonction esthétique, ils permettent de saisir l'expérience religieuse de la congrégation. Ils constituent le témoignage des principales doctrines et croyances qui cimentent le groupe. L'étude du rituel des rassemblements pour le culte et le chant, révèle les schémas de la dynamique sociale des communautés de même qu'elle illustre l'expression musicale de la culture religieuse.

Within fifteen years of the founding of Halifax in 1749, a noted American singing master and newly ordained Presbyterian minister was preaching at Mather's Meeting House en route to his first pastoral charge in Nova Scotia. Other itinerant singing masters followed him into the northern region bringing tunebooks and hymnals with them for the purpose of conducting singing schools in Nova Scotian communities. As a result of their work an Anglo-American music culture developed in British North America. It would play an important role in religious worship in the Maritimes and in the Canadas during the pre-Confederation period.

The first Canadian Protestant hymnwriter belonged to the singing school era before 1800. Henry Alline, a New Light preacher from Falmouth, Nova Scotia, travelled around the province preaching and writing over five hundred hymns and spiritual songs between 1776 and 1783. His work is used as a case study in this paper to examine the integration of music into religious thought and practice in British North American culture.

Modelled largely upon the psalms of Isaac Watts and the hymns of John and Charles Wesley, the style of early Canadian sacred music did not alter significantly until about 1850. At that time new harmonic structures drawn from late Classical and early Romantic idioms of contemporary European composition changed the sound of hymns and anthems heard in Canadian churches. Denominational hymnbooks replaced a variety of congregational collections, and the texts of mid-nineteenth century hymns and spiritual songs reflected new theological and social views in Victorian Canadian religious thought. The style of Canadian sacred music dating from 1850 differed greatly, therefore, in music and text from that introduced in British North America through the first singing schools.

Shortly before Alline began his ministry, St. Paul's Anglican Church in Halifax experienced a mild form of singing controversy similar to that which had torn apart many New England congregations since 1720. In

1770 a dispute arose between church officials and the organist and clerk of St. Paul's over the nature of music heard in the regular services. The officers accused Mr. Viere Warner and Mr. Godfrey of denigrating worship by frequently performing embellished psalm tunes and lighthearted organ voluntaries. According to church minutes the activities of the clerk, choir and organist were severely curtailed.

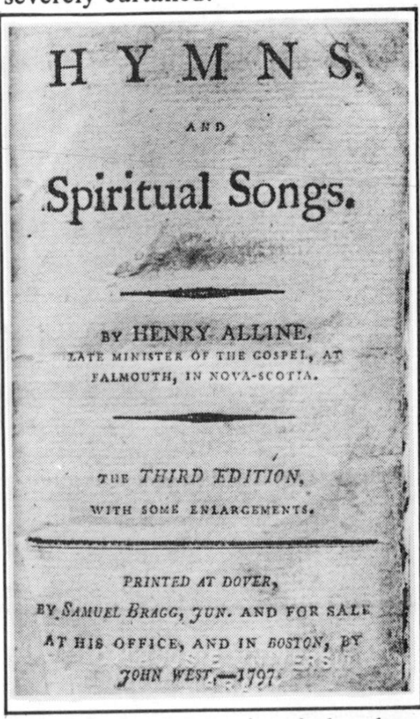

The church musicians favoured musically complex anthems which only a trained choir could sing. Members of the congregation complained about the loss of their participation in singing praise to God. Moreover, they argued that the music was so elaborate they were unable to understand the works performed. The clerk, Mr. Godfrey, was ordered to obtain permission first from the minister, John Breyton, before he could lead an anthem. Mr. Warner escaped with a somewhat lighter censure, being directed to choose his voluntaries with greater discretion so as not to offend the congregation and to "play the Psalm Tunes in a plain Familiar Manner without unnecessary Graces."[1]

At issue were fuguing tunes and highly decorated organ interludes, then fashionably new modes of sacred music. Church officials deemed the styles inappropriate for their worship services. Fuguing tunes were set in three or four parts, each voice making a separate entry imitative of a Baroque fugue although never as complex in structure. These tunes delighted choristers for they allowed them to display their vocal prowess, but fuguing tunes lay beyond the singing capabilities of most congregations.

Until 1720 the primary form of congregational singing practised in New England meeting houses and churches consisted of unaccompanied psalm singing led by the minister or an appointed official -- a deacon or precentor. The leader set the pitch with the aid of a tuning fork or from memory and "lined out" the psalm to be repeated by the congregation. Occasionally an instrument such as a bass viol, or "kirk fiddle" as it was known, a flute or oboe (hautboy) accompanied the singing.[2] More often the psalms were sung a cappella to tunes the singers had learned by rote during their childhood. The result was a free style of slow, improvised singing in which each singer was allowed to decorate the tunes as he or she saw fit. By 1720 psalm singing had become a folk-idiom, its performance far removed from the conventions of unison singing. In that year a number of Boston clergy and musicians launched a singing reform movement to restore "Regular" singing in worship services, a move they believed was urgently needed.[3] The former custom of psalm singing became known as the "Usual" way of singing. Controversy over the two styles divided North American congregations from about 1720 to 1800. In some rural communities unaccompanied psalmody continued for several decades thereafter.

The new style of "Regular" singing consisted of unison singing at an even pace and solid pitch without ornamentation. The singers produced a single line of melody sounding as one voice and the text was clearly articulated. To achieve a disciplined choral sound the reformers organized singing classes in which music harmony and basic skills in vocal technique - note production, rhythm and sight-singing - were taught by itinerant music masters. Such a class would be held two or three times a week, in the afternoon or early evening, over a period of six to eight weeks. It was generally open to men, women and children. At the end of each session the choristers would put on a public concert to demonstrate the results of their work before family and friends. It became customary on these occasions for the minister or singing master to deliver a "singing sermon" extolling the virtues of "Regular" singing. These classes soon became known as the "singing schools."

Singing masters appeared in Nova Scotia within a few years of American settlement in the area. Curiously, one of the earliest arrivals was James Lyon, a prominent American singing school leader and compiler of the first "longboy," an oblong tunebook containing original American psalm tunes and anthems.[4] A graduate of Princeton, Lyon had taught singing schools in Philadelphia where his *Urania* was published in 1761. While living in Philadelphia Lyon became a partner in the Philadelphia Land Company, a group of investors who, in 1765, purchased 200,000 acres of land adjacent to the Des Barres grant in Nova Scotia.[5] By then Lyon had completed a theology degree at Princeton. Following his ordination in 1764 he was called to a pastoral charge in Onslow Township, enabling him to take up his portion of the Philadelphia grant. En route to his new appointment, Lyon spent a few months in Halifax preaching in the Congregationalist meeting house before going on to Onslow probably in 1766. Lyon did not remain in Nova Scotia for long. He moved with his family to Machias, Maine, in 1771 just before the Philadelphia company's grants were escheated. Unfortunately no records exist of singing schools conducted by Lyon in Nova Scotia; but it seems unlikely that an experienced singing master such as he would fail to make use of his own recently published tunebook. It is impossible to know for certain what music Lyon included in his services, but the fact that he continued to compose new tunes while living in Machias suggests that he retained an active interest in music to the end of his life.[6]

Records exist of two other New England singing masters, Amasa Braman and Reuben McFarlen, who taught singing schools in Nova Scotia in the eighteenth century. Born in Connecticut, Braman had been educated at Yale before coming to Liverpool where he spent sixteen months practising law and teaching school as well as conducting singing classes.[7] Simeon Perkins, Liverpool's leading merchant attended one of Braman's schools at the home of Joseph Tinkham from January to April 1777. The school's closing concert was held on 3 April 1777 and, according to Perkins, it was well received. His diary entry for that day reads:

> *In the afternoon, Mr. Braman, ye singing master, has a singing in the new Meeting House, and delivers an oration upon musick. A very genteel performance, and the singing was by good judges thought extraordinary for the time we have been learning.*[8]

Less than a year later, in March 1778, members of the Liverpool Meeting House voted to dispense with the old practice of lining out the psalms and appointed eight men to lead the singing.[9] Braman's school had succeeded in creating the nucleus of a choir.

In February 1791, Perkins sponsored a singing school in his home on behalf of his daughter Abigail.[10] On his 67th birthday, 24 February 1802, he invited friends to his home for an evening of psalm singing to celebrate the occasion.[11] Singing was important to Perkins as a favourite pastime as well as a means of praising God. The schools served a necessary social function in early Canadian communities, providing an opportunity for visiting in addition to teaching people how to sing.

Few details are available about Reuben McFarlen's singing schools in Halifax, *c.* 1788-91. He placed advertisements in the Halifax *Gazette* offering to teach the rules of psalmody to young people over ten years old for a fee of 15 shillings per quarter session. The school was to be held four evenings a week from 6:00 to 9:00 pm.[12] It is presumed that he, too, was one of the New England singing masters.

Other music masters are known to have been active in the province before 1800 but information about their work is scanty. Jonathan Scott of Yarmouth attended a singing meeting in Halifax in 1774, accompanying

Joseph Peters, a school master.[13] Scott had previously acted as singing leader in the Yarmouth meeting house.[14] Seth Noble, a singing master, was called to the Congregational pulpit in Maugerville on the St. John River in 1774. As in the case of James Lyon, no records of any musical activity by Noble have been found, but he continued to teach singing schools in the United States after returning there in 1776.[15]

The singing movement and a series of religious awakenings which occurred throughout the eighteenth century produced a great demand for hymnals and singing books. Scores of sacred music books were compiled and published in North America between 1750 and 1850. Before the development of denominational hymnbooks about 1850, congregations chose their own volumes of sacred song. Many singing masters and ordained ministers met an obvious need by preparing collections of hymns, spiritual songs and anthems for use by their particular congregations. They selected familiar tunes from well-known psalters, hymnbooks and tunebooks published in Great Britain and the American colonies to which they added some original compositions. During the three decades between 1770 and 1800 over 300 tunebooks were published in the United States, in addition to a flurry of privately published hymnals.[16] These books accommodated North American congregations' singing skills as well as their theological viewpoints.

The earliest Canadian Protestant tunebook was published in 1801 by Stephen Humbert of Saint John, New Brunswick. *Union Harmony: or British America's Sacred Vocal Musick* appeared one year after publication in Lower Canada of the first Canadian music book, *Le Graduel Romain.*[17] A New Jersey loyalist, Humbert had come to Saint John with his family in 1783. By profession a baker and shipbuilder, he also took an active lay role among the Methodists, founding the first Methodist congregation in Saint John in 1791.[18] In the fall of 1796 Humbert advertised a Sacred Vocal Music School to be held "at Mr. Harper's large and commodious Upper-Room in King-Street."[19] Five years later he compiled and published his tunebook, probably printed in the United States, for the use of Methodist congregations and in singing schools. It sold for one dollar. Both his school and his tunebook reflected their New England models.[20] His singing classes met in space provided by a local businessman and his tunebook appeared in the open-ended longboy form common among eighteenth century tunebooks such as Lyon's *Urania.*

Union Harmony contained an extensive introduction to the rudiments of harmony and sight-singing as found in most New England tunebooks. It also included a vigorous defence of fuguing tunes in the "Advertisement." By 1800 young musicians considered fuguing tunes old-fashioned, nevertheless they continued to appear in print in North American tunebooks well into the nineteenth century. Humbert's statement defines the two fronts in the battle over fuguing tunes, the signature tunes of the New England tunesmiths. Humbert argued:

> *Objections have been made by some compilers of devotional musick against the use of fugueing (sic) tunes in divine worship. It is allowed that injudicious performers have abused that species of composition through ignorance in the performance of good musick, and the introduction and too frequent use of fugueing tunes not properly composed for the solemnities of divine worship. But it is nevertheless believed that fugueing musick, when judiciously performed, will produce the most happy effect, without the least disorder of jargon, especially when it is considered we do not sing to please men, but the Lord.*[21]

Union Harmony contained a number of fuguing tunes by Humbert in addition to several by American composers. One of the most interesting examples of Humbert's music, because of its subject, is his "Singing School" song. It is a fuguing tune written in common metre, obviously as an exercise for his singing classes. Its secular text described the objective of the singing school; its moral tone reflected the composer's Methodist affiliation.

'Tis pleasing to my pensive mind,
To recollect the hours,
When socially we all combin'd,
To exert our vocal powers.

Oft we beguil'd the winter eve,
Forgot the chilling storm,
The charms of music to receive,
The sacred notes perform.

'Twas not obscene and vulgar song,
That did our time employ,
But themes divine, flow'd from our tongues,
And fill'd our hearts with joy.[22]

Many tunes in *Union Harmony* bore local place names, a convention borrowed from the New England tunebooks indicating that the tune may have been an original piece. Among Humbert's tunes were ones entitled

"Gagetown," "St. John," "Halifax," "Carleton Side," "Frederickton," and "Sussex Vale."[23] He published a greatly expanded fourth edition in 1840. According to the title page it contained a large number of selections from the standard church repertoire and several new works by European and American composers. In the 1840 edition Humbert increased the number of his own pieces, printing twenty-one tunes and eleven anthems written in three and four parts with the melody in the tenor voice. He also added a number of new tunes written by American composers since the publication of the preceding edition in 1831. Humbert appears to have continued singing into his seventies. He formed a new Sacred Music Society in 1840, the same year as his final revision of *Union Harmony*.[24]

Singing was a vital social and cultural institution throughout the nineteenth century in the Maritimes. Newspapers regularly published advertisements announcing the terms of a forthcoming singing school such as the one given by Joshua Cheever in Saint John in August 1812.[25] That city played host to William Bradbury in 1836. Later famous as a composer of Sunday School songs, Bradbury came to the city from Machias, Maine, the town where James Lyon resided from 1771 to his death in 1794.[26] At least two tunebooks were published in the Maritimes during this period - the *Harmonicon* by James Dawson of Pictou, Nova Scotia, possibly in 1831, and Zebulon Estey's *New Brunswick Church Harmony* in Saint John in 1835.[27] Singing schools created a demand for new tunebooks. They also spawned a variety of choral societies between 1820 and 1850. John St. Luke, for example, formed the Halifax Harmonic Society which gave a concert performance of Haydn's *Creation* in January 1843.[28]

Protestant music-making in Lower Canada is not as well documented. A tunebook and at least two treatises on music theory were published in Montréal and Québec between 1800 and 1850. George Jenkins, a military chaplain and evening lecturer at Christ Church compiled *A Selection from the Psalms of David*, published in Montréal in 1821. It was exceptional in that the melody was placed in the treble voice and its format was in the style of the British upright tunebooks rather than imitating the American longboys.[29] The earliest known English study of music notation, rhythm and theory published in Lower Canada was *The Vocal Preceptor or Key to Sacred Music* produced in Montréal in 1811 by A. Stevenson.[30] In 1828 Theodore F. Molt, a music master in Québec, had a bilingual singing manual published in Québec, *Elementary Treatise on Music/Traité élémentaire de Musique*.[31] From these few books it seems that singing schools were conducted in Lower Canada and other efforts were being made to train choristers to lead choral singing.

As in the Maritimes, singing schools played a prominent role in the development of church music and choral singing in Upper Canada between 1800 and 1850. Dorothy H. Farquharson's recent history of the Canadian singing school movement is a particularly useful guide to the singing schools of Upper Canada.[32] She describes a number of early tunebooks found in Jordan, some used in the "Clinton School" organized by Pennsylvania Mennonites about 1800.[33] The *York Gazette* of 14 February 1810 advertised a singing school by Joseph B. Abbot who promised to teach "the principles of Church music in the most expeditious manner and according to the most approved standard of modern times."[34] Other examples of Upper Canadian singing schools conducted between 1800 and 1850 cited in Dorothy Farquharson's book include a "school for the improvement of psalmody," probably Presbyterian, advertised by Mr. J. Fraser in the *Bytown Gazette* of 19 September 1838 and a school at Williamsford, near Owen Sound, conducted by Margaret Williams about 1850 for the purpose of recreation as well as formal instruction in religious and secular songs.[35]

Four tunebooks compiled and edited by Upper Canadian musicians appeared in print between 1832 and 1845 designed primarily for use by Church of England and Methodist congregations. Presbyterians retained the custom of unaccompanied psalm singing until the latter half of the nineteenth century. The first tunebook, *Colonial Harmonist*, was compiled by Mark Burnham, a merchant and music teacher, and published in Port Hope in 1832. A collection of tunes, anthems and chants were arranged with a figured bass for organ or piano. Its format followed that of the New England tunebooks and it also contained a ten page introduction entitled "Rudiments to the Art of Singing."[36]

Three years later William Warren, organist at St. James in Toronto, published *A Selection of Psalms and Hymns... for the Use of Congregations in the Diocese of Quebec*. Warren's collection included Anglican chants, 125 psalms from the Tate and Brady psalter and seventy-five hymns. Two tunes, "Colborne" and "York New Church" were original.[37]

Alexander Davidson, a Methodist lay leader, singing master, school teacher and postmaster, published the first Methodist tunebook in Toronto in 1838. *Sacred Harmony* was printed under the auspices of the Conference of the Wesleyan Methodist Church in Canada. Original compositions included "Belleville," "Port Hope" and "Toronto" among others. It was reprinted in 1843, 1845 and 1848. The 1843 and 1848 editions bear the distinction of being the only shape-note, or patent-note, tunebooks published in Canada despite the great popularity of this notation in the United States. The collection contained a number of tunes by American composers, fuguing tunes and some British and European pieces.[38]

The fourth tunebook published in Upper Canada before 1850 was James Paton Clarke's *Canadian Church Psalmody* issued in Toronto in 1845. Published under the authority of Bishop John Strachan, it was designed to meet the needs of the Anglican service.[39] In 1846 Clarke was awarded the first Bachelor of Music degree granted by King's College (University of Toronto) for the composition of an eight-part anthem, "Arise, O Lord God, Forget Not the Poor." His tunes bore the character of folk songs and reflected early nineteenth century harmonic idiom.[40]

The Davidson and Clarke tunebooks marked the transition from congregational collections of hymns, spiritual songs and anthems to denominational hymnbooks. *Sacred Harmony* became the authorized Methodist tunebook in Upper Canada because it was published through the conference office of the Wesleyan Methodist Church in Toronto. Clarke's *Canadian Church Psalmody* acquired similar status in the Anglican Church owing to episcopal approval of its contents. After 1850 Methodists, Anglicans, Baptists and Presbyterians began publishing denominational hymnbooks compiled by church committees for the use of all affiliated congregations.

Clarke's bachelor of music degree from the University of Toronto marked an important change in the system of music education as well. Resident private instructors gradually replaced itinerant singing masters. Churches and public schools assumed responsibility for group instruction. By 1850 the spontaneous, informal singing school movement no longer suited the public's desire for formal education based upon graded classroom instruction supplemented by personal tutoring in the arts. The singing schools had succeeded in integrating the Anglo-American music tradition into Canadian social and religious culture. Music had also entered the domain of Canadian publishing through the production of Canadian tunebooks and hymnals.

It is to the role of music in worship that this paper now turns, focussing on the contents of the first Canadian Protestant hymnal. By examining closely Henry Alline's *Hymns and Spiritual Songs* it is possible to observe how singing serves the act of worship among a particular group of people, in this case the Nova Scotian New Lights in the last quarter of the eighteenth century.

Born on 14 June 1748 in Newport, Rhode Island, Henry Alline moved with his family to the Minas Basin in 1760. Numerous biographies and studies of Alline's ministry in Nova Scotia have been published.[41] In brief, after struggling for years with acute religious doubt, Alline experienced sudden spiritual rebirth in March 1775 and, in response to an overwhelming call to preach, he began exhorting neighbours and friends. In his new role Alline quickly attracted a large following. For three years, from 1776 to 1779, he preached in the vicinity of his home at Falmouth. He then began itinerating across the province speaking from pulpits, in private homes and at outdoor gatherings. Alline's sermons were passionate extemporaneous addresses on the themes of God's redeeming love and universal grace. While travelling on horseback from one town to the next, and at any other odd moments he could claim to himself, Alline condensed his sermons into hymns and spiritual songs inviting sinners to partake of Christ's free gift of grace while they were yet alive and able to make the choice between an eternity in heaven or hell:

> *Come, all ye dying sons of men,*
> *Attend the gospel feast;*
> *Come ev'ry soul oppress'd with sin*
> *And be the Saviour's guest.*[42]

Alline's hymns and spiritual songs were as spontaneous as his sermons. His first collection of twenty-two songs on various themes appeared in pamphlet form, printed in Halifax probably in 1780. A second volume of 488 hymns arranged in five books was printed posthumously in Boston in 1786. It subsequently underwent three reprintings in 1795, 1797 and 1802.[43] These songs contained the "essential truth of the gospel" on which he wrote almost daily.[44]

Alline was convinced that the act of singing about the longing of the soul for the "new birth" would "stir up and engage the heart" in the pursuit of spiritual conversion. He explained his views in the preface to *Hymns and Spiritual Songs* arguing that singing is useless if it lacks heart, but that the inner soul might be moved by sounds, and therefore by using the voice in singing, praying and preaching the individual might be brought to know God. Such actions were not expected to benefit God, but rather to arouse the spirit of God in the individual. He continued:

> *and having both seen and experienced the unspeakable blessings that have attended, I highly recommend the practice of singing, not only to the publick assemblies, but to families and individuals.*[45]

Alline wrote hymns on the broadest possible range of topics in order to meet "almost every capacity, station of life, or frame of mind."[46] He encouraged families to make hymn singing a daily practice in family worship, particularly for the benefit of younger members:

> *Let me, therefore, now intreate heads of families to concert every method to introduce the happy experience into their families, by singing a few verses before or after prayer, or at any*

> *convenient opportunity: nor can you tell how glorious the effects may be in divorcing the minds of your offspring from earthly charms and carnal mirth, attaching their minds to Divine truths, and leading them to eternal felicity.*[47]

The Nova Scotian hymnwriter used the hymn style set by Isaac Watts, an author Alline often quoted in his sermons and other published treatises. Alline's hymns and spiritual songs became the "tribal lays" of the Nova Scotian New Lights.[48] These were not merely one man's religious thoughts recorded in the form of hymn verse, but they represented the collective experience of the New Lights. Some of Alline's hymns were autobiographical, but these served to remind other New Lights of their moment of conversion. By singing such songs New Lights relived the "new birth" experience and thereby reassured themselves that they had indeed achieved a permanent state of grace.

The five books of Alline's *Hymns and Spiritual Songs* mirrored the five stages of Christian life as set out in Congregationalist theology - awareness of sin, gospel call, conversion, pilgrimage and assurance of salvation.[49] He thus provided texts for each stage of the journey to heaven. Hymns in Book I "on man's fallen state" described the nature of original sin and the need for each individual to recognize his or her sinful condition.[50] Alline believed that every soul had participated with Adam in the first act of sin and that each remained unredeemed until the experience of spiritual rebirth. His view of individual culpability was clearly stated in the opening hymn of his collection:

When Adam stood in light
For trial, I was there;
Between eternal day and night,
And did my will declare.

For when the choice was made,
I gave my full consent;
In quest of other lovers stray'd,
And from my father went.

Then down with him I fell,
And have no cause to say
Imputed guilt sinks me to hell
I threw myself away.

Cease then, O wretched man,
To charge thy wo on God:
Thy hell is made with thy own sin;
Thy hands have spilt thy blood.[51]

According to Alline after the fall all souls went into a deep sleep until awakened to live their short life on earth during which time, he argued, they were expected to make the choice between eternal life or death. Many continued to sleep unaware of their danger, missing their opportunity for redemption:

How many sinners sit and hear,
The glorious gospel trump in vain;
Sleeping in sin, they rest secure,
Till they awake in endless pain.

Others acknowledged the form of religion but lacked spiritual heart because they had rejected the "new birth:"

Thousands and tens of thousands more
Pretend to love the gospel sound
Who hold the form but hate the pow'r
Despise the cross, and lose the crown.

O pity, Lord, these heirs of death,
That lay condemn'd to endless night;
Breathe, O immortal spirit, breathe
And make them children of the light.[52]

Once guilty sinners were made aware of their state they were then to be told of the "gospel invitation, and a free salvation."[53] Alline's purpose in the hymns of Book II was to bring sinners to the point of conviction and to inform them of Christ's promise of spiritual salvation through free grace. His best known hymn appeared in this book. It was a dialogue between Christ and those who still remained "strangers to the new birth:"

Amazing sight, the Saviour stands,
And knocks at every door;
Ten thousand blessings in his hands,
For to supply the poor.

Behold, saith he, I bleed and die,
To bring poor souls to rest;
Hear, sinners, while I'm passing by,
And be forever blest.

Come, answer now before I go,
While I am passing by;
Say, will you marry me, or no?
Say, will you live, or die?[54]

After achieving a state of conviction of the next stage in the New Light Christian's journey was the experience of the "new birth," that moment when an individual consciously renounced his or her former sinful condition. Alline's hymns in Book III celebrated "the knowledge and joys of that glorious work."[55] He wrote many of these songs in the form of personal testimonies. The following autobiographical example was entitled "A miracle of grace:"

No mortal tongue can ever tell,
The horrors of that gloomy night
When I hung o'er the brink of hell,

Expecting soon my wretched flight!

I felt my burden waste my life,
While guilt did ev'ry hope devour,
Trembling I stretch'd with groans and strife
For to escape the dreadful hour.

But in the midst of all my grief,
The great Messiah spoke in love;
His arm appeared for my relief,
And bid my guilt and sorrows move.

He pluck'd me from the jaws of hell,
With his almighty arm of pow'r;
And O! no mortal tongue can tell,
The change of that immortal hour!

Then I enjoy'd a sweet release,
From chains of sin and pow'rs of death,
My soul was fill'd with heav'nly peace,
My groans were turn'd to praising breath.[56]

Singers who had not yet experienced the "new birth" learned what signs to seek. Some probably achieved conversion while singing one of these songs;[57] to others it provided an opportunity to relive vicariously their own period of trial and redemption. For the latter group, the songs of "new birth" also served to renew their confidence in their redeemed state.

Hope and self-doubt were the subjects of the songs in Book IV on "christian travels: the joys and trials of the soul."[58] In this section Alline's hymns dealt with the convert's need to sustain the assurance of being in a state of grace throughout his or her remaining years. Some of these hymns celebrated the joys of the redeemed state:

Blest are the souls that know the Lord,
And humbly walk before his face;
They feast upon immortal food,
And sing with joy redeeming grace.

Cheerful they tread this desert through,
Led by the blest Redeemer's hand:
And when they bid the earth adieu,
With joy will reach the heav'nly land.[59]

Many others described the pain of backsliding and doubt. Alline himself suffered prolonged periods of agonizing self-doubt and recorded them in his journal. Out of his own experience he wrote a number of songs on this theme:

Lord God I feel my stupid frame:
And mourn my exile state;
Once I was near to Christ the Lamb
My distance now how great![60]

In another instance he lamented:

O cutting doubts! when shall I know
That Jesus is my friend?
When shall I leave these floods of woe?
When will these conflicts end?[61]

Thus Alline's collection also provided songs to help individuals through the trials of spiritual doubt as defined by the New Lights. Yet no matter how dark his despair Alline himself seems not to have doubted the certainty of God's constant presence:

Then let the pow'rs of hell invade,
I'll triumph while my rock I feel:
My hope is on Jehovah laid,
My anchor sure within the veil.[62]

Book V concluded in a celebrative mood with songs on the "infinite wonders, transporting views and christian triumphs": hymns and spiritual songs dwelling on the gracious nature of God and assuring New Lights a place in heaven.[63] These were songs for the closing stage of Christian life - on triumph over death, heaven on earth and happiness in the kingdom of God. Most were joyful and confident:

Awake my heart, rejoice and sing,
God is thy Saviour and thy King,
Soar to the peaceful realms above,
And view the boundless sea of love.

Good Lord, and are those joys for me?
And am I, am I, one with thee?
Yea Lord I taste the living wine,
And hear the whisper thou art mine.[64]

Another declared:

He reigns, and where? within my heart;
Nor will his sceptre e'er depart;

And O! he reigns a Prince of Peace!
Then cease ye storms, ye sorrow cease.[65]

Several songs in this book were, in fact, early versions of camp-meeting songs. The Christian's release from the bondage of this world to a better life in heaven became a popular theme among nineteenth century camp-meeting songs. Alline used this motif frequently in the final book of his *Hymns and Spiritual Songs:*

Sing on ye pilgrims bound to heav'n,
Jehovah is your friend,
Immortal crowns to you are giv'n
And soon your sorrows end.

On earth you've tasted joys divine,
And found immortal love,
And soon shall in full glory shine
Among the saints above,[66]

The idea of tasting heaven while still on earth was also important to evangelical Christians seeking confirmation of their redeemed spiritual state before departing this life. Alline dealt with this notion in a hymn entitled "Heaven on Earth:"

No distant God I know,
Or future heav'n can trust;
I want my heav'n begun below:
I want a present Christ![67]

Songs in this last book explored a number of other themes which were to become prominent in spiritual songs written after 1800. Through songs about meeting together for worship and singing, the New Lights defined their expectations and described their practices of worship. Such songs revealed their image of themselves as an indivisible body favoured by God. That image was also evident in the New Lights' parting songs, sung at the close of a meeting:

Pilgrims with pleasure let us part,
Since we are all bound up in heart:
No length of days, nor distant space
Can ever break these bands of grace.[68]

Henry Alline lived up to his promise to provide hymns and spiritual songs which would carry New Lights through their religious travels by dwelling on every aspect of the evangelical's Christian experience. His two collections encompassed the full gamut of doubt, conviction, conversion, trials and assurance. The content of Alline's religious songs represented a distillation of the theological views and commentary he published in his journal, three printed sermons and two treatises.[69] Song stanzas also appeared in his other writings, indicating how important song was in Alline's thinking and in the presentation of his ideas. His songs documented the evangelical beliefs shared by Nova Scotian New Lights. They provided a record of the expectations, attitudes and hopes of those who took part in the First Great Awakening. By the act of singing Alline's songs Nova Scotian New Lights bound themselves together in a public declaration of the tenets of their faith.[70] As they sang, many discovered in themselves a desire for spiritual rebirth and a means to achieve it; for the songs were not merely records of their faith, they were also active instruments of conversion. The practice of singing was as important a factor in the success of Alline's religious awakening in Nova Scotia as was the didactic function of his hymns and spiritual songs.

How were the songs received? Who sang them and for how long? Acceptance and use of a hymnal or tunebook is a critical factor in determining whether it is a piece of devotional literature representing only the author's views or a sectarian document which is accepted by the entire group. New Light preachers circulated Alline's *Hymns and Spriritual Songs* and continued to use them for several decades after Alline's death in 1784. In his recent edition of the writings of Nova Scotian New Lights, George A. Rawlyk has reprinted the Alline hymns found among New Light documents in the Baptist Historical Collection at Acadia University. Rawlyk believes that these songs, all copied from Alline's 1786 hymnbook, represent those the New Lights sang after Alline's death. He notes that thirty one came from Books IV and V, songs about backsliding, renewal of grace and assurance of salvation.[71]

It is not surprising that those songs which continued in regular use among New Lights should come from Alline's last two books for these were the spiritual songs most closely related in form and content to the camp-meeting songs which came into widespread use at the turn of the nineteenth century. Rawlyk describes these songs as the "parameters of New Light Evangelical religious culture" at the "popular level."[72] He suggests that the fact that the preacher's followers imitated his example by writing new hymns in Alline's style is further evidence of the favourable influence of his hymns.

Alline's hymns and spiritual songs continued in use as the hymnbook of the Freewill Baptists, an evangelical sect founded in 1771 by Benjamin Randall of New Hampshire. Randall commissioned the second and third editions of *Hymns and Spiritual Songs* in 1795 and 1797. He added one of his own hymns to the latter edition.[73] In 1791 Samuel Holyoke, compiler of

Harmonia Americana, included nine Alline hymns in that collection, setting them to tunes in circulation in New England at that time.[74] No evidence identifying tunes used by Alline has yet been found. A number of his songs continued in print as anonymous folk hymns appearing in various Baptist and Presbyterian hymnals.[75] Alline's hymns are still being sung in New Brunswick by a few Allinite Baptist congregations, as noted by George Rawlyk in *New Light Letters and Songs*.[76] From their continuous use since the 1780s it is evident that Alline's hymns were generally accepted as the "tribal lays" of Maritime New Lights and their descendants. His collection of sacred songs was a significant Canadian publication among the scores of hymnals and tunebooks compiled and published in North America between 1750 and 1850.

The format and content of Canadian Protestant music remained constant until the 1840s and 1850s Protestant congregations continued for the most part to sing from "longboy" tunebooks similar to Lyon's *Urania* and Humbert's *Union Harmony*, using them as service books and as singing school textbooks. They chose hymns and spiritual songs from collections such as the one Henry Alline produced for the Nova Scotian New Lights, as well as singing British metrical psalms and the hymns of Isaac Watts and the Wesleys. Singing schools remained popular in the Maritimes and the Canadas until late in the nineteenth century, although after 1850 public schools began to take over the function of music education among young people and itinerant singing masters were gradually replaced by resident music teachers who offered private instruction in their homes.

About 1850 congregational hymnody separated into two streams - a formal denominational style of music used in Sunday services and an informal social style of hymns and gospel songs for use at mid-week services and youth meetings. Henceforth, hymnbooks would be compiled and published by committees appointed to prepare an official hymnal for each Protestant denomination. Social hymnbooks, collections of camp-meeting songs, gospel hymns and Sunday Schools songs would be published separately for use in homes and at church meetings. New harmonic structures appeared in the tunebooks as compilers began adapting melodies by British and European composers into hymn tunes. Hymns and spiritual songs such as those by Alline became old-fashioned; only a few survived anonymously in the denominational and social hymnbooks. Even Stephen Humbert bowed to the times when, in 1840, he added tunes by Lowell Mason to his last edition of *Union Harmony*. Mason was the architect of the nineteenth century American hymn. Humbert also included new tunes from contemporary European composers.

Nevertheless, the function of Protestant congregational music remained constant. New hymns and choral sounds reflected the beliefs and singing practices of Victorian Canadian society. By 1850 British North Americans had made the Anglo-American system of congregational praise their own.

Margaret Filshie
Graduated in History
at Queen's University
Now living in Toronto

Notes

1. Timothy McGee, "Music in Halifax, 1749-1799," *Dalhousie Review*, vol. 49, no. 3 (1969), pp. 379-380. Professor McGee has written a new general history of music in Canada to be published by William Norton of New York in 1985.
2. Ibid., p. 382.
3. See Robert Stevenson, *Protestant Church Music in America* New York, 1966 and David McKay and Richard Crawford, *William Billings of Boston* (Princeton, 1975) for detailed accounts of the singing reform movement in eighteenth century America.
4. Timothy S. McGee, "James Lyon," *Dictionary of Canadian Biography*, vol. IV (Toronto, 1979) p. 490; Lyon, James, *Urania, A Choice Collection of Psalm Tunes, Anthems, and Hymns*, (Philadelphia, 1761; rep. New York, 1974). See also Ahlin, J.H., ed., *The Saint Daily Assistant: James Lyon, His Life and Meditations* (Paragon, 1983).
5. George Patterson, *History of the County of Pictou* (Montreal, 1877; rep. Belleville, 1972), pp. 52-56, 76-77.
6. R. Crawford, "Preface" to the reprint edition of *Urania, op. cit.*: ii and R. Stevenson, p. 51.
7. *Diary of Simeon Perkins*, 1766-1780, ed. H.A. Innis (Toronto, 1948), p.193.
8. Ibid., p. 146.
9. Ibid., p. 186.
10. *Diary of Simeon Perkins, 1790-96*, ed. C.B. Fergusson (Toronto, 1961), pp. 81-82.
11. *Diary of Simeon Perkins, 1797-1803*, ed. C.B. Fergusson (Toronto, 1967), p. 366.
12. Helmut Kallmann, "Singing Schools, " *Encyclopedia of Music in Canada* (Toronto, 1981, p. 781; Phyllis Blakely, "Music in Nova Scotia, 1605-1867," *Dalhousie Review*, vol. 31 (1951), p. 98.
13. C.B. Fergusson, "The life of Jonathan Scott," Public Archives of Nova Scotia *Bulletin*, 15, (Halifax, 1960), p. 44.
14. Ibid., p. 22.
15. J.M. Bumsted, "Seth Noble," *DCB*, vol. V, (Toronto, 1983), pp. 627-628.
16. Karl Kroger, "Isaiah Thomas as a Music Publisher," *Proceedings of the American Antiquarian Society*, vol. 86, pt. 2 (1977), pp. 321-341 and D. McKay and R. Crawford, *Billings*, pp. 20-24.
17. Barclay McMillan, "Tunebook Imprints in Canada to 1867: A Descriptive

Bibliography," *Papers* of the Bibliographic Society of Canada (1977), pp. 46-48. No copy of the first edition is extant.

18. Public Archives of New Brunswick, "New Brunswick Political Biography," compiled by James C. Graves and Horace B. Graves, "M.L.A.'s vol. VII - Saint John City and Saint John County, 1785-1967," n.p. See also Helmut Kallmann, *A History of Music in Canada* (Toronto, 1960), pp. 41-43; and D. Jay Rahn, "Stephen Humbert," *EMC*, p.438.
19. *Royal St. John's Gazette and Nova Scotia Intelligencer,* 4 Nov. 1796.
20. B. McMillan, "Tunebook," p. 48. McMillan described Union Harmony as a "quintessential New England tune-book."
21. S. Humbert, *Union Harmony*, 2nd ed. (1816).
22. Ibid., pp. 122-123.
23. B. McMillan, "Tunebook," p. 48.
24. H. Kallmann, *History of Music*, p. 44.
25. Dorothy D. Farquharson, *O for a Thousand Tongues to Sing: A History of Singing Schools in Early Canada* (Waterdown, Ont., 1983), p. 22.
26. Ibid., p. 20.
27. B. McMillan, "Tunebook," pp. 33, 45-46.
28. Phyllis Blakeley, "Halifax Harmonic Society," *EMC*, p. 405.
29. B. McMillan, "Tunebook," pp. 33, 45-46.
30. D.H. Farquharson, *Singing Schools*, pp. 30-31; and H. Kallmann, *et. al.*, "Theory textbooks," *EMC*, p. 911.
31. H. Kallmann, "Theodore Frederic Molt," *EMC*, p. 630.
32. D.H. Farquharson, *Singing Schools*, pp. 33-70.
33. Ibid., pp. 45-48, 66-68.
34. Ibid., pp. 48-49.
35. Ibid., pp. 52, 59-60.
36. Ibid., pp. 34-37; B. McMillan, "Tunebook," p. 34.
37. B. McMillan, "Tunebook," pp. 51-52; and Giles Bryant, "Anglican church music," *EMC*, p. 20.
38. B. McMillan, "Tunebook," pp. 39-41; D. H. Farquharson, *Singing Schools*, pp. 38-42; and J. Beckwith, "Hymnbooks, protestant" *EMC*, p. 442.
39. B. McMillan, "Tunebook," p. 39.
40. H. Kallmann, "James Paton Clarke," *DCB*, vol X, (Toronto, 1969), pp. 172-173; and "James P. Clarke," *EMC*, pp. 198-199.
41. M.W. Armstrong, *The Great Awakening in Nova Scotia, 1776-1809,* (Hartford, Conn., 1948); J.M. Bumsted, *Henry Alline, 1748-1784,* (Toronto, 1971) and "Henry Alline," *DCB*, vol. IV, pp. 16-20; George A. Rawlyk, "Henry Alline and the Canadian Baptist Tradition," *Theological Bulletin*, (Hamilton, 1977); "New Lights, Baptists and Religious Awakenings in Nova Scotia 1776-1843, A Preliminary Probe," *Canadian Journal of Church History* (1983): pp. 43-73, and *Ravished by the Spirit: Religious Revivals, Baptists and Henry Alline* (McGill-Queen's University Press, 1984); Jamie S. Scott, "Travels of My Soul": Henry Alline's Autobiography," *Journal of Canadian Studies*, vol. 18, no. 2 (1983), pp. 76-90; and Gordon Stewart and George Rawlyk, *A People Highly Favoured of God*, (Toronto, 1972). See also *The Life and Journal of the Rev. Mr. Henry Alline*, (Boston, 1806); rep. (Hantsport, N.S., 1982).

42. H. Alline, "Hymns and Spiritual Songs on a Variety of Pleasing and Important Subjects," (Halifax, 1780; rep. Windsor, Vt, 1796), no. 2 v.i (hereafter "Hymns").
43. H. Alline, "Hymns" and *Hymns and Spiritual Songs*, (Boston, 1786; rep. Dover, N.H., 1795 and 1797, and Stonington-Port, Conn., 1802) (hereafter *Hymns*).
44. H. Alline, *Journal* (1806), p. 124. The following section on Alline's hymns is drawn from M.A. Filshie, "Redeeming Love Shall Be Our Song: Hymns of the First Great Awakening in Nova Scotia," unpublished M.A. thesis, Queen's University (Kingston, 1983).
45. *Hymns*: p.i-ii.
46. Ibid.
47. Ibid.
48. The concept of hymns as "tribal lays" originated with Donald Davie, a British scholar who defined Isaac Watts' hymns and spiritual songs as the "tribal lays" of the Dissenting congregations. Donald Davie, "The Literature of Dissent, 1700-1980," *Times Literary Supplement* (26 Nov. 1976), pp. 1491-1492, now available in a book entitled *A Gathered Church: The Literature of the English Dissenting Interest, 1700-1930*, (New York, 1978). See also Erik Routley, *Hymns Today and Tomorrow*, (New York, 1964), p. 21, where the author describes how singers will adopt as their own words the text of a hymn they like.
49. J.M. Bumsted, *Henry Alline*, p. 33.
50. *Hymns*, p. 1.
51. Ibid., no. 1, vv. i-iii,vi.
52. Ibid.: no.7, vv.vi-vii,ix. Henry Alline, *Two Mites on... Points of Divinity*, (Halifax, 1781), p. 49, and Henry Alline, *Court for the Trial of Anti-Traditionist*, (Halifax, 1783), pp. 37-38.
53. *Hymns*, p. 69.
54. Ibid., no. 37, vv.i-ii,iv,vi,viii.
55. Ibid., p. 153.
56. Ibid., no. 13, vv.i-v.
57. *Journal* (1806), p. 140. "We sung as we were riding, then prayed and then sung again, and when singing, the Lord was pleased to set one mourning soul at liberty, who was forty years of age."
58. *Hymns*, p. 229.
59. Ibid., no. 9, vv.i-iii.
60. Ibid., no. 35, v.i.
61. Ibid., no. 47, v.i.
62. Ibid., no. 64, v.x.
63. Ibid., p. 303.
64. Ibid., no. 6, vv.i, iv.
65. Ibid., no. 51, v.iii.
66. Ibid., no. 12, vv.i-ii.
67. Ibid., no. 14, v.iii. See also *Hymns*, Bk. V: no. 62 on the "Kingdom of God within."
68. Ibid., no. 53, v.i.
69. H. Alline, "Sermon Preached to...A Religious Society of Young Men...on the 19th of November 1782." "Sermon on a Day of Thanksgiving...on the 21st of November 1782,"

and "Sermon Preached on the 19th of February 1783," all probably published in Halifax in 1783.

70. See Erik Routley, *Hymns and Human Life* (Grand Rapids, 1959), p. 118. "Every movement has its songs, and always for the same reason - to place its experience and vision outside itself and make it public; to bind itself together against adversaries; and to urge itself on in its daily task toward the goal for which the movement was founded."
71. George A. Rawlyk (ed.), *The New Light Letters and Spiritual Songs 1778-1793*, (Hantsport, N. S., 1983), pp. 68-75.
72. Ibid., p. 70.
73. G.A. Rawlyk, "New Lights, Baptists and Religious Awakenings," *op cit.* 49. See also T.B. Vincent, "Some Bibliographic Notes on Henry Alline's *Hymns and Spiritual Songs,*" in *Canadian Notes and Queries*, 12 (November, 1973), pp. 12-13.
74. See *American Hymns Old and New*, vol. 1 (New York, 1980), pp, 159-160, 162.
75. John Julian (ed.), *A Dictionary of Hymnology*, 2nd rev. ed., (London, 1957), p. 51.
76. G.A. Rawlyk, *New Light Letters and Songs*, p. 22.

LAURIER LACROIX

Religion et peinture: bilan de la question au Canada français

For the art historian, the particularity of religious painting is its portrayal of the image as message-bearer. In this respect, it would be appropriate to give precendence to its iconographic, didactic and sociological aspects. But what of the knowledge acquired in this field of visual productions within the Québec culture that was so heavily influenced by the Roman Catholic religious environment?

This study distinguishes between four distinct periods that marked productions in the history of religious painting. Before 1940, works took a mainly chronological approach: parish monographs, inventories, biographies of famous people, studies of devotions, all written from the view of the Church. Gérard Morisset and Marius Barbeau mark the period 1940-1960 and introduce a systematic knowledge largely fascinated by the French Regime. This was abandoned during the social questioning of religion by the "quiet revolution" *which saw the development of new problems in art history marked by semiology and sociology, while religion itself was emerging from theological domination. In the last ten years, new perspectives have started to be developed concerning popular religious iconography. However, this field remains to be recognized on an intellectual level.*

Le sujet de l'historiographie de la religion et de la peinture se situe au point de confluence de deux pratiques qui impliquent des niveaux différents et non convergents de connaissances. Pratique religieuse et pratique artistique débordent le cadre d'un sentiment personnel, d'une manière d'être, pour rejoindre d'une part des questions de pratique collective, de morale, de dogmatique et de l'institution religieuse et d'autre part traiter de technique, d'appréciation, d'esthétique et d'un réseau d'échanges de ces biens symboliques. Ce sont donc des remarques sur une question ouverte et paradoxale que je proposerai ici: l'état de la recherche portant sur la peinture religieuse traitée surtout dans ces aspects iconographique, didactique et sociologique par le biais des pratiques cultuelles et des dévotions.

Parle-t-on encore de peinture, au sens moderne de l'exploration d'un imaginaire individuel et de recherche formelle, si on l'enchaîne au devoir de transmettre un savoir, ou de suggérer une émotion religieuse qui se situe à un autre plan de l'expérience humaine? Y-a-t-il une spécificité de la peinture religieuse? Sans doute, mais qui se situe sur le registre de l'image comme porteur d'un message. Alors que jusqu'au XVIe siècle le développement de la peinture en tant que forme de création est étroitement relié à la religion, la diversification du marché et le développement de nouvelles problématiques et de nouveaux genres entraîneront le déclin de l'art religieux en Occident[1]. Or, c'est à ce moment particulier que correspond le début de la colonie française en Amérique du Nord. Alors que la religion a joué un rôle moteur pendant cette période coloniale, les institutions religieuses au cours du XIXe siècle en viendront à dominer les structures sociales et ce jusqu'à un passé récent de l'histoire du Québec. Qu'en est-il du développement de la peinture et de son rapport avec la religion et comment ces questions ont-elles été traitées?

Les études sur l'histoire de la peinture religieuse depuis 1975 portent encore la marque des premiers travaux que l'on pourrait grossièrement regrouper en trois moments distincts. Avant 1940[2], les publications ont surtout une approche chronologique mais déjà l'on note l'apparition de textes à caractère iconographique. Les monographies de paroisses fondées sous le Régime français, publiées à l'occasion de centenaires ou d'événements spéciaux, les publications d'inventaires ou les biographies de personnages religieux et de quelques artistes forment une première nomenclature de la production religieuse au Canada français, de ses artistes et de ses commanditaires. Les ordres religieux contribuent déja à l'étude de l'iconographie de certains cultes et de dévotions et à une meilleure connaissance du développement des institutions. La période qui s'écoule entre 1940 et 1960 est marquée par les travaux de Gérard Morisset et de Marius Barbeau[3]. Ceux-ci fournissent un essai d'interprétation qui ne se situe plus du lieu de l'église mais qui s'intéresse tout autant à glorifier, dans un contexte nationaliste différent, la richesse de la tradition qu'ils définissent et la variété et la qualité de la production religieuse. La création de l'Inventaire des biens culturels[4], sous la direction de G. Morisset va permettre une connaissance systématique de l'art documenté et encore conservé au Québec. La lecture que fera Morisset de cette masse de documents l'amène à privilégier l'art exécuté au cours du Régime français et jusqu'au début du XIXe siècle; il identifie cette période à une sorte d'âge d'or auquel l'expansion religieuse du XIXe siècle est venue mettre fin, en entraînant un déclin artistique insurmontable[5]. Les matériaux utilisés antérieurement, les méthodes d'apprentissage, la perpétuation de tendances esthétiques donnent une noblesse à la production que l'immigration et la commercialisation vont tuer au XIXe siècle.

L'apport documentaire de l'Inventaire et l'interprétation de Morisset connaîtront, de 1960 à 1974 une sorte de jachère. La remise en question sociale, de ces années agitées de l'histoire du Québec, va s'accompagner d'un silence dans le domaine de l'étude de l'histoire de la peinture religieuse, par contre les acquis importants dans le domaine des sciences humaines au cours de ces années vont donner une impulsion à la reprise qui surgira par la suite. Au cours des années 1960 furent publiés d'importants travaux en histoire, en sociologie et en ethnologie qui ont permis une lecture nouvelle de l'histoire du Québec[6]; parallèlement, en histoire religieuse des travaux sur la religion populaire et ses nombreuses facettes voient le jour[7]. Ce sont sur ces recherches et sur un état nouveau de l'histoire de l'art que va se développer l'historiographie contemporaine. En effet, la sémiologie et la sociologie de l'art font à ce moment une percée dans la méthodologie des historiens d'art, en même temps que se publient des synthèses[8] qui portent sur l'ensemble de la production peinte au Canada et qui fournissent de nouvelles interprétations à partir desquelles les travaux pourront continuer. Les travaux de Claude Thibault[9], du Musée du Québec, même s'ils ne réflètent pas ces nouvelles approches, marquent quand même une rupture dans la lecture de l'art religieux savant qu'il ne sera plus possible d'approcher selon le même découpage historique, car la production du XIXe siècle est pleinement reconnue, et selon de nouvelles catégorisations entre les oeuvres.

L'activité des huit dernières années a permis de mieux cerner les catégories d'art savant et populaire; les collections des communautés religieuses ont reçu un examen tout comme a été abordée de façon nouvelle la question du mécénat religieux et, même si une méthodologie traditionnelle continue d'être utilisée dans les monographies d'artistes, leur nombre s'est multiplié fournissant une information de base sur des peintres encore peu connus. Ainsi aux travaux portant sur François Beaucourt,

William Berczy, Jean-Baptiste Roy-Audy, l'abbé Chabert, Ozias Leduc et Paul-Emile Borduas[10] se sont ajoutées des études monographiques sous forme de livres, de catalogues et d'articles traitant des artistes suivants: l'abbé Aide-Créquy, Joseph Légaré, James Bowman, Antoine Plamondon, Théophile Hamel, Napoléon Bourassa, Adolphe Rho, J. Thomas Rousseau, Charles Huot, Sinai Richer, Joseph Saint-Charles[11]. Sur ces travaux le schéma, du type la “vie et l'oeuvre”, pèse très lourd et l'analyse formelle et stylistique des tableaux est encore souvent négligée. Dans ces études ethno-centristes, les importations d'oeuvres sont peu ou pas mentionnées et l'apport des artistes néo-canadiens est encore inexploité. Même si la pensée d'artistes de talent comme Napoléon Bourassa et Ozias Leduc est mieux connue et qu'il est possible de percevoir comment ils ont pu substituer leur propre interprétation théologique avec la complicité ou au détriment d'un clergé non-vigilant, l'étude de l'évolution de la peinture religieuse savante reste encore à écrire[12].

L'art populaire par contre a fait des progrès considérables, sous l'impulsion de Robert-Lionel Séguin et grâce à des recherches menées au Celat à l'Université Laval. La thèse de Nicole Cloutier sur l'iconographie de s. Anne a ainsi grandement fait progresser notre connaissance des ex-voto[13], mais ce sont surtout les travaux dirigés par Jean Simard qui ont apporté au sujet de l'iconographie en art populaire. Déja en 1976 par la publication de son ouvrage sur l'iconographie du clergé français au XVIIe siècle[14], J. Simard avait ouvert un champ encore inexploité ici. Depuis, ses travaux, ceux de Pierre Lessard et de Michel Houde[15] permettent de voir à différents niveaux l'extension des recherches en iconographie populaire.

La contribution de François-Marc Gagnon, même si elle est encore restée sans suite dans le domaine de l'art religieux demeure sans doute celle qui méthodologiquement aura le plus apporté. Dans *La conversion par l'image*, F.-M. Gagnon[16] interroge les textes et une maigre iconographie subsistante pour expliciter le problème complexe de l'utilisation d'images par les Jésuites et les Récollets pour faciliter la conversation des Amérindiens. Comme dans les textes plus courts qui forment la suite des *Premiers peintres de la Nouvelle-France*[17], une approche structuraliste des documents permet une mise en contexte idéologique des oeuvres examinées et la compréhension de l'ensemble du phénomène. Les textes de Simard, tout comme ceux de Gagnon posent le problème de la circulation des modèles de l'art savant à l'art populaire et mettent pleinement de l'avant la lecture sociologique qu'il faut faire de l'art figuré religieux.

Tout examen d'une question historiographique serait incomplet sans la mention du circuit par lequel sont diffusés ces travaux[18]. Force est de reconnaître que l'étude de la peinture religieuse au Québec, même si elle est plus visible depuis quelques années, reste un champ peu valorisé intellectuellement. Elle est associée à un contre-courant réactionnaire et à une certaine mode vers un retour religieux. Mais elle est également sa propre victime pour avoir trop souvent adopté une attitude de célébration, sans regard critique, car pratiquée d'un lieu étroitement associé aux institutions religieuses. La prolifération des intervenants au cours des dernières années devrait accorder un pluralisme idéologique et méthodologique à ce champ et ainsi le valider auprès des autres sciences humaines et sociales qui considèrent trop souvent l'histoire de l'art religieux comme un vieux sac de boules à mythes.

Laurier Lacroix
Département d'histoire de l'art
Université Concordia

Notes

1. "Osons l'avouer: de ce point de vue, une très grande partie des tableaux religieux du XVIIe siècle offre peu d'intérêt. Il est toujours possible d'en tirer des indications sociologiques remarquables, des précisions sur l'emprise géographique du culte d'un saint ou sur le développement d'une dévotion particulière. Mais la contemplation ne retient qu'une impression de banalité et d'ennui. Une iconographie admise, des solutions picturales commodes, un public qui se plaisait à retrouver l'hagiographie familière, tout incitait à la médiocrité des talents médiocres. De là, dans cette peinture religieuse du XVIIe siècle, une uniformité désolante." THUILLIER, Jacques. "Peinture et religion en France au dix-septième siècle", *30 peintres du XVIIe siècle français*, Paris, Éditions des musées nationaux, 1976, p. 10.
2. Pour des exemples d'ouvrages traitant de cette période on se rapportera à mon article "Gérard Morisset et l'histoire de l'art au Québec", *À la découverte du patrimoine avec Gérard Morisset*, Musée du Québec, Ministère des Affaires culturelles, 1981, pp. 131—149.
3. Principalement son texte *Trésors des Jésuites* publié en 1957.
4. Fondé en 1937 avec la collaboration de Jules BAZIN.
5. On consultera ses livres sur les trésors des églises de Varennes (1943), Cap-Santé (1944) et Lotbinière (1952), ses textes et articles monographiques dont la bibliographie compilée par ROBERT, Jacques, est publiée aux pages 231-246 de *A la découverte du patrimoine avec Gérard Morisset*, op. cit..
6. Je pense surtout aux écrits de Fernand OUELLET, Jean-Pierre WALLOT, Richard CHABOT, Serge GAGNON, et Fernand DUMONT.
7. Ainsi les colloques sur les religions populaires et les pélerinages tenus en 1970 et 1976 et dont les actes furent publiés en 1972 et 1981 aux Presses de l'Université Laval.
8. HARPER, John Russel. *La peinture au Canada des origines à nos jours*, Québec, Presses de l'Université Laval, 1966, et REID, Dennis. *A Concise History of Canadian Painting*, Toronto, Oxford University Press, 1973.
9. *Trésors des communautés religieuses de la ville de Québec* (1973) et *L'art du Québec au*

lendemain de la Conquête (1760-1790), (1977).

10. MAJOR-FRÉJEAU, Madeleine. *La vie et l'oeuvre de François Malépart de Beaucourt*, Québec, Ministère des affaires culturelles, 1979; ANDRE, John. *William Berczy Co-Founder of Toronto*, Toronto, Ortoprint, 1967; CAUCHON, Michel. *Jean-Baptiste Roy-Audy*, Québec, Ministère des affaires culturelles, 1971; LARIVIÈRE-DEROME, Céline. "Un professeur d'art au Canada au XIXe siècle: L'abbé Joseph Chabert", *Revue d'histoire de l'Amérique française*, vol. 28 no 3, décembre 1979, pp. 347-366; OSTIGUY, Jean-René. *Ozias Leduc peinture symboliste et religieuse*, Ottawa, Galerie nationale du Canada, 1974; LACROIX, Laurier et al. *Dessins inédits d'Ozias Leduc*, Montréal, Galeries d'art Sir George Williams, 1978; GAGNON, François-Marc. *Paul-Emile Borduas Biographie et analyse de l'oeuvre*, Montréal, Fides, 1978.
11. PORTER, John R. "L'abbé Jean-Antoine Aide-Créquy (1749-1780) et l'essor de la peinture religieuse après la Conquête", *Annales d'histoire de l'art canadien*, vol. VII, no 1, 1983, pp. 55-72; Porter, John R. *Joseph Légaré 1795-1855 L'oeuvre*, Ottawa, Galerie nationale du Canada, 1978; LACASSE, Yves. "La contribution du peintre américain James Bowman (1793-1842) au premier décor intérieur de l'église Notre-Dame de Montréal", *Annales d'histoire de l'art canadien*, vol. VI, no 1, 1983, pp. 74-91; Lacasse, Yves. *Antoine Plamondon, le chemin de croix de l'église Notre-Dame de Montréal*, Montréal, Musée des beaux-arts, 1983; VÉZINA, Raymond. *Théophile Hamel peintre national, 1817-1870*, Montréal, Éditions Élysée, 1975; VÉZINA, Raymond. *Napoléon Bourassa (1827-1916) Introduction à l'étude de son art*, Montréal, Éditions Élysée, 1976; BEAUREGARD, Christiane. *Napoléon Bourassa: la Chapelle Notre-Dame de Lourdes à Montréal*, Mémoire de maîtrise présenté au département d'histoire de l'art de l'Université du Québec à Montréal, 1983; FRÉCHETTE, Louis. "Adolphe Rho, l'homme et l'oeuvre", *Les Cahiers nicolétains*, vol. 6, no 1, mars 1984; DION, Jean-Noël. dans une série d'articles parus dans *Le Courrier de Saint-Hyacinthe* du 21 octobre 1981 au 3 février 1982 et traitant de Jos-Thomas Rousseau; OSTIGUY, Jean-René. *Charles Huot 1855-1930*, Ottawa, Galerie nationale du Canada, 1979; ALLAIRE, Sylvain. "Les tableaux de Charles Huot: l'église Saint-Sauveur de Québec", *Bulletin* no 2, Galerie nationale du Canada, 1980, pp. 16-30; LACROIX, Laurier. "Deux tableaux de Sinai Richer à l'église Saint-Joseph de Chambly", *Bulletin de la Société historique de Chambly*, septembre 1981, pp. 16-19; COUSINEAU, Marie-Josée. *Catalogue raisonné des oeuvres de Joseph Saint-Charles 1868-1956*, Documents de travail du Centre de recherche en civilisation canadienne-française no 20, Ottawa, Université d'Ottawa, 1982. ROULEAU-ROSS,Lucille. *Les versions connues du portrait de Mgr Joseph-Octave Plessis (1763-1825) et la conjoncture des attributions picturales au début du XIXe siècle*, mémoire de maîtrise, Université Concordia, 1983.
12. De nombreux sujets restent encore à étudier particulièrement sur les circuits de diffusion et sur l'art religieux du XXe siècle.
13. CLOUTIER, Nicole. *L'iconographie de Sainte-Anne au Québec*, thèse de doctorat présentée au département d'histoire de l'Université de Montréal, 1982.
14. Publié aux Presses de l'Université Laval.
15. LESSARD, Pierre. *Les petites images dévotes*, Québec, Presses de l'Université Laval, 1981; HOUDE, MICHEL. *L'iconographie religieuse un art populaire*, Sherbrooke, Musée du Séminaire de Sherbrooke, 1984.
16. Paru chez Bellarmin en 1975.
17. Publié en collaboration avec CLOUTIER, Nicole, dans la collection "Civilisation du Québec" du Ministère des Affaires culturelles du Québec en 1976.

18. Il faut compter avec le travail de base accompli par les sociétés historiques locales et les comités d'art sacré, l'activité toujours croissante du Conseil des Sites et Monuments historiques mais aussi sur la diffusion obtenue par des moyens autres que l'écrit, comme la série de films co-produite par Radio-Canada et l'Office national du film sur les arts sacrés au Québec et réalisée par François Brault, ainsi que sur la présentation au Musée du Québec en 1984 de l'exposition "Le Grand Héritage" dont les volets historique et artistique traitaient des rapports entre l'Église catholique et la société québécoise.

ALISH FARRELL

Signs of Reform: Aspects of a Protestant Iconography

... so that he who runs may read.[1]
John Wesley

Quatre perspectives distinctes quoique reliées entre elles sont proposées pour aborder l'analyse iconologique des oeuvres de maturité d'Emily Carr: la tradition classique, la sémiologie protestante, la symbologie des Indiens indigènes de la côte du Nord-Ouest, en particulier des Kwakiutls, et des traditions exégétiques plus séculières, davantage empiriques.

L'auteur examine plus particulièrement l'hypothèse selon laquelle la morphologie des peintures de Carr est analogue à la morphologie de la grâce et en est son emblème, tant dans ses formes théologiques plus anciennes que dans ses manifestations séculières et évangéliques plus récentes.

En replaçant l'imagerie du peintre à la fois dans l'univers signifiant du protestantisme canadien dans celui des cultures indigènes de la côte Nord-Ouest et à l'intérieur des territoires des symbologies dont elle a héritées telles que définies par les principaux exégètes, il est possible de suivre les courants majeurs de l'esprit d'Emily Carr: accroissement de son acuité intellectuelle et perceptive, ainsi que de sa sagesse pratique; démarche associative et interprétation pertinente des écrits prophétiques et révélateurs de son double héritage: d'un côté les Saintes Écritures et les oeuvres de sculpteurs, peintres et poètes, de l'autre côté, l'univers naturel, écrit prophétique véhicule d'une grâce interposée.

Les aspects de son emblèmologie, les indices de sa condition mortelle et morale auxquels on s'arrête, sont au départ signes de lamentation, de douleur, de distraction et de consentement presque stoïque, d'antagonisme, d'énergies intellectuelles et perceptives en profondes luttes, de tensions formatrices et de leurs transformations, de respect, de délicatesse, d'incertitude poignante et d'effroi. Au travers de la typologie d'Emily Carr, de sa science d'une vie nouvelle et d'un "Nouveau Monde" d'accomplissements, on décèle des hiéroglyphes suggérant et incarnant le désir de l'artiste, figurations terrestres ou millénaristes de la perfection.

An iconological analysis of Emily Carr's mature work may be conducted from four distinct, yet interrelated, perspectives: the classical tradition, Protestant semiology, indigenous North-West Coast Indian, especially Kwakiutl, symbology, and from the perspective of more secular, empirical, traditions of exegesis.

Carr was reared a Presbyterian (Scottish Calvinist) and a low church or evangelical Episcopalian. This reading proposes that in her imagery there is embodied a maze of narrative patterns which can be disentangled, but only partially, by situating the mature work within the signifying universe of evangelical Protestantism. More particularly, it examines the hypothesis that in the work of the period 1927-38, the painterly morphology is analogous to, and emblematic of, the morphology of grace, both in its older theological forms and in its newer evangelical and secular manifestations.

In an intense, concentrated period of spiritual and perceptual development, the artist reviews her history and her motives, admits her recalcitrance, reveals a dread of solipsism, of narcissistic self-enclosure, exhibits a desire for self-mastery and a yearning for truth and demonstrates her covenant resolve. In sum, her imagery records the sudden strengthenings of Carr's intellect, the transformations by which she becomes more knowledgeable, better armed and competent to bring into relation and read aright the prophetic and revelatory texts of her Protestant heritage - the Scriptures and the works of the poets and the painters - and that other prophetic script and vehicle of mediated grace, the natural world.

At the heart of the drama there exists a profound, fluctuating tension between descending grace, or inspiration, and aspiring will, or heroic human endeavour which manifests itself as a starkly powerful ethical chiaroscuro of sombre darks and fiercely shining, brilliant lights.

The approach to Carr's morphology adopted here reflects the position advanced by Rudolf Arnheim: which is, the elements of vision, lines, points, tones, hues and textures, may not be mere translations or imitations of thought but the very flesh and blood of thinking. In *Visual Thinking*, Arnheim demonstrates that an abstractive grip on structure is the very foundation of perception and the beginning of all cognition, that men may confidently rely on the senses to provide the perceptual equivalents of theoretical ideas because these notions derive from sensible experience originally, and that it is in the work of art, in paintings, for example, that one can discover intelligence in vision wielding its power of organization to the utmost. He believes that vision is the prototype, and perhaps the origin of *theoria*, of detached beholding or contemplation, and, with Aristotle, he insists that "the soul never thinks without an image."[2]

When, around 1927, Carr realized that painting was the worth of her existence, she understood that it was only brag and stubborness which had goaded her into a fixed determination to prove that she could cook and scrub and manage a large boarding-house as competently as the most commercially-minded among her contemporaries. As economic conditions worsened in the teens and the twenties and rents and land values steadily declined, fate nailed her down hard. In reaction, she made herself into an envelope, thrust her work deep inside and sealed it away from everything. But, as she later recognized, pain contained is pain doubled: for fifteen years she wounded both body and spirit.

Nirvana, one ot the earliest of her mature works, is a lamentation, a grieving over misplaced pride and obduracy and wasted time and vigour. The flatness and stillness of the form, the flaccidity of the line and the downward and inward-regarding demeanour of the totem creatures convey an impression of sorrow, of meditation and resignation. As she ponders her shortcomings we feel her lassitude, the grievous burden of a fragmented, disoriented self. Yet, this image is a paradisal image, a reflection, in part, of what she had absorbed from her readings in Theosophy, *Nirvana* evokes the Buddhist "heaven," the idealized state of acquiescence or nothingness, the "death," the annihilation of all that is individual in the self and the final emancipation from the constraints of history and the flesh. However, in the artificiality, the staginess, of her design, one may sense that a Stoic-like resignation is not native to her temperament or world-view: her toleration is a willed condition, a contrivance.

While *Totem and Forest* may be read as an emblem of distraction, the turbulent eddying of the vegetal matter mirroring the whirlpool in the mind, we feel that a new motive force, tense and antagonistic, is at work in this conception. Here, powerfully outward-thrusting movements of organic life are held in taut opposition to the cadaverous, steely-hued mien, the cold, cerebral self-absorption and composure of a rectangular totem form.

British Columbia Forest is another container of fiercely contesting intellectual and perceptual energies. There is, too, a high degree of perceptual uncertainty or ambiguity in this image. While the impulse of the vegetable formline is toward infinite outward extension in space, the rocks, ovoid modules, and the columnar masses suggest boundedness and enclosure. The mind is urged in centrifugal and centripetal directions. We can decide to acknowledge the primacy and organizing power of the fugitive calligraphic formline, or, we may elect to recognize the primacy of the core, of stability and closure. However, even within each predominating impulse we feel the urgent pressure of its contrary. Thus, in this conception, moments of tension and transition, points of perceptual change, the machinery of metamorphosis, is given dramatic and forceful expression.

The terrestrial wilderness of tangled roots and granite rocks of *Totem and Forest*, and *Vanquished* and *Forest, British Columbia*, is the adamantine mass to which Carr's perceptions are chained. Though the grotesque, palpable fecundity of a Blakean "original gulf" torments a distracted spirit, this is the realm of generation, the womb out of which all things take their substance and it is here that Carr gradually recovers the sense of awe or reticence, the awareness of the power and the mystery - and the vulnerability - of being, which is the sure mark of the human.

She feared, and yet was drawn to, "the unsafe hidden," to dark, repellent, isolated places.[3] She often dreamed of a lonely beach, sandy and covered with driftwood, and of a bank of monstrous arbutus trees with scarlet boles which swung out into the sky with slow, powerful twists. Carr was restrained from penetrating to the core of her alluring dream place not by law, or form, but by delicacy: she was content to love the wild, stubby point of land and keep out.[4]

To recover the sense of shame, or *aidos*, to use the Greek term, is to engage the sacred dialectic of dread and fascination, of veiling and unveiling, of covering and apocalypse, and the withdrawing or shrinking impulse plays a part in this restoration: where there is no fear, no sense of limit, aidos cannot be felt.

On the thirty-first of December 1930, Carr recorded in her diary, "I feel there is...much in abstraction but it must be abstraction with a *reason*..."[5] (Carr's italics.) What is developing in her imagery is a gift for figurative interpretation and for purposeful, in this case, spiritualized, abstraction. She is drawing upon her knowledge of indigenous North West Coast cosmology and upon the symbology of her Protestant heritage to generate a system of formal invention which reaches immediately into ultimate issues of life and death and gives vivid and concrete expression to dualistic tensions, their transformations and relations. Her ocular language, like that of the Kwakiutl, is simplified and compressed to its fundamental parts and formalized to a degree which realizes the underlying fundamental principle.[6] Her conceptual system is a response to dire circumstances, a furious attempt to arrest from decay the deep energies of her spirit. It is the dread of entropy which underlies the dualistic construct, the belief that without the extreme tensions created by antagonism and by the mutual transformations of opposites, the universe of life will drain away or collapse into chaos.

Despite their evident power, her signs are still only mirrors reflecting a dim entropic empire of perception.

In *Philosophy in the Mass Age*[7] and *Technology and Empire*,[8] George Grant describes the common puritan origins, the common Calvinistic symbolic and morphological foundations of North American society, Canadian and American.

Clearly, there is more than a touch of a Calvinistic, or an Orphic, aniconic spirit at work in these canvasses. It is Carr's responsiveness to what Grant calls "the surd mystery of evil"[9] which provokes her pitiless, "the-thing-*is*-as-it-*is*" penetrative scrutiny, and, also, her openness to the idea that matter may never be entirely amenable to the shaping forces of human ambition. What we are seeing in the works of the early mature period, is a resurgence, in a modified form, of the Orphic idea that the deep truth is imageless or of the Calvinistic conception of the Hidden God,[10] who cannot be pictured.

Among the marks which distinguish a Calvinistic response are an awareness of the unpredictable and the exceptional in human experience, a sense of something which leaps when least expected and thwarts every effort at methodization and formalization, of something behind the appearance of things that will not be tamed and brought to heel by man. In her Indian notebooks Carr makes frequent reference to the unpredictability of life and the immediacy of death. She writes: "to signify the narrow margin between life and death, and what a slight cause is required to bring about a change from one to the other, it was a saying at Masset (an Indian Village on the Queen Charlotte Islands) that the world is as sharp as a knife...if a man is not careful he will...end his life quickly."[11]

In *Old Time Coast Village* we feel the depth of her contemplative awe. The apocalyptic idiom of looming presences and threatening aspects, of silence, traditionally an omen of death, of stillness, of something fearful about to erupt, evokes an atmosphere of ambiguity and dread.

In this canvas, centrifugal or outward-moving impulses are confined within slablike vegetable forms which fill and dominate the conception. Her urgent need of movement and its constriction produces an erratic, jerking motion in the formline which only increases the sensation of claustrophobia, of life threatened or held in abeyance.

One may sense now that Carr perceives the causes of her pain but she is, as yet, unable to participate in the cause of her release. Like Shelley's Prometheus, in *Prometheus Unbound*, she is suspended between desire and desolation, unable to imagine the object of her desire and unwilling to submit to the object of her despair.[12]

Carr remarked, in a moment of great perplexity, that, "Time is only bounded by light and dark and hunger."[13] In the older theological grace narrative, when an anxious individual first sought knowledge, he attended to the word. The search was often accompanied by outward misfortunes which would tax and humble a stubborn will. In this more pliant condition, a man would achieve insight into the nature of the universe, would distinguish, more clearly, good from evil and realize his own particular failings. In the darkest hour a spark of faith might suddenly be kindled in the heart, a desire and a will to believe, despite the enveloping dark. Out of the various temporal and recognizable signs the pattern of salvation emerged: knowledge, conviction, faith, endless combat and a true, imperfect assurance.[14]

In the tradition, a confrontation with the humbling truths of mutability and death effected moral growth; the individual became more patient and was more willing to abide the chastisements of time and experience. In evangelical theology, anxiety for the self was the fear that killed: Wesley's ideal Christian practised a moment-by-moment availability to grace or sustenance[15] and the advice which Lawren Harris offered Carr in her dark hour, that she must work patiently and not press too hard to ensure the future, because, when insight comes, the fruits of the experience are nearly always unpredictable,[16] echoes the morphology of grace.

However, patience did not come easily to Emily Carr. On a spring day in 1935 she wrote, "The biggest part...*is* faith...waiting receptively..."[17] (Italics mine.) *Grey* may be read as the emblem of her covenant, a mark of her rededication and a sign that she is now as willing to be *wrought upon* as to work: she vows that she will be, as Whitman recommended, "self-balanced for contingencies..."[18]

The vase-like form of her evergreen calls to mind the long line of vessel imagery in poetry, in Wordsworth's *Prelude*, for example, which is often employed to typify the preservation of integrity in the midst of experience, the successful defense of human frangibility and the worth of the self against all threats, indeed, against all odds.

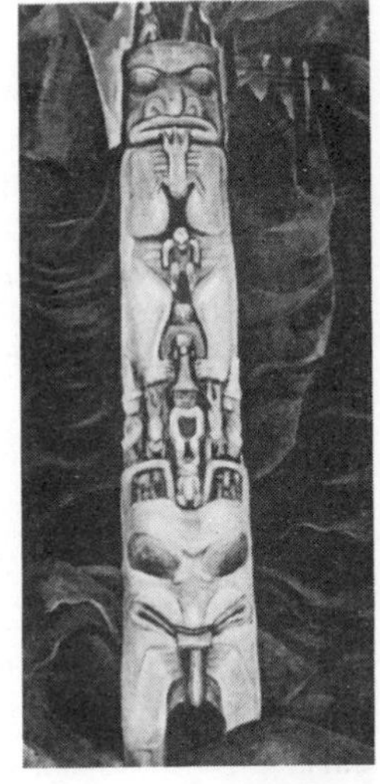

The unfolding of Carr's science of aspects, her understanding of the great movements of death and life, may be perceived as a dance. In the darkness and the rushings and reversals, the labyrinthine convolutions of her *Totem* forms, one perceives the first fierce quickening of a desire to generate a rhythm compelling enough to support a tottering spirit and draw it past a critical point of collapse.

Among the indigenous cultures of the North-West Coast, the sacred Winter Ceremonial, or World Renewal Rites, with which Carr was familiar, was a dazzling display of power in which a human community pitted all of its resources, physical, intellectual and imaginative, against the death-bringers.

In Kwakiutl ritual, the leader of the dance manifests in his actions the realization that the great spirit, Man Eater, will rend him hair from skin and skin from bone and devour him.[19] The dread that Man Eater inspires is not of death alone, but of utter degradation: the cannibal spirit devours not only the flesh but the bone, the body's sole hope for material immortality.[20]

In the Ceremonial, the dancer is offered human flesh to eat; often he is given emetics; often he cannot swallow the ritual offering. The furious tempo, the reiterated actions and the experience of awful disgust put the dancer beside himself. He foams in rage and trembles and does terrible things.[21] This negating of the dancer's individuality brings the *other* closer: he who has lost his self has room for the god.

Totem is an incarnation of necessity and the awe felt by the fated before the great powers of existence, sex, grief, life and dissolution. Beneath its inexorable harshness one may discern the lineaments of a narrow, suffocating sexual necessity in human life and nature. In Christian terms, *Totem* is a *memento mori*, a representation of the Death which spares no one. Yet, this chilling conception, which, in itself is neither good nor evil, is addressed to our humanity. The confronting of human limitations teaches respect for the mystery and the dignity of life. This is the ethical wisdom, the self-knowledge, which the Greeks called *sophia*: it is a compassion rooted in experience and based on awe learned of both joy and bitter suffering. The increase in intellectual penetration revealed in these canvasses, is evidence of the slow growing together of Carr's sympathetic or moral powers and her forming or reconceiving powers. With senses trained and shaped by patience and observation, by a receptive mind and a disciplined will, she is now empowered, like her evangelical and puritan forebears, to make her own reading of the natural text[22] and she turns and faces her West directly.

In Orphic cosmology, Eros-Dionysos is the personification of the yearning which drives spirit and intellect upward to discover their own most perfect form, the perfection which Shelley, in his *Defense of Poetry*, called "a being within our being," the type of all that we love, admire and would become.

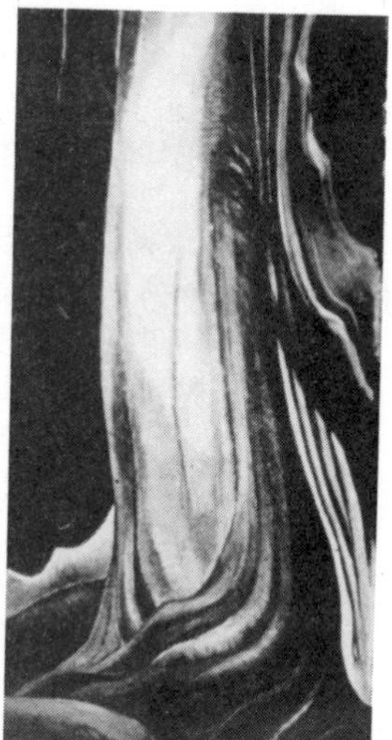

In this much-longed-for but difficult period of re-forming, she clings to earth's substantiality, to her density, her volume, her juice. Carr discovers a dignity in the life within, as well as without, in her respiration and in the diastolic and systolic coursings of her blood.

Among the fruits of the evangilical regeneration may be counted the gifts of utterance and of melody, an increase of felicity and rhythmic force of expression, a deeper reflection, what Wordsworth called a "steady mood of thoughtfulness" and more intense zeal - in all - patience, hope, power, and, of course, overwhelming relief and gratitude. In the forest Carr sings as she paints, "O, all ye works of the Lord, bless ye the Lord. Praise Him and magnify Him forever."[23] In Scripture, movement is everything: the First Mover moves the world; His Holy Spirit inspires and drives; His prophets bring discontent; His Son, the Divine Child, is moved to incarnation and the work of redemption begins. This canvas, Carr's *Little Pine*, heralds a new beginning to the dance.[24]

The erotic aspect of her imaging, to be understood, must be seen in its more inclusive context as the awakener and sustainer of fertility or invention. Carr gives herself over to the generative powers which take her in their grip: she dances full of yearning, pours her spirit into the material and sets each thing in turn to spinning. The dithyrambic rhythm of the songs and dances of the maenads, the female devotees of Dionysos, though filled with passion and change, hesitation and confusion, is, nevertheless, life-ordering: in the sacred dance of the women, the depths of life become visible and its undertones audible. Carr describes one experience thus: "Everything is green. Everything is waiting and still. Slowly things begin to move... Groups...masses...lines... Colours...come out, timidly...boldly. In and out... Sunlight plays and dances. Nothing is still now... The silence is full of sound... Here is a...complete thought...there another and there... Moss and ferns,... leaves and twigs,...depth and colour chattering, dancing a mad joy-dance..."[25]

It is part of the great paradox, the mystery of movement, that the more completely she is danced, the more forcefully she shapes. In her images rhythm shows its autocratic face: as boundary after boundary falls away, flesh and spirit lighten, the body moves spiritually and the spirit bodily and motion extends life to its limits. The epidemic of excitement flies from

being to being and nature and spirit leap, jolt and explode. With Shelley's earth, Carr's forest wilderness declares a final Dionysian jubilation: "The joy, the triumph, the delight, the madness!/ The boundless, overflowing, bursting gladness,/...Ha! ha! the animation of delight...[26]

On a visit to Chicago in the winter of 1933, Carr saw an exhibition of Blake engravings and said, "Blake knew how!"[27] William Blake, who exalted "the active springing from Energy"[28] as the true or apocalyptic morality, saw a great danger in the Orphic aspect of Platonism for the painter. Blake would countenance neither a collapse into the "original gulf of things" nor a dissolving into a Shelleyan "intense inane," the abyss, the "one annihilation" of Orphism and Oriental mysticism. In Blake's vision of the real, the imaginative enlargement of the soul takes the form of a spiritual body.[29]

In the sweep and deep reflective beauty of this exquisite charcoal drawing, we feel a more restrained, decorous, Apollonian rhythm: here, divinity moves in her forms as a, still passionate, but controlled conviction.

Evangelicalism insists upon an uneasy but fruitful alliance of difficult acts of will and spontaneous influxes of grace which may be expressed as a reticent, tension-filled movement of desire from mankind to the Godhead and a countermovement of judgement and desire (Christ brings judgement but wants to redeem) from divinity to humankind. The conjunction may also manifest itself as iconic and aniconic impulses picturing aspiration and an underlying sense of fallibility or imperfection, so that, no matter how brilliant the imagistic affirmation, there is, still, the recognition that this is the best that can be made of fallen or broken materials.

Even where the aniconic reserve is pronouced, the imaging will not deny the senses or question their capacity to offer reliable experience and at least some knowledge of what is real and permanently valuable.

In their peculiarly experiential and particularist fashion, evangelicals recorded the exact times and locations of their strange warmings of the heart. The adamant, prosaic concreteness of the title of the last canvas treated in this study, *Above the Gravel Pit*, is altogether characteristic.

After a deeply satisfying and productive day of absorbing and painting on the beach and wall-washing and calcimining at home, Carr wrote, quoting freely from the Gospel of St. John, (John 10:10) "I am come that ye might have life and have it more abundantly."[30] In the radiant line and sure pulsing rhythm of *Young Pines and Sky* we feel a new imaginative potency. With voice raised to shouting, her spirit exults and leaps for gladness of heart for the divinity which "fills the universe, comprehends all substance, fills all space," Who is, "pure being by whom all things be."[31] At the high point of this impetus, *Fir Tree and Sky*, and *Scorned as Timber, Beloved of the Sky*, we feel a drawing up into, and absorption by, the state of will-less harmony and relatedness, the sacramental wholeness of being, which is the evangelical ideal.

The world of the high maturity is a realm of geometric solidity and penetrability and permeability. In a universe which is of the creature's own inclination made, a meditation upon the law, the frame or geometry of being, gives transcendent peace, a Wordsworthian "still sense" of a life "out of space and time..."

Across a shimmering expanse of sky moves the "concrete invisible."[32] In a moment of Extraordinary witness, "rapt away / By the divine effect of power and love,"[33] she prophetically images forth the forms of her desire, the spiritual bodies of her apocalypse.

Alish Farrell
Writer
Toronto

Notes

1. John Newton, *Letters and Sermons, With a Review of Ecclesiastical History, and Hymns*, ed. T. Haweis (London: 1787), I: pp. 210, 211.

2. Rudolf Arnheim, *Visual Thinking* (Berkeley and Los Angeles, 1969), p. 12.
3. Emily Carr, *Hundreds and Thousands: The Journals of Emily Carr* (Toronto: Clarke, Irwin and Company, Ltd., 1966), p. 207.
4. Ibid., pp. 296, 297.
5. Ibid., p. 23.
6. Irving Goldman, *The Mouth of Heaven: An Introduction to Kwakiutl Religious Thought* (New York: John Wiley and Sons, 1975), pp. 201, 202.
7. George P. Grant, *Philosophy in the Mass Age* (Vancouver, Toronto, Montreal: The Copp Clark Publishing Company, Ltd., 1959), pp. 82-87.
8. George P. Grant, *Technology and Empire: Perspectives on North America* (Toronto: House of Anansi, 1969), pp. 15-25.
9. Ibid., p. 20.
10. Grant, *Philosophy in the Mass Age*, pp. 83, 84.
11. Emily Carr, *Uncatalogued Emily Carr Notebook*, Provincial Archives of British Columbia, Victoria, British Columbia. Unpaginated.
12. Ross Greig Woodman, *The Apocalyptic Vision in the Poetry of Shelley* (Toronto: University of Toronto Press, 1964), p. 116.
13. Carr, *Hundreds and Thousands*, p. 146.
14. Edmund S. Morgan, *Visible Saints: The History of a Puritan Idea* (Ithaca and London: Cornell University Press, 1965), p. 72.
15. Richard E. Brantley, *Wordsworth's "Natural Methodism"* (New Haven and London: Yale University Press, 1975), pp. 128, 129.
16. Emily Carr, *Growing Pains: The Autobiography of Emily Carr* (Toronto: Clarke, Irwin and Company, Ltd., 1966) p. 258.
17. Carr, *Hundreds and Thousands*, p. 179.
18. Ibid., p. 116.
19. Gerardus van der Leeuw, *Sacred and Profane Beauty: The Holy in Art* (London: Weidenfeld and Nicolson, 1963), p. 26.
20. Goldman, *The Mouth of Heaven*, p. 113.
21. Leeuw, *Sacred and Profane Beauty*, p. 26.
22. Carr's talent for uncovering the many-levelled meanings of natural images and their correspondent objects, and her impressive ability to fix her eye upon the object of her interest, grow out of a characteristically Protestant close-reading of every mark, every dot, plain and passage throughout Scripture, and her emblemizing draws much of its vitality from her respect for the methods of natural science. When she had finished a story called "Wild Flowers" she commented, "I have not the least doubt (that) it is rough, unlettered...but I *know* my flowers live. I *know* there is keen knowledge and observation in it." (Carr, *Hundreds and Thousands*, p. 331. Carr's Italics.)

    For all her travels in remote Indian villages and in all her thinking about the indigenous cultures and the flora and fauna of the North-West Coast, Carr had the advice and support of two of the most knowledgeable anthropologists in British Columbia, Charles Frederick Newcombe and his son, William. William's knowledge was encyclopedic: he was an authority on everything from Indian metaphysics, weaving techniques, languages and legends to the varieties of mosses, the habits of the sea otter and the patterns of the tide. William not only offered Carr a richly stocked mind, he plied her with photographs and Indian masterworks from the family's magnificent collection which Carr examined and painted from at her leisure. (Albert Hudson, "Victoria's Gentle Servant of the Arts," *The Daily Colonist*, Sunday, September 6th, 1964, p. 4).

The puritan and evangelical habit of spiritual record-keeping, of recording and assuring spiritual progress, was a form of covenant-making and an important safeguard against excessive introspection. The attempt to grasp the object in its concrete particularity recalls the mind from the abyss of solipsism: the effort to press a revitalized intellect and sensorium into the service of demonstrating truths which are discoverable by each, and, therefore, sharable by many, also protects against a drift into a high abstract or puristic idealism. Emily Carr expected that her fellow citizens would test their perceptions against her own, and with a typically Protestant respect for a text external to themselves, would reach a deeper and more objective understanding of the truths embodied in her images.

Evangelical theology, and Wesley's theology in particular, is a theology of experience. The visions which grow from it insist that languages, ocular and verbal, lead outside the self and affirm an objective, publicly communicable reality. (Brantley, *Wordsworth's "Natural Methodism"*, pp. 120, 155). The spirit of an almost entirely mental signifying world, such as the *ars gratia artis* or "art for art's sake" universe of late nineteenth century European Symbolism, a world into which Carr's work is frequently thrown, [Roald Nasgaard, "The Mystic North: Breaking new ground in northern landscape art," p. 1, *The Gallery*, Art Gallery of Ontario, Toronto, January 1984, Vol. 6, No. 1; see also Nasgaard, *The Mystic North: Symbolist Landscape Painting in Northern Europe and North America 1890-1940* (Toronto: University of Toronto Press, 1984), pp. 7, 8, 202] and then found to be inadequate, is, in most respects, alien to the epistemological foundations of this Protestant heritage.

23. Carr, *Hundreds and Thousands*, p. 100.
24. Carr shared with her father an interest in the dance. In 1837 Richard Carr visited a settlement of American "Shaking quakers" and was present at a service in which the communicants, men and women, danced slowly around in a circle and chanted. He expressed admiration for their restraint, the simplicity and uniformity of their appearance and their upright dealings in the community and added, "they...appear very happy..." (Richard Carr, *Richard Carr Diary*, Provincial Archives of British Columbia, Victoria, British Columbia, June 18, 1837).
25. Carr, *Hundreds and Thousands*, p. 193.
26. Percy Bysshe Shelley, *Prometheus Unbound, Shelley: Poetical Works*, ed. Thomas Hutchinson (London: Oxford University Press, 1967), IV. pp. 319-322.
27. Carr, *Hundreds and Thousands*, p. 75.
28. Woodman, *The Apocalyptic Vision in the Poetry of Shelley*, p. 126.
29. Ibid., p. 55.
30. Carr, *Hundreds and Thousands*, p. 112.
31. Ibid., p. 192.
32. Ibid., p. 116.
33. William Wordsworth, "The Prelude: or, growth of a Poet's mind," ed. Ernest de Selincourt 2nd ed. rev. by Helen Darbishire (Oxford: Clarendon Press, 1959), II, p. 636, 637.

ESTHER TRÉPANIER

Art moderne et catholicisme au Québec, 1930-1945: de quelques débats contradictoires

In the twenties and thirties, aesthetic positions taken in Québec were based on a clerical-nationalist point of view which valued art that depicted the earth and landscapes. They denounced modern art as being "foreign," *by* "materialist" *artists who had lost their sense of the metaphysical values of Truth, Goodness and Beauty and who were obviously supported cnly by* "snobbish" *critics and* "dubious" *dealers.*

In the forties, however, we witnessed a contradictory debate in which two positions, both proclaiming their Catholicism, fought on the Montréal scene for the defense or the denunciation of modern art. Two activists have been chosen for analytic purposes. On one hand, René Bergeron: an anti-Communist lay polemicist from a Jesuit organization, L'École sociale populaire,*who in his book* Art et Bolchévisme *(Montréal, Fides 1946) repeated the traditional arguments against modern art, which he attempted to link to the* "dangers" *of Communism. On the other hand, Alain-Marie Couturier: a French Dominican who had worked in the Ateliers of sacred art in Paris with Maurice Denis, and who, while in*

Québec during the Second World War, came to the defense of Borduas and his Indépendents. *On the basis of a renewed Thomist theology he justified the freedom of experimentation of modern artists. Moreover, he attacked cultivated Catholic groups, accusing them of intolerance and incomprehension with respect to the cultural evolution of the modern world, and blaming them for the degeneration of sacred art. (See* Art et Catholicisme, *Montréal, Éditions de l'Arbre, 1941).*

Father Couturier's intercession had the effect of reinforcing the internationalist and modernist artistic convictions of the handful of francophone intellectuals who hungered for cultural advancement. But they also, in a way, ensured a religious support in the process of separating religion and culture. This process was actually part of a more global movement of separating Church and State that had been under way since the Second World War, and which would culminate in a redefining of the national and cultural image of the people of Québec.

Dans une société dont la population est depuis 1915 majoritairement urbaine mais où le modèle idéologique présenté par l'élite canadienne-française s'appuyait sur des valeurs rurales, cléricales et nationalistes, l'avènement de l'art moderne ne pouvait que susciter de nombreuses polémiques. C'est en effet au nom de l'ouverture à l'internationalisme, contre le régionalisme en art, et par la valorisation de la liberté d'expérimentation formelle et subjective de l'artiste que se menèrent les premiers combats pour l'art moderne, aussi bien dans les pages du *Nigog* en 1918, que dans les critiques de John Lyman dans le *Montrealer* ou dans celles du journal *Le Jour* publié à partir de 1937, que dans les manifestes ultérieurs des Borduas et Pellan.

De telles conceptions menaçaient la vision sociale et culturelle unifiée que tentaient, tant bien que mal, de maintenir les élites clériconationalistes. Déjà dans son *Marges d'histoire, l'art au Canada*[1], publié en 1928, celui qui va devenir Monseigneur Olivier Maurault, prêtre de SaintSulpice, dénonce les artistes que le mot *terroir* a le don d'agacer, réaffirmant l'illustration de notre belle campagne et de ses habitants comme sujet nécessaire de la peinture canadienne-française et dénonçant le modernisme au niveau des procédés formels. Cette position fut défendue également par divers intervenants du milieu des arts depuis Charles Maillard, le très conservateur directeur de l'École des Beaux-Arts de Montréal (EBAM), jusqu'au peintre Clarence Gagnon qui prononça en 1939, au "Pen and Pencil Club", une conférence intitulée "L'immense blague de l'art moderne[2]".

Dans tous les cas on insiste sur la nécessité pour l'artiste de mettre en valeur nos traditions et vertus nationales en s'appuyant pour cela sur une conception métaphysique de l'art comme devant participer des grands universaux que sont le Vrai, le Beau et le Bien, lesquels curieusement, semblent ne pouvoir se manifester au Canada français que dans un art régionaliste et par des procédés picturaux traditionnels hérités de la Renaissance. À l'opposé, l'art moderne après 1850 est présenté comme une menace aux plus beaux fleurons de la culture occidentale. Clarence Gagnon ne prétendait-il pas qu'au-delà de l'Impressionisme, c'est "l'anarchie", le "goût offensé", la "beauté châtrée", la "forme humaine torturée", la "palette débauchée", le "retour au primitivisme", "fruits vénéneux d'un culte névrosé". L'art moderne est présenté comme le produit des maux qui rongent l'ordre social: le libéralisme, l'individualisme et le matérialisme. On glisse même sur le terrain de la xénophobie et du racisme. On attribue la production de cet art à des "étrangers" n'ayant pas le sens des valeurs spirituelles et nationales. Picasso est décrit par Gagnon comme "un Espagnol au teint mat, aux yeux et aux cheveux noirs" et les peintres de l'École de Paris comme des "rastaquouères" ou des "parisiens", donc "peu français", qui "tachent le bel écusson de leur patrie" et servent des "corbeaux de la finance" pour qui "l'art n'est qu'un moyen de s'enrichir". Derrière l'art moderne on trouve, toujours selon Gagnon, "marchands véreux", "critiques mercenaires" et "acheteurs naïfs". Le matérialisme a détruit en art l'idéal du beau et "l'intérêt sordide a remplacé la grandeur nationale". Enfin la logique de cette argumentation autour du "complot-de-l'étranger-véhicule-du-mal" trouve son aboutissement "naturel", tout comme dans certains discours réactionnaires de l'idéologie sociale, dans l'antisémitisme que l'on retrouve d'ailleurs en toutes lettres chez Maillard:

> *Il existe un mouvement artistique déplorable qui a une influence néfaste sur la production des oeuvres, et ce mouvement est déclenché par les Juifs qui n'ont jamais produit d'oeuvres vraiment artistiques et qui se donnent pour mission de dire le dernier mot en art*[3].

Dans la panoplie des dangers menaçant la civilisation chrétienne, il n'en manquait plus qu'un: le communisme! "Aujourd'hui on veut faire de la peinture internationale comme on fait de la politique internationale et de la propagande bolchéviste", dira Charles Maillard en 1931[4].

Compte tenu de ces positions prises dans les années trente, on serait tenté de croire qu'avec la radicalisation des propositions artistiques modernistes dans les années quarante, l'art abstrait faisant sa véritable entrée sur la scène artistique canadienne-française à cette époque, les critiques s'articulant à des prédicats catholiques ne pouvaient que reprendre les dénonciations de leurs prédécesseurs. Ce serait erroné! S'il est vrai qu'il y eut plusieurs exemples de ce type, on assiste par ailleurs dans les années quarante à un débat contradictoire où des positions se réclamant toutes deux du catholicisme vont s'affronter, particulièrement sur la scène montréalaise, pour la défense ou la dénonciation de l'art moderne.

Je voudrais ici ouvrir une parenthèse pour rappeler que ce genre de débat au sein de la pensée cléricale ne fut pas le seul fait du champ de l'art. On se référera pour s'en convaincre au texte de Louis Rousseau, "La religiologie à l'UQAM...[5]" qui montre, par l'exemple de la question de la déconfessionnalisation des coopératives, que deux thèses s'exprimèrent au sein du clergé québécois, l'une contre la déconfessionnalisation, renvoyant au modèle théologique dominant et défendue entre autres par les Jésuites de l'École sociale populaire, et l'autre, pour la déconfessionnalisation, plus ouverte à une nouvelle interprétation du thomisme et défendue par le dominicain Georges-Henri Lévesque. Bien que partant du "même horizon ontologique de la foi", Rousseau souligne que cette dernière porte en germe le "processus d'auto-liquidation au sein du groupe clérical qui contrôle la scène idéologique[6]" puisque permettant l'autonomisation des secteurs de la vie temporelle, elle prépare la séparation de l'Église catholique et de la Nation. Par ailleurs ce fait souligne l'importance de la caution religieuse dans le processus même de la déconfessionnalisation.

Or le débat sur l'art moderne est un peu du même ordre puisque les deux intervenants que j'ai choisi de privilégier partent de prédicats catholiques mais n'en défendent pas moins des conceptions qui, pour l'artiste, ont des effets opposés. La première entend en effet soumettre la pratique artistique à l'illustration d'une histoire ou d'un réel défini par une esthétique métaphysique alors que la seconde pose l'autonomie, la liberté du travail de l'artiste et donne, à la limite, sa caution à une réelle "sécularisation" des pratiques culturelles. De plus, ce qui ajoute du "piquant" à la chose, cette polémique oppose aussi Dominicains et Jésuites bien que ce soit dans ce dernier cas par laïc interposé. Il s'agit de René Bergeron qui dans *Art et Bolchévisme*[7], publié à Montréal en 1946, attaque l'art moderne et, nommément Alain-Marie Couturier, dominicain français, notre second intervenant qui dans ses écrits comme dans ses conférences a eu *l'indignité* de défendre non seulement l'art moderne mais qui plus est, de recommander pour la décoration d'église, l'engagement *d'athées notoires* tels Fernand Léger ou Pablo Picasso!

Examinons d'abord la position de René Bergeron. Ce n'est en fait ni un critique d'art, ni un théoricien de l'art. S'il aura dans les années soixante une galerie d'art, il est connu à cette époque comme un des plus virulents polémistes anti-communistes de l'École sociale populaire (ESP)[8]. L'ESP était une organisation mise sur pied en 1911 par l'Église catholique, et plus particulièrement par les Jésuites, afin de contrer l'influence dite pernicieuse des syndicats "internationalistes", c'est-à-dire américains, sur les ouvriers canadiens-français. Par le biais de tracts, de publications mensuelles, de cercles de formations et de conférences annuelles (les *Semaines sociales du Canada*) elle espérait former une élite qui se chargerait de répandre la doctrine sociale de l'Église et d'appuyer la formation des syndicats catholiques. Dès la parution de sa première publication mensuelle en 1911 l'ESP donne le ton: elle entend mener, si on en croit l'allocution de Mgr Bruchési, une lutte active contre le socialisme et hériter, à brève échéance, de sa popularité. Certes, on peut être sceptique quant à l'importance réelle du socialisme au Québec à cette époque. Il faut dire cependant que, pour l'ESP, le socialisme est l'issue presque fatale au rationalisme, au libéralisme économique, à l'individualisme, au matérialisme, au protestantisme et, par voie de conséquence, au syndicalisme non-catholique. C'est sans doute pourquoi, dès les années dix et vingt, on retrouve dans ces publications des "tracts de propagandes" attaquant le marxisme ou l'"Utopie socialiste[9]". Cependant cette lutte anti-communiste se fait plus intense dans les décennies trente et quarante puisque la crise économique a favorisé une croissance réelle du mouvement socialiste autour du *Commonwealth Cooperative Federation* (CCF) et du Parti communiste du Canada (PCC). Ainsi René Bergeron, avant d'écrire *Art et Bolchévisme,* avait "commis" des ouvrages tels *Le corps mystique de l'Antéchrist*, (12 mille exemplaires), *Le Premier Péril*, (15 mille), *Karl et Baptiste*, (25 mille), *Tim et Jos*, (20 mille), ces deux derniers étant conçus sous la forme de dialogues simples, pour ne pas dire démagogiques, entre les "méchants communistes" (en l'occurence Karl et Tim, nom inspiré, on le devine, de celui du secrétaire général du PCC de l'époque, Tim Buck) et les *bons* canadiens-français (Baptiste et Jos). *Art et Bolchévisme* se présente d'ailleurs explicitement comme une intervention de plus dans ce combat anti-communiste. Bergeron entend, écrit-il dans sa préface, poursuivre l'ennemi partout où il se dissimule et il se trouve qu'il entre actuellement en fraude dans les demeures canadiennes, par le truchement du tableau.

Si le lecteur contemporain peut s'étonner, l'art abstrait étant à la même époque condamné en URSS, l'auteur ne s'embarrasse pas de considérations semblables et il s'efforce, tout au long de son ouvrage, de démontrer que l'art moderne peut être associé au Bolchévisme. Pour ce faire il aura souvent recours à l'épithète injurieuse, à la métaphore et au syllogisme douteux. Il dira par exemple que les artistes abstraits font oeuvre de déshumanisation tout comme les communistes qui dépouillent les hommes de leurs valeurs spirituelles; conséquemment les artistes modernes sont des bolchéviques dans le champ de l'art. L'auteur a par ailleurs constamment recours à une terminologie propre au monde communiste qu'il transpose sans coup férir au monde de l'art moderne, procédé qui lui tient souvent lieu, hélas, de démonstration. Il parlera alors du "prolétariat pictural" qui "a pris le pouvoir et contrôle la critique", des "méthodes de "Flibustiers" de "l'art nouveau [qui] ressemblent à celles des marxistes" puisqu'elles prêchent au nom de la liberté, de la science, de l'internationalisme et du matérialisme. Il dira aussi d'eux qu'à l'instar des communistes, ils ont "plus le souci de la dictature que du progrès" et déclare que "n'entre pas qui veut dans ce prolétariat conscient et organisé". Enfin il parle de cette "pseudo-élite" montréalaise qui est "tombée dans le panneau-réclame des trotskystes de la palette". Les exemples sont nombreux.

À l'instar de ce qui est identifié dans les publications de l'ESP comme source de tous les maux sociaux et politiques, Bergeron voit, à l'origine de l'art moderne, les *Principes de 1789* et le "naturalisme français du XVIIIe siècle", la *Déclaration des Droits de l'Homme*, l'individualisme, le matérialisme et bien sûr le protestantisme. Question de nous faire bien sentir l'analogie entre tous ces secteurs, il enterre son lecteur sous une avalanche d'"ismes". Le protestantisme, "ce nouveau Babel" n'a-t-il pas engendré des fractions sans fin: luthériens, calvinistes, baptistes, anabaptistes, quakers, et j'en passe; la philosophie sociale moderne: le bolchévisme, le totalitarisme, le raphaëlisme, le romantisme, l'impressionnisme, le divisionnisme, le nabisme, le fauvisme, le cubisme, le dadaïsme, le surréalisme, le futurisme, et la liste est longue puisqu'il va même jusqu'à inventer des courants comme "l'exacerbisme" et le "néantisme[10]."

Quant au groupe de Borduas, même s'il n'avait pas encore publié son *Refus global*, il se réclamait déjà suffisamment, à l'instar du Surréalisme français, des forces créatrices de l'inconscient pour que Bergeron s'attaque également à cet aspect de l'art moderne. Il dénonce en effet "l'Internationale freudienne", la métaphore marxiste jouant ici pour la psychanalyse. Établir la priorité de "l'instinct sur l'intelligence, du subconscient sur la conscience" est pour lui "pure dégradation", "maboulisme", et "décadence". Un ami de Bergeron, Dominique Laberge, qui avait publié, l'année précédente, un ouvrage dans le même ton, *Anarchie dans l'Art*, parle quant à lui de "l'enfer de l'instinct" dans lequel tombe l'homme moderne pour s'être laissé égarer par "la théorie de l'évolutionnisme matérialiste dont le système du Dr Freud est une des conséquences[11]". L'intérêt pour le dessin d'enfant, qui est aussi une caractéristique de ce groupe d'avant-garde, est qualifié par Bergeron de "culte artificiel de la naïveté" d'autant que ces dessins sont, selon lui, les produits "inintelligibles des enfants mal doués". Question d'attaquer aussi les références faites par les modernes aux cultures autres qu'occidentale (la sculpture nègre par exemple), l'auteur dénonce le "retour aux cavernes", à la "barbarie" ou déclare ne voir là que du "jazz pictural". Il est intéressant de noter que dans ce genre de textes sont englobés dans un même mépris les enfants, l'art des peuples dits primitifs, celui des noirs d'Amérique, le jazz, et enfin les *fous* qu'on s'empresse d'associer aux peintres modernes, particulièrement à ceux qui se réclament de l'inconscient.

Evidemment on n'échappe pas non plus à la xénophobie. Bergeron parle des peintres modernes comme de "métèques" ou de "produit exotique" (il renvoie en ce cas précis au passage de F. Léger à Montréal) et appelle contre eux à une campagne de fierté nationale. Il va de soi aussi qu'il s'en prenne à la Société d'art contemporain de Montréal, qualifiant son action "d'internationalisme standardisateur". Quant au milieu supportant l'art moderne il en dit les pires choses: ses critiques d'art sont présentés comme des "incapables", des "corrupteurs" ou des "polissons"; ses artistes comme des "médiocres", des "fantasques", des "paresseux", des "égoïstes", des "névrosés" ou, carrément, des "déments"; leur public, des "petits anémiques", des "snobs" des "abracadabrants" qui applaudissent à l'essence du "fifisme dadaiste". Ces charmants adjectifs émaillent l'entièreté du texte de Bergeron, assez semblable en cela à ceux de ses prédécesseurs, les Maillard, Gagnon, Laberge et compagnie.

À tout cela bien sûr l'auteur oppose une conception de l'art qui se réclame des grandeurs passées de la civilisation occidentale, de la métaphysique et du catholicisme. La beauté, écrit-il, est révélatrice de l'Absolu. Participant à la trinité convertible du Vrai, du Bon et du Beau, elle ne peut s'accommoder d'un outrage à la morale ou à la vérité. Certes, l'artiste est libre, mais s'il se doit d'être original dans son commentaire sur la nature, l'histoire ou les vérités immatérielles, il doit l'être à l'intérieur des lois immuables fixées par la Raison. S'il ne s'y conforme pas, l'artiste est un orgueilleux qui "soustrait l'art au bien et au vrai sous prétexte qu'il dépend essentiellement de la beauté[12]". L'art a pour ce genre d'auteur une fonction d'élévation de l'âme humaine. D'essence divine, écrit Bergeron, la beauté ne se révèle dans toute sa splendeur qu'aux amis de l'Absolu.

D'entrée de jeu, les postulats de base du Révérend Père Alain-Marie Couturier semblent les mêmes. Ne dit-il pas dans *La Route Royale de l'Art*, une conférence faite en 1936[13] et publiée, avec d'autres textes, à

Montréal, en 1941[13], que la beauté est une route royale qui mène à Dieu de qui descend toute harmonie. On pourrait donc s'étonner de le voir si souvent attaqué dans l'ouvrage de René Bergeron. C'est qu'en fait leurs positions communes s'arrêtent là. Partant des mêmes prémices, ils aboutissent à des conclusions fort différentes.

Situons d'abord le personnage[14]. En 1919 le Père Couturier travaillait, sous la direction de Maurice Denis et d'Antoine Bourdelle, aux Ateliers d'art sacré de Paris, lesquels avaient été créés la même année par Maurice Denis et Georges Desvallières pour répondre à la crise d'un art sacré qui s'embourbait dans les styles archéologisants et périmés. Conçus sur le modèle des corporations médiévales, ces ateliers devaient fournir une production d'objets servant au culte ou à la décoration d'église qui tiendrait cependant compte des données de l'art moderne. Maurice Denis, qui avait été membre du groupe Nabis, était un fervent admirateur de Gauguin et de Cézanne[15]. Couturier qui entre, en 1925, dans l'ordre des Frères Prêcheurs consacrera sa vie à ce renouveau de l'art sacré, à la défense, dans les milieux catholiques, de l'art moderne et réalisera après la guerre son rêve d'employer les plus grands artistes contemporains pour la décoration d'église[16]. Coincé durant le second conflit mondial sur le continent américain, il passe la majeure partie de son temps aux États-Unis, mais fera de nombreux séjours à Montréal où il interviendra activement dans le milieu de l'art à la fois par ses publications et conférences, par l'organisation d'expositions comme celle des *Indépendants*, et par son enseignement, fort contesté à la traditionnelle EBAM, mais acclamé à l'École du Meuble où il se lie d'amitié avec les Marcel Parizeau, Maurice Gagnon, Jean-Marie Gauvreau et Paul-Emile Borduas.

Son statut de religieux et de français donnera une caution importante à cette nouvelle génération d'intellectuels avide de rattrapage culturel, de contacts avec l'étranger mais si étroitement imbriquée néanmoins au contexte de la très catholique province de Québec. Il lui vaudra par contre des critiques acerbes des milieux conservateurs, entre autres du directeur de l'EBAM, qui n'appréciera guère le rôle joué par Couturier dans la demande que fera, fin 1940, auprès du Gouvernement, Jean-Marie Gauvreau pour l'ouverture, à l'École du Meuble, d'un Institut d'art religieux dont la direction artistique et pédagogique devait provisoirement être assumée par Couturier[17]. Le projet ne se réalisera pas et les interventions de Maillard dénonçant "l'indigence de l'enseignement" de Couturier, les lacunes et l'inadaptation de son programme, auront peut-être servi de prétexte au Gouvernement, toujours désargenté quant à ces questions, pour ne pas donner suite au projet.

L'exposition des *Indépendants* en 1941, à Québec et à Montréal, suscitera elle aussi l'intervention de Maillard qui tentera une fois de plus de faire appel à la xénophobie. Il reproche alors à Couturier de "transplanter" par une "propagande mal inspirée"...des "querelles françaises" dont pourrait se passer "un pays jeune où l'unité d'action doit être préservée[18]". Il est intéressant de constater à quel point Maillard, lui-même "étranger" puisque venant de l'École des Arts Décoratifs d'Alger, avait intégré les positions les plus conservatrices de l'idéologie canadienne-française. Mais, on l'a dit, la jeune bourgeoisie était avide d'ouverture à l'étranger et conséquemment assez peu sensible à ce genre d'arguments.

Bien sûr la position de Couturier concernant l'art a ses premiers fondements dans la pensée religieuse. La Beauté participant de la Divinité, l'art devrait théoriquement être une "Route Royale" vers Dieu. Cependant il admet être confronté à deux problèmes. D'une part, cette voie royale est désertée par les artistes contemporains. D'autre part, comment justifier, à l'intérieur d'une conception religieuse de l'art, que celui-ci n'ait d'autre but que lui-même, ne s'intéresse qu'à ses procédés? En un mot comment défendre l'auto-référentialité et la totale liberté d'expérimentation que revendique l'artiste moderniste? La réponse de Couturier à ce dernier problème est, à notre avis, assez tortueuse. En effet, il tente d'établir une comparaison entre, d'une part, la souveraine liberté de la Création divine qui est, dit-il, à elle-même sa propre fin et qui, si l'on en croit ses références aux Saintes Écritures, s'est réalisée sous le mode du jeu, et, d'autre part, la création artistique qui lui est comparable dans sa maîtrîse du monde et donc en droit de réclamer la même souveraine liberté. Il faut mentionner cependant que Couturier est un peu moins alambiqué dans ces autres textes où il présente une interprétation de l'art qui repose moins sur une vision religieuse que sociologique. L'art y est alors défini comme le produit de son époque, comme le fruit de la vie des collectivités. Conséquemment il associera l'avènement et les problèmes du modernisme en art à ceux que confronte le XXe siècle[19].

Reste cependant le problème de la désertion de la "Route Royale". Pour tenter de justifier le taux d'athéisme ou d'indifférence religieuse élevé chez les artistes contemporains, Couturier prétendra que les exigences propres à la réalisation de leur oeuvre de création sont telles que l'artiste peut difficilement servir deux maîtres à la fois. Il a alors recours, ce qui est nouveau, à la psychologie de l'artiste pour justifier cet état de fait. Il le présente en effet comme un être distrait, détaché des côtés pratiques et matériels de la vie, souvent mesquin, égoïste et ambitieux, tyranique pour son entourage et extrêmement exigeant. Mais de cette exigence naît un grand amour, celui de la création, et ces traits déplaisants de caractère sont présentés par Couturier comme la rançon du génie.

Certes on sourit aujourd'hui à cette image romantique, typique de l'idéologie de l'artiste maudit mais génial, qui s'est développée au tournant du XIXe siècle en Europe. C'est avec un curieux mélange de cette idéologie, beaucoup plus en fait que de psychologie, et de thomisme renouvelé que Couturier fonde sa défense de l'art moderne.

Enfin le Révérend Père n'est pas tendre à l'égard des milieux catholiques cultivés. Il leur impute la responsabilité de la dégénérescence de l'art sacré mais aussi d'une certaine manière, des aspects les plus torturés de l'art moderne. Concernant l'art sacré il écrira que l'art étant le fruit de la collectivité, l'abaissement de l'esprit chrétien et de la foi comme inspiratrice et animatrice de la vie sociale ne peut produire un art sacré vraiment vivant. Cela dit, il considère que l'Église aurait dû tout au moins faire comme dans le passé et utiliser les plus grands des artistes pour ses commandes (les Picasso, Braque, Matisse, Bonnard, etc.). Au lieu de cela, depuis cent ans, les milieux catholiques se sont désintéressés de l'art vivant, traitant "[...]les travaux et pensées des non-croyants [avec] une légèreté, un manque de respect pour le travail d'autrui et, au fond, une ignorance des questions, véritablement regrettable[20]". Notant que les oeuvres des artistes modernes ornent tous les grands musées et les grandes collections, il trouve déplorable que l'opinion catholique ne s'y intéresse pas ou n'y voit que "snobisme, farce ou coup de bourse montés par des marchands et des critiques juifs[21]". (Cette dernière constatation nous montre bien que les opinions de nos Maillard, Gagnon et Bergeron nationaux étaient partagées par d'autres milieux conservateurs européens). Citant le Père Lacordaire qui disait qu'un catholique était un homme ayant accepté de prendre sur soi la responsabilité de tous les hommes, Couturier somme ses coréligionnaires de reprendre cette volonté d'engagement universel au profit du monde contemporain. D'ailleurs précise-t-il, "la solitude spirituelle des grands artistes, leur désert intérieur a été fait de notre absence. Si nous avions été là, ce monde tourmenté et cruel de l'art moderne eut été différent. Des deux côtés on y eut gagné[22]". Ultérieurement cependant il révisera ses positions concernant l'art abstrait y voyant, contrairement à ce qu'il avait prétendu auparavant, une valeur spirituelle intrinsèque qui le rend apte à être utilisé dans l'art sacré[23]. N'écrira-t-il pas en 1941 dans une lettre à son ami Focillon:

> *J'ai eu à donner ici un cours de 6 semaines en anglais et cela m'a conduit à poser de nouveau certains problèmes de l'art abstrait. Il y a quelques années je pensais qu'un tel art était sans aucune référence à la réalité extérieure, ne pouvait à fortiori être religieux, chrétien, tout art religieux impliquant une intime référence à un monde surnaturel. Mais je vois bien maintenant*

que tout cela est trop sommaire. La valeur essentielle d'une oeuvre lui est plus intime que son sujet même[24].

De telles conceptions ne pouvaient qu'ajouter au dossier de la défense de l'art abstrait au Québec. Les interventions du Père Alain-Marie Couturier dans les débats qui divisaient le champ de l'art québécois ont eu comme effet de renforcer la tendance internationaliste qui s'était timidement exprimée au sein de groupes minoritaires dans les années vingt et trente et qui devenait le cheval de bataille d'une fraction importante de jeunes intellectuels canadiens-français dans les années quarante. Rabroué dès le départ par le clérico-nationalisme, cet internationalisme trouvait, dans le Père Couturier, un appui d'autant plus important que ce dernier se réclamait, tout comme les détracteurs de l'art moderne, du catholicisme, allant même de surcroît jusqu'à mettre ces détracteurs au banc des accusés.

Mais curieusement, les interventions du Père Couturier n'ont pas que renforcé l'internationalisme. Elles ont aussi apporté de l'eau au moulin d'un nouveau nationalisme qui commençait à poindre depuis quelques années et qui se définissait non plus tant en fonction de son catholicisme que de son appartenance à la langue et à la culture française. Ce nationalisme nouveau s'exprimait déjà, comme idéologie, à l'intérieur de l'*Inventaire des oeuvres d'art* commencé par Gérard Morisset dans les années trente[25]. Il vise à définir par le biais de la culture et des productions artistiques et artisanales, la spécificité de *l'homme d'ici*. Parmi les oeuvres valorisées pour ce faire, nombre d'entre elles sont à inscrire dans la foulée du Régime français. Quand dans son texte sur les *Recommencements d'art sacré au Canada*[26], Couturier propose, pour pallier au plus pressé, que l'on revienne à la simplicité des églises d'antan, que l'on ressuscite les dons artistiques natifs du peuple et que l'on utilise pour la décoration d'église ces artisans qui "nous ont donné les admirables couvre-lits de campagne, les tapis crochetés et les catalognes" et qui "ont bâti et sculpté les vieilles églises", il rejoint un courant de revalorisation du patrimoine qui touchait aussi bien l'École du Meuble que la section d'architecture de l'EBAM[27].

Ainsi, faisant partie du débat québécois sur l'internationalisme et le nationalisme en art, les positions du Père Couturier traduisaient bien celles de cette nouvelle petite bourgeoisie canadienne-française dont une fraction importante, après s'être battue pour une ouverture de la société québécoise à la culture et à l'art international, allait aussi, par d'autres actions et revendications, être à l'origine d'un renouveau du nationalisme. Après avoir secoué le trop lourd carcan du cléricalisme, après avoir dénoncé son statut de colonisée, après avoir effectué un nécessaire rattrapage culturel, elle voudra, quelques décennies plus tard, s'inscrire sur la scène internationale non plus comme canadienne-française, mais comme *québécoise*, différence de terme qui marque l'aboutissement de tout un processus d'évolution culturelle.

Esther Trépanier
Département d'histoire de l'art
Université du Québec à Montréal

Notes

1. MAURAULT, Olivier. *Marges d'histoire, l'art au Canada*, Montréal, Librairie d'Action canadienne-française, 1929.
2. GAGNON, Clarence. "L'immense blague de l'art moderne", *Amérique Française*, 2 numéros, 1948-1949, pp. 60-65 et pp. 67-71.
3. MAILLARD, Charles. cité par François-Marc GAGNON, "La peinture des années trente au Québec", *Annales d'histoire de l'art canadien/The Journal of the Canadien Art History*, vol. 111, automne 1976, no 1-2, pp. 2-20.
4. Charles Maillard, cité par COUTURE, F., LEMERISE, S. "Insertion sociale de l'École des Beaux-Arts de Montréal: 1923-1969", *L'enseignement des Arts au Québec*, Montréal, UQAM, 1980, pp. 1-68.
5. ROUSSEAU, Louis. "La religiologie à l'UQAM: genèse sociale et direction épistémologique", *Sciences Sociales et Églises, Questions sur l'évolution religieuse du Québec*, textes édités par Paul Stryckman et Jean-Paul Rouleau, Montréal, Bellarmin, 1980, pp. 73 à 95.
6. *Ibid.*, p. 78.
7. BERGERON, René. *Art et Bolchévisme*, Montréal, Fides, 1946.
8. Voir Jean-Claude SAINT-AMANT, "La propagande de l'École Sociale Populaire en faveur du syndicalisme catholique 1911-1941", *Revue d'histoire de l'Amérique française*, vol. 32, no 2, septembre 1978, pp. 203-228.
9. On ira aussi consulter les publications mensuelles de l'École sociale populaire. Dans les années dix Arthur Saint-Pierre semble être un des spécialistes des questions de syndicalisme et de lutte contre le socialisme. Pour s'en convaincre on lira ses textes sur "L'Utopie socialiste", nos 30 et 38 des publications mensuelles de 1914, ou encore "L'organisation professionnelle" no 22, 1913, etc.
10. BERGERON, *op. cit.*, pp. 35-36.
11. LABERGE, Dominique. *Anarchie dans l'art*, Montréal, Éditions Fernand Pilon, 1945.
12. BERGERON, *op. cit.*, p. 20.
13. COUTURIER, Alain-Marie. *Art et Catholicisme*, Montréal, Éditions de l'Arbre, 1941.
14. Toutes les données biographiques concernant le Père Couturier sont tirées de Marcel Billot, "Le Père Couturier et l'art sacré", dans le catalogue d'exposition *Paris/Paris 1937-1957*, Paris, Centre Georges Pompidou, 1980.
15. Le lecteur intéressé à connaître les positions défendues par Denis pourra lire Maurice DENIS, *Théories, Du symbolisme au classicisme*, Paris, Hermann, 1964.
16. Par exemple Léger, Braque, Matisse et Chagall pour l'église d'Assy, Matisse pour celle

de Vence, Le Corbusier pour le couvent de L'Arbresle, etc. Encore une fois il faut souligner la position très ouverte des dominicains sur les réalités contemporaines. Ainsi au Québec les tenants de l'art ou de l'architecture moderne ont pu s'exprimer dans des périodiques comme *La revue dominicaine*, *La Relève*, *La Nouvelle Relève*, etc.

17. Voir sur cette question François-Marc GAGNON, *Paul-Émile Borduas, Biographie critique et analyse de l'oeuvre*, Montréal, Fides, 1978. Comme le souligne Gagnon, les dominicains d'Ottawa avaient déjà créé, en janvier 1938, un "institut d'art sacré" dirigé par un ancien des Ateliers d'art sacré de Paris, l'abbé André Lecoutey, (p. 91). Il faudra un jour étudier l'importance de l'intervention dominicaine dans le "rattrapage" culturel du Québec.
18. *Ibid.* Sur Couturier et le milieu de la SAC on se référera aussi à Christopher VARLEY, *The Contemporary Art Society/La Société d'art contemporain, Montréal 1939-1948*, Edmonton, The Edmonton Art Gallery, 1980.
19. Voir entre autres "Sur Picasso et les conditions de l'art chrétien" et "Picasso et le Catholicisme", dans *Art et Catholicisme*, Montréal, Éditions de l'Arbre, 1941. Il faudrait ici noter que près de vingt ans après la publication de son *Art et Bolchévisme*, Bergeron fera amende honorable à l'égard de Picasso, de l'art moderne et de Couturier. Il développera alors dans un ouvrage intitulé *L'Art et sa Spiritualité*, (Québec, Éditions du Pélican, 1961), une conception de l'art assez similaire à celle du dominicain français.
20. COUTURIER, *op. cit.*, p. 76.
21. *Ibid.*, p. 82.
23. "Notes sur l'abstraction", texte ajouté à la 2ème édition de *Art et catholicisme* en 1945.
24. Archives Couturier, cité par BILLOT, *op. cit.*, p. 200.
25. Voir Collaboration, *A la découverte du patrimoine avec Gérard Morisset*, Catalogue d'exposition, Québec, Ministère des Affaires culturelles, 1981.
26. "Recommencements d'art sacré au Canada", dans *Art et Catholicisme*, p. 88.
27. Voir Raymonde LANDRY-GAUTHIER, "Alain-Marie Couturier o.p. et le milieu de l'architecture à Montréal (1939-1946)", *Questions de Culture*, Québec, Institut québécois de recherche sur la culture, 1983.

Chapter
Chapitre **5**

Religion and Nationalism: Visions in Conflict/ Religion et Nationalisme

Symposium in honour of Professor John Webster Grant on the occasion of his retirement from Emmanuel College/

Symposium en l'honneur du professeur John Webster Grant, Emmanuel College

ROBERT T. HANDY

Dominant Patterns of Christian Life in Canada and the United States: Similarities and Differences

L'étude comparée de l'histoire religieuse canadienne et américaine s'est révélée éclairante. En substance, une approche historique et sociologique de la question a permis de dégager les différences par delà les analogies. Pendant plus de trois siècles, aux États-Unis et au Canada, la présupposition de l'existence d'une chrétienté eut une influence profonde qui, à première vue, peut sembler être la similitude majeure. John Webster a cependant noté que les choses se sont déroulées de façon sensiblement différente au nord et au sud de la frontière, suggérant ainsi qu'à partir d'une similitude apparente on peut obtenir des résultats bien distincts. Au Canada et aux États-Unis, atteindre la liberté religieuse (par des voies historiques différentes et en des termes différents) n'a pas signifié la fin de la chrétienté mais plutôt sa restructuration. Par conséquent, c'est plus par le biais de la persuasion que par celui de la coercition qu'on allait parvenir à une société chrétienne. Le discours du "christianisme volontaire" semblait le même des deux côtés de la longue frontière, mais il agissait de façon quelque peu différente dans chacun des deux contextes. Il semble qu'en raison de la résistance qu'offrirent les Canadiens aux révolutions américaine et française, en raison de l'absence de fortes traditions politiques héritées du siècle des lumières et de l'absense d'un modèle relationnnel Église-État distinct, l'influence continue du christianisme ait été plus grande au Canada qu'aux États-Unis. L'histoire de la parole évangélique sociale protestante à la fin du 19ème et au début du 20ème siècle, illustre cette thèse. Les similitudes sont frappantes en ce que les paroles évangéliques sociales dans les deux pays ont atteint leur apogée presqu'en même temps, subit des tensions et des crises semblables, offert de nouvellles perspectives et libéré des forces qui influencent aujourd'hui encore les modèles de vie et de pensée religieuse. Au Canada toutefois, l'évangile sociale eut une influence plus étendue et plus profonde sur le spectre confessionnel qu'aux États-Unis, à cause, en partie du moins, de la présentation des modèles du "christianisme volontaire". L'histoire de l'oecuménisme offre une seconde illustration. En effet au tournant du siècle, le mouvement religieux pour l'unité chrétienne était très fort dans les deux pays. Mais chez les protestants en Amérique, l'accent était mis principalement sur la coopération et la fédération, alors qu'au Canada on aboutissait à un large mouvement distinct pour l'unité de l'Église. Cela peut être interprété, entre autre, comme un effort pour développer une "Église nationale", en continuité avec les idées précédentes sur la chrétienté.

Various scholars have ventured to compare the church histories of Canada and the United States. They have been aware of both the similarities and differences of the two stories, but the usual approach has been to stress the similarities and their importance first, and then to treat the differences. The latter, therefore, both the obvious and the subtle differences, have been characteristically treated in the context of the more emphasized similarities. Some forty years ago, for example, in his magisterial, multi-volume *A History of the Expansion of Christianity*, Kenneth Scott Latourette prefaced a discussion of contrasts in this way:

> *In many ways the spread of Christianity in British North America paralleled that in the United States. Both were played*

> *upon by many of the same forces. In both there was the problem of the advancing frontier. In both the flood of immigration from the Old World was a challenge. Both had the Indian. Both experienced great changes due to the machine and the accompanying urbanization.*[1]

In a similar vein, a recent sociological study of certain aspects of Canadian and American religious life prefaces contemporary comparative analysis with an historical observation: "Canada and the United States house a similar range of religious traditions and denominations. This is not surprising given the overlap in sources of colonial settlement and immigration in the 19th and early 20th centuries."[2] This general approach is useful and congenial, and provided a framework for my own essay comparing Protestant patterns in the two nations. It calls attention to the many and significant similarities, then sets out ten points of contrast, but concludes that the differences should not be allowed to obscure the strong similarities between the religious experiences of the two countries.[3]

In various articles and books, John Webster Grant has made many perceptive comparative comments on the religious histories of these two North American lands. For instance, in the concluding, summary chapter of *The Church in the Canadian Era*, he calls attention to the importance of "The Presupposition of Christendom" for understanding Canadian church history, but notes how differently that theme operated in the United States. In the one country there was "the virtual lack of any suggestion that the task of the churches in Canada might be to institute a new Christian society that would be an alternative to older ones," while in the other "the recurrent theme of a new Christendom" led "to almost endless experimentation."[4] The concept of Christendom with its long history operated powerfully in both countries, but in quite different ways. This suggests that things which on the surface may appear to be very similar - in this case that the Christian traditions in both nations were deeply influenced by the patterns of Christendom - in fact might better be classed among the differences. Other assumed parallels and contrasts may also be ambivalent, but this paper will focus on what I have elsewhere called "the long spell of Christendom."[5]

The familiar patterns of the legal establishment of religion that had marked European Christendom for more than a millennium were reflected in the colonial periods of what later became two independent nations, notably in Catholic New France, in much of Puritan New England, and less rigorously in the Anglican southern colonies. Conditions in both lands, relating primarily to their growing religious pluriformity and the spreading patterns of religious toleration and freedom, put an end to formal establishment. In Québec that happened officially with the British conquest. With the secularization of the clergy reserves in 1854 the old patterns were rejected all across Canada. In New England the last remnants of the patterns of establishment had been finally voted out in 1833.

As has been often pointed out, however, the repudiation of state churches and the achievement of religious freedom did not mean the end of the idea of Christendom but rather its recasting into other forms. There was much in the old systems that still had strong appeal for many people. The historian Richard Hofstadter puzzled long as to why this could have been, and in his last book, *America at 1750,* concluded that an establishment in a healthy condition:

> *...commands the ready and willing allegiance of the majority of the population, for whom it is the inherited, the normal church; the agencies of education, charity, and welfare are in its hands; its local churches stand at the center of community life, and in the rhythms of daily existence it supplies the beat and tolls the bells. It is the core of the whole national system of values, spiritual, intellectual, and political, and it provides them with their distinctive texture.*[6]

In one of his chacterizations of the supporters of establishment, Grant adds an important point: "To them church and state were alike sacred, alike Christian, and their interaction betokened not the interference of one with the other but the harmonious operation of a single enterprise."[7] Old habits die hard; certain of the values of the old system continued to appeal to many in both lands even in the new day of religious pluriformity and freedom. By using voluntary techniques of persuasion in revivals, missions, education, the press, and the crusade they hoped to gain through consent what was no longer possible by coercion. So towards the middle of the nineteenth century the American pastor-theologian Horace Bushnell could exclaim"... we will not cease, till a christian nation throws up its temples of worship on every hill and plain; till knowledge, virtue and religion, blending their dignity and their healthful power, have filled our great country with a manly and happy race of people, and the bands of a complete christian commonwealth are seen to span the continent."[8] At about the same time Bela Bates Edwards, influential as an editor and seminary professor, wrote:

> *Perfect religious liberty does not imply that government of the country is not a Christian government.... There is convincing*

> *evidence to show that this real though indirect connection between the State and Christianity is every year acquiring additional strength, is attended with less and less of exception and remonstrance.*[9]

That is, the acceptance of new realities went only so far, and could not hide the familiar rhetoric of Christendom, or erase all of the old longings. In Canada, the realities of ethnic and religious diversity defeated Bishop John Strachan's hopes for old-style establishment, but, as Grant has reminded us, "...even Strachan's most resolute opponents, of whom Egerton Ryerson is best remembered, were sufficiently under the spell of the old concept of a unified society to find it difficult to resist when there was a possibility of state aid to Indian missions or to denominational projects of education."[10] Overtones of what can be styled voluntary rather than establishment Christendom could be heard in the Canada of that time, not only in talk about "His Dominion," as Keith Clifford has explained,[11] but even in national politics. In discussing the man who later became Canada's first liberal premier, Alexander Mackenzie (1873-78), Robert Kelley explains his commitment to

> *...a mission which he saw the British and the Canadians carrying forward jointly with the Americans, all being branches of the Anglo-Saxon race. They were a chosen people, he said in 1859 in a carefully prepared address on Anglo-Saxonism, sharing the great mission of spreading Christian civilization through their unique powers of self-governance, and their industrial power.*[12]

Thus the old vision of Christendom, restated in the idiom of persuasion, provided guidance for thought and action among many American and Canadian Christians long after legal establishment had ended. But though the rhetoric of voluntary Christendom sounded similar on both sides of the long border, it operated in quite a different way in the two contexts - and that invites a closer look.

On the American scene, the decisive shift from establishment to voluntary Christendom took place in the revolutionary climate of the late eighteenth century. Some observers then and many historians ever since have argued about the true nature of the War of Independence and its relationship to the revolutionary spirit of that time and place. For example, at the time that ubiquitous physician, Benjamin Rush, exclaimed:

> *The American War is over; but this far from being the case with the "American revolution." On the contrary, nothing but the first act of the great drama is closed.*[13]

And in our time historian Jack P. Greene writes,

> *If, then, as most recent writers have indicated, the Revolution was at its center a fundamentally conservative movement concerned primarily with the preservation of American liberty and property, it also had some distinctly radical features, as the works of* [*Bernard*] *Bailyn and* [*Gordon S.*] *Wood make clear. Its radicalism was to be found, however, less in the relatively modest social and political changes that accompanied it than in the power of its ideas.*[14]

Those ideas included emphases on such things as innovation, experimentation, the philosophy of the Enlightenment, the levelling of authority, and freedom in matters of religion. The first American Roman Catholic bishop, John Carroll, noted the impact of the revolutionary spirit on church life when he exclaimed that "In the United States our religious system has undergone a revolution, if possible, more extraordinary than our political one."[15] Though in the nineteenth century the emergence of theories of radical individualism and classical liberal political economy were to modify sharply the revolutionary stance, the spirit of innovation and experimentalism persisted, perhaps especially in religion, where the First Amendment to the Constitution prohibited a national establishment of religion but guaranteed its free exercise. As Grant has reminded us, and Sidney E. Mead has elaborated in various writings, "the foundations of a theoretical pluralism, based on an agreed concept of the nature and purpose of society, were laid in the United States in the rationalist eighteenth century."[16]

Canada, of course, resisted both the War for Independence and the revolutionary spirit; Loyalist refugees from the States, for example, had paid a heavy price for their convictions and had no intention of changing course. The Canadian reaction to violent disturbances was deepened by the events of the French Revolution and its outcome. Most Canadians, English and French, Protestant and Catholic, identified largely with Great Britain in its long struggle with revolutionary France. French *émigrés* priests who settled in parishes in Lower Canada had few illusions about the impact of the French Revolution on the Catholic Church.

More generally, not only the outcomes but the foundations of that revolutionary struggle were repudiated. "Perhaps even more significant in creating a basis for a common Canadianism," H.H. Walsh once wrote, "was a third rejection, that of the Enlightenment. The closest either of the Canadas came to the Enlightenment, which has played such a prominent role in shaping reform movements in the rest of the new world, was during the rebellious era of the 1830's."[17] For the most part, however, in the British North American provinces through the nineteenth century and into the twentieth, there was a respect for the older European traditions, and efforts to combine traditional and indigenous influences have been more characteristic of Canadian church history than the yearning for fresh starts that has been a conspicuous part of the American. Goldwin French has observed that "in this light the destiny of Canada was not to figure as a great experiment, cut off from the history of its peoples, but to prolong and blend its traditions in a new context."[18] This suggests that the patterns of voluntary Christendom were even more congenial to the Canadian than to the American scene, for the style of religious freedom that developed in the northern land was not a major obstacle to the persistence of the Christendom idea. As S.D. Clark, contrasting the state/church patterns of the two nations once put it, "the close alliance between the state and the church in Canada has preserved more fully the influence of religion within an established ecclesiastical system."[19] There is considerable evidence to suggest that the patterns of voluntary Christendom were more fully expressed in Canadian than in American life.

These patterns continued into the early twentieth century, as can be illustrated by reference to the history of the social gospel in Protestantism. On the one hand, the social gospel was a seminal movement that marked a major shift in the religious perception of cultural reality. It was a controversial development which played a major role in breaking the hold of a highly individualistic social and economic philosophy over Christian consciousness in both countries. It alerted many church persons to new responsibilities in industrial and urban society; in retrospect it can be seen as a stage in modernization and secularization. On the other hand, many of social and economic philosophy its early leaders were deeply committed to the familiar concepts of voluntary Christendom even as they worked towards a new social order. One of the influential pioneers of the new social Christianity was William Jewett Tucker, president of Dartmouth College, who insisted its principles and applications were intended to revivify and rescue Christian civilization. He declared that "Here lies the ready task of the new Christianity, to set Christendom in order - its cities, its industries, its society, its literature, its law."[20] Many of the motifs of Christendom were displayed in the writings of the man often spoken of as the father of the social gospel, Washington Gladden, who wrote many sentences such as the following:

> *Every department of human life - the families, the schools, amusements, art, business, politics, industry, national politics, international relations - will be governed by the Christian law and controlled by Christ-influences... The complete Christianization of all life is what we pray and work for, when we work and pray for the coming of the kingdom of heaven.*[21]

The social gospel's leading North American prophet, Walter Rauschenbusch, realized there was a problem in the continued use of the language of Christianization in a pluralizing culture, especially, as he put it in his most programmatic book, *Christianizing the Social Order*, for "an increasing portion of our Jewish fellow-citizens." But he sought to win the consent of all such persons that "... in Jesus our race has reached one of its highest points, if not crowning summit so far, so that Jesus Christ is a prophecy of the future glory of humanity, the type of Man as he is to be." Hence for him Christianizing meant humanizing in the highest sense, but, he concluded, "to say we want to moralize the social order would be both vague and powerless to most men. To say that we want to christianize it is both concrete and compelling."[22] So he persisted in using the familiar concepts and idioms of Christendom.

The impact of the American social gospel in Canada was very great. Grant has put the matter in a characteristically well-balanced way:

> *Protestant social concern represented in the main an overflow of the "social gospel" that had come to maturity in the United States about 1895, although there was a constant fertilization of British ideas as well. Social radicalism gained a foothold during the depression years of the early 1890's, but it was stimulated even more by Canada's later crisis of growth. Canadians continued to respond to developments elsewhere, and such American books as Walter Rauschenbusch's "Christianity and the Social Crisis" (1907) and "The Social Creed of the Churches" issued by the Federal Council of Churches (1908) were equally influential on both sides of the border.*[23]

The social gospel in both countries reached its peak of influence in the churches at about the same time, just prior to World War I. In both, the movement encountered inner divisions, crises, and decline following the war, but released energies that still influence patterns of religious life and thought.

In the context of our present discussion of the persistence of the patterns of voluntary Christendom, however, one more point of comparison related to social gospel history deserves emphasis. On the basis of his extensive researches in the history of the Canadian social gospel, Richard Allen has declared that "no major Protestant denomination in the nation escaped the impact of the social gospel, and few did not contribute some major figure to the movement."[24] The American social gospel's range of influence across the wider denominational spectrum was more limited, largely because the southern branches of the Methodist, Baptist, and Presbyterian traditions were more resistant to the social emphasis than the northern ones. Also, the political implications of social Christianity were much less direct in the United States than in Canada, in part at least because of the differences in church/state patterns. The social gospel in America did contribute in certain ways to the popularity of Progressivism in the first two decades of the present century, and had some effect in preparing the way for Franklin D. Roosevelt's New Deal during the great depression. In Canada, one can trace the political effect of the social gospel more directly. Allen can say of the 1921 election that "the Progressive triumph was, among other things, then, a triumph of the social gospel."[25] In the years that followed, such persons as J. S. Woodsworth and Thomas C. Douglas who had close connections with social Christianity played important political roles in Canadian life. The political significance of the social gospel seems to relate in some measure to its successes in influencing radical, rural, and farm labour movements in the prairie provinces, while in the United States the social gospel focused more directly upon the problems of the industrial city, particularly on the relationship of capital and labour.

Another illustration of the thesis that the patterns of voluntary Christendom were more fully expressed in Canadian than in American life can be found in the history of ecumenical Christianity among Protestants. Back in the Medieval, Reformation, and early modern periods of Christendom, established churches customarily were cast in territorial or national form, as illustrated, for example, by the Church of England and the Church of Sweden. When the transitions to voluntary Christendom came, hopes that some form of church broad enough to be called "national" might be reached by voluntary unions persisted. An American Episcopalian, William R. Huntington, published a book in 1898 entitled *A National Church.* Though written with the American context in mind, the book never caught on in the United States. The denominational spectrum was very wide, in part because a number of the larger churches had suffered schisms in the nineteenth century, primarily over slavery, and remained sectionally divided at that time. The possibility of an effective voluntary national church was slight. Given this situation, the approach to some larger unity through the cooperation of autonomous churches and with their denominational sovereignty carefully protected was widely favored over church union. Talk of an organic national church seemed unrealistic; federation seemed to be the better first step. After careful preparation, in 1908, thirty-three American denominations formed the Federal Council of the Churches of Christ in America.

In Canada, however, the situation was different. Though denominational competition was certainly a reality in the United States, in the land to the north with a greater area but a much smaller population, tiny congregations of various denominations were often in direct competition with each other for their very survival. Lacking the exaggerated experimentalism and search for novelty that had marked the American scene, the patterns of voluntary Christendom were relatively more viable. Many church people became convinced that church union was a better way to deal with the problem than denominational cooperation or federation. Consequently by 1908, when the FCCCA came into being, a Basis of Union that seriously engaged the Methodist, Presbyterian, and Congregational churches was ready for discussion and action. It was on the Canadian scene, therefore, that Huntington's book became relevant. So in Canada, as John Webster Grant has written, "the phrase *national church* was a spectacular success." It was actually cited in the preamble to the Basis, which declared that "it shall be the policy of the United Church to foster the spirit of unity in the hope that this sentiment of unity may in due time, as far as Canada is concerned, take shape in a Church which may be fittingly described as national."[26] Well known is the story of the way the high expectations of that period were dimmed as sharp differences of opinion emerged among Presbyterians, followed by a very painful struggle. Nevertheless, despite the Presbyterian division, the union of 1925 was a major event in the history of Christian unity. In 1972, Grant declared that, in almost every case,

> *unions between comparable groups have been achieved in Canada earlier than in any other Western nation, and the union that brought The United Church of Canada into being almost fifty years ago has not been duplicated in Britain, the United States or any other British dominion. This apparently inexorable trend has clearly been a major motif in Canadian church history, although its effects thus far have largely been limited to the middle range of the ecclesiastical spectrum.*[27]

One of the reasons for this achievement, I believe, was the persistence by the opening of the twentieth century of the patterns of voluntary

Christendom on the Canadian scene in a fuller way than was possible in the United States. So though the ecumenical histories of both lands illustrate the continuing reality of the motif of Christendom, when one digs deeper one can discern some rather important differences.

The comparative study of the church histories of Canada and the United States has been fruitful for the fuller understanding of the life and thought of Christianity in the two lands; many similarities and differences have been illumined. There is, I believe, more to be done in probing beneath the surface; for what may appear at cursory examination to be similar may hide important differences. I have attempted to provide examples that illustrate this reality. At the same time, what may at first glance seem to be quite different, may upon closer analysis actually disclose important similarities. All of this invites further research, analysis, and comparison.

Robert T. Handy
Union Theological Seminary and
Columbia University
New York City

Notes

1. Kenneth Scott Latourette, *A History of the Expansion of Christianity*, V, *The Great Century in the Americas, Australasia, and Africa: A.D. 1800-A.D. 1914* (New York: Harper & Bros., 1943), p. 4.
2. John H. Simpson & Henry G. MacLeod, "The Politics of Morality in Canada, "*New Religious Movements: Genesis, Exodus, and Numbers* ed. Rodney Stark (New York: Paragon House, in press).
3. Robert T. Handy, "Protestant Patterns in Canada and the United States: Similarities and Differences," *In the Great Tradition: In honor of Winthrop S. Hudson, Essays on Pluralism, Voluntarism, and Revivalism*, eds. Joseph D. Ban & Paul R. Dekar (Valley Forge: Judson Press, 1982), pp. 33-51.
4. *A History of the Christian Church in Canada*, III, John Webster Grant, *The Church in the Canadian Era: The First Century of Confederation* (Toronto: McGraw-Hill Ryerson Ltd., 1972), p. 214.
5. Robert T. Handy, "The Long Spell of Christendom," *Soundings: An Interdisciplinary Journal*, LX (1977), pp. 123-134.
6. Richard Hofstadter, *America at 1750: A Social Portrait* (New York: Vintage Books, 1973), p. 205.
7. John Webster Grant, "Religion and the Quest for a National Identity: The Background in Canadian History," *Religion and Culture in Canada/ Religion et Culture au Canada*, ed. Peter Slater (Corporation Canadienne des Sciences Religieuses/Canadian Corporation for Studies in Religion, 1977), p. 10.
8. Horace Bushnell, *Barbarism the First Danger: A Discourse for Home Missions* (New

York: American Home Missionary Society, 1847), p. 32. For a discussion of this theme, see chap. 2, "A Complete Christian Commonwealth," Robert T. Handy, *A Christian America: Protestant Hopes and Historical Realities*, 2d. ed. (New York: Oxford University Press, 1984), pp. 24-56.

9. Bela Bates Edwards, *Writings of Professor B. B. Edwards, with a Memoir by Edwards A. Park*, 2 vols. (Boston: John P. Jewett & Co., 1853), I: 490.
10. Grant, "National Identity: The Background," p. 12.
11. Keith Clifford, "His Dominion: A Vision in Crisis," *Studies in Religion/Sciences Religieuses*, II (1972-73), pp. 315-326.
12. Robert Kelley, *The Transatlantic Persuasion: The Liberal-Democratic Mind in the Age of Gladstone* (New York: Alfred A. Knopf, Inc., 1969), p. 392.
13. As quoted by Hannah Arendt, *On Revolution* (New York: Viking Press, 1963), p. 300.
14. Jack P. Greene, "Religion, Confederation, and Constitution, 1763-1787," *The Reinterpretation of American History and Culture*, eds. William H. Cartwright & Richard L. Watson, Jr. (Washington: National Council for the Social Studies, 1973), p. 281.
15. As quoted by Theodore Maynard, *The Story of American Catholicism* (New York: Macmillan Co., 1941), p. vii.
16. Grant, "'At least you knew where you stood with them': reflections on religious pluralism in Canada and the United States," *Studies in Religion/Sciences Religieuses* II (1972-73) p. 345. See Sidney E. Mead. *The Lively Experiment: The Shaping of Christianity in America* (New York: Harper & Row, and 1963), and *The Nation with the Soul of a Church* (New York: Harper & Row, 1975).
17. H. H. Walsh, "A Canadian Christian Tradition," *The Churches and the Canadian Experience*, ed. John Webster Grant (Toronto: Ryerson Press, 1963), p. 146.
18. Goldwin French, "The Evangelical Creed in Canada," *The Shield of Achilles: Aspects of Canada in the Victorian Age*, ed. W.L. Morton (Toronto: McClelland & Steward Ltd., 1968), p. 29.
19. S.D. Clark, *The Developing Canadian Community* 2nd ed. (Toronto: University of Toronto Press, 1968), p. 118.
20. William Jewett Tucker, "The Church of the Future," in Lyman Abbott, et al, *The New Puritanism* (New York: Fords, Howard, and Hulbert, 1898), p. 235.
21. Washington Gladden, *The Church and the Kingdom* (New York: Fleming H. Revell Co., 1894), p. 8.
22. Walter Rauschenbusch, *Christianizing the Social Order* (New York: Macmillan Co., 1912), p. 125.
23. Grant, *The Church in the Canadian Era*, p. 101.
24. Richard Allen, *The Social Passion: Religion and Social Reform in Canada, 1914-1918* (Toronto: University of Toronto Press, 1971), p. 15.
25. Ibid., p. 218.
26. John Webster Grant, *The Canadian Experience of Church Union* (London: Lutterworth Press, 1967), p. 30.
27. Grant, *The Church in the Canadian Era*, p. 211. Since that paragraph was written, the United Church of Australia has come into being, also uniting Congregationalists, Methodists, and Presbyterians.

JOHN S. MOIR

A Vision Shared? *The Catholic Register* and Canadian Identity before World War I

Au cours des décennies précédant la Première Guerre mondiale, le fond du débat sur la dichotomie canadienne s'est déplacé de la question de la religion vers la question de la langue. Toutefois le journal The Catholic Register *se préoccupait avant tout de l'unité catholique, quelles qu'aient été les provocations des francophones, leur vision d'un Dominion sous la houlette du Tout-Puissant et la langue que l'on devait y parler. Il est étonnant que* The Catholic Register *ait également si peu parlé des conflits qui ont régulièrement eu lieu entre les catholiques irlandais et français au sujet de l'Université d'Ottawa, des écoles de la Saskatchewan et de l'Alberta, de l'enseignement du français en Ontario, de la nomination d'évêques dans l'Ouest, des buts et méthodes de la* Catholic Church Extension Society *et, à vrai dire, du rôle du français dans l'avenir du Canada.*

La fidélité du peuple canadien à des convictions différentes est depuis toujours au coeur de l'histoire canadienne. Pourtant, l'historien qui fouille The Catholic Register *à la recherche de vibrantes déclarations de patriotisme canadien, de représentations teintées de pourpre cardinalice du destin du Canada ou de déclarations philosophiques sur la nationalité canadienne sera bien déçu. Aussi incroyable que cela puisse paraître, en raison des conflits linguistiques qui existaient au sein du corps catholique canadien,* The Register *a réussi au cours de ces années à s'élever au-dessus de ces disputes au nom de l'unité catholique. Les catholiques irlandais canadiens se sont mis à appuyer davantage le point de vue de leurs voisins anglophones protestants. Toutefois,* The Register *a aspiré, malgré l'adversité et les provocations, à une fidélité encore bien plus haute.*

Perhaps it was with the inspired voice of prophecy that Thomas D'Arcy McGee, Irish nationalist turned Canadian patriot, pronounced during the famous Confederation debates of 1865, "Origin and language are barriers stronger to divide men in this world than religion is to unite them."[1] Certainly in the half-century between Confederation and World War I linguistic divisions quietly, and later openly, replaced religion as the basic internal tension in Canadian life. The European ideal of the confessionally and politically unified nation has been successively voided for the Roman Catholic Church by the Conquest and the Loyalists, and for the Church of England by the secularization of higher education and the clergy reserves. To replace the European state-church and church-state model the new Confederation gradually evolved two competing visions of Canada as His Dominion. French-Canadian *nationalistes* and *ultramontains* joined forces in an effort to entrench the French-Canadian position in the new nation and in its vast western hinterland, while Protestants transcended confessional allegiances in their consensus that Canada's mission was to become a righteous nation under God, sober, honest, devout, frugal, industrious and if possible Protestant, but at least English-speaking. Both the French Catholic and English Protestant millennialist visions of His Dominion of Canada have already been extensively analyzed by historians[2] - the purpose here is to examine how the *Catholic Register* as the voice of English-speaking Roman Catholics reacted to this substitution of language for religion as the source of the Canadian dichotomy. Specifically, did *The Register* reflect, or even foster, that dichotomy, or could it manage to maintain a fused identity - Catholic but not French, English but not Protestant?

The Catholic Register, founded in 1893 and edited by the Basilians, was the voice of Irish Catholicism in Ontario and eastern Québec. It was perhaps more Irish than Catholic in its news coverage - Home Rule seemed to fill as many columns as religion - and it can be assumed that as far as church news was concerned the contents were approved if not actually vetted by the archbishop's offices in Toronto. A marked change in content and thrust of *The Register* began about 1900 when actual direction of the paper changed hands. Coverage of foreign developments, including Irish, became secondary to news of the Catholic church in English-speaking Canada, including accounts of major events in the Scottish church of the Maritimes. *The Catholic Register* seemed anxious to achieve the status of a national newspaper for its own English-speaking constituency, and particularly for Ontario and the West. Some half-dozen other English-language newspapers served the anglophone Catholic community in Canada during the late Victorian-Edwardian period, but non except *The Register* approached national news coverage. The other papers were explicitly regional efforts and, while distribution of *The Catholic Register* may not have been quantitatively significant outside of Ontario, at least it aimed at being more than local in its news reporting.

A second change in direction and policy for *The Register* came in 1908 when Archbishop McEvay purchased the paper so that it could be the organ of his newly founded Catholic Church Extension Society.[3] That Society's function was to promote home mission work - forming and housing congregations in the West - and Father Alfred Edmund Burke was appointed president of the Society and editor of the renamed *Catholic Register and Canadian Extension*. This latest change in ownership and editorial direction meant for *The Register* the inclusion in its pages of much western news, but the change also coincided with and exemplified in itself a greater articulation and institutionalization of anglophone Catholic self-awareness in Canada that involved disagreements between the French and English wings of the church.

At the turn of the century *The Register* frequently expressed and promoted the ideal of a tolerant multicultural but isolationist Canadianism. Noting the great mix of Canadian origins, the editor asked, "When will our people of all nationalities and creeds recognize the importance, nay, the necessity of forbearance and fair consideration towards all classes of the community?"[4] "All nations may enter - The work they bring will solidify even if it does not unify." "The door of Canadian greatness is still ajar - Canada is rapidly becoming a land of Canadians." The less we have to do with the old country ties the sooner shall we grow into a full-fledged nation - a nation of Canadians who love Canada as their own."[5] Canadian patriotism, *The Register* admitted, was limited by immigrants for whom Canada was not home and for French Canadians who could not identify with Britain. "The sooner the plain fact that Canada is not England is recognized by the people of the Dominion, the better for the Dominion."[6]

The Register's Canadianism was further delineated in response to Canada's involvement in the Boer War. That involvement, it believed, had "the tendency...to impair distinctly Canadian ideals."[7] *The Register* rejected the claim of one Protestant clergyman that to achieve the Canadian vision, that "full and true and noble work of God," the nation must first be "baptized and consecrated in blood."[8] "Flapdoodle" was the editor's characterization of the nationalistic doctrine that war ennobles, and by the end of the War *The Register* was fully in support of Laurier's principle of non-involvement in imperial defence - Canada's only responsibility was to defend itself.[9]

The editor's assumptions regarding the nature of Canadian unity, however, displayed occasional vagaries. Responding to the current enthusiasm for imperial unity he displayed for once a particular racial bias. "This *Anglo-Saxon* and *Imperial Union* twaddle is growing slightly tiresome. Canada... is a Celtic country," because the Scots and Irish made English-speaking Canada.[10] According to *The Register* no denomination was as anxious to promote a "broad Canadian spirit" as anglophone Catholics,[11] although a proposal by the I.O.D.E. that patriotism be taught in the schools for a half-hour each week occasioned an editorial attack on trendy feminism. "Canada is being overrun by female faddists, who form associations around this or that or other idea, anything likely to catch on with the crowd; and then ask someone else to do the work while they walk off with the cheap popularity."[12]

In the early years of the new century *The Register* was always quick to protect French Canadians from Protestantizing missions and to denounce "the weak attempts of a few degenerates to keep alive the appearances of fancied antagonism between Irish and French Catholics,"[13] yet it gave extensive coverage to the demands for more English Catholic schools in Montréal and to Father J.E. Donnelly's condemnation of dual language schools which failed to educate the children soundly in either language. Father Donnelly insisted he was not anti-French but claimed that any child who could master both French and English in a dual school was "a prodigy."[14]

Early in 1905, the schools issue took a new twist in a new venue. *The Register* called for separate schools in the new provinces of Alberta and Saskatchewan.[15] No mention was made of the question of language of instruction and the whole editorial page was devoted to the topic. As the schools controversy dragged through the complexity of legal niceties, political manoeuvring inside and outside parliament, and religio-cultural confrontation, it was obvious that differences existed between the French and English Catholic views of the destiny of the Canadian West. Although all the western bishops were French-speaking, French-born Émile Légal, bishop of St. Albert, took up the anglophones' opposition to educational dualism, emphasizing the need for quality schooling in opposition to the demand for French schools made by French-Canadian bishops in the West and in Québec.[16] Légal accepted the compromise settlement as the best politically available, but Archbishop Langevin still wanted amendments, and nursed his resentment against Légal as a *vendu* who had sold out to another vision of Canada.[17]

The price of peace over schools in the new provinces had been episcopal disunity. *The Register* had tried to avoid involvement in the controversy but was finally goaded into responding to the charge by *La Verité* of Québec that Protestants were more tolerant than Irish Catholics when it came to the preservation of the French language. *The Register* rejected *La Verité*'s dictum - learn English and lose your faith - as a weak argument that language was the guardian of true religion. Since Irishmen everywhere were the most law-abiding, most loyal, most patriotic and most faithful of citizens, *La Verité*'s remarks were "untimely and uncalled for".[18]

Silence descended on the columns of *The Register* on the language issue until the autumn of 1906 when the appearance of a pamphlet entitled *A Searchlight Showing the Need of a University for English-speaking Catholics of Canada* brought the University of Ottawa language question into public view. *The Register* was adamant - the University of Ottawa had been founded for the English, Laval University for the French. It was obvious to the editor, and hence to all Irish Catholics, that there was a need for Catholic higher education in English, and the University of Ottawa had not met that need under French management. Perhaps the pamphleteers were right, said the editor - the University's inadequacy was due to Ontario-Québec "frictions".[19]

The appearance in August 1908 of a letter, dated June 1905 and addressed to Cardinal Merry del Val by the Irish Catholics of Ottawa, added considerable fuel to the long-smouldering embers of linguistic antagonism. The letter pointed to the absence of English bishops in the West despite the fact that recent immigration had made francophones a minority there. English or Irish (the adjectives were synonymous, at least in French ears) bishops, the author claimed, could win more converts to Catholicism than francophone bishops. The lack of an anglophone bishop was the probable cause of the Manitoba schools difficulties. French Canadians were not necessarily inferior but they were handicapped by clerical direction of school curriculum. French Canadians in Ottawa, their Irish fellow citizens asserted, had higher crime rates, and all French Canadian social problems arose from a racial bent towards alcoholism and a lack of athleticism.

The litany of complaints continued. Montréal's francophone bishops spent Irish school taxes on wrong priorities. Irish Catholics gave per capita three times as much to the church as French Canadians did. All these complaints were of long standing, and the obvious solution would be the appointment of an English bishop in Québec. The belated French reply to this Irish grievance report ran to forty-seven pages, plus a forty-five page appendix that included the English text of the 1905 letter, attributed by the respondents to Richard Scott. In sum the French insisted that one could get to heaven speaking French - "Dans ce cas,...comment expliquez-vous le zèle que vous mettez à nous ôter notre langue maternelle pour y substituer l'anglais?"[20]

The fuel may have been heaped on the fire in public, but *The Catholic Register* refused to fan any flames. Another frustrating silence had descended - or been imposed - on *The Register*. In the autumn of that year Archbishop McEvay acquired *The Catholic Register* as the organ of his newly-formed Catholic Church Extension Society, with Father Burke, president of the Society, as the new editor. The motto chosen for the Society read, *Convert the World to God in the Twentieth Century*, a strikingly close paraphrase of the all-Protestant Student Volunteer Movement's declared aim, to "evangelize the world in this generation."

McEvay's purchase of *The Register* marked a further shift towards the development of a distinctive English Catholic position, not least because the CCES was generally viewed by French Canadians as the instrument of English Catholic expansionism and imperialism. *The Register* did not, however, court controversy with French Canadians, and one suspects it frequently preferred to ignore sniping and challenges from the French party, even if the effort hurt Irish pride. Archbishop McEvay repeatedly insisted that the great work was to spread that faith which knows all languages, but it is difficult to reconcile his public protestations with his appointment of Burke as editor of the new *Register*. A native of P.E.I., Burke had received his B.D. and later a D.D. from Laval University. In addition to church duties in his home province he had been active as a director in a bewildering array of agricultural associations - Pommological, Beekeepers, Stock Breeders, Poultry, Seed, Fruit Growers, and Forestry, and had travelled throughout Canada. His other interests included immigration policy, tunneling the Straits of

Northumberland, and temperance (he joined the Dominion Alliance in Prince Edward Island). Burke, however, was also an outspoken imperialist, Irish-Canadian nationalist, and undisguisedly anti-French.

Elected president of the CCES in 1908, Burke's near-simultaneous elevation to the editorial chair of *The Register* could be interpreted as a symptom of English-French tensions and was soon a cause of further tensions. Strangely, those tensions are to be found in the behind-the-scenes story of the CCES but are hardly evident in the pages of *The Register*, thanks probably more to firm episcopal control rather than to self-control on the part of the editor. Tension between Irish and French surrounding the CCES continued to mount,[21] but the columns of *The Register* contain no direct evidence and few hints of the difficulties now splitting even episcopal ranks. Late in the summer of 1909 *The Register* denounced the Toronto *News* for trying to sow discord between the two groups by reprinting criticisms of Archbishop Bruchesi for his disciplining of a Québec newspaper.[22]

The meeting of the founding congress of L'Association catholique de l'Enseignement bilingue de l'Ontario in Ottawa at the beginning of 1910 just weeks after the appointment of Michael Fallon to be bishop of London was the turning point in English-French relations.[23] After the defeat of bilingual education in the West in 1905 Ontario's francophones had begun to organize in self-defence, and the militancy surrounding this congress prompted *The Register* to restate its position on the education question. The paper had no objection to French schools but it was strongly opposed to bilingual schools which, if conceded, could then be claimed as a right by any and all minorities. "English-speaking parents do not wish their children to be handicapped in their course by the imposition of another language,"[24] and the work of francophone agitators was defeating all the good efforts of the bishops. The editor would have been more accurate if he had said all the good efforts of the anglophone bishops.

For the rest of the year *The Register* itself sowed no discord, avoiding all comment on the problems between Bishop Fallon of London and the French schools in his diocese until at the end of September 1910, when the editor admitted the existence of the dispute which he regretted "exceedingly," and published Fallon's personal refutation of the charge that he was guilty of racial discrimination.[25] A month later *The Register* again quoted Fallon in defence of his vision of Canada. In his opinion bilingual schools were "absolutely futile" and "utterly hostile to the best interests of the children of both English and French" as the schools were then operated in some parts of Ontario. Again Fallon denied any hostility towards French Canadians, but his Canada would be a Canada of two solitudes.[26] For French-Canadian *nationalistes*, as Susan Mann Trofimenkoff has remarked, "The villain was supposed to be clad as an Orangeman; instead, in his first appearance, he wore the cassock of a priest."[27]

Late in that summer of 1910 Archbishop Francis Bourne of Westminster had made his famous speech to the Eucharistic Congress in Montréal. Bourne announced that French was no longer the dominant language in Canada - the West was now English and non-English immigrants wanted their children to learn that language. In the archbishop's judgement English was destined to be the language of Canadian Catholicism, and he asked for prayers that the English language "be brought by God to be a mighty force for the support and spread of religious unity and truth." English culture, he concluded, must be brought into the service of the church alongside French culture in Canada. It is doubtful in retrospect if this final admonition by the archbishop was heard by all his audience. *The Register* published Bourne's address without editorial comment, but a month later when Bourne toured the West and spoke in both French and English, *The Register* broke its silence to add, "it is plain that English will be the language of the West,...."[28] Perhaps the enemy also appeared clad in cope and mitre.

The language question would not go away, however much *The Register* tried to ignore it. By 1911 the question of the linguistic future of Ottawa University was again being bruited. A new rector of the University was needed and *The Register* strongly supported the appointment of an anglophone. "Owing to the existing conditions at the University, the appointment of a man to the rectorship who is of French extraction or of French sympathies would be strongly opposed by the English Catholics of Ottawa, who wish the University to be an English institution, in reality as well as name." Quoting an anonymous source, the editor added, "the racial issue must be settled at once if the college desires to receive any support from former students or from the English speaking [*sic*] Catholics of Ontario."[29]

Again the issue was suppressed for a year in the pages of *The Register*, but in September of 1912 the editor's comment that the division among Ontario Catholics would cause suffering certainly assumed that his readers were all too well aware of the conflicts not reported but commonly known to exist. In a burst of nationalistic enthusiam that would have both delighted and confused any Orangeman, the editor concluded with a ringing declaration of his pride in Canada's flag. "Love it and guard it carefully. It is a Catholic flag. The Union Jack forever!"[30]

The creation of the CCES had certainly marked the institutionalization of anglophone Catholic belief in the vision of an English-dominated Canada, and however often McEvay or Burke might downplay the language issue in favour of Catholic unity, francophone

Catholics in Québec and the West harboured suspicions that the Society was a covert instrument of English expansionism. Anglophone Catholic self-awareness was also evident in the building of St. Augustine's, the first seminary for English-speaking students in Central Canada, and in the establishing of an English-speaking Jesuit novitiate at Guelph, "to meet the Demands of the Day."[31] In the case of the contentious appointments of Charles Hugh Gauthier (French in name but English in allegiance) as bishop of Ottawa, and of John T. McNally as first bishop of Calgary, *The Register* reported the events factually without any reference to the serious controversies surrounding the preference shown for anglophone bishops.[32]

With the passing months *The Register* had come under attack from French Catholic journals more frequently, and its rule of silence was occasionally broken by sharp retorts. When *L'Action sociale* commented adversely (and not for the first time) on an editorial in *The Register* the editor replied in kind. "In the eyes of *L'Action sociale*, we are the enemy! Too bad. All things are yellow to the jaundiced eye."[33] Four weeks later *The Register* referred to a new French newspaper in Winnipeg, *La Liberté*, as an unnecessary fifth wheel that had printed "an exaggerated and offensive article about the decadence of English Catholicism in Ontario." In the same vein *The Register* called *La Verité* of Québec "crazy" for its perpetual harping on and stirring up of local and provincial controversies.[34]

As World War I, that crucible of Canadian nationalism, approached, *The Catholic Register* still seemed unsure of its version of the Canadian vision. For a decade now it had apparently shared in a quiet way the Protestant dream of His Dominion - a righteous, sober, industrious, loyal and English-speaking nation. Yet it had refused to identify Catholicism exclusively with the English language (this for its francophone co-religionists) while rejecting the Protestant ideal of religiously conformist nationalism. English would, God willing, be Canada's dominant duality. French and English would co-exist as unequal partners in semi-detached houses, but obviously then English Catholics would have to share their accommodation with Protestants, some of whom undoubtedly would be Orange trouble-makers. Publicly at least, *The Register* was not prepared to accept the logical conclusion to such a drastic religio-cultural syllogism.

In a few short decades before World War I, language began to displace religion as the basis of the Canadian dichotomy. As Robert Choquette has demonstrated, the Anglo-Saxonism shared by Canadian anglophones was not based on religion.[35] For *The Catholic Register*, however, the prime concern was still Catholic unity, no matter how great the provocation offered by francophones and by their own vision of what His Dominion would be and speak. Given the recurrent conflicts between

Irish and French Catholics over the University of Ottawa, the schools of Saskatchewan and Alberta, French language teaching in Ontario, the appointement of bishops in the West, over the aims and methods of the Catholic Church Extension Society, and indeed over the very role of the French language in Canada's future, it is surprising how seldom these issues were given coverage in *The Register*. Burke's personal feelings on the language issue and French power were so generally known that his apparent self-control in the editorial chair seems amazing - his removal was finally arranged by Archbishop Neil MacNeill only in 1915!

Divided loyalties have always been the very sinew and bone of Canadian history, yet the historian who searches *The Catholic Register* for ringing declarations of Canadian patriotism, purple depictions of Canada's destiny or philosophic statements on Canadian nationality, will be disappointed. Incredibly, in view of what we know about linguistic conflicts within the Canadian body Catholic, *The Register* succeeded during those years in rising above such divisions and issues in the cause of Catholic unity. Irish Canadian Catholicism increasingly shared the vision of their anglophone Protestant neighbors, but *The Register* pursued through adversity and provocation an even higher loyalty.

John Moir
Department of History
University of Toronto

Notes

1. *Parliamentary Debates on the Subject of the Confederation of the British North American Provinces*, Quebec, 1865, p. 143.
2. Literature on the French Canadian "vision" is too extensive to be cited. N.K. Clifford's "His Dominion: a Vision in Crisis," *Studies in Religion/Sciences Religieuses* II (4), (1973): reprinted in Peter Slater, ed., *Religion and Culture in Canada/Religion et Culture au Canada*, CCSR, 1977, is the best introduction to the anglophone "vision".
3. For an account of the Catholic Church Extension Society and its role in the English-French Catholic rivalry see Mark G. McGowan, "The Harvesters were few: a study of the Catholic Church Extension Society of Canada, French Canada, and the Ukranian Question, 1908-1925," (unpublished paper, School of Graduate Studies, University of Toronto, 1983).
4. *Catholic Register* (hereafter *CR*), 25 January 1900.
5. Ibid., 14 February 1901.
6. Ibid., 8 March 1900.
7. Ibid., 22 March 1900.
8. Ibid., 7, 14 February 1901.
9. Ibid., 3 April 1902.
10. Ibid., 23 August 1900.

11. Ibid., 14 January 1904.
12. Ibid., 22 August 1901.
13. Ibid., 7 January 1904.
14. Ibid., 17 December 1903.
15. Ibid., 30 November 1905.
16. Manoly Lupol, *The Roman Catholic Church and the North-west School Question*, (Toronto: UTP, 1974), p. 199 et passim.
17. Ibid., p. 208 ff.
18. *CR*, 30 November 1905.
19. Ibid., 13 September 1906.
20. *Réponse aux prétendus Griefs des Catholiques irlandais du Canada contre les Catholiques français du même pays,--ou Réponse à un Mémoire irlandais adressé d'Ottawa, 17 juin 1905 à son Éminence le cardinal Merry del Val, Secrétaire d'État de sa Sainteté Pie X*, (Québec, 1908), p. 46.
21. McGowan, p. 72 ff.
22. *CR*, 26 August 1909.
23. Robert Choquette, *Language and Religion: a History of English-French Conflict in Ontario*, (Ottawa, UOP, 1975), p. 77 ff.
24. *CR*, 27 January 1910.
25. Ibid., 29 September 1910; see also Choquette, p. 117 ff.
26. *CR*, 20 October 1910.
27. *The Dream of Nation: A Social and Intellectual History of Quebec*, (Toronto: Gage, 1983), p. 204.
28. *CR*, 15 September, 13 October 1910.
29. Ibid., 10 August 1911.
30. Ibid., 26 September 1912.
31. Ibid., 17 April 1913.
32. Ibid.
33. Ibid., 1 May 1913; see also 22 January 1914.
34. Ibid., 8 January 1914.
35. Choquette, p. 49.

TOM SINCLAIR-FAULKNER

God's "Flower of Hope": The Religious Matrix of Québec's Indépendantisme

Jules-Paul Tardivel qualifie l'indépendantisme de "fleur de l'espoir divin". À partir d'une définition anthropologique de la religion en tant que "système culturel", l'auteur a étudié de quelle façon la religion a servi de matrice historique au développement de l'indépendantisme au Québec. Entre 1840 et la fin du XIXe siècle, la "fleur" s'est hardiment tournée vers l'extérieur; *du début du XXe siècle jusque dans les années 30, elle s'est tournée* vers son port d'attache; *depuis, elle s'est retournée* sur elle-même. *L'analyse de récits fictifs populaires et du discours public des nationalistes permet d'examiner cette même matrice tout en mesurant son impact sur les changements sociaux et politiques de la société québécoise.*

Affirmer que l'indépendantisme est introverti peut sembler étrange à la lumière de sa vitalité politique de ces dernières années. Ce changement est cependant logique et s'inscrit dans la tendance à une pratique religieuse plus privée dans toutes les sociétés modernes; il aide également à expliquer la nature volatile des allégeances politiques du Québec d'aujourd'hui.

> *God has planted in the heart of every French Canadian patriot "a flower of hope." It is the aspiration that there be established, on the banks of the St. Lawrence, a New France whose mission shall be to continue in this American land the work of Christian civilization that old France pursued with so much glory across so many centuries.*[1]

So wrote Jules-Paul Tardivel in the introduction to his novel, *Pour la patrie* (literally, *For the Fatherland*), in 1895, the first published blueprint of any length for what is today called *indépendance* for Québec. The novel's publication entailed considerable practical consequences and was clearly rooted in a peculiar religious vision, for Tardivel was an important newspaper editor and ultramontanist layman in his day.

In this context "religion" has essentially a cultural and symbolic meaning. As anthropologist Clifford Geertz proposed in 1963:

> *A "religion" is a system of symbols which acts to establish powerful, pervasive, and long-lasting moods and motivations in men* [sic] *by formulating conceptions of a general order of existence and clothing these conceptions with such an aura of factuality that the moods and motivations seem uniquely realistic.*[2]

This definition is valuable for two reasons: it is non-reductionistic, and it understands religious conceptions to be a "template":

> *They do not merely interpret social and psychological processes in cosmic terms - in which case they would be philosophical, not religious - but they shape them.*[3]

Furthermore Geertz's definition of religion challenges the assumption that the history of religious life is identical with the history of the institutional church. This gives us a new perspective on the publication of *Les demi-civilisés* in 1934 and *Le refus global* in 1948 which have traditionally been regarded as anti-religious writings because they sharply criticized the hierarchical church. In the new perspective these writings are seen to be religious in their own right. The religious dream of independence has undergone an important process of change and development, and an account of that process casts an interesting light upon the dream itself and the culture and society that was bound up by these ideas. The account begins in 1840, accepting Susan Mann Trofimenkoff's argument that *indépendantisme* was born in Québec somewhere in the period of the 1790s to the 1830s.[4] From that point, until the end of the nineteenth century God's "flower of hope," the religious dream of an independent Québec, turned boldly *outward.* From the beginning of the twentieth century into the 1930s, the dream turned *homeward* rather than outward; and from the 1930s to the present it has turned *inward.* Understanding this last trend helps to make some sense out of the puzzling result of the 1980 referendum in Québec, which Trofimenkoff attributes to "the confusion over feminism, federalism, and the independence of Québec."[5] And it places the history of *indépendantisme* in the mainstream of modern religious history where religious life is increasingly privatized.[6]

The year 1840 marked the beginning of what Fernand Ouellet has called a *conjoncture* which made possible a new strategy for French Canadian society.[7] Where once the professional class and the hierarchy of the church had been at odds with each other, the two now found reasons to cooperate. During the period in which English Canada was glorying in what came to be known as the Victorian Age, French Canadians cultivated their own "flower of hope", fashioning a strong identity which cherished all that was *canadien,* Catholic and rural. The "flower of hope" turned outward in an assertive, sometimes aggressive fashion, whether it was looking backwards to Mother France or across to the neighboring *Anglais* who called themselves "Britons", not "Canadians", during this period.

In 1840, Ignace Bourget, who was soon to become Bishop of Montréal and the architect of ultramontanism in Québec, arranged for Mgr de Forbin-Janson, a French bishop with a strong record of success as a missioner, to lead a "retreat" in the Parish of Notre-Dame. In fact the Parish of Notre-Dame virtually comprised the city of Montréal in those days, and the parish church, the Église Notre-Dame, was for some years the largest church building in North America. The preaching of Mgr de Forbin-Janson excited thousands of lukewarm Catholics to become serious about their religious obligations. His groundbreaking efforts were consolidated by the Oblates, also brought from France at Bourget's invitation, who continued de Forbin-Janson's popular preaching practices. Before he left Canada in 1841, Mgr de Forbin-Janson travelled up and down the St. Lawrence river valley making a similar impression on the towns and villages outside Montréal, and his success marks the beginning of the power and popularity of the institutional church in the nineteenth century.[8]

Notre-Dame de Montréal came to be known as "the national church of French Canada", often serving as a model to the ambitious parish councils of small towns that had been stirred up by Mgr de Forbin-Janson's crusade. Like the large church buildings that began to rise in town centres, church influence was slowly but surely asserting itself in Québec.

The transformation of the culture was gradual, despite the dramatic beginning that de Forbin-Janson had provided. For instance, François-Xavier Garneau's multi-volume *Histoire du Canada* first appeared during 1845-8, compiled with considerable assistance from the lay leaders of the abortive Rebellions. But the third edition, which he published in 1859, showed the results of clerical censorship,[9] and for the next one hundred years the leading historians of French Canada were priests.

It was in 1858, one year earlier, that Octave Crémazie published his long, patriotic poem, "Le drapeau de Carillon" ("The Flag of Carillon"),[10] which celebrated the centenary of Montcalm's victory over the English. It bitterly echoed Garneau's charge that the French court had betrayed the loyal *Canadiens* who fought to defend their *patrie.*[11] The poem told of a *Canadien* who travelled to France with the old flag of Montcalm's triumph, only to be refused an audience with the degenerate King who was obviously under the demonic influence of Voltaire. The tired soldier returned home to Canada where, too ashamed to admit that France had fallen so low, he wrapped himself in the flag and gracefully expired in the snow. The poem concluded with an appeal to all *Canadiens:*

> *May the memories of their holy tradition,*
> *Ruling in their hearts, shield from destruction*
> *Both their language and their faith!*[12]

"Le drapeau de Carillon" evoked the memory of a victory and a defeat and counselled the *Canadiens* to renew the former and learn from the latter. It spurned the cowardly French but reappropriated for the *Canadiens* the old tradition, *Gesta Dei per Francos*: "the mighty acts of God are done through the French". And in so doing the poem provided literary evidence in support of Fernand Ouellet's explanation of the *conjoncture* of 1840:

> *It is quite understandable that the strategies of the past, which consisted of opposing all progress, should have proved to be ineffective and dangerous. A feeling of powerlessness, coupled with that of having been on the wrong course, dictated the necessity for a compromise.*[13]

Historians often cite Crémazie's own sneering words in order to make the point that "Le drapeau de Carillon" was not a good poem. Writing to his friend, l'abbé Henri-Raymond Casgrain, in January, 1867, Crémazie said,

> *It has to be said that we don't have very discriminating taste when it comes to poetry in our land. All you need to do is rhyme "gloire" with "victoire" a certain number of times, "aïeux" with "glorieux," "France" with "espérance," stir these rhymes up with a few sonorous words like our "religion," our "land," our "language," our "laws," the "blood of our fathers," heat it all over the flame of patriotism and serve hot. Everyone will say that it is magnificent.*[14]

But his words add weight to the claim that "Le drapeau de Carillon" was indeed a leading example of the manifestations of the "cultural system" (as Geertz would have it) that had taken shape in Québec society during the mid-nineteenth century.

If Crémazie did not present a clear plan of action, one could always find tiresomely elaborate detail in the pages of Antoine Gérin-Lajoie's novel, *Jean Rivard.*[15] Published in a literary journal in 1862, *Jean Rivard, le défricheur* proved so popular that it was followed by *Jean Rivard, l'économiste* in 1864, and the two-part tale has run through many editions, remaining continuously in print. It is the story of Jean Rivard (his surname, a common one, carries echoes of life by the river bank, the traditional dwelling place of the *Canadiens*) who left the easy life of the city to carve a prosperous farm, and ultimately a prosperous town, out of the wilderness. The paternal guidance and blessing of his parish priest was decisive in shaping his course, and his brilliant success shone the more for being contrasted with the miserable failure of his former school chum who remained in the city to follow the degrading career of a lawyer.

Jean Rivard was thoroughly *canadien* but Napoléon was his model. Like the conqueror of Europe, Jean waged war against his enemies, - for Jean Rivard the huge trees of the forest.[16] Napoléon was French, but he was heroically French and he signed a Concordat with the Pope in 1801. He was therefore not to be despised as Louis XV and Voltaire were to be despised. Jean Rivard was also heroic in stature, not shy in his cultivation of the "flower of hope" that God placed in his heart. The wilderness that he set out to clear lay deep in the Eastern Townships where English-speaking settlers predominated. But Jean prevailed, sometimes with the distant but respectful help of the English-speaking Member of Parliament for the district, and Jean ended his life as mayor of a thriving town that bore a French name.

Mgr L.-F.-R. Laflèche, bishop of Trois-Rivières, was Gérin-Lajoie's contemporary and heir to Bishop Bourget's mantle as the leader of clerical ultramontanism in Québec. Like Gérin-Lajoie he showed himself to be respectful of certain aspects of French culture, particularly the gloriously providential histories of Bossuet, the great preacher of the seventeenth century. In 1866, Laflèche himself published one of his most popular sermons in which he argued that the universal key to national survival had always been to maintain unity of language through unity of faith.[17] Obliquely referring to contemporary proposals to unite all the British North American colonies as a temptation to bargain away one's birthright in return for a mess of potage, he insisted that the *Canadiens* had a sacred mission to perform and that its success depended upon keeping the French language and the Catholic faith closely identified and free of defilement. As he was often heard to say informally, he was happy to have the *Canadiens* learn to speak English -- provided that they learned to speak it badly. And when his admirers gently suggested that he was spending too much of his time visiting emigrant communities that had formed in New England during the period when so many *Canadiens* moved south to look for employment, Laflèche confidently assured them that he expected one day to annex those portions of New England to Canada.[18]

The visions of Crémazie, Gérin-Lajoie and Laflèche show that the "flower of hope" planted by God was, in theory, a bold, vigorous bloom. What was it like in practice? The results were actually very disappointing. The *Canadiens* who flocked to New England became assimilated. The somewhat misplaced but enthusiastic support that Québec gave to the two rebellions of Louis Riel reflected the confident expectation that Canada, as a French-speaking and Catholic society, would expand, and the anger that greeted Riel's execution reflected negatively the same expectation. Finally, the so-called *colonisation* movement aimed at settling Québec's barren north under the encouragement of the provincial government was largely a failure.[19]

By the end of the nineteenth century, the period of *épanouissement* in which God's "flower of hope" appeared to grow boldly outward, those who tended the flower were compelled by circumstances to reassess their hope. Not only did *colonisation* prove (quite literally) to be a barren experiment, but the anger that greeted Riel's execution was turned to frustration over the Manitoba School Question. Until that time those who rejoiced in *le Canada* as an expanding, French-speaking, Catholic nation looked hopefully outward; from the beginning of the twentieth century they looked homeward instead, chastened by the events of the late nineteenth century and their seeming repetition in the early years of this century. The work of Jules-Paul Tardivel reveals how the change came about.

Born to a French-Canadian family that had emigrated to Kentucky, he spoke only English until he entered a *collège classique* in Québec at the age of seventeen. Like many other conservative laymen of his day he was inspired by the example of Louis Veuillot and became editor of a newspaper which he published from his home. Though he lived in the relatively liberal archdiocese of Québec, Tardivel was militantly ultramontanist and did not hesitate to lecture the hierarchy on how best to be Catholic.[20] Increasingly disillusioned by the frustration of Canadian hopes and thoroughly dismayed by the threats posed to the life of the church by the apostles of liberalism in France and Italy, Tardivel began to write editorials as early as 1890 in which he dreamed aloud of the day when *le Canada* would shake loose from both the Dominion and the United States.[21]

Pour la patrie, the novel published in 1895, was his *tour de force*. Those who despise Tardivel for the reactionary that he was are often inclined to dismiss his novel as an inferior piece of writing, but it is clear that anyone who admired him or his ultramontanism would have found *Pour la patrie* to be an exciting tale that can occasionally move the sentimental reader to tears. Set fifty years in the future (1945) it began with a Black Mass in Paris where an apostate Frenchman conjured up the Devil himself who then set in motion a political plot to destroy Catholic Québec by abolishing the provincial governments of Canada. The Conservative Party was Satan's tool in this evil scheme, but the plot was successfully opposed by a young layman, Lamirande (literally, "the one who is to be marvelled at"), President of the St-Jean Baptiste Society.

Lamirande was more than a leader; he was a *chef*, one who incarnates the spirit of his people. (In common usage today an ordinary political captain in Québec is generally referred to as "un leader".) His prayers had the power to restore life to the dead, and his self-sacrifice extended even to surrendering the lives of his wife and daughter rather than support Satan's scheme to ruin Canada and the Catholic Church. By the time Lamirande had finished he had thwarted the mass assassination of Québec's clergy, made a Catholic of one of the leading Conservative Members of Parliament, and persuaded the Parliament in Ottawa to grant independence to his people. The province of Québec became the sovereign state of *Laurentie* and Lamirande, his work done, abandoned ordinary politics to lesser beings. He retired to a life of contemplation in la Grande Chartreuse, the famous Carthusian monastery outside Grenoble, France.

Pour la patrie was the product of Tardivel's mind, but it was equally the reflection of the system of symbols of his day. Catholic faith and French language were intimately interrelated; there were good elements and evil elements in both France and English Canada, but the evil elements increasingly threatened the good. Consequently the best thing that true *patriotes* could do with God's "flower of hope" was to transplant it from the pot where its roots mingled unwholesomely with those of France and England, apostates and Protestants, into a separate pot. *Indépendance* turned homeward instead of outward.

Did anyone read *Pour la patrie?* We know that the provincial government of Québec purchased at least 200 copies and distributed them as prizes to top students throughout the province. And we know that it became the informal organizational manual for French-Canadian Youth's Catholic Action (ACJC), founded at the behest of Tardivel in 1903 by two young priests, Lionel Groulx (of whom more below) and Émile Chartier. At its peak in the years before the war of 1914-18, the ACJC brought together 140,000 young men in 3,000 local units under the motto, "Religion et Patrie". Among other activities they raised substantial funds to defend French-language education outside of Québec -- a sign that the flower still yearned outward to some degree -- and promoted adoption of the so-called "drapeau de Carillon" as Québec's own flag.[22]

Crémazie would not have recognized the ACJC's "drapeau de Carillon." Rather than being the royal standard of a French regiment, this new version was identical to today's Québec flag, modified by a jaunty tilt to the four *fleur-de-lis* and, more significantly, by the Sacred Heart of Jesus fixed squarely at the centre of the white cross. French and American historians are beginning to understand the devotion to the Sacred Heart, popularized in the late nineteenth century, as carrying socio-political significance. Unlike the metaphor of "the body of Christ," it focusses attention on the inner, wounded organs of Jesus and the Blessed Virgin Mary.[23] To the extent that they may be correct, the *drapeau de Carillon* promoted by the ACJC showed *indépendance* in that day to be an ideal modified by a deep, retreating sadness over the suffering that God's "flower of hope" had undergone.

The turn homeward was also reflected by Mgr Louis-Adolphe Paquet in his most celebrated and reprinted sermons. As the successor to Mgr Laflèche as the informal leader of the conservative nationalists of the Catholic hierarchy in Québec, Paquet was founder of the Canadian Academy of St. Thomas Aquinas, advisor to the archbishops of Québec from the time of his appointment to the Faculty of Theology at Université Laval in 1883 until his death in 1942, and generally cited as the *national theologian* of French Canada in this period.[24] When the St-Jean Baptiste Society celebrated its golden anniversary in 1902, Paquet delivered a talk on "The Vocation of the French Race in America" which was published again in pamphlet form by abbé Émile Chartier in 1925 as *The FrenchCanadian Patriot's Breviary*.[25] In it Paquet showed himself to be considerably less aggressive than Laflèche had been. The *Canadiens* had to stay at home, he asserted, for they were guardians of a testimony that might be lost if they were to venture recklessly out into the hostile world of English-speaking North America.

The turn homeward found expression in another, much more

dramatic moment in 1910 during the Eucharistic Congress held in Montréal. It was the first event of its kind to be held in North America and Montréal was appropriately decked out with papal flags and "drapeaux de Carillon". *Canadiens* of all sorts, from the most humble to the highest, crowded to see and hear Catholic leaders from all over the world.

But the delight and pride of the *Canadiens* was alloyed with some frustration and misgivings. As the Congress opened, the Vatican announced that the English-speaking party in the Canadian hierarchy had won its case to have an English-speaking bishop named to the archdiocese of Ottawa, heretofore the fief of the French-speaking hierarchy. The incident was part of a struggle between Irish-Canadian Catholics and *Canadiens* that began in the late nineteenth century and culminated years later in Regulation XVII, which abolished French-language education in the Ontario schools. What took place at the Eucharistic Congress on Saturday evening in the Église Notre-Dame de Montréal had little direct effect on the institutional realities of the Church, but it was enormously important as an expression of the changing symbol system of *indépendantisme.*

The trouble began when Mgr Bourne, the Archbishop of Westminster, spoke in English before the overwhelmingly French-speaking crowd, observing that Canada had begun as a French-speaking nation but had become a land in which English was the dominant tongue outside Québec. He wondered rhetorically whether the Catholic Church would continue to dissipate her efforts to reach the Canadian population outside Québec by providing education in languages other than English, or if the church would rely on English alone, and God's grace, to guarantee the strength and unity of the Catholic Church in Canada?[26]

On the basis of eyewitness accounts provided years later, the nationalist historian Robert Rumilly reconstructed the event.[27] The responses from the *Canadiens* who were in the sanctuary ranged from a prim exclamation by the Vicar Apostolic of Temiscamie ("What a lapse of tact!") to the raised fists of sundry members of the ACJC. Mgr Langevin, the Archbishop of St-Boniface, pushed past some of his colleagues to speak to Henri Bourassa, the 42-year-old editor of *Le Devoir*, a prominent Catholic layman and grandson of Louis-Joseph Papineau. Knowing that Bourassa was scheduled to speak soon, and angry at the threat to his own hopes as pastor to the French-speaking Canadians of Manitoba, Langevin insisted that Bourassa had to reply to Bourne. "We can't let that go by".

Two other speakers limped through their prepared, suddenly irrelevant remarks, and it was Bourassa's turn. He stood up with his written speech in hand, then ostentatiously crumpled it back into his pocket. He spoke at some length, warning Christ's priests not to remove from the people the things which they most love, after God: the language of their race, their land, the language blessed by their mothers and fathers and which, by right, they use in their prayers to God Himself. He assured the Archbishop of Westminster that Catholics coming to Canada from Britain were granted that right by the French-speaking clergy of Québec, and he then earned a sustained, standing ovation by saying,

> *But at the same time, permit me - permit me, Eminence - to claim the same right for my compatriots, for those who speak my language, not only in this province, but everywhere that French groups are found living in the shadow of the British flag, of the Stars and Stripes, and above all beneath the maternal wing of the Catholic Church, of the Church of Christ, who died for all men and who did not impose on anyone the obligation to deny his race in order to remain faithful to Him.*[28]

According to Rumilly most of the crowd went wild, spilling out of the sanctuary into the Place d'Armes, crying, laughing and singing. Young priests and a few bishops drummed their feet in enthusiastic approval; some of the former climbed up on their kneelers, waving handkerchiefs and hats. One fat priest distinguished himself by screaming across at the Archbishop of Westminster, "Gotcha, you sonofabitch!"[29]

The reply to the English-speaking archbishop was a high moment in Bourassa's career, winning for him great respect and affection in many quarters. But note that his reply was not as bold as the words of the preceding generation! Where they had spoken confidently of the *Canadiens* destiny to expand their territory and to grow, Bourassa accepted part of Archbishop Bourne's characterization of the *Canadiens*:

> *But, someone might say, you are only a handful; you are fatally destined to disappear; why do you continue to struggle? We are no more than a handful, it is true; but it was not in the school of Christ that I learned to measure what is right and what is moral according to numbers and wealth. We are no more than a handful, it is true; but we count for what we are, and we have the right to survive.*[30]

That Bourassa faithfully reflected, as well as shaped, his culture is suggested by the appearance in 1914 of *Maria Chapdelaine*, the most famous novel in Québec letters.[31] Written by Louis Hémon, a French visitor to Québec, it concerned a young woman whose family struggled to survive as *défricheurs* in the region of Lac St-Jean. Maria fell in love with

François Paradis, a young hunter who was handsome and dashing but who died in the woods in mid-winter. Clearly Maria could not return to the beloved ways of the romantic heroes who first explored Canada.

Instead she must choose between two other suitors: Lorenzo Surprenant, who had a job in the United States and could provide marvellous material comforts to Maria; and Eutrope Gagnon, a rather dull farmer who would provide Maria with a home in the community where she grew up. Maria agonized over the choices and was at last persuaded by three voices that came to her as she meditated. The first voice reminded her of the natural beauty of the land that she would lose in the American cities. The second voice reminded her of the familiar French names that she would no longer hear if she went with Lorenzo.[32] The third voice was the voice of the land of Québec, a blend of a woman's song and a priest's sermon:

> *Strangers, whom we are pleased to call barbarians, have come among us; they have seized almost all the power; they have acquired almost all the money; but in the land of Québec nothing has changed. Nothing will change, for we are a witness...*
>
> *That is why we must stay in the province where our fathers stayed, and live as they lived, obeying the unexpressed commandment that took shape in their hearts, which was passed into ours and which we must pass on in our turn to many children: In the land of Québec nothing must die and nothing must change.*[33]

After living and working among the *Canadiens* of Lac St-Jean for only one brief winter, Louis Hémon was successful in capturing the prevailing mood of his subjects in the pages of *Maria Chapdelaine*. Like Mgr Paquet, he expected to set an example for the rest of North America, not to conquer it. Like Henri Bourassa, he knew that they were hard-pressed by those who spoke a different language, but that they must not lose the French language, no matter how greatly they were tempted to surrender it. But Hémon's novel went one enormous step beyond anything that contemporary writings did: it spoke at its climax of "le pays de Québec" ("the land of Québec"), not of "le Canada." Hémon pruned the "flower of hope" radically, focussing attention on the Catholic, French-speaking land of Québec in a way that Tardivel himself did not contemplate when he imagined the independence of his homeland.

In the eyes of the *Canadiens*, Hémon's turn homeward to a Québec under siege began to make more sense as the years evolved. Regulation

XVII abolished French-language education in Ontario schools. The English-speaking voters of Canada temporarily scrapped the traditional party system to force conscription on Québec. Even as late as 1942, when the House of Commons was once again considering conscription, a Member of Parliament from Québec invoked (with little discernible success) Hémon's passage of the three voices, cited above, in an effort to explain why the French Canadians could be expected to do nothing other than repudiate a demand that they leave their homes to join some foreign venture.[34]

Neither novelists nor preachers returned to the old theme of a boldly expanding, Catholic French Canada. Abbé Lionel Groulx, a founder of the ACJC who later became the most distinguished historian in Québec in this century, combined both roles. In 1919, just weeks after the Great War had ended, he produced his most eloquent retelling and exegesis of the tale of Dollard des Ormeaux: "If Dollard Were to Return..."[35] To an audience smarting with the fresh memory of the indignity of conscription, Groulx held up the example of Dollard, the young Frenchman who led a handful of saintly companions to lay down their lives in order to preserve the land that became Québec. The facts of Dollard's ill-fated expedition of 1660 and its destruction by a large band of Iroquois remain, to say the least, controversial.[36] But the Dollard "myth" (as historians of religion use that term) received widespread attention from the young men of Québec in the early twentieth century.[37]

Not content to write histories and inspirational messages, Lionel Groulx adopted a pseudonym in 1922 to publish a novel, *L'appel de la race.*[38] Dismissed recently by Ronald Sutherland as "a racist, idiosyncratic morality play, lacking even the merits of a good description or a clever turn of phrase,"[39] *L'appel de la race* was taken quite seriously by Groulx himself who dedicated the novel to his mother, his father and all his ancestors. Judging by the number of people who bought a total of 6,000 copies within five months of publication, making it a best-seller by any Canadian standard,[40] many would have shared Groulx's feelings.

The plot bears a surprising resemblance to that of Hugh MacLennan's classic, *Two Solitudes* (1945). The protaganist, Jules de Lantagnac, was a French-Canadian Member of Parliament, married to an Irish Canadian who openly despised the *Canadiens* and encouraged her four children to share her feelings. When the House of Commons faced the problem of whether or not to condemn the infamous Regulation XVII that proscribed French-language education in Ontario, Jules's wife warned him that she would leave him if he voted to defend the Franco-Ontarians. Jules turned to his priest for advice and was assured that the moral responsibility for breaking up the family would lie exclusively with the wife in this case: indeed, the priest told him that it was his duty to vote in support of the

Franco-Ontarians and against Regulation XVII. Jules therefore did his duty and the family broke up.

Not even the elegantly orthodox casuistry of the priest in the novel can distract us completely from the fact that here was a story, written by a distinguished and learned priest, that achieved its resolution by breaking up a Catholic marriage that had survived for twenty-three years. Did Groulx publish the first four editions of his novel anonymously because he feared ecclesiastical censure? This hardly seems likely: the liberal abbé Camille Roy criticized the novel on this score, but an Oblate named Rodrigue Villeneuve (who became Primate of the Church in Canada ten years later) provided a magisterial defence of the morality of *L'appel de la race*.[41]

Apart from the wide circulation given to *L'appel de la race*, the novel is notable because it broke new ground. *Maria Chapdelaine* spoke of "Québec" where earlier works had spoken of "le Canada"; now *L'appel de la race* tended to refer to "le Québec" instead of merely to "Québec". Groulx never declared himself publicly and forthrightly in favour of *indépendance*, but he helped to popularize the usage, "le Québec", giving independent status to the land, equal in weight to that of "le Canada." This alone drew the fire of his liberal critics in 1922[42] but Groulx's usage prevails today.

By the middle of the twentieth century this cautious turning homeward among those who cherished God's "flower of hope", the dream of *indépendance,* seemed to be paying off. Québec society was highly clericalized, with more than half of the clergy of the province performing duties such as teaching, guiding trade unions and directing social services, rather than taking on the parochial tasks generally associated with priestly activity. The Union Nationale, securely led by a pious Catholic who had grown up in Mgr Laflèche's Trois-Rivières, governed the province and kept Ottawa at bay. Canon Lionel Groulx himself was the dean of Québec historians and his disciples promised to maintain, or more likely extend his *indépendantiste* view of history. The most widely celebrated social thinking in the province was carried out at the École sociale populaire sponsored by Jesuit father J.-P. Archambault, a friend of Groulx, and dissenters from orthodoxy received swift punishment.

The sudden fall of Jean-Charles Harvey in 1934 was the most dramatic illustration of what dissenters could expect. Harvey was the editor of *Le Soleil*, the largest secular newspaper in Québec City, controlled by the Liberal Party which held a majority in both the provincial legislature of Québec and the Parliament in Ottawa. In March of 1934, he published his second novel, *Les demi-civilisés*, and by the end of April pressure from the hierarchy on his political masters resulted in the loss of his post as editor. He finally managed to win a job as a provincial statistician but, when Duplessis came to power two years later as the *chef* of the Union Nationale, Harvey was ordered out of the provincial civil service altogether. Nevertheless the novel sold well in Montréal bookstores, perhaps because of its notoriety.[43]

What had Harvey written that provoked such a wave of animosity? *Les demi-civilisés* was the story of Max Hubert. Raised in the countryside, he was brought to the city by his widowed mother where his solid country values were made to seem foolish by the scorn of a sophisticated young woman. At last, he founded an independent revue, *The Twentieth Century*, staffed by other youthful rebels, but *The Twentieth Century* was condemned to oblivion by the church hierarchy because it printed an article comparing the wealth of the clergy unfavorably with the poverty of Jesus. About to collapse under the pressure, Max fled back to his ancestral home in the country where he learned to reaffirm his natal values: "integrity, gentleness, order, sacrifice, forgetfulness of self, sincerity of faith and morals."[44] The tale ended happily as Max returned to the city and married his sweetheart.

Harvey's crime was his negative portrayal of the clergy in particular and the ruling elites in general. In fact Harvey thought of himself as a good Catholic, albeit one who had his share of the stout thread of anti-clericalism that had woven its way through the tapestry of Québec's history. He was caught completely by surprise when the hierarchy reacted to his novel in virtually the same way that the novel's plot described. A married man with six children, he had not intended to make a martyr of himself.

But it turned out that he was more than a martyr. As he himself later described it, he acted as the lightning rod that drew the thunderbolts of the ruling élites, grounding them so that subsequent authors would not suffer.[45] And so it was: a decade later authors such as Gabrielle Roy and Roger Lemelin were able to portray priests and professors in an unflattering light without bringing down upon their heads the Olympian wrath that made Jean-Charles Harvey a bemused exile in his own land. But what did he contribute to *indépendantisme?*

Harvey would be appalled to learn that he had made any such contribution. For him the fierce nationalism that was associated with the *indépendantistes* of the 1960s was as reprehensible as the authoritarian code that he challenged in the 1930s. The usual line of interpretation taken by historians is that Harvey's ostracism was an illustration of the power of the unshakable social consensus of his day, while the *Refus global* of 1948 and the Asbestos Strike of 1949 are cited as the first salvoes of what was to become the Quiet Revolution.

Let me suggest another way of looking at these events. To begin, consider that *Les demi-civilisés* is probably the first major novel in Québec letters to be written in the first person.[46] Indeed it revels in the fact, for the first word to appear in the novel is the first-person pronoun itself: "Je me nomme Max Hubert."[47] ("I am named Max Hubert.") Neither Mgr Laflèche nor his successors would have approved such a bold assertion of individuality. Dollard surrendered his self, but Max Hubert dwells upon it in page after page.

Harvey's protaganist was engaged in a personal struggle against the authority of his society. It was not that Max Hubert rejected authority as such. Indeed the turning point in the novel occurred when he realized that his peasant ancestors knew the natural limits of their own thinking, knew when to stop and submit sensibly to authority.[48] The trouble with city folk was that they had not lived long enough in their new setting to reappropriate the sound values that they left behind when they emigrated from the countryside. They, not the *paysans*, were the truly "half-civilised" and, alas, they comprised the élite of Québec society.[49]

How ironic it is that the same hierarchy that was heir to a long tradition of respect for rural values and suspicion of urban settings should treat Harvey as a snake nestled in the bosom of Québec society! But the hierarchy was correct in one respect at least: Harvey's novel offered a challenge to the received notion of *indépendance* as an ideal to be defended by group solidarity and self-sacrifice. *Les demi-civilisés* signaled the beginning of an era in Québec when *indépendance* became a pun, a term with two different meanings. On the one hand it meant the dream of an independent, French-speaking society in North America; on the other hand it meant the dream of the individual who is independent of the control of others. The young journalists who produced *The Twentieth Century* cared less about the actual substance of their writings than they cared about their own ability to be solely responsible for them.[50] That was the *indépendance* that Jean-Charles Harvey spoke of in the last year of his life when he looked back upon his work and expressed the hope that he had indeed been permitted to contribute "somewhat to a liberation more precious than national liberation itself, the liberation of the spirit."[51]

If we read the *Refus global* in this light, published fourteen years after *Les demi-civilisés*, it was more than merely a rebellion against Duplessis and the hierarchical Church's hegemony in Québec. First produced in mimeograph form over the signatures of sixteen artists, the *Refus global* was penned by painter Paul-Émile Borduas. It repudiated in eloquent detail all established authority in Québec -- indeed, in the world - excoriating it for the ruin of authentic human life and promising solidarity against its continued oppression of humanity. The document celebrated magic, mystery, spontaneous passion, and it opposed them all to efforts to cram people into a common mould.[52] But the "flower of hope" that was planted in the *Refus global* was one that was turned inward: *indépendance* was for the fiercely free individual who joyfully celebrated his or her freedom. Such individuals united to oppose the enemy who threatened their freedom but essentially they remained individuals, just as Harvey's hero, Max Hubert, remained an individual.

The same ethos lay at the base of the small group of intellectuals who founded *Cité Libre* in 1950. The symbolism of the journal's name is evidence enough: a community composed of free individuals, their solidarity resting on their freely given commitment. It is true that they united bravely to confront Duplessis and the hierarchical church, but they are remembered more for their dissent than for their solidarity. For example it was through *Cité Libre* in 1956 that Pierre Elliott Trudeau published the analysis of the Asbestos Strike of 1949 that ensured that none would forget the fracturing of the social consensus that had kept Québec society oppressively united.[53] Borduas and Trudeau are brilliant examples of what David Riesman has called "inner-directed" men. As they grew older they became increasingly isolated and self-sufficient, but they were the trailblazers in the movement that ultimately destroyed what Duplessis had built - a movement that would help to elect Jean Lesage in 1960 and contribute directly to the success of the Quiet Revolution.

During the Quiet Revolution God's "flower of hope" did not look homeward but instead looked inward. In so doing Québec society fell into the typical pattern of modern societies everywhere in which persons learn to slip easily into and out of roles prescribed and sustained by institutions which create their own "symbolic universe". But when modern persons step outside this sacred institutional canopy they must cobble together for themselves what sociologist Thomas Luckmann calls an "invisible religion" in order to define their own identity. In this private realm the modern person feels uniquely real, and traditional religious life had tended to become lodged here rather than in some communal arena. In short, for the typically modern person, religion has tended to become privatized.[54]

Consider the light that this analysis sheds upon the surprising dissolution of *Action catholique* in the mid-1970s.[55] The Catholic hierarchy thought that it had successfully shaped an entire generation of young men to accept a corporatist vision of society, God's "flower of hope" turned homeward with a vengeance. But instead, these same young men developed into independent-minded lay people like Claude Ryan of the Liberals and Fernand Dumont of the Parti Québécois.

Likewise one may treat Cardinal Léger's surprising resignation as Archbishop of Montréal in 1967 as an illustration of the pervasiveness of this conviction that one must learn to cherish individual freedom and responsibility even at the expense of the group. Léger's dramatic act was enthusiastically welcomed by young members of the laity who may well have interpreted it as confirmation of their own spirit of *indépendance*, a spirit that Jean-Charles Harvey's Max Hubert incarnated. It is certainly true that Léger's resignation was, to a certain extent, demoralizing for the priests of his archdiocese. They admired Léger's willingness to surrender his princely prerogatives in order to humble himself to serve lepers, but they also resented being left behind to face the bewildering problem of how to keep the faltering archdiocese of Montréal working. Those who stayed clung to the old ethos of corporate responsibility; those who left the priesthood probably experienced the same deeply felt inwardness that fuelled Max Hubert and the signatories to *Le refus global.*

To the extent that the "flower of hope" had turned inward in Québec we can see how likely it had become that Québec voters would rally behind any rebel who challenged the existing establishment. Duplessis first came to power in 1936, riding a wave of popular support that looked homeward to what were understood to be solid, traditional, Québec values, and he succeeded in consolidating that support into a regime that lasted (with only one brief lapse in wartime) until his death more than two decades later. In contrast to this pattern, Lesage's Liberals overthrew what was left of Duplessis' machine in 1960, only to be put out to pasture themselves six years later by voters who had come to resent what they perceived as arrogance. Other *bouleversements* in recent Québec electoral history include the Créditiste's sweep of 1962, the new found commitment to federalism that Trudeau engendered in 1968, the triumph of the Parti Québécois in 1976, the strong "Non!" that greeted Rene Lévesque's referendum of 1980, and the Mulroney landslide of 1984. Political scientists constantly tell us how traditional and conservative Québec voters have been, but one might equally point out how volatile they have become in recent years - volatile in the sense that they rarely stick with their existing leaders for any length of time.

Of course there are many factors at work in Québec politics, and one must be careful not to oversimplify. But consider how this hypothesis sheds light on the "Non" vote in the 1980 referendum. Thousands of women rallied against the *péquistes* because cabinet minister Lise Payette derogated the wife of Liberal leader Claude Ryan as a mere "Yvette," the submissive and docile stereotype of Québec's school texts who would only vote as her husband told her to vote. Did this response to Payette's remark represent an anti-feminist movement aimed at restoring women to their traditional place in Québec society? This view is hard to maintain in the light of the fact that the women leading the movement included Thérèse Casgrain and Monique Bégin. It is possible, even likely that the women of

Québec interpreted Payette's careless remark as a direct attack on their private lives, that part of themselves which modern people regard as uniquely *real.* Payette placed thousands of Québec women in a double-bind: if they voted "Non," they were Yvettes because they were obeying their husband's will rather than their own; if they voted "Oui," they were responding to Payette's insult rather than to reasoned arguments, and so were little better than "Yvettes." Defiantly they chose to embrace the insulting term: at least it had the virtue of belonging to the private sphere wherein modern folk feel "real." In so doing they handed a major defeat to the bemused *péquistes* who had assumed that they were the authentic advocates of women's rights in Québec society.

God's "flower of hope" has turned inward in Québec to an extent that makes it difficult for any social vision, ecclesiastical or otherwise, to claim the allegiance of the Québécois with the binding authority that was possible in earlier eras. Consider, for example, the shift that is reflected in the recent film version of *Maria Chapdelaine.*[56]

The basic plot remains unchanged and the superb camera-work captures the bleak reality of Péribonka that Hémon's novel conveyed. But two important changes have been made as the result of the artist (in this case, the film-maker) reflecting something fundamental in the society that is his own. First, the parish priest in the film is an ordinary human being, somewhat pompous and self-absorbed; he bears little resemblance to the superhuman, utterly admirable priest of the novel. The film's priest is not despicable in the way that Lorenzo Surprenant was, but he is not the representative of divine Catholicism, an essential aspect of Québec culture at the turn of the century.

The second change in *Maria Chapdelaine* is related to the first: the film-maker has introduced the local Indians into the plot, opening the film with eerie shots that impress the audience with the mysterious power of the aboriginal way that preceded Catholicism in the land of Québec. The point was not to present the Indian's religion as superior to the priest's religion, but to permit the two of them to cancel each other out. This is precisely what they do in the scene in which Maria's dashing young lover, François Paradis, freezes to death in a wilderness storm. The camera cuts back and forth between the futility of François trying to stave off death by means of an aboriginal charm, and the futility of Maria praying in the Catholic Church for François to be rescued. In the novel of 1914, Maria chose to marry Eutrope and stay in Péribonka because of the voice of Québec, a blend of a woman's song and a priest's sermon. In the film of 1983, Maria heeded her own voice, turning inward rather than homeward.

The religious implications of this analysis are fairly clear: despite the insights of William James (himself an incarnation of the modern spirit) religion is not a matter of "individual men in their solitude"[57]; it has traditionally, and perhaps naturally, aspired to social and cosmic relevance, not to private relevance alone. The ecclesiastical structures that crushed Harvey in 1934, that were repudiated by Borduas in 1948, that were condemned by Trudeau in 1956 and then abandoned by so many in the 1960s, can never again satisfy the Québécois whose "flower of hope" has turned inward. But the complete privatization of religious life necessarily implies religious alienation in the non-private dimensions of human experience, and that must be, in my view, also ultimately unsatisfying. What hope may we find that the Québécois will refuse to pursue to its ultimate *cul-de-sac* the invitation of the modern world to privatize religion completely? The work of some of the best writers of this generation in Québec may in part serve as a guide in understanding the question.

Tracing the history of the Québec novel during the period 1944-65, Maurice Arguin has suggested that the initial focus on alienation has been recently modified by an insistence that "there is no individual resolution for collective drama."[58] That certainly seems to be true in the case of Marie-Claire Blais's remarkable novel, *A Season in the Life of Emmanuel*.[59] At the risk of allegorizing a novel which is far more than mere allegory one can argue that Emmanuel, the baby born into the impoverished, cold home presided over by Grand-Mère Antoinette , is the Québécois, newly born in the 1960s. Emmanuel's mother is the immediately preceding generation: silent, impotent, beyond hope and beyond rescue. Emmanuel's older brother, Jean-le-Maigre, is the poet who sees clearly how oppressive his society really is, who defies the oppressors and finally dies. But Emmanuel himself learns to live, not least by establishing on his own terms a relationship with the powerful but immobile and unhappy Grand-Mère, symbol of historic French Canada. The life that Emmanuel learns to live has none of the certainty that marked the life of Jean Rivard, Lamirande and Maria Chapdelaine, but neither is it completely private.

The same point is made in less difficult terms by the delightful tales of Jacques Ferron, the imaginative founder of the Rhinoceros Party in Canadian politics. In "Le bouddhiste," a story that begins with a situation that Anatole France once described, the protagonist sees an opportunity to escape the trammels of his traditional parish world when he joins the army. He announces to his Adjutant that he is a Buddhist, not a Catholic, expecting to be relieved of his duty to attend church parade. It works: the enigmatically English Adjutant cannot furnish the soldier with the services of a worshipping Buddhist community, and therefore he is free to do as he pleases. But the soldier finds that he is terrified by being cut completely free from all that he has known, and the next Sunday finds him back at the Catholic Mass, home again but fortified by an ironic outlook.[60]

The artists of a society shape and mirror what that society holds to be true and valuable. *Indépendantisme,* God's "flower of hope" planted in the breast of all Québécois who love Québec, is a central theme of the literature of Québec and, in general, the contemporary literature of Québec supports the argument that the "flower of hope" that turned outward in the mid-nineteenth century and then homeward at the century's close has now turned inward. Of course these turnings are best understood as dominant tendencies in any given period or person, not as directions that are absolutely distinct. For example, Henri Bourassa at 42 years of age may have looked homeward while defending his people during the Eucharistic Congress of 1910, but at 37 years of age he had looked outward to demand that the Canadian West become in large part a French-speaking region. As a sexagenerian in the 1930s, however, he turned inward, retreating from public life after his increasingly critical views of nationalism had forced him to resign as editor of *Le Devoir* in 1929. In short Bourassa reflected in his person all three tendencies in succession, even turning back homeward in his seventies when he came briefly out of retirement to oppose overseas conscription.[61]

Even if they could, it is doubtful that the Québécois would want to return to the days when the "flower of hope" tended to turn outward or homeward. But there is evidence in the contemporary literature of Québec that the Québécois are increasingly ambivalent and thoughtful about the inward turn that their "flower of hope" has taken. In that respect they are like all of us who live in the modern world, and we may therefore still find new things to learn from each other.

Tom Sinclair-Faulkner
Department of Religion
Dalhousie University.

Notes

1. Jules-Paul Tardivel, *Pour la patrie. Roman du XXe siècle* (présentation par John Hare), Les Cahiers du Québec (Montréal: Hurtubise HMH, Ltée., 1975).
2. Clifford Geertz, "Religion as a cultural system" in Michael Banton (ed.) *Anthropological Approaches to the Study of Religion* (London: Tavistock Publications, 1968), p. 4. I have eliminated the numerals which Geertz added to his definition in order to guide the reader through his exposition.
3. Ibid., pp. 40-41.

4. Susan Mann Trofimenkoff, *The Dream of Nation: A Social and Intellectual History of Québec* (Toronto: Gage Publishing Ltd., 1983), p. 50. See also Maurice Séguin, *L'idée d'indépendance au Québec. Genèse et historique* (Trois-Rivières: Les Éditions BoréalExpress, 1968).
5. Trofimenkoff, p. 331.
6. Tom Sinclair-Faulkner, "Christianity," in *The Canadian Encyclopedia* (to be published in 1985).
7. Fernand Ouellet, *Economic and Social History of Quebec, 1760-1850* (Toronto: Macmillan of Canada, 1980), p. 606. See also Michel Brunet, "L'Église catholique du Bas-Canada et le partage du pouvoir à l'heure d'une nouvelle donne (1837-1854)" in Jean-Paul Bernard, *Les idéologies québécoises au 19e siècle* (Montréal: Les Éditions du Boréal Express, 1973), pp. 83-97.
8. Louis Rousseau, "Le réveil Montréalais de 1840: nouvelles orientations de recherches," a paper presented to the Canadian Society for the Study of Religion (Vancouver: May, 1983); Nive Voisine et al., *Histoire de l'Église catholique au Québec (1608-1970)* (Montréal: Éditions Fides, 1971), pp. 46-47.
9. Mason Wade, *The French Canadians. 1760-1967*, volume 1 (Toronto: Macmillan of Canada, 1968), pp. 284-289.
10. Octave Crémazie, "Le drapeau de Carillon," *Oeuvres*, tome 1 (Odette Condemine, rédacteur) (Ottawa: Éditions de l'Université d'Ottawa, 1972), pp. 312-321.
11. It has become common in English Canada to translate *patrie* by the word *country*, thus avoiding the pejorative associations with the more correct word *fatherland*. Yet this translation fails to permit us to distinguish *patrie* from *pays* when we translate. I therefore generally prefer to keep the French word. See my "«National Unity» is a Fourletter Word," *The Chelsea Journal* (Nov./Dec. 1979), volume 5, no. 6, pp. 245-248, for elaboration.
12. Crémazie, "Le drapeau de Carillon," p. 321.
13. Ouellet, p. 605.
14. Crémazie, lettre du 29 janvier 1867, en *Oeuvres*, tome 2, p. 93.
15. Antoine Gérin-Lajoie, *Jean Rivard* (Vida Bruce, trans.) (Toronto: McClelland and Stewart, 1977).
16. Ibid., pp. 41 ff.
17. Reprinted in Ramsay Cook (ed.), *French-Canadian Nationalism* (Toronto: Macmillan of Canada, 1967), pp. 92-106.
18. Robert Rumilly, *Mgr Laflèche et son temps* (Montréal: Fides, 1938).
19. William F. Ryan, *The Clergy and Economic Growth in Quebec (1896-1914)* (Québec: Les Presses de l'Université Laval, 1966).
20. Pierre Savard, *Jules-Paul Tardivel, la France et les États-Unis* (Québec: Laval, 1967).
21. Séguin, pp. 53 ff.
22. See John Hare's introduction to Tardivel, *Pour la patrie*, pp. 9-38; and Laurier Renaud, "La fondation de l'ACJC," in Fernand Dumont et al., *Idéologies au Canada français, 1900-1929* (Québec: Laval, 1974), pp. 173-191.
23. See, for example, Peter W. Williams, *Popular Religion in America. Symbolic Change and the Modernization Process in Historical Perspective* (Englewood Cliffs: PrenticeHall, 1980), pp. 72-74; and Jean-François Six, *Vie de Thérèse de Lisieux* (Paris: Éditions du Seuil, 1975), pp. 202-205.

24. Yvan Lamonde (rédacteur), *Louis-Adolphe Paquet. Textes choisis* (Montréal: Fides, 1972).
25. Ibid., pp. 56-62.
26. *Le Devoir*, 11 septembre 1910.
27. Robert Rumilly, *Histoire de la province de Québec*, tome xv (Montréal: Éditions Bernard Valiquette, 1948), pp. 112-113.
28. *Le Devoir*, 15 septembre 1910.
29. Rumilly, *Histoire*, tome xv, pp. 116-117. I have translated freely but faithfully.
30. *Le Devoir*, 15 septembre 1910.
31. The original version is now available in Louis Hémon, *Maria Chapdelaine* (Montréal: Boréal Express, 1983).
32. Ibid., pp. 193-197.
33. Ibid., p. 198.
34. *House of Commons Debates*, 12 February 1942.
35. Lionel Groulx, *Dix ans d'Action Française* (Montréal: Bibliothèque de l'Action Française, 1926), pp. 89-122.
36. See the exchange between E.R. Adair and Gustave Lanctot in *Canadian Historical Review* (1932); and see Lionel Groulx, *Dollard, est-il un mythe?* (Montréal: Fides, 1960). It is interesting to note that Dollard receives no more than a few words in Groulx's masterwork, the 832-page *Histoire du Canada français* (Montréal: Fides, 1960): see tome 1, p. 44.
37. E.g., *Le Nationaliste*, 23 mai 1920.
38. *L'appel de la race* (Montréal: Fides, 1967).
39. Ronald Sutherland, *Second Image. Comparative Studies in Quebec/Canadian Literature* (Don Mills: New Press, 1971), p. 46.
40. See the introduction by Bruno Lafleur to *L'appel de la race*.
41. Ibid., p. 77.
42. Ibid., pp. 58-59.
43. Jean-Charles Harvey, *Les demi-civilisés* (Montréal: Éditions de l'Actuelle, 1970). See "Introduction," pp. 7-11.
44. Ibid., p. 171.
45. "Introduction," p. 11.
46. I am indebted to Prof. H. Elizabeth Bednarski of the Dept. of French, Dalhousie University, for pointing this out to me.
47. Harvey, p. 13.
48. Ibid., p. 171.
49. Ibid., p. 179.
50. Ibid., p. 75.
51. Ibid., p. 11.
52. *Le refus global* (Montréal: Mithra-Mythe Éditeur, 1948).
53. Pierre Elliott Trudeau, *La grève de l'amiante* (Montréal: Cité Libre, 1956).
54. Thomas Luckmann, *The Invisible Religion. The Problem of Religion in Modern Society* (New York: Macmillan, 1967). For elaboration see also Tom Sinclair-Faulkner, "A Puckish Reflection of Religion in Canada" in Peter Slater (ed.), *Religion and Culture in*

Canada (Waterloo: CCSR, 1977), pp. 384-388.

55. Tom Sinclair-Faulkner, "You Can Get There From Here: Claude Ryan and Catholic Action in Québec," *The Chelsea Journal* (Nov./Dec. 1978), pp. 305-307.
56. *Maria Chapdelaine* (1983) directed by Gilles Carle for Astral Films Ltd.
57. William James, *The Varieties of Religious Experience* (New York: Mentor Books, 1958), p. 42.
58. Maurice Arguin, "Aliénation et conscience dans le roman québécois, 1944-1965," dans Fernand Dumont et al., *Idéologies au Canada français (1940-1976)* tome 1 (Québec: Laval, 1981), pp. 73-100.
59. Marie-Claire Blais, *Une saison dans la vie d'Emmanuel* (Montréal: Éditions du Jour, 1966).
60. Jacques Ferron, "Le bouddhiste," *Contes* (Montréal: Éditions HMH Ltée., 1979), pp. 101-103.
61. Robert Rumilly, *Henri Bourassa: la vie publique d'un grand Canadien* (Montréal: Fides, 1953).

ROGER HUTCHINSON

The Dene and Project North: Partners in Mission

À l'automne de 1975, les Églises anglicane, catholique romaine et unie ont créé une coalition inter-Églises, Projet Nord, afin d'exprimer leur désir d'appuyer "officiellement, ouvertement et clairement" les peuples autochtones dans leur lutte pour obtenir un règlement équitable de leurs revendications territoriales.

Une relation très étroite s'est établie entre Projet Nord et les Dénés lors du débat sur le gazoduc du Mackenzie. Les tensions qui ont alors émergé au sein des Églises, ainsi qu'entre l'Église et la société, étaient le reflet des différences d'opinion sur les mérites du projet de gazoduc, des différences d'interprétation sur le fond du débat, et des diverses perceptions du rôle des Églises dans cette affaire.

Au milieu des années 1970, l'activité des Églises au travers du Projet Nord illustrait une conception de la mission reposant sur la solidarité avec les groupes marginaux dans la lutte pour la justice. Une telle perception représentait un déplacement de la tendance traditionnelle qui appuyait les institutions en place et se concentrait sur la conversion et le salut. De 1974 à 1977, les Dénés, avec la participation active des Églises, firent de la décision au sujet du gazoduc l'objet d'une lutte entre deux visions antogonistes du Canada. On présentait la décision finale sur le gazoduc comme un choix clair entre l'autorité établie et injuste, et une nouvelle voie de développement fondée sur l'équité pour les autochtones et sur les valeurs d'une "société de conservation".

Vers la fin des années 70, la situation des Dénés avait changé. Il n'existait plus alors de décision unique, symbole de la lutte entre une voie de développement juste et une autre, injuste. Les Églises durent nuancer leur position en raison du nouveau contexte et ainsi concentrer leurs efforts non plus sur la dénonciation du péché social mais sur l'obtention de maigres acquis dans une société imparfaite.

L'analyse de la façon dont les Églises se sont adaptées au bouleversement de la situation des Dénés révèle la nécessité de modifier l'impression initiale selon laquelle la perception qu'avaient les Églises de leur rôle a évolué de l'appui traditionnel aux institutions déjà existantes vers la solidarité avec les groupes marginaux. Même dans le contexte d'un engagement général à traiter avec justice les groupes marginaux, il arrive qu'il convienne de soutenir les institutions en place. Le désir des Églises de soutenir les luttes de libération sans abandonner pour autant leurs responsabilités à l'égard de ces institutions s'est traduit par leur engagement en tant que partenaires dans ce type de mission. Ce modèle de mission concilie deux tendances, solidarité et responsabilité, et démontre la nécessité d'évaluer concrètement différentes réactions selon le contexte particulier à une situation donnée.

> *Mr. Blair, there is a life and death struggle going on between you and me. Somehow in your carpeted boardrooms, in your panelled office, you are plotting to take away from me the very centre of my existence. You are stealing my soul, my spirit... If you ever dig a trench through my land, you are cutting through me... Don't tell me you are not responsible. You are the twentieth-century General Custer. You have come to destroy the Dene nation. You are coming with your troops to slaughter us and steal land that is rightfully ours.*[1]

Mr. Commissioner, the hard fact is that without some sort of economic development, this land - this northern land, enormous, beautiful and awe-inspiring as it is - is not now supporting the population of the Northwest Territories. The hard fact is that many northerners whose forebearers lived off the land do not want to go back to the traditional means of making a livelihood. The hard fact is that at present there is insufficient economic activity in the North to give the opportunity for all those who seek wage employment to fulfill themselves in these territories.[2]

These statements to the Mackenzie Valley Pipeline Inquiry dramatize differences in outlook, not only in relation to the merits of the pipeline proposals, but also regarding what the pipeline debate was all about. The proponents of a pipeline to carry natural gas from Alaska and the Mackenzie Delta to southern markets assumed that such a project would be in the public interest. They focused attention on the technical aspects of such issues as supply and demand projections, the feasibility of building pipelines through permafrost, and impacts on the northern environment and the Canadian economy. Native leaders, on the other hand, knew that the proposal for a natural gas pipeline was the first stage in a development plan that would eventually include an oil pipeline and a transportation corridor along the Mackenzie Valley. They saw in these resource exploitation schemes a direct threat to their survival. The decision about a pipeline, therefore, was interpreted as part of a larger confrontation between opposing patterns of development and alternative ways of life.[3]

The mainline Canadian churches supported the native peoples' call for a moratorium on major resource development projects until their land claims had been satisfactorily settled. Resolutions on behalf of native rights were translated into active support in the fall of 1975 when the Anglican, Roman Catholic and United Churches created an inter-church coalition on northern development called Project North. The staff team, Hugh McCullum and Karmel Taylor-McCullum; an Administrative Committee, consisting of denominational representatives; and Project North supporters across the country interpreted their solidarity with the native peoples' call for a moratorium as a legitimate expression of the churches' mission and a practical application of the Christian ethic.

Promoters of a social interpretation of the gospel usually relate social justice activities to the report in Luke 4 that Jesus came to preach good news to the poor and to liberate the oppressed. However, the work of Project North can also be interpreted in relation to the Great Commission found in Matthew 28:19. The mandate to make disciples of all nations, baptizing them in the name of the Father, the Son and the Holy Spirit and teaching them that all that Jesus had taught, can be invoked to support liberation theology and a new approach to mission.[4] Mission as solidarity with oppressed groups has emerged as an alternative to the traditional emphasis on the conversion and salvation of individuals. This traditional evangelical approach to mission has often been accompanied by an uncritical acceptance of the economic system and social structures of the missionaries' own society, and a readiness to uproot converts from their communities in the interests of their personal salvation. It was this traditional view of mission which had prevailed in the mainline churches of Europe and North America; the creation of Project North and its sister inter-church coalitions by the Canadian churches reflected the new theology of mission as solidarity that was emerging in the 1960s and 1970s.[5]

The terms "traditional" and "new," whether applied to architectural styles or approaches to mission, can help to characterize significant changes in content, style or emphasis. However, as normative criteria they are notoriously unreliable. To understand and assess the churches' role in public policy debates it is necessary to look beyond such characterizations and to take a more contextual approach.

In a longer case study of the churches' involvement in the Mackenzie Valley pipeline debate the positions of opposing groups are being examined as responses to differing assessments of the merits of the pipeline proposals and different understandings of what the pipeline debate was all about. My limited aim in this paper is to show how the churches' support for the native peoples' interpretation of the pipeline debate as a confrontation between conflicting visions of Canadian society can be viewed in relation to different understandings of mission. What at first glance appeared to be an evolutionary development from traditional to new approaches to mission will, by the end of the paper, be recast as a recurrent tension between orientations which stress responsibility for established institutions, on the one hand, and solidarity with marginalized groups, on the other. As the churches adapted to the changing circumstances of the Dene by the late 1970s, it became clear that even within the context of a commitment to justice for marginalized groups there are times when less confrontational tactics and a more supportive attitude towards established institutions are appropriate. The churches' desire to support liberation struggles without abandoning their sense of responsibility for existing institutions receives expression in their commitment to a "partners-in-mission" model. This model of mission incorporates the tension between solidarity and responsibility orientations and affirms the need to assess different responses concretely in relation to particular contexts.

In the early 1970s it did not appear at all likely that within a few years there would be a raging debate over a Mackenzie Valley natural gas pipeline. It had been decided at a May 1970 meeting of top officials of relevant federal governmental departments "that the construction of a Mackenzie Valley pipeline would indeed be in the national interest."[6] The Minister of Indian Affairs and Northern Development had assured Dallas oilmen in March 1971 that: "We in Canada would welcome the building of such a gas pipeline through our country and would do everything that is reasonable to facilitate this particular development."[7] In an April 1972 preelection speech, Prime Minister Trudeau announced plans for a Mackenzie Valley highway. The route would be carefully selected "so that it will be indispensable when oil or gas pipelines are built along the Mackenzie Valley." The road would be completed before pipeline companies begin their projects "and will therefore offer considerable cost savings to them during the construction period."[8]

Appealing to what seemed at the time to be an inspiring historical precedent, Trudeau compared the proposed Mackenzie Valley transportation corridor to the "opening" of the West and the construction of the Canadian Pacific Railway:

> *A transportation system is the key to national development in the North. This northern transportation system is mind-boggling in its size. But then so was the very concept of a continent-wide fur trade 100 years ago. It's expensive, but so was the Canadian Pacific Railway a century ago. Is it too big a project for Canada? Only in the view of those who have lost faith in what Canada is all about.*[9]

In the 1972 election the Liberals were returned to power but as a minority government. It became increasingly clear that for many Canadians the Canadian Pacific Railway was no longer celebrated as our "national dream" but was a symbol of metropolitan domination of the prairie hinterland. Even for many Anglophone Canadians, Louis Riel had been rediscovered as a hero of the Metis struggle for their prairie homeland. He was no longer vilified as a traitor. New questions were being asked about "what Canada is all about." As François Bregha suggests, the stage was set for a great debate over the next massive development project.

> *By 1973 the Mackenzie pipeline had turned into a lightening rod for all those who were critical of the government's northern development policy. Public interest groups such as Pollution*

Probe and the Canadian Arctic Resources Committee were increasingly effective in questioning the dubious assumptions under which the government was proceeding; economic nationalists led by the Committee for an Independent Canada articulated a latent public concern about the pace and purpose of resource exploitation in the Arctic; most importantly, the native people were now organized and united in their resistance to development prior to the settlement of their claims.[10]

In the nineteenth century, as Robert Page pointed out in his submission to the Berger Inquiry, "The Metis on the banks of the Saskatchewan were merely another example of the inevitable casualties to economics, to economic progress and the relentless imperial progress of Canada from sea to sea."[11] The most dramatic indication that the Indians and Metis in the Mackenzie Valley did not intend to accept the same fate without a struggle, was their appeal to the Supreme Court of the Northwest Territories in September, 1973. In response to a petition by Mackenzie Valley Indian Chiefs, Mr. Justice William Morrow ruled that Treaties 8 and 11 had not extinguished aboriginal title to the 400,000 square miles of land involved. He further claimed that: "There exists a clear constitutional obligation on the part of the Canadian Government to protect the legal rights of the indigenous peoples in the area covered by the caveat."[12]

The Federal Government successfully appealed Judge Morrow's ruling, but "the native people had won an important psychological victory."[13] Furthermore, the Morrow decision was not an isolated event. As Bregha said:

The court-ordered halt on behalf of the Cree Indians of James Bay to the massive hydroelectric project in September 1973, even though it lasted only a week, constituted another unmistakable warning to the government. Even in the absence of future legal challenges the rules of the game had changed and a new note of uncertainty now existed.[14]

By the time the Minister of Indian Affairs and Northern Development and the National Energy Board received Arctic Gas' application for approval to build a Mackenzie Valley natural gas pipeline, the Government recognized the need for a full inquiry into its environmental and social impact.

Mr. Justice Thomas Berger of the British Columbia Supreme Court was appointed on March 21,1974, and asked:

> *to inquire into and report upon the terms and conditions that should be imposed in respect of any right-of-way that might be granted across Crown lands for the purposes of the proposed Mackenzie Valley Pipeline having regard to (a) the social, environmental and economic impact regionally, of the construction, operation and subsequent abandonment of the proposed pipeline in the Yukon and Northwest Territories, and (b) any proposals to meet the specific environmental and social concerns set out in the Expanded Guidelines for Northern Pipelines....*[15]

After preliminary hearings in 1974, Berger held formal hearings which included cross-examination of witnesses (32,353 pages of testimony plus 906 exhibits) and community hearings without cross-examination in the thirty-five communities along the proposed route and in ten southern centres (8,438 pages of testimony plus 663 exhibits).[16] Preliminary hearings were held to clarify the scope and procedures of the Inquiry. Community hearings were designed to allow ordinary citizens, and in particular the native peoples directly affected by the pipeline, to tell in their own words (and languages) what impact the pipelines would have on their lives. Even within the formal hearings there was a rhythm between "story telling" and "analysis."[17] During the first week each participant made an opening statement, without cross-examination, to identify subjects of general interest to the Inquiry. Beginning on March 11, 1975, witnesses called by the participants presented their findings and had their claims challenged by lawyers and experts appearing on behalf of other participants or the Commission itself. Hearings ended on November 19, 1976 after a week of final statements.

In the first volume of his report, tabled in the House of Commons on May 9, 1977, Berger recommended that for environmental reasons no pipeline should be permitted across the Northern Yukon, and that no pipeline should be built up the Mackenzie Valley until native claims were settled and native peoples had time to develop stronger institutions and a more stable economy. He mentioned in passing that a pipeline along the Alaska Highway would probably be the least undesirable way to transport Alaskan gas to the southern U.S. market.[18] In July 1977 the National Energy Board reaffirmed Berger's conclusion, and on August 8 federal government approval of an Alaska Highway pipeline was announced.

In his book, *Super Pipe: The Arctic Pipeline - World's Greatest Fiasco?*, Earle Gray, the former director of public affairs for Canadian Arctic Gas Pipelines Limited, made extravagant claims about the churches' impact on the decision not to build a Mackenzie Valley pipeline. In his view:

> *It was the churches who most actively worked with and helped finance the radical leadership of the Indian Brotherhood of the Northwest Territories. In public statements, in meetings with the Prime Minister and federal cabinet, in scores of presentations before the Berger Inquiry, in appearances before the National Energy Board, the churches stated their cause in rhetoric that was too often uncompromising, strident and filled with invective. They disputed the need for northern energy supplies; they raised the spectre of ecological disaster and devastation; they displayed an emotional xenophobia with strong inferences of domination by malignant American interests; and they accused both corporations and governments of deception and greedy motivations leading to purposeful exploitation and oppression.*[19]

After grudgingly acknowledging the churches' influence, while heaping scorn on their style, Gray identified the crucial issue:

> *But most of all, in the name of a just settlement of native land claims, they demanded a moratorium on all northern development and construction of northern pipelines, a moratorium of at least ten years, or however long it might take to implement settlement.*[20]

Gray overstated the extent to which the churches demanded a halt to all northern development. Also, he overlooked the controversy within the pro-moratorium wings of the churches about the length of the proposed moratorium and the debate within each denomination over the moratorium policy itself. He does, however, correctly point out that the churches both heard what the native peoples were saying and served as amplifiers and networks to spread the message to southern Canadians. The Dene found in the churches a surprisingly willing and effective ally in their attempts to block the pipeline and to move the debate beyond narrowly technical concerns to a clarification of fundamental beliefs and values. The churches in turn found in the Dene a valuable ally in their attempts to promote a just, participatory and sustainable society, i.e. their mission to make disciples of all nations or to call their nation to discipleship.

Historians will look back at the events of the mid-seventies and find ample evidence to support the conclusion that decisions were finally made in relation to factors such as economic necessities and political expediency.

My interest in this paper is not, however, in that aspect of the issue. My focus, rather, is on the actions themselves which were being carried out before the fate of the pipeline proposals was known. To illustrate how the churches saw the situation in the North in the mid-seventies, and how they attempted to influence the outcome of the debate, one of the churches' briefs to the Mackenzie Valley Pipeline Inquiry will be examined.

The brief presented by Project North on behalf of its member churches in June 1976 called for a moratorium "on all major resource development projects, including the Mackenzie Valley pipeline."[21] The moratorium was required in order to give native peoples time to achieve a satisfactory settlement of their claims and "to give Canadians an opportunity to work together to develop alternative lifestyles, based on conserver rather than consumer attitudes."[22]

The authority to speak in the name of the churches was based on resolutions and official statements adopted by Anglican, Roman Catholic and United Churches, as well as the Canadian Council of Churches. The brief also appealed to the fact that these churches, plus more recently the Lutherans and Presbyterians, had decided to jointly sponsor Project North. Finally, the brief cited the church leaders' brief, *Justice Demands Action*, which had been presented to the Prime Minister and the Cabinet on March 2, 1976. This statement had also called for a moratorium on major resource development projects in the Northwest Territories until a number of conditions were met, including a just settlement of native land claims.[23]

To explain why the churches were speaking out on an issue such as the pipeline, the brief appealed "To the Biblical imperatives of justice and liberation for the poor, the dispossessed and the minorities of this world (Habakkuk 2:9-10, Amos 5:7-11)." It was acknowledged that in the past the churches had become too accommodated to the established social order. They were too uncritical of:

> *An order which gives more priority to economic growth and profit-oriented values (which are called "realities") and less to social justice and human dignity (which are called "humanitarian sentiments"). In our experience we are discovering that justice and human dignity are not the automatic by-products of such economic growth.*[24]

In traditional Christian language, the brief called for repentance from sin. It insisted, however, that sin is social as well as individual:

> *Most of us live in and benefit from a socio-economic situation which is "sinful". By social sin, we mean that we create and*

sustain social and economic patterns of behaviour that bind and oppress, give privilege to the powerful and maintain systems of dependency, paternalism, racism and colonialism.[25]

Repentance from social sin would favour "a change of social priorities among all Canadians." This, in turn, required clarity regarding existing priorities and assumptions. A crucial assumption guiding Canadian public policy appeared to be that our society, as it presently operates, is basically sound and, that at most, a few adjustments are required to cope with changing conditions." Second, it was assumed "that problems can be isolated and analyzed and that the results can be re-integrated with other factors on the basis of rational, functional calculations."[26]

The problem with these assumptions, according to the brief, is that:

Emphasis is given to continuity with present practices and rational, technical decision-making by the "experts" (with only a) nod in the direction of citizen participation. These are assumptions that must be challenged given the existence of the serious problems of economic and cultural inequalities.[27]

As a further step in the clarification of existing assumptions, the struggle between pro-pipeline and anti-pipeline forces was pictured in dramatic terms. The situation was described as a confrontation between profit-hungry corporations and an energy-hungry South, on the one hand, versus native victims of misguided notions of progress on the other. In such a conflict, the churches were prepared to take sides in the name of justice and equality:

For there to be equality in this struggle it is necessary for the churches and all other groups interested in the moral and ethical questions of northern development to stand officially, openly and clearly on the side of justice for and the human rights of the Native People of this country.[28]

The debate over the pipeline did not simply raise the question of the human and aboriginal rights of native peoples:

It is also important to consider that Native People are on the cutting edge of turning the direction of our society's growth from materialism and consumerism to a more fundamentally human concept. In some ways the North is fighting the South's battles.[29]

The call for a moratorium was defended "not only at the moral and ethical level but at what the government and oil companies like to describe as the "practical" or "realistic" or "pragmatic" level." The last part of the brief was devoted to a consideration of the objectives which should be pursued as conditions for ending the moratorium. The first objective was a just settlement of all native land claims. Settlements which extinguish native claims, like the one negotiated with Northern Québec Indians and Inuit after construction had begun on the James Bay hydro development project, should be avoided.

> *The moratorium we propose would give all groups the necessary breathing space to negotiate and realize just land claims that reflect the wishes and the aspirations of the Dene and the Inuit. Unrealistic deadlines could be avoided and discussions could take place in an open and suitable manner in the North, rather than being rushed through a purely white man's process in Ottawa or Yellowknife.*[30]

A second objective involved native peoples' programmes for regional political economic development. "The slogan of the Native People, *Land Not Money*, reflects the desire for self-determination and control of their own destiny." This desire is both a legitimate goal in itself and a means towards survival. Economic development programmes based on renewable resources and traditional activities will "have little chance of development if the Native People are attempting to adjust to, and live within, the enormous social and economic unrest of the construction period for a pipeline."[31]

Adequate safeguards "to deal with environmental problems like oil spills, blowouts, damage to the terrain and the living creatures" should be in place before further major projects receive approval. "The hasty planning that has accompanied so many massive industrial and energy projects in the North exemplifies the frontier boom-or-bust mentality of colonial development." The brief argued that "a moratorium...should be used to change this pattern so that adequate safeguards are planned and included in proposals before the construction phase begins."[32]

Finally, the brief called for "adequate programmes to regulate domestic consumption and export of energy resources." Project North, along with other public interest groups such as Pollution Probe, the Committee for Justice and Liberty (now called Citizens for Public Justice), Oxfam, the Canadian Arctic Resources Committee and the Canadian Wildlife Federation were not convinced by the claims of government and industry that frontier gas and oil were urgently needed in the South. The

Canadian people had never received an adequate explanation of "the unbelievable discrepancy between 1971 and 1974 statements with respect to oil and gas reserves in this country." Until an independent public inquiry had produced "some straight answers on energy supply and demand so that the public can participate meaningfully in decision-making," there should be a moratorium on pipeline construction and offshore drilling. Information available about energy savings through waste reduction, deliverability of more Alberta gas to eastern markets (if Trans-Canada would meet the price asked by Alberta suppliers and if the Federal Government would guarantee that Alberta would receive Arctic gas at a later date), and the diversion of exports to domestic use which would be justified if supply conditions warranted it, convinced the authors of the brief that: "Surely the churches and Native organizations are justified in asking, "What's the rush to build the Mackenzie Valley pipeline when there are so many unanswered questions?"[33]

Russell Hatton, who presented the brief on behalf of Project North and its sponsoring denominations, concluded his presentation by relocating the "pragmatic," "realistic" economic and environmental arguments in the context of ethical concerns and a religious vision for Canada:

> *"In the final analysis," as the 1975 Roman Catholic Labour Day message reminds us, "what is required is nothing less than fundamental social change. Until we as a society begin to change our own life styles based on wealth and comfort, until we begin to change the profit-oriented priorities of our industrial system, we will continue placing exorbitant demands on the limited supplies of energy in the North and end up exploiting the people of the North in order to get those resources."*[34]

With a rhetorical flourish that Hatton loves to recall, he assured the Commissioner that:

> *It is our belief that simple tinkering and patchwork will not suffice to bring justice to its fullest extent in our society.*
>
> *We are talking about more than simple reformism and calling for more than mere individual conversion. We are calling for a conversion within our social and economic structures whereby policy making and decision making will begin to reflect and make practical the values of justice, dignity and fulfillment for every human being. Our corporate sins must*

> *be acknowledged and we must turn around, if we are to have a society that truly reflects the social consequences of the New Commandment. To bless the established order is to remain unconverted!*[35]

Although Project North did not explicity relate its call for "conversion within our social and economic structures" to the Great Commission, that connection is useful for reflecting on the relationship between Project North's activities and the churches' mission. The mandate to make disciples of all nations has obvious social implications, especially when Mattew's own context is taken seriously.

Evangelicals have tended to focus on bringing individuals to a first belief in Jesus and baptizing them in the name of the Father, Son and Holy Spirit. Teaching converts to observe the teachings of Jesus then follows as a second, if not secondary, step. This preoccupation with conversion to belief in Jesus has resulted in a neglect of the social content of what it means to be a disciple. For example, David Bosch, in the article referred to above, reports that only two of twenty-four North American mission executives, when asked about the connection between evangelism and social justice, recognized any relationship. Their general view was that:

> *The church exists for the purpose of worship, communion spiritual growth, and evangelistic witness. The more the church agitates for land reform, liberation from imperialism, etc., the more it dissipates the purpose for which it was founded.*[36]

It is unlikely, according to Bosch, that in Matthew's pre-Christendom context there would have been such a separation between belief in Jesus and the content of his teachings. The primary reality would have been the fellowship of the followers of Jesus' teachings. Accepting what Jesus taught, therefore, would have been an integral part of becoming a disciple. It would also have been the main sign of incorporation into the new fellowship; that is, into the new identity that was emerging in relation to their Jewish roots and gentile environment. The content of the teachings that defined the new fellowship was love and justice. "To love the other person means to have compassion for him or her and to see that justice is done. Love of neighbour and enemy manifests itself in justice."[37]

The tendency for the conversion and baptism of new converts to become separated from teaching them to observe all that Jesus had taught his disciples is related, according to Bosch, to how we understand what it means to teach.

> *For the Greeks, as for us, to teach (didáskein) was essentially an intellectual enterprise, in the sense of imparting knowledge and insight. Jesus' teaching, by contrast, was an appeal to his listeners' will and a call to a practical decision for or against God's will...whoever does the will of God is Christ's brother and sister and mother.*[38]

Bosch suggests that Western Christians need to look elsewhere for twentieth century equivalents of what it must have been like in Matthew's context to make disciples and to incorporate them into the new fellowship of Jesus' followers. "We need to look...in mainland China, or among African independent churches, or in the basic Christian communities of Latin America."[39] In such settings conversion and learning the teachings are integrally related to one another, and discipleship is directly connected to basic decisions about how to live in a particular situation. In fact, being persecuted for working for justice is often the most convincing sign that one belongs in the fellowship of those who have made the practical decision to do God's will.

For Project North, native peoples working for justice, and for participation in the decisions affecting their lives, were the most obvious carriers of a vision of the Canadian nation that was more in line with Jesus' teachings than the materialistic, exploitative vision of the dominant society. Thus, the Dene became partners in a mission to convert the nation to an alternative vision based on justice, interdependence and conserver society values.

The significance of this call for conversion, and the support it received in the Canadian churches, can be viewed in relation both to its continuity with the Great Commission, and to the timeliness and concrete focus of the demand to make a decisive choice between clearly defined options.

The churches' decision to stand openly, officially and wholeheartedly on the side of the native people before all the facts were in about the impact of the pipeline was an important source of encouragement for the Dene.[40] This support reinforced the momentum of the Dene attempt to block the pipeline until land claims were settled. The issue of justice was sharply focused by concentrating on the single, major decision about the pipeline. The fact that the natives' claim to the land had not been extinguished through treaties or settlements,[41] and the failure on the part of the pipeline applicants and the Federal Government to take the native peoples seriously as equal partners in negotiations, heightened the certainty with which the Dene and their supporters could maintain that justice was being denied. It was, therefore, timely during the crucial 1974-77 period to make a direct link between the decision about the Mackenzie Valley pipeline and the fundamental choice between conflicting images of the nation.

By the late 1970s, however, the situation became more ambiguous. When there was no longer a need to mobilize opposition to a particular major decision, the call for conversion lost its concreteness and timeliness. The separation of the call for conversion from a specific decision for or against the pipeline sharpened the tension between different understandings of mission which were tentatively characterized above as "traditional" and "new" approaches. It can now be more clearly seen how misleading it would be to imply that there was, within the Canadian churches, a uni-directional evolution from a "traditional" sense of responsibility for existing institutions to a "new" solidarity with marginalized groups. It is more accurate to regard "responsibility" and "solidarity" orientations as co-existing emphases which must be assessed in relation to specific actions in particular contexts.

The solidarity orientation, in its purest form, is based on the assumption that particular marginalized groups are the true followers of Jesus. Conversion to this view is a first step, to be followed later by concern about what that marginalized group wants or represents and how it is prepared to go after it. Extreme expressions of this stance attract the critical response Bosch levelled against the Zealot tendency to:

> *react in political indignation, believing that we can divert the course of history. In the name of God we might (condemn) unjust politics, exploitation and poverty. Our missionary involvement then consists of lending support to groups who are bent on overthrowing the status quo... in the vain hope of ushering in Utopia.*[42]

There is a tendency for advocates of a solidarity model of mission to separate the general commitment to standing with an oppressed group from a critical assessment of what the group represents, the means it is prepared to use, or the implications of particular proposals. Solidarity with the marginalized group is understood in such a way that criticism of particular actions is thought to be a betrayal of trust. Once it had been declared that "Native People are on the cutting edge of turning the direction of our society's growth from materialism and consumerism to a more fundamentally human concept," it was hard to be critical of particular policies without seeming to be against "a more fundamentally human concept." This tension between an abstract declaration of solidarity and a critical assessment of particular proposals was evident in some of the Project North discussions about how to respond if native peoples engaged in civil disobedience.

The responsibility orientation takes more seriously the post-Christendom context of Project North's mission to the nation. As John Webster Grant has pointed out, the present relationship between the churches and Canadian society can best be appreciated in relation to earlier stages.[43] The "planting of Christendom" and "building the nation" phases of our national life were followed by a period in which public life became increasingly secular and religion an increasingly private matter. Grant finds evidence in recent years of renewed interest in the religious dimension of public life, combined with greater awareness of the diversity of religious views.

The main difference between pre-Christendom and post-Christendom contexts is that in the latter the churches which support marginalized groups are also part of the established order. Members of those churches are understandably ambivalent about the attempts of other church members to convict them of social sin and to call for their conversion. The broad base of support for Project North and the Dene within the southern churches undoubtedly owed more to the legitimacy of the native peoples' demand for participation in the decisions affecting their lives than to the conviction that southern Christians were guilty of supporting a faulty vision of the nation.

During the late 1970s, the emphasis shifted from blocking the pipeline to solving the economic problems of native communities and explaining the content of proposals for native self-government. The Dene became more "responsible" and accommodating in their actions and in their language.[44] The solidarity orientation of Project North was redefined in relation to less dramatic forms of negotiation and advocacy. From the outset, the Dene had fought for their right to exist as a people with their own values and ways of doing things. When I speak of them as partners in a mission to the nation, I do not wish to imply that they wanted to impose their values on the rest of Canada. Their mission was to remove obstacles to their own survival. Thus, their efforts to decolonize themselves presupposed some changes in the society that colonized them. However, they did not envisage a permanently adversarial relationship with the dominant society. When they were negotiating joint ownership of drilling rigs with Esso Resources it would no longer have served their aim of closer co-operation to define the situation in terms of exploiter and exploited.

Similarly, now that discussions about native self-government are on the public agenda, the aim is to be treated as an equal rather than as a harbinger of the new order. Therefore, it is necessary to treat others as equals. It is no longer appropriate to act as if the conversion of these new partners in the work of implementing native self-government was a precondition for further negotiations.

Resources for dealing with the continuing tension between responsibility for mainline institutions and solidarity with marginalized groups can be found in the more comprehensive notion of a partnership model of mission. As John Webster Grant pointed out in his 1959 book, *God's People in India*, the days of a paternalistic approach are over.[45] To be a partner, rather than the object of charity or the passive recipient of superior knowledge, is to be self-defining and self-determining. Such a commitment to self-determination in the context of interdependence and mutual respect establishes the importance of grounding general orientations to responsibility or solidarity in concrete analyses of what is going on in a particular situation at a particular point in time.

It is possible to justify Project North's support for the escalation of the decision about a pipeline into a confrontation between conflicting visions of Canada. Not, however, because it represented a "new" approach to mission or because solidarity with a marginalized group is always better than a sense of responsibility for established institutions. Project North's aggressive, one-sided calls for a moratorium and for conversion must be defended on other grounds. Although I have not developed the argument in this paper, it can be shown that these calls for conversion represented a fitting response to the pipeline proposals in the mid-seventies and a justifiable contribution to the public inquiries into the socio-economic and environmental impacts of a Mackenzie Valley pipeline. As the context changed, however, and as the perceptions and strategies of the Dene themselves changed, it became appropriate in the late 1970s to adopt a more conciliatory, nuanced position.[46]

"New occasions teach new duties,"[47] and contexts will continue to change. The call for conversion during the early stages of the pipeline debate was related to the unconditional demand that the Dene had a right to participate in the decisions affecting their lives. It is not surprising that other groups such as the Lubicon Lake Band in Alberta and native women, whose most basic rights are being denied, have turned with confidence to the churches for support. Both of these cases illustrate once again, however, the complex manner in which responsibility and solidarity orientations are grounded in conflicting assessments of what is going on in a particular situation.

My limited aim in this paper has been to show how concrete decisions in connection with particular cases provide the occasions for specifying the content of the demand for justice. In so far as the paper includes a plea, it is for a renewed appreciation of the scope of mission and of the importance of relating concretely to particular contexts. There are times when it is appropriate to make absolute demands in solidarity with marginalized groups. There are also times, however, when the emphasis needs to be shifted towards the "responsibility for existing institutions" end of the spectrum. To be a good partner is to be able to read the signs of the times and to be able to discern in a particular situation who is a partner in mission and who is in need of conversion.

Roger Hutchinson
Department of Religious Studies
Victoria College
University of Toronto

Notes

1. Frank T'Seleie, Chief of Fort Good Hope Band, "Statement to the Mackenzie Valley Pipeline Inquiry, August 5, 1975," in Mel Watkins, ed., *Dene Nation: The Colony Within* (Toronto: University of Toronto Press, 1977), p. 16. Robert Blair was President of Foothills Pipe Lines Limited whose proposal for an Alaska Highway route was eventually accepted by the Federal Government in 1977.
2. Pierre Genest, Lawyer for Canadian Arctic Gas Pipelines Limited before the Mackenzie Valley Pipeline Inquiry, March 3, 1975. Cited in Martin O'Malley, *The Past and Future Land: An Account of the Berger Inquiry into the Mackenzie Valley Pipeline* (Toronto: Peter Martin Associates, 1976), pp. 1-2.
3. See O'Malley, p. 2 for an excerpt from the opening statement to the Berger Inquiry by Glen Bell, lawyer for the Indian Brotherhood of the Northwest Territories (later called the Dene Nation): "The issue is one which involves the struggle between two opposing concepts of economic development for the north. The pipeline proposal represents the *colonial* philosophy of development. Opposed to this notion of northern development is the *community* philosophy of development as exemplified by the native land claim."
4. For a recent example of a social interpretation of the Great Commision, see David J. Bosch, "The Scope of Mission," *International Review of Mission*, LXXIII. 289 (January 1984): pp. 17-32.
5. See Shoki Coe, "Contextualization as the Way Toward Reform," in Douglas Elwood, ed., *Asian Christian Theology: Emerging Themes* (Philadelphia: Westminster, 1980), pp. 48-55. The literature on liberation theology is also relevant.
6. Francois Bregha, *Bob Blair's Pipeline: The Business and Politics of Northern Energy Development Projects* (Toronto: James Lorimer and Company, 1979), p. 9.
7. Bregha, p. 25.
8. Cited by Bregha, p. 27.
9. Cited by Bregha, p. 31.
10. Bregha, p. 31.
11. For Robert Page's comments on the CPR before the Berger Inquiry, see Martin O'Malley, *The Past and Future Land: An Account of the Berger Inquiry into the Mackenzie Valley Pipeline* (Toronto: Peter Martin Associates Limited, 1976), pp. 56-68.
12. Cited by Rene Fumoleau, OMI, *As Long As This Land Shall Last: A History of Treaty 8 and Treaty 11, 1870-1939* (Toronto: McClelland and Steward Limited, 1973), p. 13.
13. Bregha, p. 31.

14. Bregha, p. 31.
15. Order-in-Council, P.C. 1974-641 in Thomas R. Berger, *Northern Frontier, Northern Homeland* (Ottawa: Minister of Supply and Services Canada, 1977).
16. Terry Cook, *Records of the Mackenzie Valley Pipeline Inquiry* (RG 126) (Ottawa: Public Archives Canada, Federal Archives Division, 1980), p. 2.
17. For the distinction between *story telling* and *analysis*, see my article "Cyprus Consultation on Political Ethics," in *The Ecumenist*, 20, 2 (January-February, 1982): 28. "Members of marginalized groups, whether oppressed minorities or silenced majorities such as women and colonized peoples, often experience the demand to do analysis as the demand to submit to the authority of somebody else's mode of analysis. Even when this is done in the name of their own liberation, for marginalized people this is simply another form of domination." Berger's decision to hold community hearings without cross-examination demonstrated his sensitivity to the integrity of different modes of discourse. I am suggesting that opening and closing statements without cross-examination represents a similar rhythm between stating a position *as a whole* and taking it apart for detailed claim-by-claim scrutiny.
18. Berger, pp. xiii and xiv.
19. Earle Gray, *Super Pipe* (Toronto: Griffin House, 1979), p. 147.
20. Gray, p. 147.
21. "A Call for a Moratorium: Some Moral and Ethical Considerations Relating to the Mackenzie Valley Pipeline."
22. See Science Council of Canada, *Report No. 27, Canada as a Conserver Society: Resource Uncertainties and the Need for New Technologies* (Ottawa: Supply and Services Canada, 1977).
23. Project North Brief, pp. 1-6.
24. Ibid., p. 7.
25. Ibid., p. 7.
26. Ibid., p. 8.
27. Ibid., p. 8.
28. Ibid., pp. 12-13.
29. Ibid., p. 13.
30. Ibid., p. 14.
31. Ibid., p. 16.
32. Ibid., p. 16.
33. Ibid., pp. 16-20.
34. Ibid., p. 21.
35. Ibid., pp. 9-10.
36. Bosch, p. 29.
37. Ibid., p. 27.
38. Ibid., p. 25.
39. Ibid., p. 26.
40. Letter from Georges Erasmus, Dene leader, to Project North Administrative Committee, Fed. 18, 1977, expressing appreciation for "the expression of support from the church constituency which has helped the Dene to realize that they are not alone in this struggle for justice." (General Synod Archives, Anglican Church House).

41. Rene Fumoleau, OMI, *As Long As This Land Shall Last: A History of Treaty 8 and Treaty 11, 1870-1939* (Toronto: McClelland and Stewart, 1973).
42. Bosch, p. 31.
43. "Religion and the Quest for a National Identity: The Background in Canadian History," Peter Slater, ed., *Religion and Culture in Canada* (Waterloo: Wilfrid Laurier University Press, 1977).
44. *DENENDEH: the Dene Struggle for a Pluralist Province* (CJL Foundation, Political Servive Bulletin, Jan., 1982).
45. (Toronto: Ryerson Press, 1959). See also my "Social Action and Mission in the Eighties," Terry Brown and Christopher Lind, eds., *Justice as Mission: An Agenda for the Church* (Burlington, Ontario: Trinity Press, 1985), pp. 85-94.
46. I am presently working on a book-length case study of the churches' involvement in the Mackenzie Valley pipeline debate. I gratefully acknowledge financial support from the Social Sciences and Humanities Research Council in aid of this research.
47. From James Russell Lowell's hymn, "Once to Every Man and Nation."